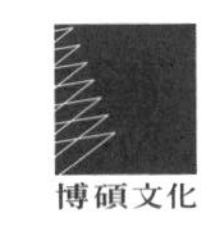

Excel [illegible]
商務應用

8堂 一點就通的基礎活用課

吳燦銘 著

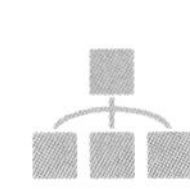

作　　者：吳燦銘
責任編輯：賴彥穎

董 事 長：陳來勝
總 經 理：陳錦輝

出　　版：博碩文化股份有限公司
地　　址：221 新北市汐止區新台五路一段 112 號 10 樓 A 棟
電話 (02) 2696-2869　傳真 (02) 2696-2867

郵撥帳號：17484299　戶名：博碩文化股份有限公司
博碩網站：http://www.drmaster.com.tw
讀者服務信箱：dr26962869@gmail.com
訂單服務專線：(02) 2696-2869 分機 238、519
（週一至週五 09:30 ～ 12:00；13:30 ～ 17:00）

版　　次：2020 年 06 月初版
2021年3月初版2刷
建議零售價：新台幣 380 元
I S B N：978-986-434-497-0
律師顧問：鳴權法律事務所 陳曉鳴律師

本書如有破損或裝訂錯誤，請寄回本公司更換

國家圖書館出版品預行編目資料

Excel 2016 商務應用：8 堂一點就通的基礎活用課 / 吳燦銘作. -- 初版. -- 新北市：博碩文化, 2020.06
面；　公分
ISBN 978-986-434-497-0(平裝附光碟片)

1.EXCEL 2016(電腦程式)

312.49E9　　109008217

Printed in Taiwan

序

陸陸續續寫過多本的Excel實用範例書，Excel每改版一次，就會針對新增的功能和讀者的來函意見做爲新書的寫作指標。坊間雖然也出了類似以商用實務爲主題的書籍，但是不是實例介紹的過於簡單，就是以艱深而又複雜的函數和VBA語法譁眾取寵。作者不是自賣自誇，有多年的會計行政的實務經驗支持，只要認眞學習本書的所有內容，已經足以應付中小企業行政會計實務上的所有工作。

本書在架構安排上每一章均爲實際範例，但在章節內容安排上仍由淺入深、循序漸進。同時讀者也可以針對欲學習的主題單獨進行，在每一章所提供的獨立、完整的範例檔案下，您可以優先學習您所需要的內容。老師在授課時，也可以單獨挑選欲施教的主題，完全不用擔心範例不連貫的情形。

最後希望讀者能在學習本書內容後，將Excel的功能融會貫通、活用在日常工作或者生活上。無論未來Excel版本如何變更，基本的功能應該不會有太大的變化。祝福各位讀者有個愉快而又輕鬆的Excel學習之旅。

吳燦銘　敬筆

目錄

Chapter 00 ▸ Excel 功能快速上手

contents

PART 1 管理表單基礎篇

Chapter 01 ▶ 表單 - 辦公室員工輪值表

Chapter 02 ▶ 在職訓練成績計算、排名

Chapter 03 ▶ 業務績效與樞紐分析

Chapter 04 ▶ 樣版 - 員工出勤記錄時數統計

PART 2 財務會計實戰篇

Chapter 07 人事薪資系統應用

Chapter 08 ▶ 人事薪資資料

Chapter 09 ▶ 應收應付票據管理應用

Chapter 10 ▶ 製作財務損益表

Chapter 11 ▶ 製作資產負債表

Chapter 14 ▸ 投資理財私房專案規劃

Chapter 15 ▸ 股票交易資訊分析與試算

附錄 A ▸ Excel 小技巧(電子書)

附錄 B ▸ Excel 函數說明(電子書)

CHAPTER

00 Excel 功能快速上手

學習重點

- Excel 的基本操作
- 介紹儲存格資料格式
- 資料排序與篩選功能
- 認識圖表功能

本章簡介

Excel 是常用的商業試算表軟體，透過它可以進行資料整合、統計分析、排序篩選以及圖表建立等功能。不論在商業應用上得到專業的肯定，甚至在日常生活、學校課業也處處可見。基本上，Excel 具備以下三種基本功能：

- 電子試算表

  具有建立工作表、資料編輯、運算處理、檔案存取管理及工作表列印等基本功能。

- 統計圖表

  能夠依照工作表的資料，進行繪製各種統計圖表，如直線圖、立體圖或圓形圖等分析圖表，並可透過附加的圖形物件裝點工作表，使圖表更加出色。

- 資料分析

  依照建立的資料清單，進行資料排序的工作，並將符合條件的資料，加以篩選或進行樞鈕分析等資料庫管理操作。

Excel 2016

範例成果

	A	B	C	D	E	F	G	H
1	月份	產品代號	產品種類	銷售地區	業務人員編號	單價	數量	總金額
2	1	G0350	電腦遊戲	日本	A0901	5000	1000	5000000
3	1	F0901	繪圖軟體	日本	A0901	10000	2000	20000000
4	1	G0350	電腦遊戲	韓國	A0902	3000	2000	6000000
5	1	A0302	應用軟體	韓國	A0903	8000	4000	32000000
6	1	G0350	電腦遊戲	美西	A0905	4000	500	2000000
7	1	F0901	繪圖軟體	美西	A0905	8000	1500	12000000
8	1	A0302	應用軟體	美西	A0905	12000	2000	24000000
9	1	F0901	繪圖軟體	東南亞	A0908	4000	3000	12000000
10	1	G0350	電腦遊戲	東南亞	A0908	2000	5000	10000000
11	1	A0302	應用軟體	東南亞	A0908	5000	6000	30000000
12	1	F0901	繪圖軟體	美東	A0906	8000	2000	16000000
13	1	G0350	電腦遊戲	美東	A0906	4000	1000	4000000
14	1	F0901	繪圖軟體	英國	A0906	9000	500	4500000
15	1	A0302	應用軟體	英國	A0906	13000	600	7800000
16	1	F0901	繪圖軟體	德國	A0907	9000	700	6300000
17	1	G0350	電腦遊戲	德國	A0907	5000	12000	60000000
18	1	F0901	繪圖軟體	義大利	A0909	5000	5000	25000000
19	1	G0350	電腦遊戲	義大利	A0909	2000	3000	6000000
20	1	A0302	應用軟體	義大利	A0909	8000	8000	64000000

Chart1 | 銷售業績 | Sheet2 | S ...

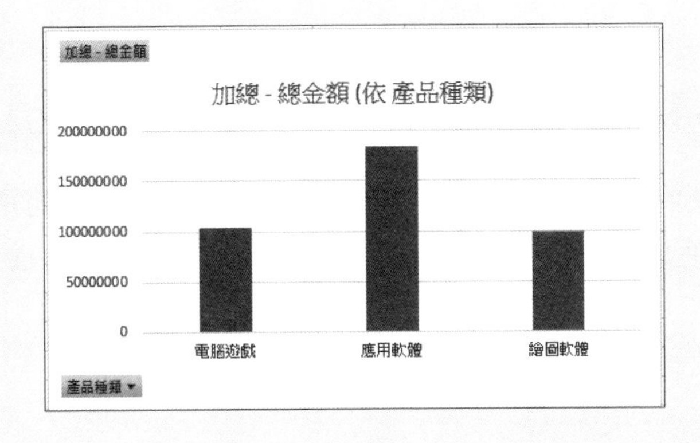

0-1 2016 新版面亮相

當啓動 Excel 2016 軟體後，會自動開啓一個新檔案，稱之爲「活頁簿」，預設檔案名稱爲「活頁簿 1」，並依序命名，副檔名爲 .xlsx。每個活頁簿檔案均會預設工作表，可利用視窗下方的工作表標籤，用滑鼠點選的方式進行切換，每張工作表皆是由「直欄」與「橫列」交錯所產生的「儲存格」組成。其工作環境如下圖所示：

■ 工作表：在新的活頁簿可以看到 1 張空白工作表，使用者也可透過「檔案 / 選項」進行變更要預設多少張工作表。預設的工作表名稱依序爲「工作表 1」、「工作表 2」、「工作表 3」，顯示於活頁簿底端的工作表標籤列，當滑鼠點選特定的工作表標籤時，該工作表就會成爲「作用工作表」。

- 儲存格：最基本的工作單位，當輸入或執行運算時，每個「儲存格」都可視為個別的獨立單位。「欄名」是依據英文字母順序命名，「列號」則以數字來排列，欄與列交叉的定位點則稱為「儲存格位址」或「儲存格參照」，例如 B3（第三列 B 欄）、E10（第十列 E 欄）等。選取儲存格可利用滑鼠直接點選，或者使用鍵盤方向鍵切換，被選取的儲存格則稱為「作用儲存格」。
- 名稱方塊：用來顯示作用儲存格的位址、定義的範圍名稱，或是被選取的儲存格範圍。

功能區中顯示了大部分常用的工具鈕，如果想要加大工作區域，可以將滑鼠游標移到功能區中，按下滑鼠右鍵，選取「最小化功能區」指令，或者按下 ^「摺疊功能區」鈕來隱藏功能區。

若要恢復顯示功能區，只需將滑鼠移到功能區標籤，按下滑鼠右鍵，取消勾選「摺疊功能區」指令，即可重新顯示功能區。

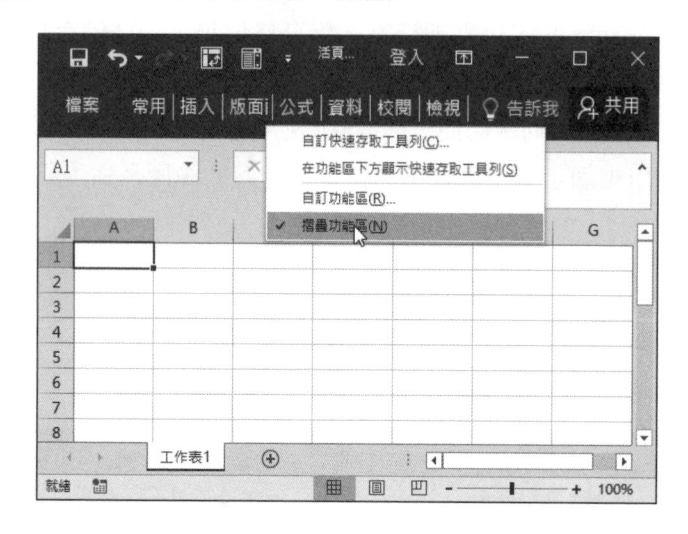

0-1-1 儲存格中輸入資料

如果要在儲存格中開始輸入資料，必須先以滑鼠點選儲存格使其成為「作用儲存格」，然後直接使用鍵盤輸入資料即可。如下圖所示：

正在輸入或修改資料時，狀態列上會顯示「輸入」或「編輯」字樣，當資料內容鍵入完畢，即按下「Enter」鍵完成輸入，狀態列上的字樣也會轉變為「就緒」。

■ 儲存格移動方式

輸入鍵	儲存格方式
Enter 鍵	往下移動一格
Tab 鍵	往右移動一格
Shift 鍵與 Tab 鍵	往左移動一格
方向鍵「↑」、「↓」、「←」、「→」	移動到上下左右各一格的位置
Shift 鍵與 Enter 鍵	往上移動一格

0-1-2 編修儲存格內容

如果整個儲存格內容需要修改，只要重新選取要修改的儲存格，直接輸入新資料，按下 Enter 鍵就可以取代原來內容。如果需要保留原有的內容或僅作部分的修改，則先選取該儲存格後，在「資料編輯列」中按下滑鼠左鍵產生插入點，隨後移動插入點的位置來新增文字。別忘記使用 BackSpace 鍵可刪除插入點左邊的字元、Delete 鍵可刪除插入點右邊的字元、方向鍵可移動插入點等。

0-1-3 儲存格選取功能

工作表中的儲存格可以藉由不同的「選取」方法，同時選取單一或多個儲存格成為「作用範圍」，以方便同時進行編輯。當您針對這些儲存格進行相同的編輯動作時，事先選取的儲存格「作用範圍」會呈反白狀，常用的選取方法有以下五種：

作用範圍	操作說明
單一選取範圍	如果是單一儲存格，則直接以滑鼠點選即可。或者是類似矩形區域的相鄰儲存格，先選取第一個儲存格，再按 Shift 鍵來選取此相鄰區域的最後一個儲存格。
多重選取範圍	當作用範圍不是相鄰區域時，稱為「多重範圍」，這時可按住 Ctrl 鍵來一一選取。
全欄選取	按滑鼠左鍵，在欄號上拖曳選取。
全列選取	按滑鼠左鍵，在列號上拖曳選取。
工作表選取	以滑鼠按下工作表左上方的「全選鈕」。

以下以實際的範例來練習儲存格內容選取與複製：

範例 選取與複製功能的應用

Step 1

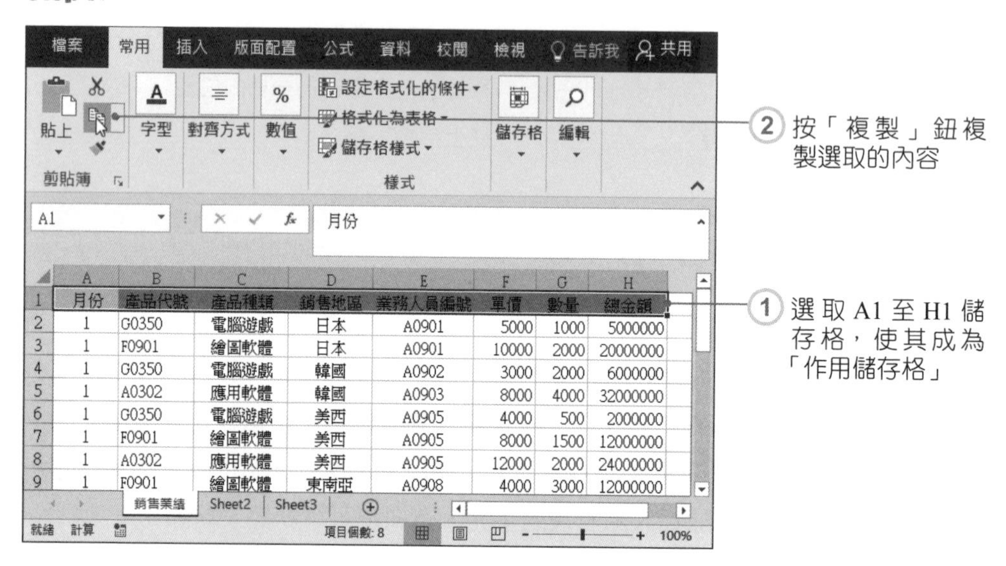

Step 2

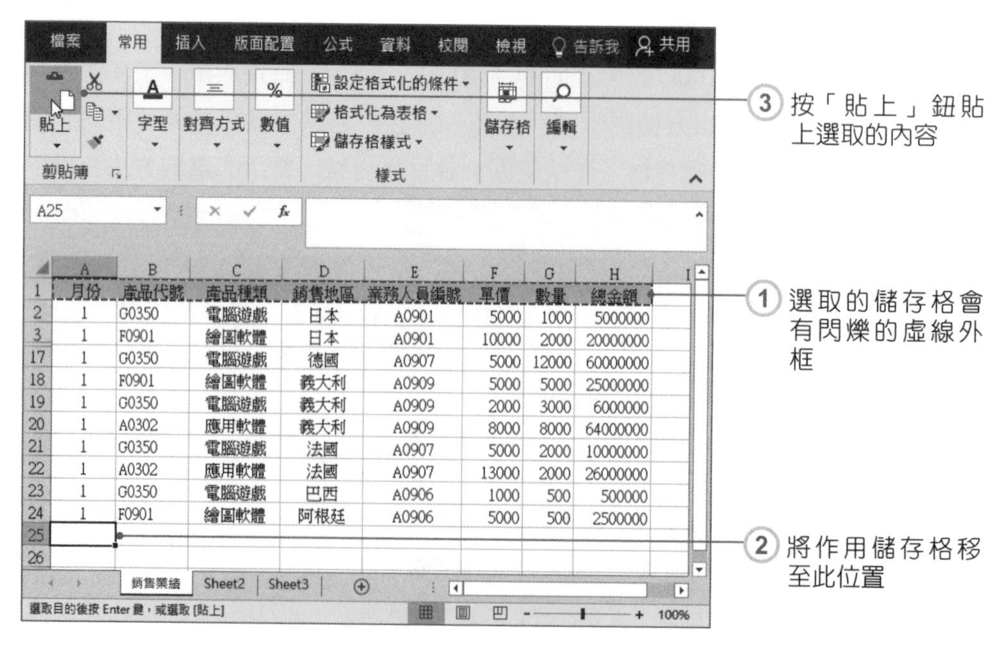

Step 3

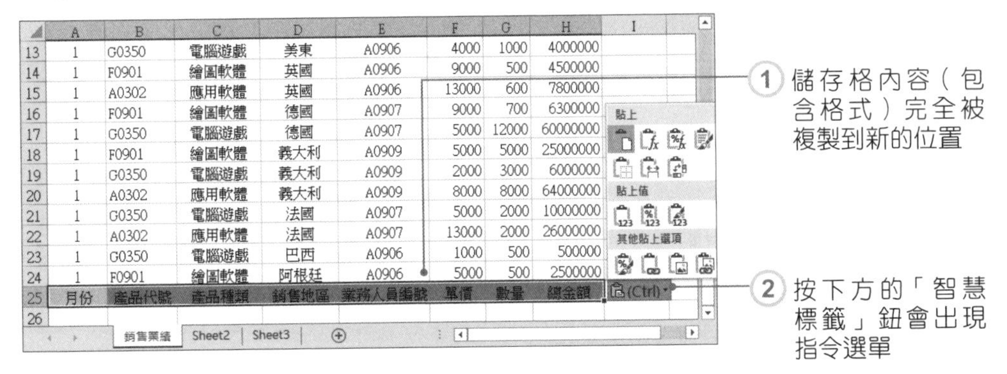

Tips 移動儲存格的功能也類似，只是將「複製」指令換成「剪下」指令。

0-2 儲存格資料格式

每個儲存格的資料，Excel 都會給予一種「資料格式」，不同的「資料格式」在儲存格上會有不同的表現方式。如果使用者沒有特別指定，Excel 會自行判斷資料內容的格式，給予應有的呈現方式。不過使用者可以透過手動的方式來修改儲存格的資料格式。通常儲存格中能夠輸入的資料型態區分爲「常數」與「公式」兩種，在本節中將分別爲您介紹。

0-2-1 常數輸入方式

常數型態的資料內容輸入後，就不會再改變，其中又包含有文字、數值及日期三種基本資料型態：

資料型態	功能說明	注意事項
文字	首先以滑鼠選取儲存格，然後輸入中 / 英文內容即可。	預設為靠左對齊，如果在儲存格中輸入阿拉伯數字（如 123），則會當成數值，要當成文字必須加上「'」符號（如 '123）。
數值	輸入方式與文字資料相同，不過當數值過大時，系統會自動以「科學記號法」來表示，如果儲存格的欄寬不足，在儲存格中會以連續的「#」符號來表示。	預設為靠右對齊，尤其分數資料與日期資料相似，為了區別起見，在輸入分數時，左邊一定要補齊數字。例如「1/2」，要輸入為「0 1/2」，否則會成為日期資料「1 月 2 日」。
日期 / 時間	當在儲存格上輸入日期 / 時間資料的方法時，要特別注意所使用的格式，如果不依照格式輸入，那麼輸入的資料將被視為文字型態。	預設為靠右對齊，也是屬於數值資料，彼此間也可做運算。

以下將示範如何將儲存格的西元日期格式轉換成爲民國日期格式：

範例 轉換日期格式

Step 1

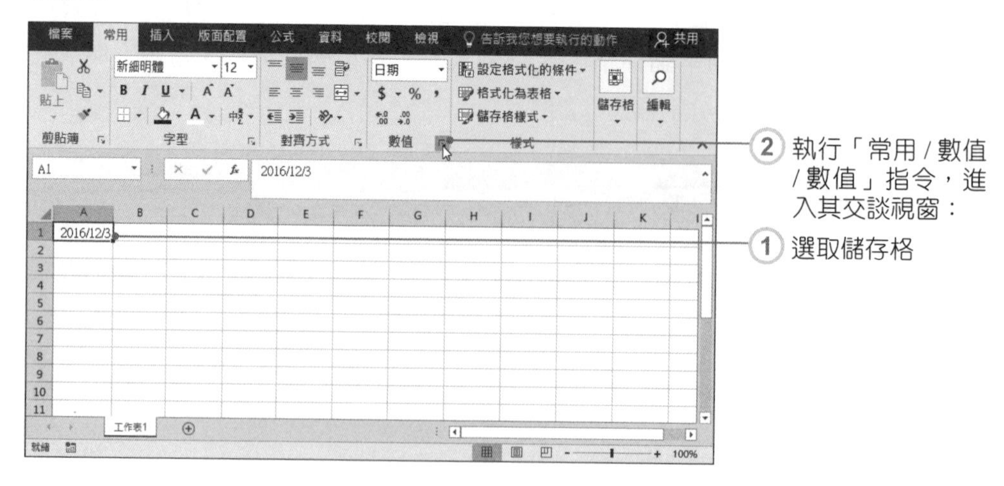

Step 2

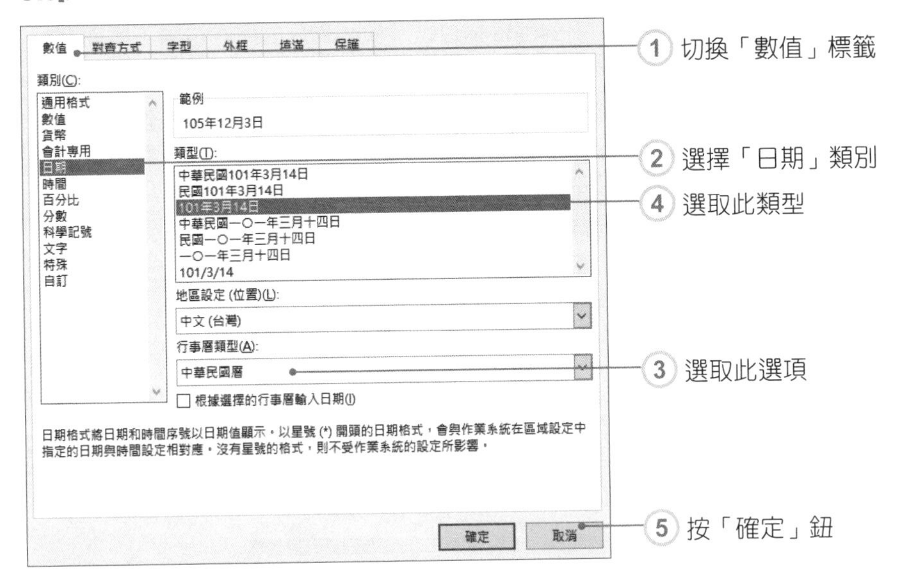

Step 3

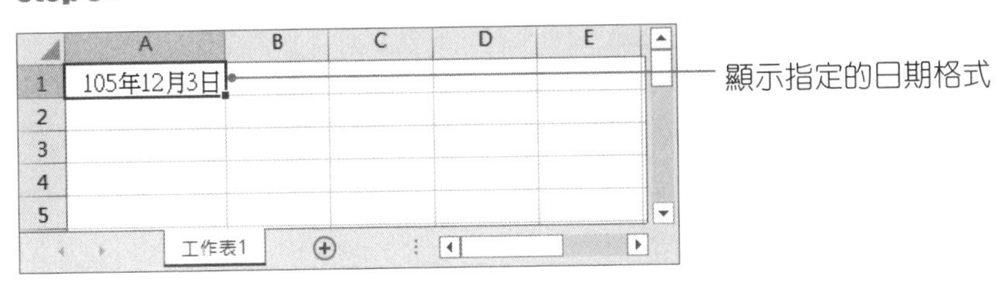

Tips 按 "Ctrl + ; " 鍵，就可自動加入今天的日期，按 "Ctrl + Shift + ; " 鍵，可自動輸入目前的時間。

0-2-2　儲存格參照位址

「公式」與「函數」的輸入方式，更是 Excel 使用者一定要會的兩項功能。首先來瞭解何謂「儲存格參照位址」。在 Excel 工作表中，每一個儲存格都有「獨一無二」的儲存格位址，這個位址是由工作表中以「欄名 + 列號」的方式組合而成的。儲存格參照位址又可區分為以下三種：

儲存格位址類型	內容說明
相對參照位址	公式中所使用的儲存格位址，會因為公式所在位置不同而有相對性的變更，表示法如「B3」。
絕對參照位址	公式內的儲存格位址不會因為儲存格位置的改變而變更位址，例如經過公式複製後，仍指向同一位址的儲存格。表示法是在相對參照位址前加上「$」符號，如「$B$3」。
混合參照位址	綜合上述兩種表示方式，我們可混合使用。也就是當僅需固定某欄參照，而列必需改變參照，或是僅需固定某列參照，而欄必需改變參照時。表示方式如「$B3」或「B$3」。

例如「B 欄」與「2 列」交叉的儲存格位置，即稱爲「B2」儲存格參照位址，當公式或函數中要表示此儲存格時，只要填入此參照位址 (B2)，即可進行相關的動作，如下圖所示：

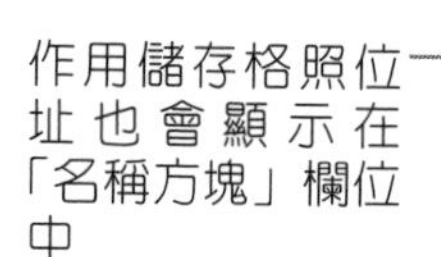

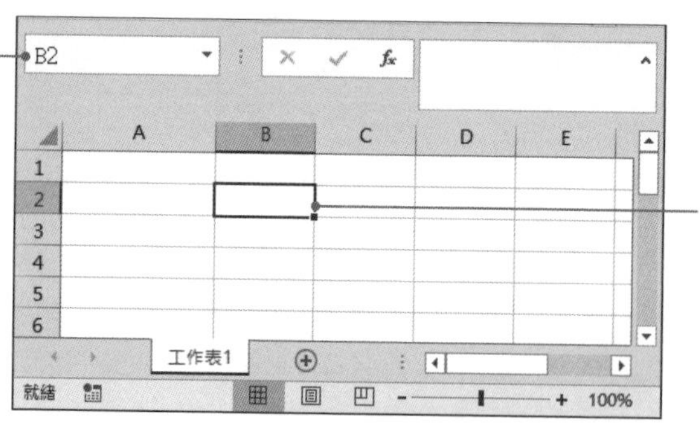

0-2-3 公式與函數簡介

在 Excel 中可利用公式來幫我們進行數據的運算，Excel 的公式形式可以分爲以下三種：

公式形式	功能說明	範例說明
數學公式	這種公式是由數學運算子、數值及儲存格位址組成。	=C1*C2/D1*0.5
文字連結公式	公式中要加上文字，必須以兩個雙引號（"）將文字括起來，而文字中的內容互相連結，則使用（&）符號。	=" 平均分數 "&A1
比較公式	是由儲存格位址、數值或公式兩相比較的結果。	=D1>=SUM(A1:A2)

而「函數」就是 Excel 中預先定義好的公式，除了能夠簡化複雜的公式運算內容外，使用者也能夠更清楚儲存格內容所代表的意義。函數的基本格式如下：

= 函數名稱 (引數 1, 引數 2…, 引數 N)

Tips 所謂「引數」是指要傳入函數中進行運算的內容，可以是參照位址、儲存範圍、文字、數值、其他函數等。例如 =SUM(B3:E3)，其中 B3、E3 則稱為引數。一般函數中的引數個數最多可達 30 個，如果函數中沒有引數，也一定要有小括號存在。

Excel 的內建函數可分爲多種類別，例如：有財務、日期與時間、數學與三角函數、統計、檢視與參照、資料庫、文字、邏輯、資訊、工程…等。以下是 Excel 中常用函數介紹：

函數語法	函數說明	運算實例
MAX (引數 1, 引數 2…)	求取指定範圍中的最大值。	MAX(A2:B3)，求 A2 到 B3 範圍內的最大值。
MIN (引數 1, 引數 2…)	求取指定範圍中的最小值。	MIN(A2:B3)，求 A2 到 B3 範圍內的最小值。
AVERAGE (引數 1, 引數 2…)	計算所引數範圍內的平均值。	AVERAGE(B2:D3)，計算 B2、C2、D2、B3、C3、D3 的平均值。
COUNT (引數 1, 引數 2…)	計算指定範圍內，含有數值資料的個數。	COUNT(A1:C3)，計算 A1:C3 儲存格範圍內數值資料的個數。
IF (判斷式 , 條件成立時的執行程序 , 條件不成立時的執行程序)	可用來測試數值和公式條件，並傳回不同的結果。	IF(D2>=60," 成績及格 ", " 成績不及格 ")，如果 D2 的數值大於等於 60，則顯示 " 成績及格 "，否則 " 成績不及格 "。

0-2-4 公式與函數的輸入方式

儲存格中不論是輸入公式或函數，它都必須以「=」符號爲開始。例如將 C2 儲存格的內容，以公式「=A2+B2」來代替，那麼 C2 儲存格的值，就是 A2 與 B2 儲存格內容值的和，如下圖所示：

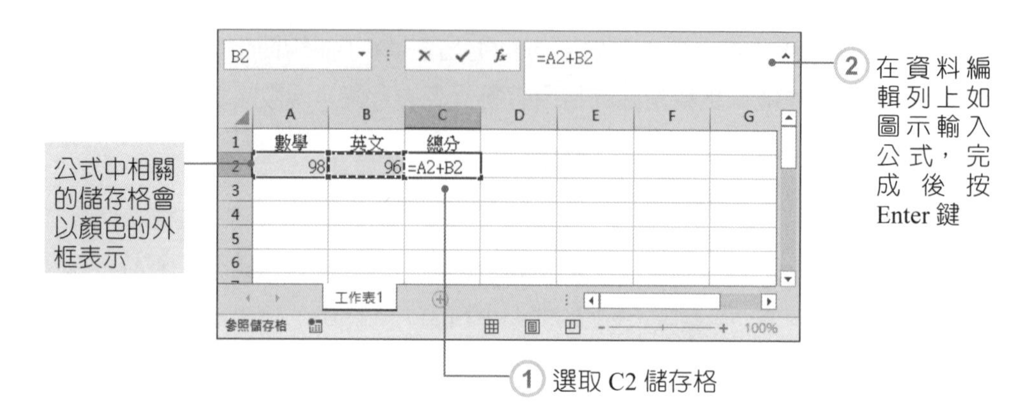

當公式輸入完成後，儲存格上會自動顯示公式計算結果，而在資料編輯列上則顯示完整的公式內容。

至於函數的輸入方法與公式大同小異，同樣以「=」符號爲開始，有以下兩種方式：

① 手動輸入函數：選取儲存格後，以鍵盤輸入函數名稱及相關引數內容，輸入後，按 Enter 鍵完成。

② 使用函數精靈：使用函數精靈輸入函數，能夠幫助使用者選擇想要的函數，對於相關引數的輸入也有詳細的說明，示範如下：

Step 1

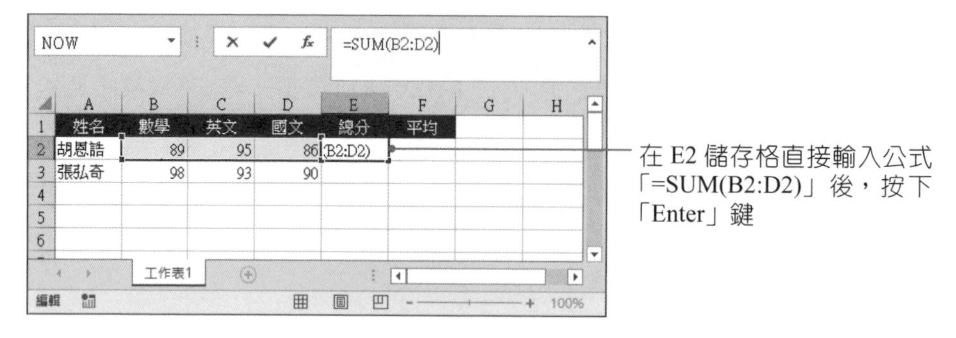

Step 2

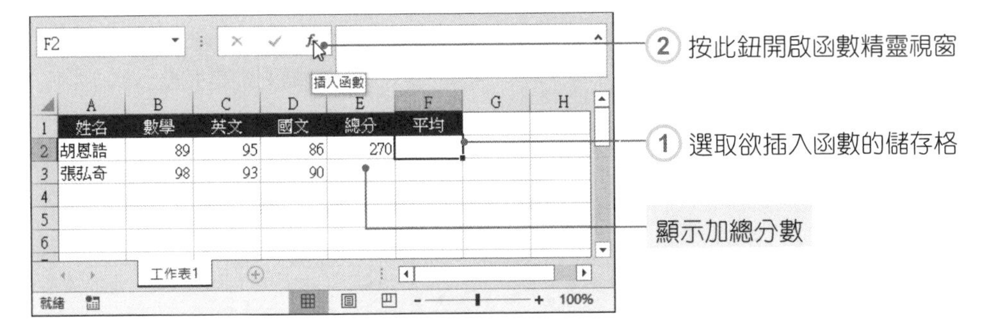

Step 3

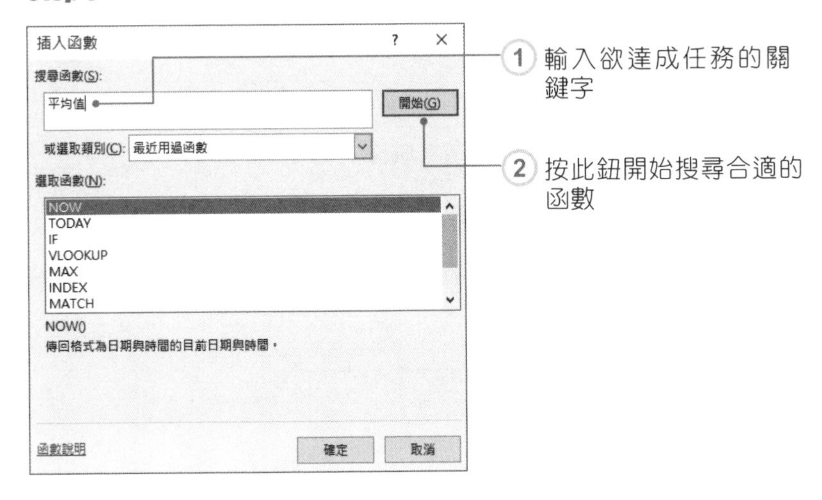

Step 4

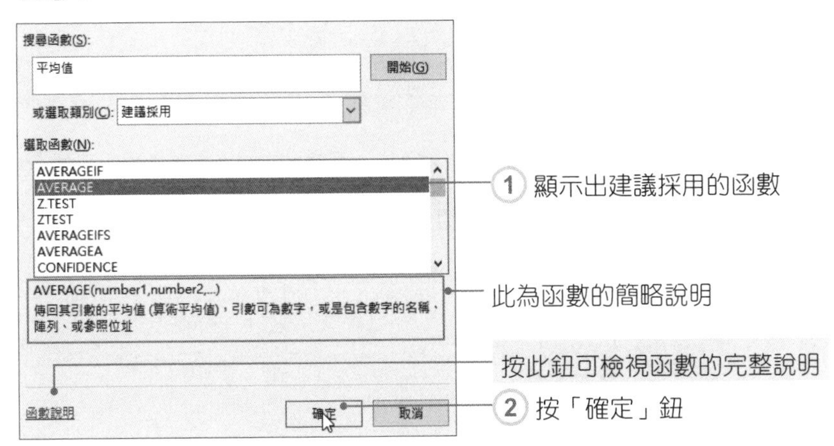

Step 5

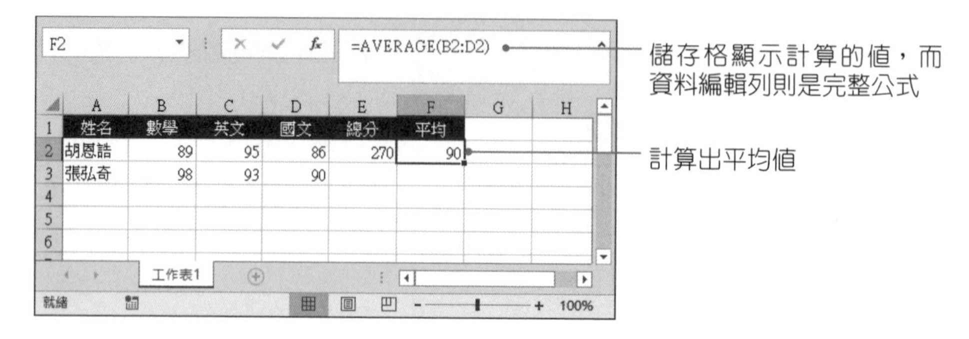

0-2-5 自動填滿功能

「作用儲存格」下方有一個小方點稱爲「填滿控點」，主要的功用是複製儲存格資料到其他相鄰儲存格，簡化輸入的程序。填滿的方式有四種：

1. 文字填滿

   選取儲存格範圍後，拖曳右下方「填滿控點」，即能夠快速複製相同文字內容到其他儲存格：

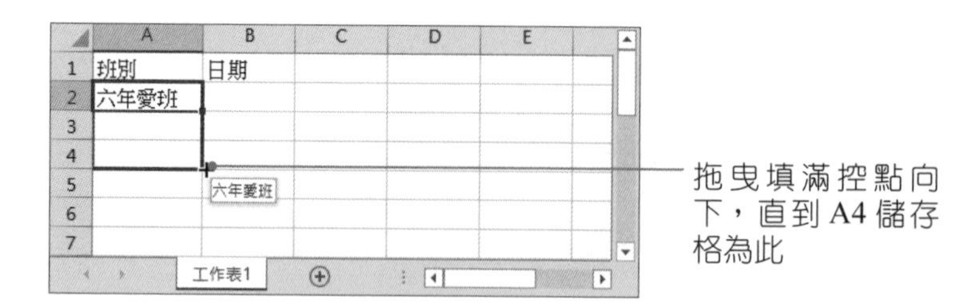

2. 數列填滿

   如果所選取的儲存格內容是數值或日期資料，那麼拖曳填滿控點進行複製時，則會以數列遞增或遞減方式填入資料。

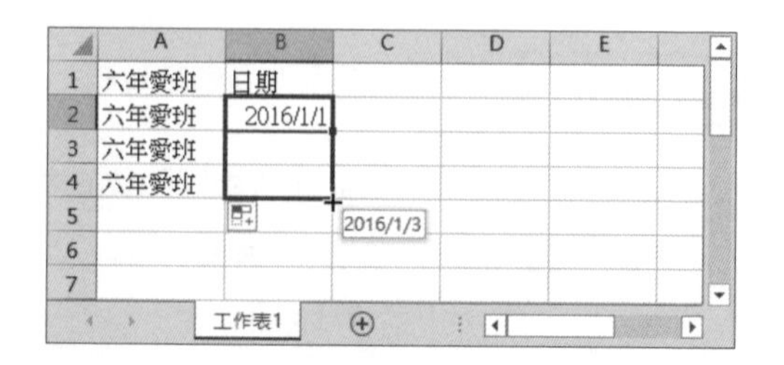

3. 清單數列填滿

儲存格中的內容如果含有一些國字數列（如：子、丑、寅…或週一、週二、週三…），遇到這些文字時，可以使用拖曳的方式快速依序填滿：

Step 1

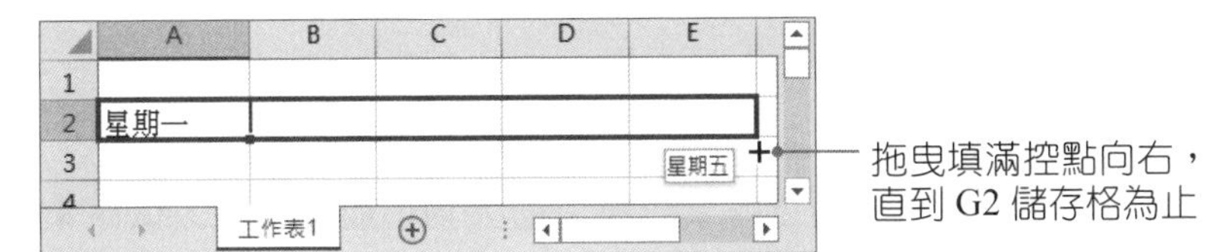

Step 2

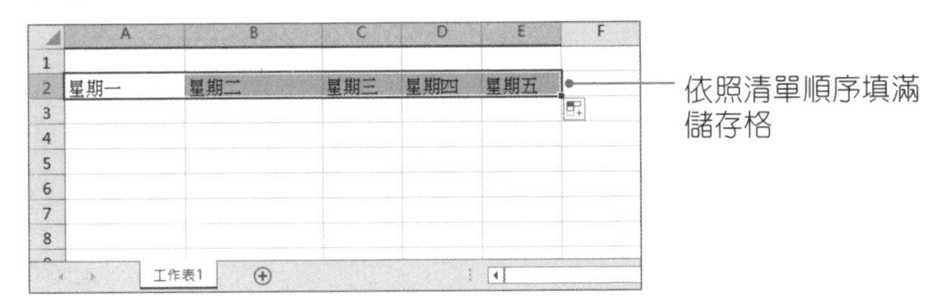

4. 公式（或函數）填滿

公式（或函數）也可以利用填滿控點功能，將公式（或函數）填滿到所選取的儲存格：

Step 1

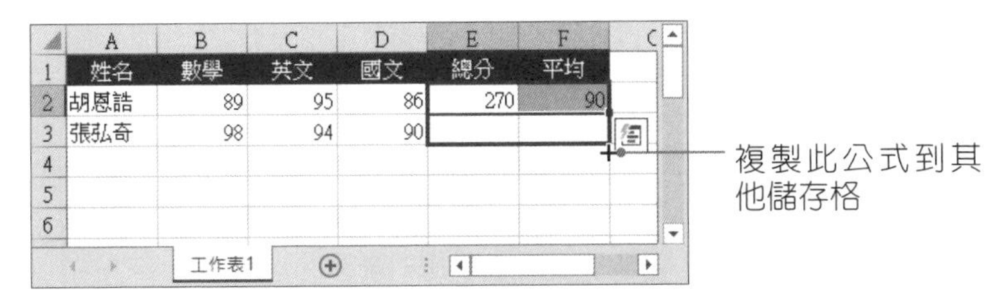

Step 2

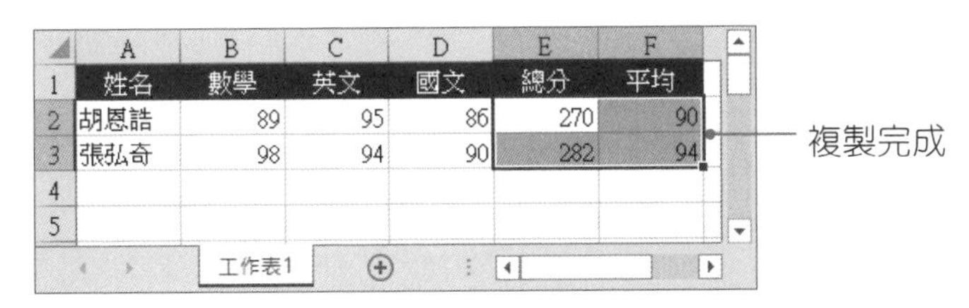

0-3 資料排序與篩選功能

Excel 的資料「排序」與「篩選」功能，為資料分析時相當重要的工具。除了可以讓您快速找到某一資料外，更可以瞭解各資料記錄間的相對關係。

0-3-1 資料排序

Excel 的排序功能可以讓資料內容依照某一欄位由大到小或由小到大依序來排列。排序方法有兩種，介紹如下：

① 以滑鼠選取要進行排序的欄位，然後按下「遞增排序」鈕 A↓Z 或「遞減排序」鈕 Z↓A，即可將所選取的資料進行排序。

② 第二種方式可以同時進行多個條件的排序，只要點選「資料 / 排序」工具鈕，開啟「排序」視窗，則可依照指定的層級進行排序。

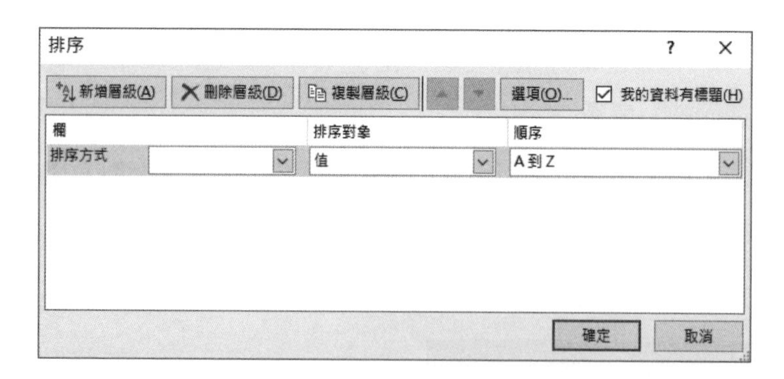

Tips Excel 可設定超過三個以上的排序層級，會以「排序方式」的欄位內容為優先排列的依據，接著再以「次要排序方式」等排序層級依序往下排序。

現在請您開啟範例檔「軟體銷售.xlsx」，實際地以「總金額」欄位來進行資料的排序處理：

Step 1

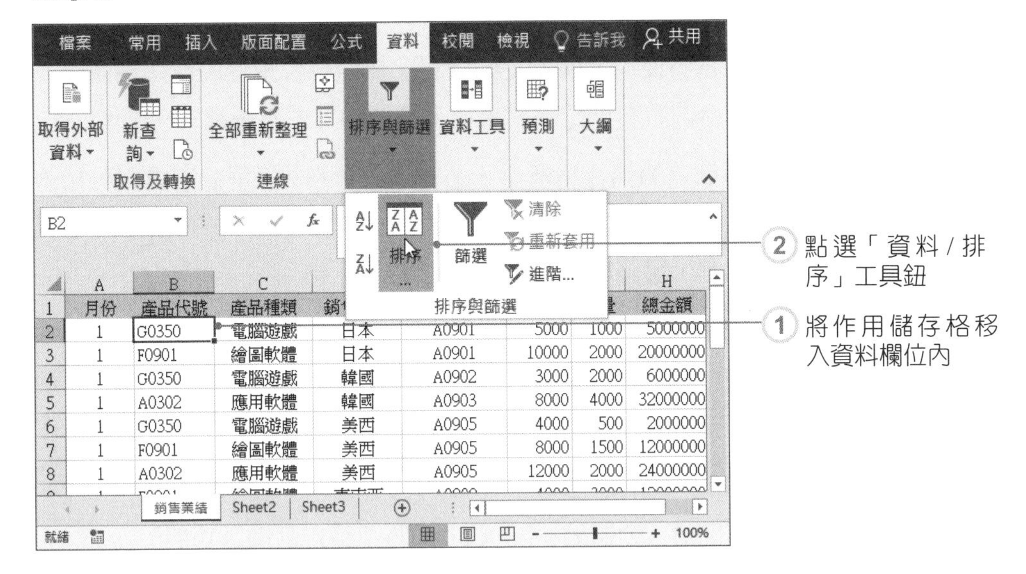

Step 2

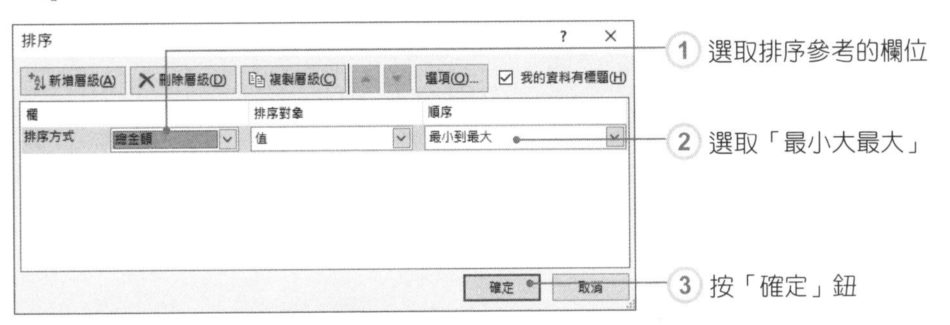

Step 3

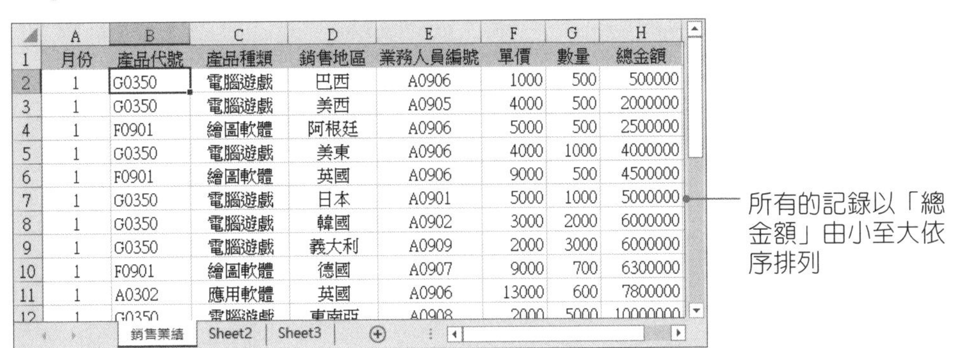

0-3-2 資料篩選

「資料篩選」功能為將使用者所指定的資料，依照符合規定的清單過濾，並顯示於工作表上，不符合的資料則隱藏於幕後，篩選的方式有兩種：

① 自動篩選：選取要篩選的儲存格清單，並點選「資料 / 篩選」工具鈕，接著直接點選欄位旁的「展開鈕」，由下拉清單中選擇篩選條件，可使用一個或多個欄位來進行篩選，可將結果顯示在原工作表上。

② 進階篩選：選取要篩選的儲存格清單，並點選「資料 / 進階」工具鈕，在「進階篩選」視窗中，可以設定「資料範圍」來指定資料清單的範圍與「準則範圍」來指定「篩選條件區」的範圍，結果可顯示在原工作表或其他工作表上，適用於較複雜的篩選動作。

現在請重新開啓範例檔「軟體銷售.xlsx」，即將示範自動篩選功能：

Step 1

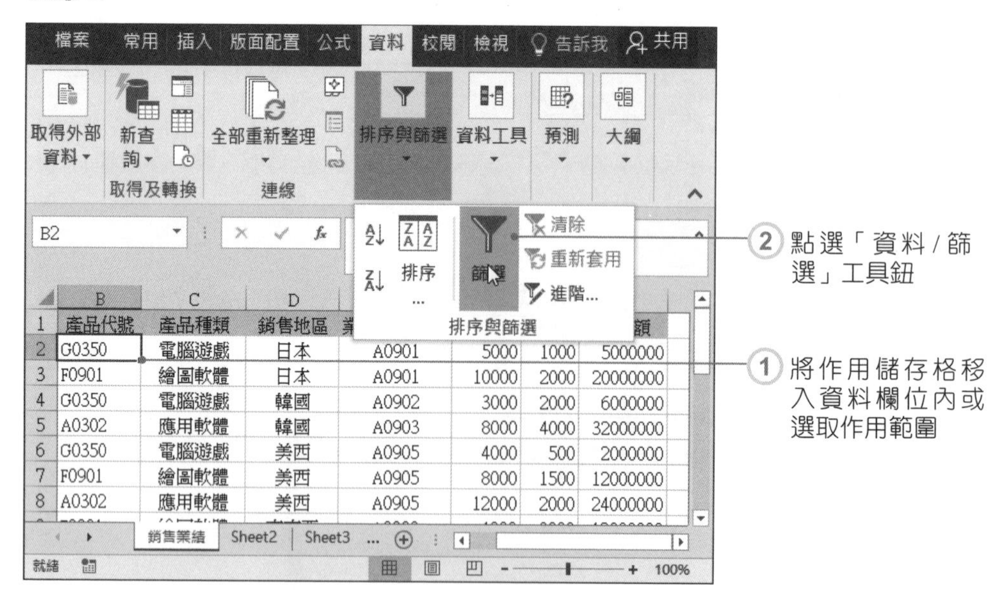

Step 2

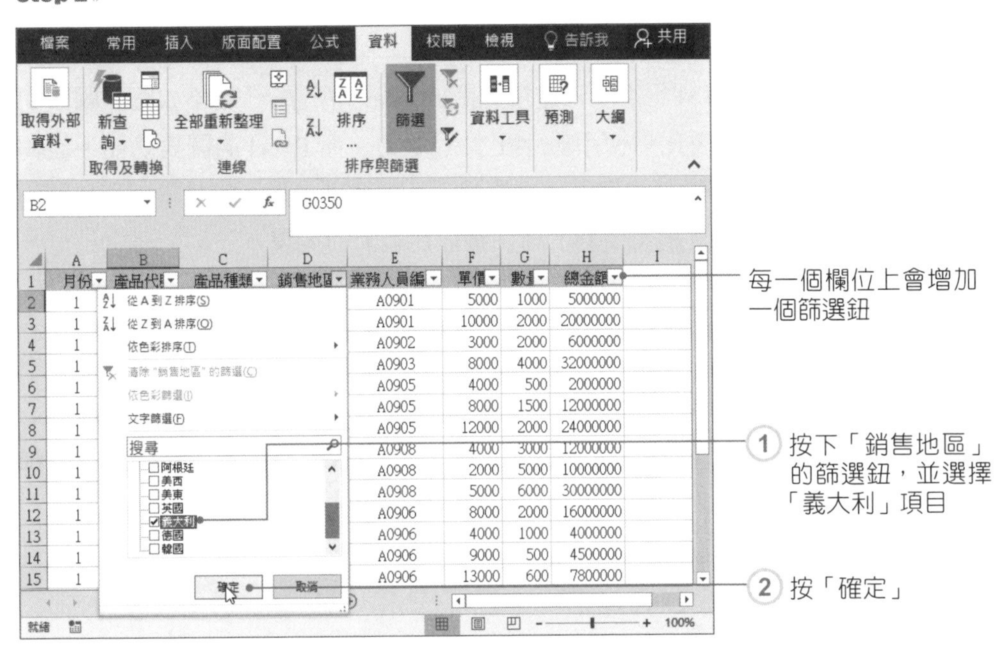

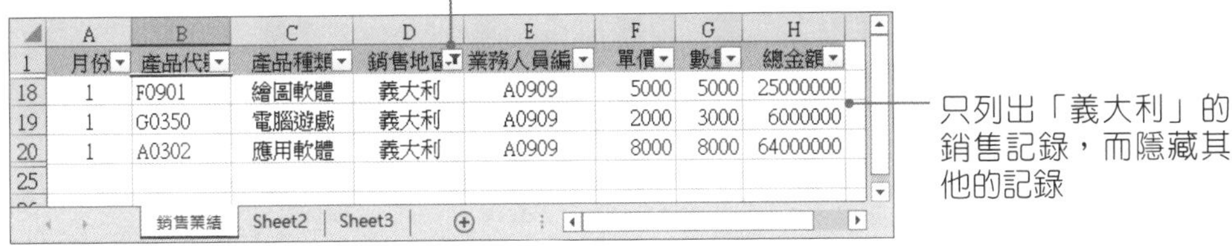

當每個欄位建立自動篩選鈕時，您可以同時設定多個欄位來進行篩選，這些不同欄位的篩選條件會以「交集」的方式來過濾資料記錄。例如，您可以找出「A0906 人員銷售的繪圖軟體」的銷售記錄：

0-4 認識圖表功能

只有單純的數值資料並不能表達彼此間的關係，所謂：「文不如圖，圖不如表。」透過圖表的呈現要比只使用數字更具說服力。而 Excel 的圖表功能，能夠把工作表上的數據資料輕易的製作成專業圖表，讓使用者更能輕易辨別資料間的差異性，可以說是結合「數據資料」與「圖形比較」的表現方式。

0-4-1 圖表元件介紹

首先工作表中必須輸入資料數據才能建立圖表，接著執行「插入 / 圖表」功能區塊，啟動「圖表精靈」視窗即可繪製圖表。Excel 提供了如長條圖、橫條圖、折線圖等十四種圖形。首先來介紹圖表的各種組成元件：

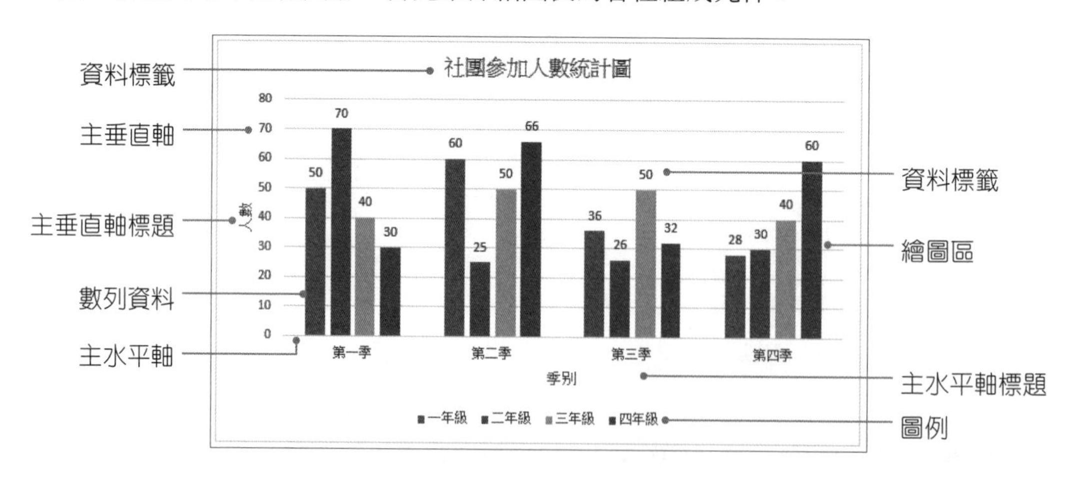

圖表元件	功能
圖表區	整張圖表範圍。
圖表標題	顯示圖表的名稱。
主垂直軸	顯示資料數值的座標軸。
主水平軸	顯示資料類別的座標軸。
資料標籤	標示數列的數值內容，或同時顯示數列的類別名稱。
圖例	用來辨識圖表中資料數列或類別圖樣。
繪圖區	顯示圖表的背景顏色及樣式。

0-4-2 圖表的建立

現在請各位開啓範例檔「社團人數統計.xlsx」，來實作一份簡易的長條圖圖表：

Step 1

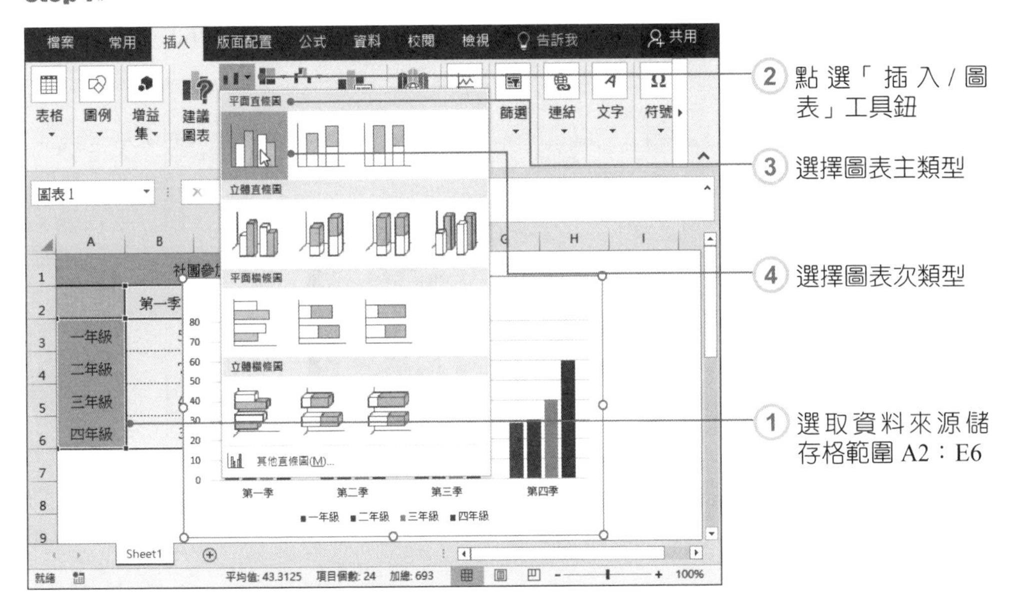

Step 2

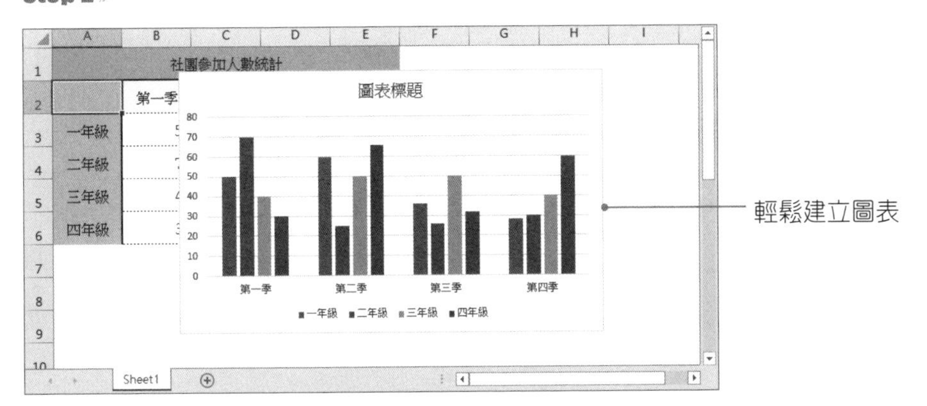

0-4-3 圖表的編輯

當圖表建立後，使用者可以針對各組成元件的字型大小、配色、文字內容等屬性，來改變系統預設的狀態。當編輯圖表各元件屬性時，只要在該元件上按滑鼠右鍵，即能啓動該元件的對應設定工具列與指令快顯清單。例如在「圖表標題」元件上按滑鼠右鍵一下，即可開啓「文字格式設定」工具列與指令快顯清單：

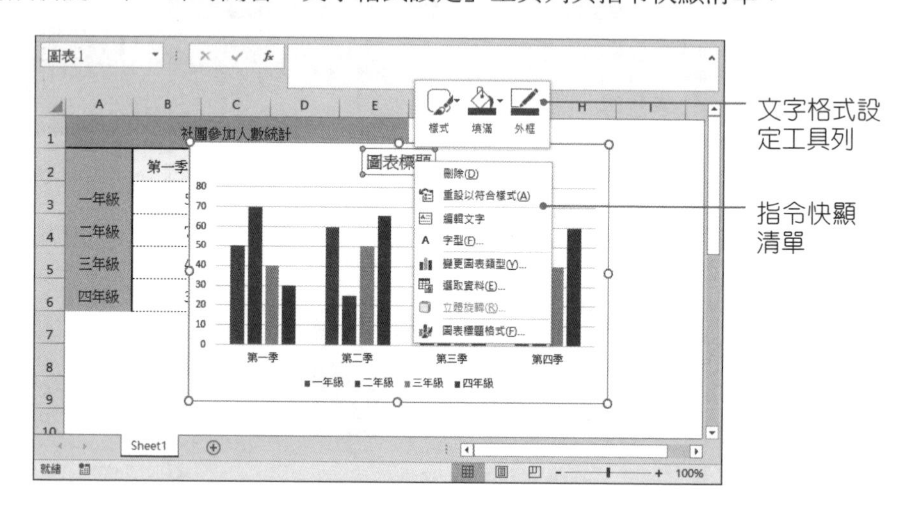

Tips Excel 中資料來源與圖表之間的互動性可是相當高的。當圖表建立完成後，如果修改資料來源儲存格中的數據，圖表本身會立即改變以符合目前最新的資料數據。

0-4-4 樞紐分析表簡介

樞紐分析表就是依照使用者的需求而製作的互動式資料表，可以藉由樞紐分析表中的欄位改變，得到不同的檢視結果。也就是一種動態圖的檢視效果。例如主管要一份今年 3-5 月的產品銷售金額統計表，並可依所銷售區域來做分類查詢，這就是一份樞紐分析表。

樞紐分析表是由四種元件組成，分別爲欄標籤、列標籤、值及報表篩選，如下圖所示：

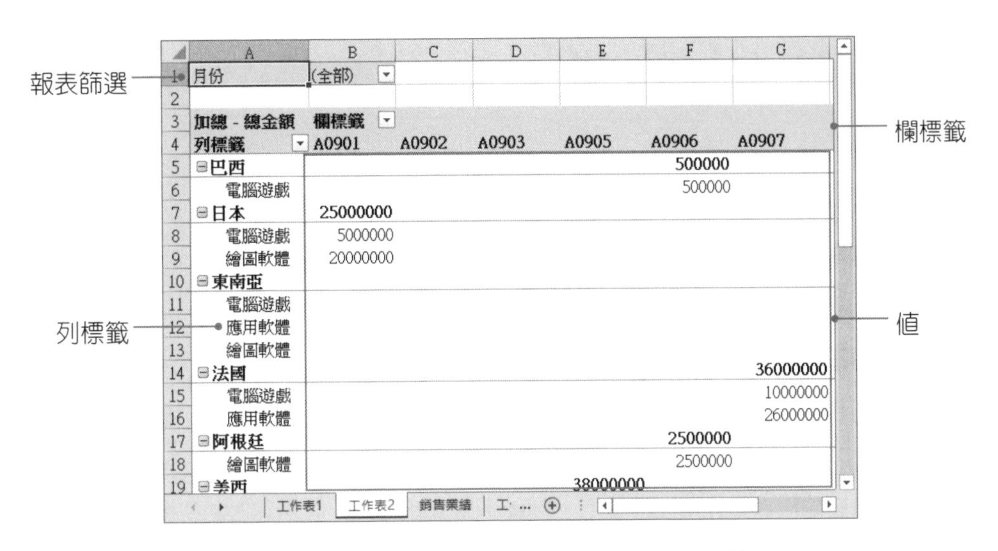

- 欄標籤與列標籤：通常為使用者用來查詢資料的主要根據。
- 值：由欄與列交叉產生的儲存格內容，即顯示資料的欄位。
- 報表篩選：並非樞紐分析表必要的組成元件，可自由設定想查看的區域或範圍。

樞紐分析表的建立相當簡單，只要點選「插入 / 樞紐分析表」工具鈕並進行資料欄位與內容的設定即可完成。不過要建立樞紐分析表之前，必須先了解資料分析的依據與詳盡規劃所要建立的表格內容。

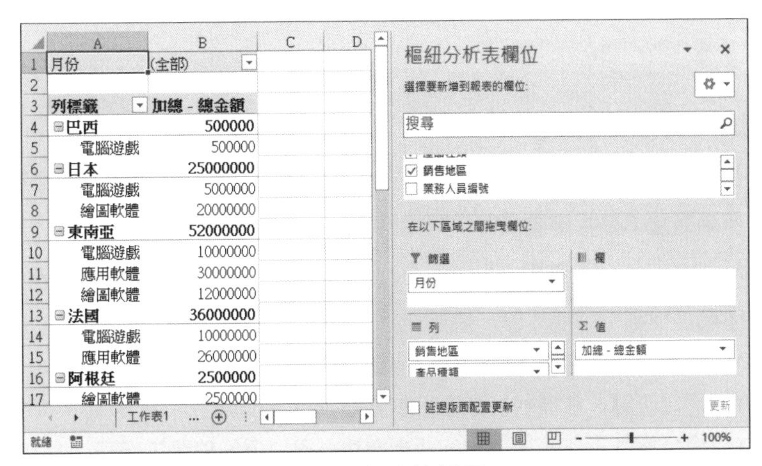

樞紐分析表範例圖

實力評量

是非題

( ) 1. 當啟動 Excel 軟體後，會自動開啟一個新檔案，稱之為「活頁簿」。

( ) 2. 工作表皆是由「直欄」與「橫列」交錯所產生的「儲存格」組成。

( ) 3. 被選取的儲存格則稱為「名稱方塊」。

( ) 4. 若要恢復顯示功能區，只需將滑鼠移到功能區標籤，按下滑鼠右鍵，重新執行「最小化功能區」指令。

( ) 5. 當資料內容鍵入完畢，即按下「Enter」鍵完成輸入，狀態列上的字樣也會轉變為「輸入」。

( ) 6.「作用儲存格」下方有一個小方點稱為「填滿控點」。

( ) 7. Excel 中可設定超過三個以上的排序層級。

( ) 8.「資料篩選」功能為將使用者所指定的資料，依照符合規定的清單過濾，並顯示於工作表上，不符合的資料則隱藏於幕後。

( ) 9. 樞紐分析表就是依照使用者的需求而製作的互動式資料表。

( ) 10. 樞紐分析表是由四種元件組成，分別為欄標籤、列標籤、值及報表篩選。

選擇題

( ) 1. Excel 具備的基本功能不包括？
(A) 電子試算表 (B) 統計圖表 (C) 資料分析 (D) 圖形建模

( ) 2. 當作用範圍不是相鄰區域時，可同時按住哪一個鍵來一一選取？
(A) Ctrl (B) Shift (C) Alt (D) Caps Lock

( ) 3. 關於儲存格選取功能，哪一項操作不正確？
(A) 如果是單一儲存格，則直接以滑鼠點選即可
(B) 按滑鼠左鍵，在欄號上拖曳可以全欄選取
(C) 以滑鼠按下工作表左上方的「全選鈕」可以選取整張工作表
(D) 先選取第一個儲存格，再按 Ctrl 鍵來選取此相鄰區域的最後一個儲存格

( ) 4. 常數型態的資料內容不包括何種資料型態？
(A) 文字 (B) 公式 (C) 日期 (D) 數值

( ) 5. 下列哪一個組合鍵可以在儲存格中輸入今天的日期？
(A) Ctrl + Shift +P (B) Ctrl + ; (C) Ctrl +P (D) Ctrl + Shift + ;

( ) 6. 儲存格中不論是輸入公式或函數，都必須以什麼符號為開始？
(A) = (B) + ; (C) - (D) /

( ) 7. 在 Excel 中，要選取類似矩形區域的相鄰儲存格，先選取第一個儲存格，再按哪一個鍵來選取此相鄰區域的最後一個儲存格？
(A) Shift (B)Alt (C)Ctrl (D) Esc

( ) 8. 第一次於儲存格上輸入資料時，狀態列上會顯示下列何者？
(A) 編輯 (B) 就緒 (C) 修改 (D) 輸入

( ) 9. 下列何者是合法的日期輸入格式？
(A)2016-2-11 (B)2016/2/11 (C)16_2_11 (D)16/02/11

( ) 10. 關於工作表的敘述，下列哪些正確？（複選）
(A) 預設開新檔案時，會於活頁簿顯示預設工作表
(B) 工作表內包含多個儲存格
(C) 工作表的預設名稱為工作表 1、工作表 2、工作表 3…等
(D) 工作表切換鈕可用來切換活頁簿內的工作表標籤

問答題

1. Excel 具備哪三種基本功能？
2. 簡述 Excel 活頁簿與工作表的組成及特點。
3. 填入下表中儲存格移動方式。

輸入鍵	儲存格方式
	往下移動一格
	往右移動一格
	往左移動一格
	往上移動一格

4. 按 Delete 鍵與執行「常用 / 清除 / 全部清除」指令，這兩者清除指令有何不同？
5. 工作表中的儲存格內容有哪些選取方法？

6. 在 Excel 儲存格中能夠輸入的資料型態有哪兩大類？
7. 請說明儲存格有哪三種參照位址的方式？
8. 請說明下列函數的作用：

   Sum：

   Average：

   Max：

   Min：

   Count：
9. 請填入下列名稱：

10. Excel 的公式形式可以分為 哪三種？
11. 試舉出至出五種 Excel 的函數類別？
12. 函數的輸入方法有哪兩種？
13. 自動填滿的方式有哪四種？
14. 要在儲存格輸入 99 年 2 月 5 日，若要以西元表示應輸入？若是民國則要輸入？
15. 請舉出結束 Excel 程式的三種方式。
16. 在儲存格輸入數值，其預設的對齊方式為何？
17. 如何將儲存格內容清除，使其呈現空白的狀態。
18. 試著將儲存格的數值格式，變更成為小數位數為 0 的貨幣格式。

筆記欄

PART

1 管理表單基礎篇

現代人的生活可以說跟數字息息相關，我們似乎每天都必須處理更多的數字資料與金融資訊。從公司計算利潤與損失的財務報表、會計處理大量的資產負債表，個人支票簿帳號管理、家庭預算的計劃與學生成績的統計等。

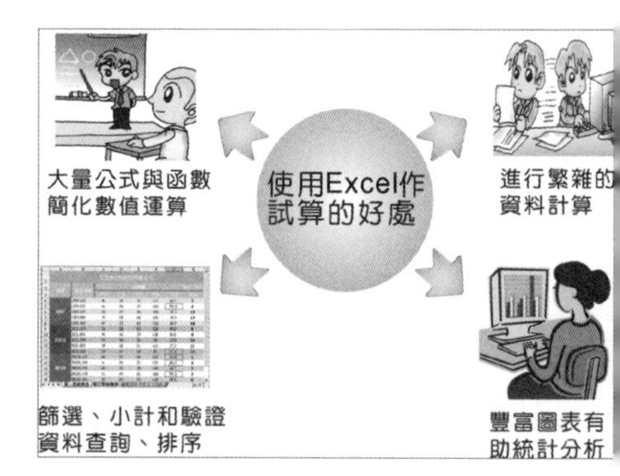

所謂的「試算表」(Spreadsheet)，是一種表格化的計算軟體，它能夠以行和列的格式儲存大量資料，並藉著輸入到表格中的資料，幫助使用者進行繁雜的資料計算和統計分析，以製作各種複雜的電子試算表文件。

至於 Excel 2007 則是目前最流行的商用試算表軟體，透過它可以進行資料分析、排序、統計、圖表建立等功能。在日常生活、學校課業、甚至連商業上的應用也處處可見。簡單來說，具備以下三點特色：

1. 豐富的圖表能力

Excel 擁有各式各樣的彩色化圖表類型，能夠讓您在不同的情境中，使用正確類型的圖表來表達數值的意義，達到易於分析各種數值的能力。例如提供各式的統計圖表，可以讓工作表中的資料轉換成統計圖表，不必再像傳統的人工試算表需要另外繪製。

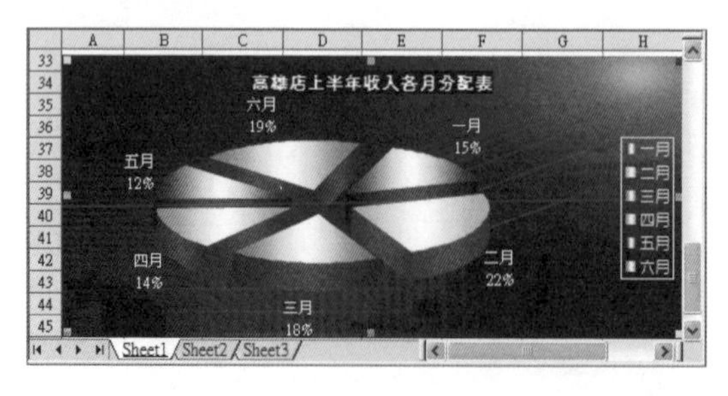

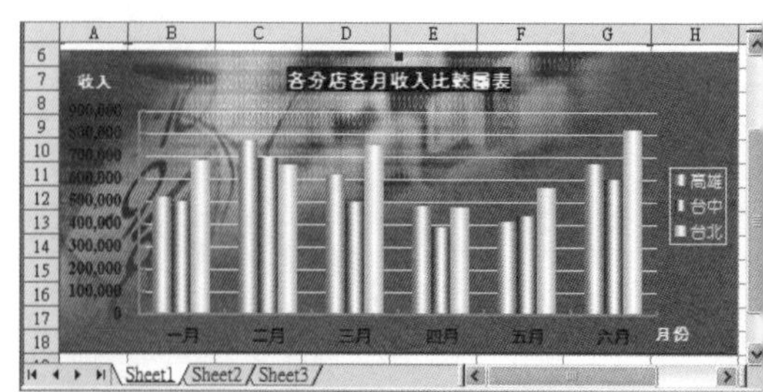

精美的圖表功能

2. 智慧型的數字處理能力

Excel 有著公式與函數的輔助處理能力，能將數字運算的過程簡化，並且提供自然語言輸入的功能，讓流程更人性化。

3. 資料庫的管理

試算表軟體有的也提供了簡單的資料庫管理，可以讓使用者對輸入的資料作查詢、排序、篩選、小計和驗證的功能，尤其是針對大量的資料時，特別的方便。

本篇的主要目的在說明 Excel 的基本功能，並藉由企業組織內部的日常勤務相關報表的建立與管理，來帶領讀者循序漸進學會各種入門操作模式。

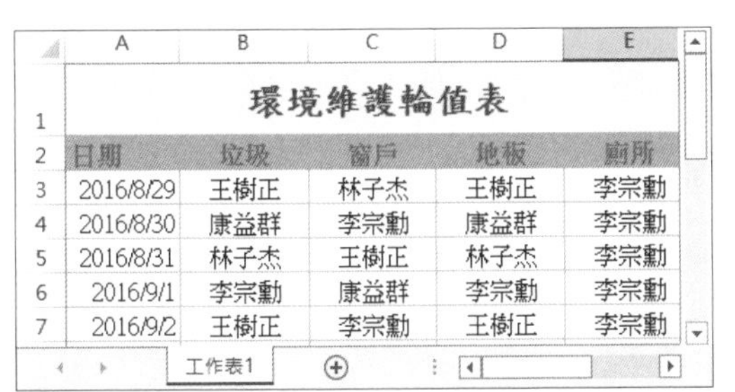

環境維護輪值表

日期	垃圾	窗戶	地板	廁所
2016/8/29	王樹正	林子杰	王樹正	李宗勳
2016/8/30	康益群	李宗勳	康益群	李宗勳
2016/8/31	林子杰	王樹正	林子杰	李宗勳
2016/9/1	李宗勳	康益群	李宗勳	李宗勳
2016/9/2	王樹正	李宗勳	王樹正	李宗勳

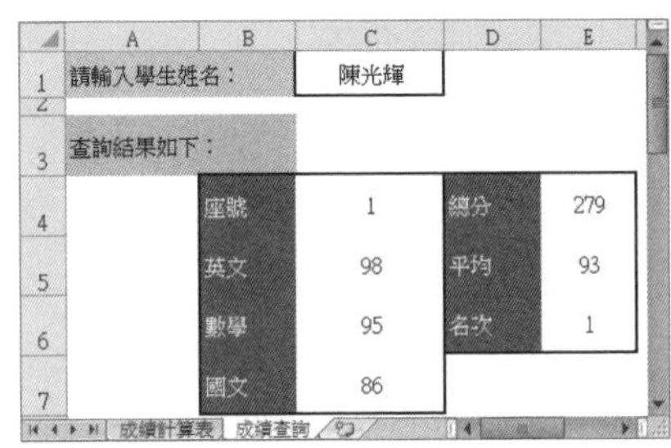

請輸入學生姓名： 陳光輝

查詢結果如下：

座號	1	總分	279
英文	98	平均	93
數學	95	名次	1
國文	86		

輪值表與員工成績查詢表

業務人員績效獎金表

員工編號	姓名	業績銷售	獎金百分比	累積業績	累積獎金	總業績獎金
990001	王楨珍	251,000	25%	190,000	20,000	82,750
990002	郭旻宜	60,000	10%	23,000	-	6,000
990003	郭佳琳	120,000	15%	12,000	-	18,000
990004	曾雅琪	140,000	15%	60,000	20,000	41,000
990005	彭天慈	150,000	20%	190,000	20,000	50,000
990006	陸麗晴	320,000	25%	20,000	20,000	100,000
990007	王貞琇	40,000	5%	170,000	20,000	22,000
990008	陳光輝	180,000	20%	50,000	20,000	56,000
990009	林子杰	48,000	5%	120,000	-	2,400
990010	李宗勳	40,000	5%	180,000	20,000	22,000

累積銷售業績　績效獎金

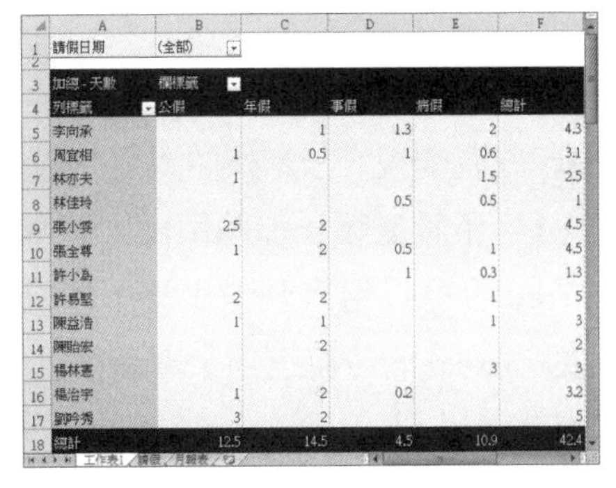

請假日期 (全部)

加總 - 天數 / 列標籤	公假	年假	事假	病假	總計
李向承		1	1.3	2	4.3
周宜相	1	0.5	1	0.6	3.1
林亦夫	1			1.5	2.5
林佳玲			0.5	0.5	1
張小雯	2.5	2			4.5
張全尊	1	2	0.5	1	4.5
許小為			1	0.3	1.3
許易堅	2	2		1	5
陳益浩	1	1		1	3
陳貽宏		2			2
楊林憲				3	3
楊治宇	1	2	0.2		3.2
劉吟秀	3	2			5
總計	12.5	14.5	4.5	10.9	42.4

業績績效獎金與員工請假樞紐分析表

員工編號	姓名	缺勤紀錄	出勤點數	工作表現	本季考績
990001	張小雯	1.0	29	92	93.4
990002	周宜相	2.6	27.4	96	94.6
990003	楊林憲	3.0	27	85	86.5
990004	許易堅	3.0	27	91	90.7
990005	李向承	3.3	26.7	88	88.3
990006	許小為	1.3	28.7	86	88.9
990007	劉吟秀	3.0	27	85	86.5
990008	陳益浩	2.0	28	84	86.8
990009	林亦夫	2.5	27.5	83	85.6
990010	林佳玲	1.0	29	90	92
990011	楊治宇	1.2	28.8	91	92.5
990012	張全尊	2.5	27.5	92	91.9
990013	陳貽宏	0.0	30	60	72
990014	王楨珍	0.0	30	95	96.5
990015	陳怡雯	2.0	28	70	77

第一季考績　第二季考績　第三季考績

部門考績分數： 90

年度員工考績

員工編號	姓名	季平均	年度考績	名次	等級	獎金
990001	張小雯	91	90	3	A	50,000
990002	周宜相	91	91	2	A	50,000
990003	楊林憲	82	87	14	C	30,000
990004	許易堅	86	88	12	C	30,000
990005	李向承	89	89	7	B	40,000
990006	許小為	90	90	4	A	50,000
990007	劉吟秀	87	89	10	B	40,000
990008	陳益浩	89	89	9	B	40,000
990009	林亦夫	84	88	13	C	30,000
990010	林佳玲	89	90	5	A	50,000
990011	楊治宇	89	90	6	B	40,000
990012	張全尊	89	89	8	B	40,000
990013	陳貽宏	86	89	11	C	30,000
990014	王楨珍	94	92	1	A	50,000
990015	陳怡雯	82	87	15	C	30,000

名次對照	等級	獎金
5	A	50000
10	B	40000
15	C	30000

第三季考績　第四季考績　年度考績

第一季員工考績表與年度員工考績表

CHAPTER

01 表單 - 辦公室員工輪值表

學習重點

- » 如何輸入資料儲存格
- » 調整欄寬與欄高
- » 自動完成輸入
- » 清單輸入
- » 儲存格格式設定
- » 檔案搜尋

本章簡介

舉凡學校、公家機關或是一般企業，甚至家庭都需要不同形式的輪值表。而不管是哪一種輪值表，使用表格是最好的表現方式，雖然使用 Microsoft Word 也可以用來製作表格，但是單就輸入資料這方面，就不像 Excel 這麼方便。Excel 的清單選項、填滿控點、自動完成等功能，都是 Word 無法達到的。因此使用 Excel 來製作輪值表實在是最方便不過的事！本章中，將以「環境維護輪值表」爲例，爲使用者一一說明 Excel 2016 中的基本功能。

在各位製作環境維護輪值表的過程中，將學會如何在工作表中輸入資料、利用填滿控點、自動完成功能及複製熱鍵的使用，讓使用者不費吹灰之力，輕鬆完成表格資料的輸入，並學習在工作表建立之後如何來美化儲存格以及列印輪值表，讓使用者在製作的過程中，自然而然的學習到 Excel 許多不同的技巧。

Excel 2016

範例成果

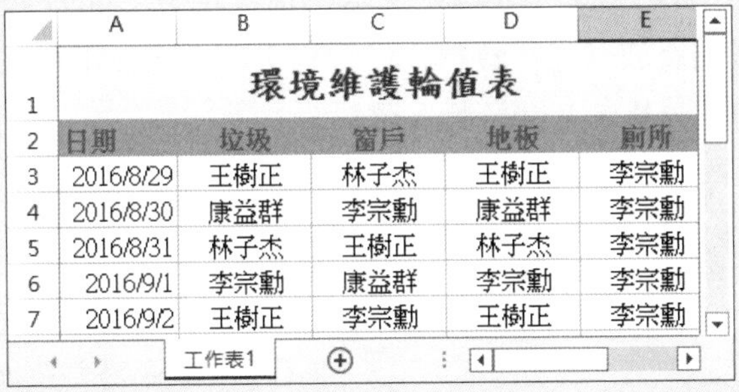

	A	B	C	D	E
1	環境維護輪值表				
2	日期	垃圾	窗戶	地板	廁所
3	2016/8/29	王樹正	林子杰	王樹正	李宗勳
4	2016/8/30	康益群	李宗勳	康益群	李宗勳
5	2016/8/31	林子杰	王樹正	林子杰	李宗勳
6	2016/9/1	李宗勳	康益群	李宗勳	李宗勳
7	2016/9/2	王樹正	李宗勳	王樹正	李宗勳

工作表1

1-1 建立輪值表

環境維護輪值表的工作內容，不外乎是「日期」、「人員」、「工作區域」等項目，只要設定好資料欄位位置後，直接在空白活頁簿中輸入文字資料並利用自動填滿、清單等功能，即可快速建立起一個輪值表。

1-1-1 在儲存格中輸入資料

首先請在 Windows 10「開始」畫面執行「開始／所有應用程式／E／Excel 2016」指令，亦可開啓 EXCEL 程式視窗。指令，開啓一個空白活頁簿檔案，直接將滑鼠移到要放置文字資料的儲存格上方，按一下滑鼠左鍵，即可選取此儲存格成爲作用儲存格，並開始輸入資料。

Step 1

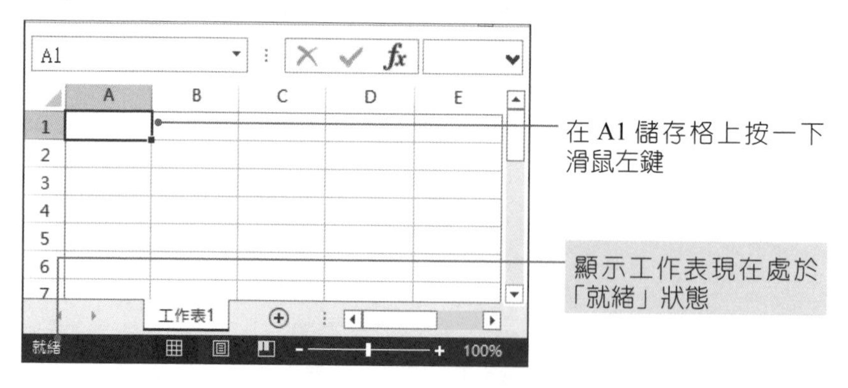

Step 2

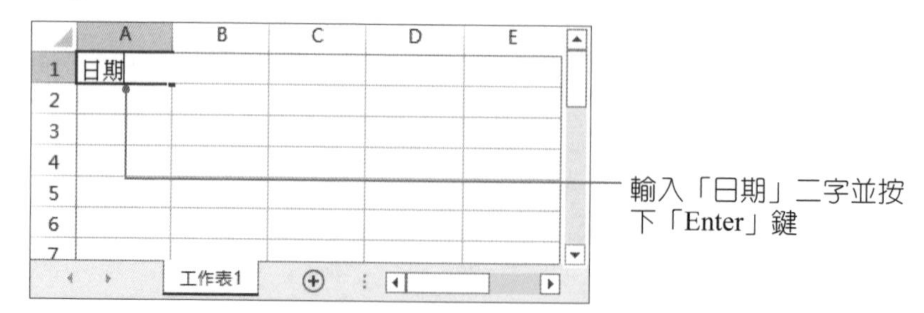

Step 3

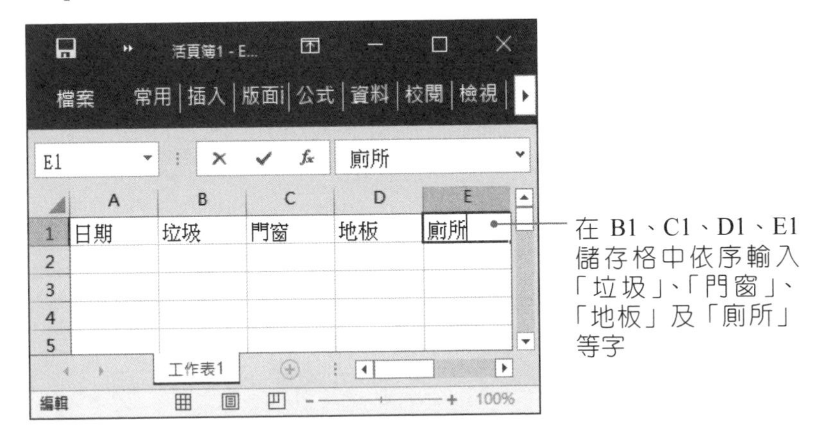

現在已經學會如何輸入文字於儲存格中了，接下來就來看看如何修改儲存格中的資料。

1-1-2 修改儲存格中的文字

使用者在輸入資料時，如果發現輸入錯誤，只要使用鍵盤上的方向鍵，移動插入點到錯誤的字元後按下「Backspace」鍵，或是在錯誤字元前按下「Delete」鍵，就可刪除原有的文字了；若要增加字元，只要直接將插入點移至適當位置，再輸入文字即可。如果使用者在輸入資料後，也就是儲存格處於「就緒」狀態時，只要點選錯誤字元的儲存格，並將插入點移至錯誤字元或需要增加字元處，即可進行刪除或增加字元的動作。請開啟範例檔「輪值表-01.xlsx」。

Step 1

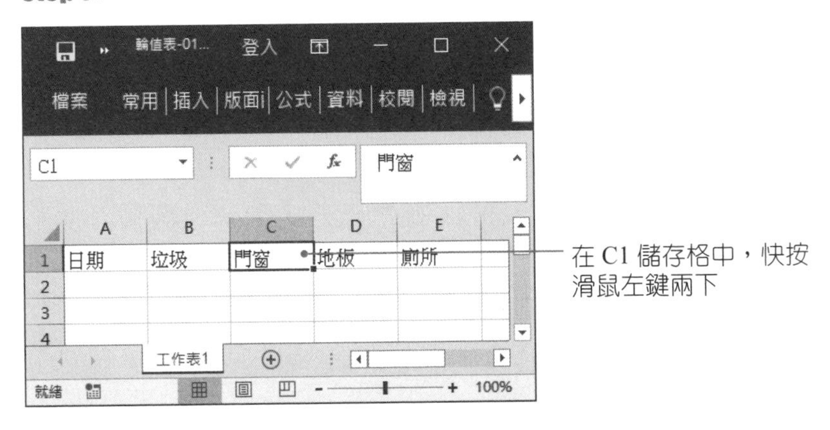

Step 2

Step 3

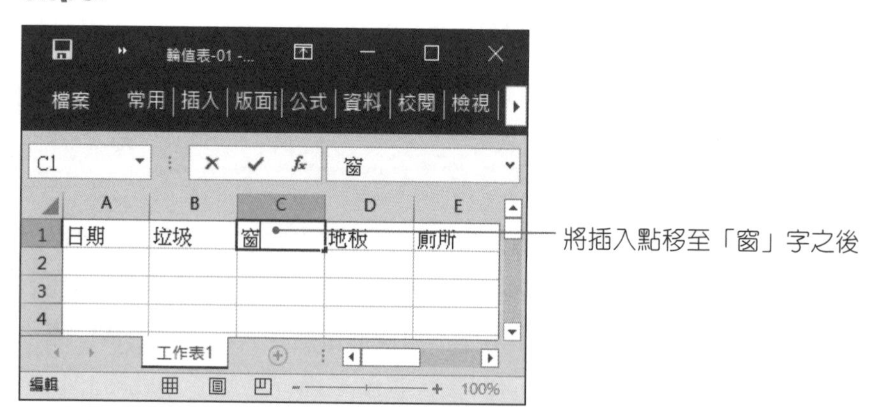

Step 4

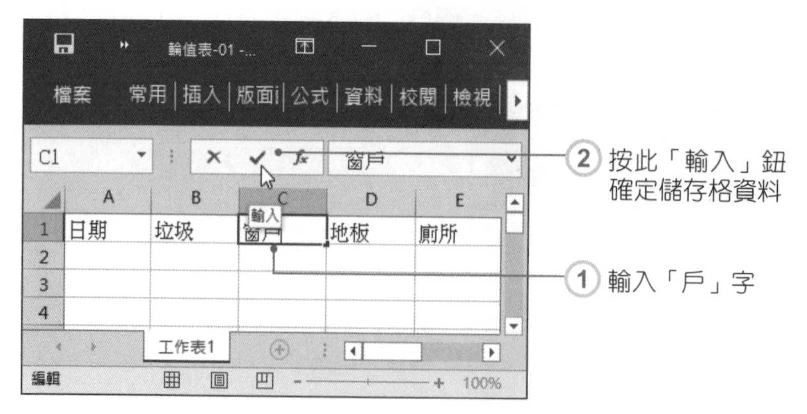

Step 5

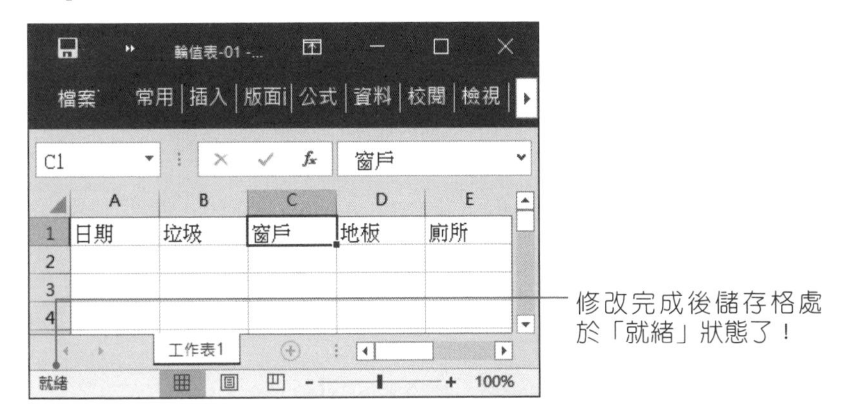

如果各位想將儲存格中的資料全部刪除，只要在儲存格上按一下滑鼠左鍵，並按下「Delete」鍵，就可將儲存格中的資料全部刪除。

1-1-3 應用填滿控點功能

現在已經將工作表中的標題欄位設定完成，接下來就是輸入每個欄位的資料，雖然使用者可以慢慢的將文字資料 Key-in 到工作表中，但是 Excel 提供了一個更好更快的「填滿控點」功能，能夠省去資料輸入時間。接下來，將延續上述範例來說明。

Step 1

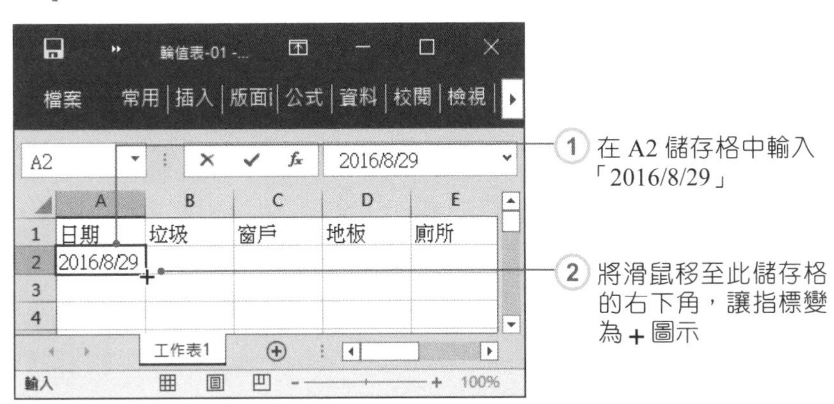

Step 2

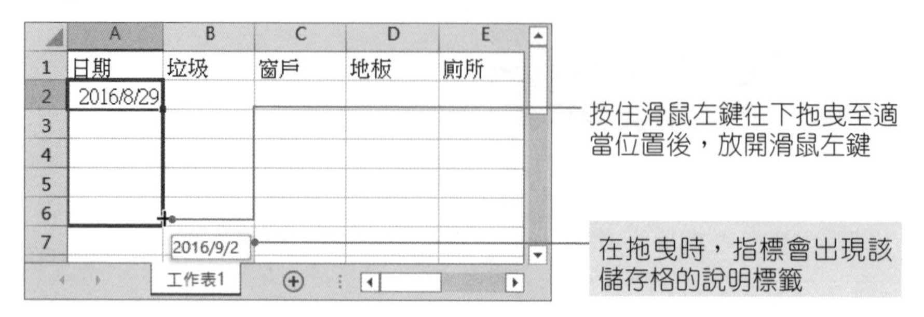

Step 3

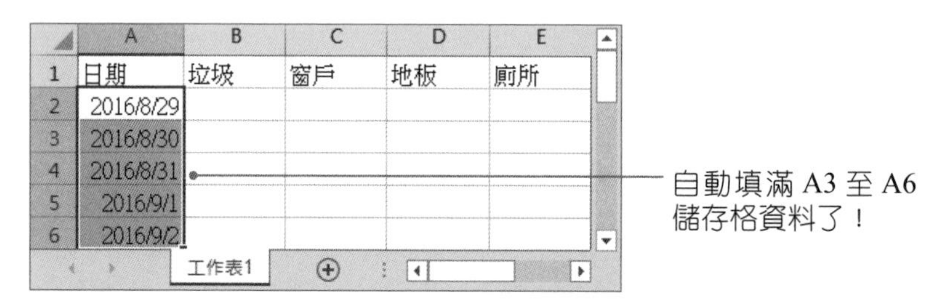

使用填滿控點後，會在選取範圍的右下角出現 自動填滿智慧標籤，可按下此鈕來變更格式。如下圖所示：

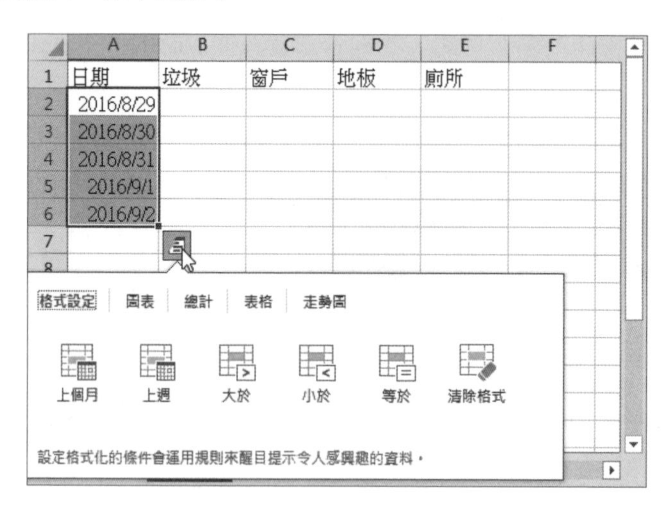

1-1-4 運用清單功能

輸入日期資料後，接著請開始輸入每個區域的環境維護人員名字。由於每一個員工會負責不同的工作或是日期，所以可以利用「清單」功能來直接選取人員名稱即可。接下來將延續上述範例來說明，首先請在此範例中依序在 B2、B3、B4 及 B5 中，輸入四個不同的環境維護人員名稱。

Step 1

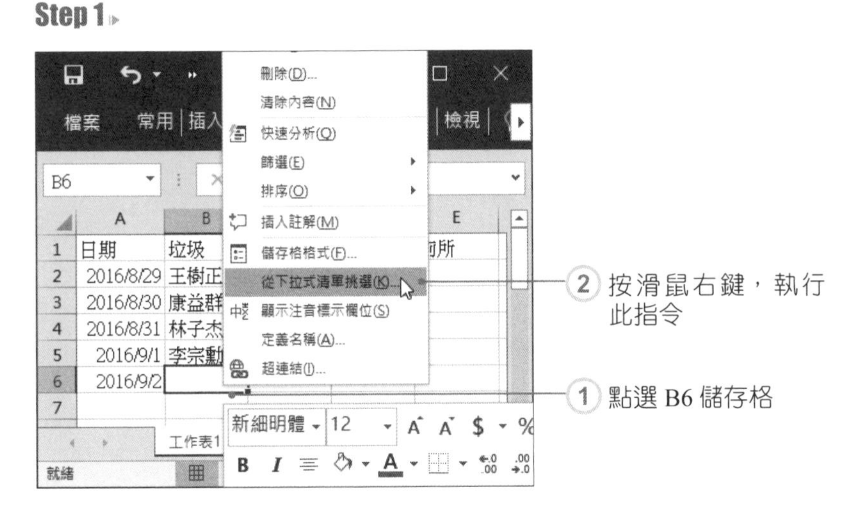

Step 2

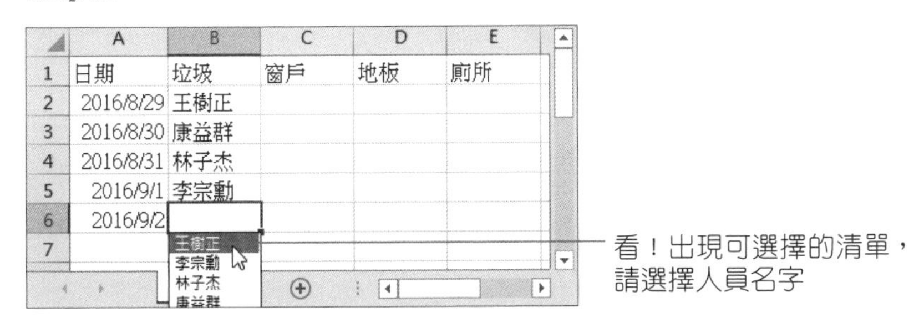

Step 3

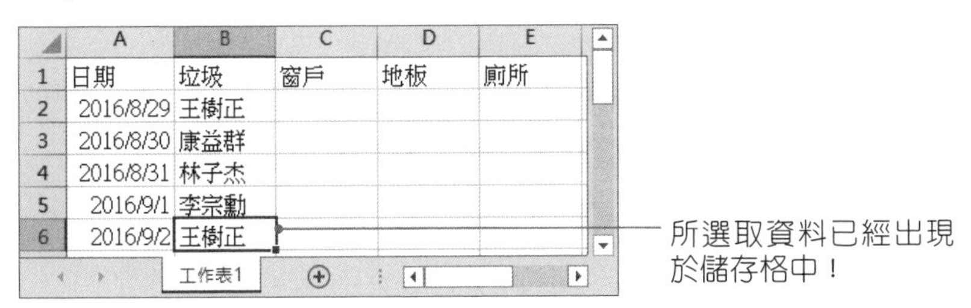

請注意！清單只會顯示同一個欄位曾經輸入的資料，供使用者選取，至於同一列曾輸入資料則不會顯示在清單中。

1-1-5 使用自動完成功能

除了使用清單來選取人員名字外，Excel 還提供了自動完成功能，讓使用者能夠簡化輸入動作。接下來，將延續上述範例來說明。

Step 1

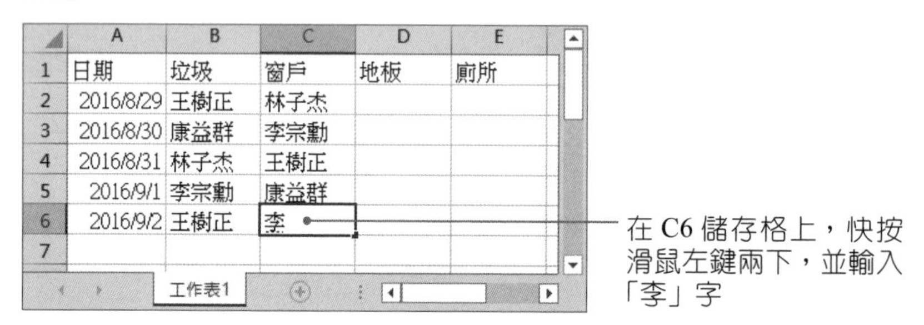

	A	B	C	D	E
1	日期	垃圾	窗戶	地板	廁所
2	2016/8/29	王樹正	林子杰		
3	2016/8/30	康益群	李宗勳		
4	2016/8/31	林子杰	王樹正		
5	2016/9/1	李宗勳	康益群		
6	2016/9/2	王樹正	李		
7					

Step 2

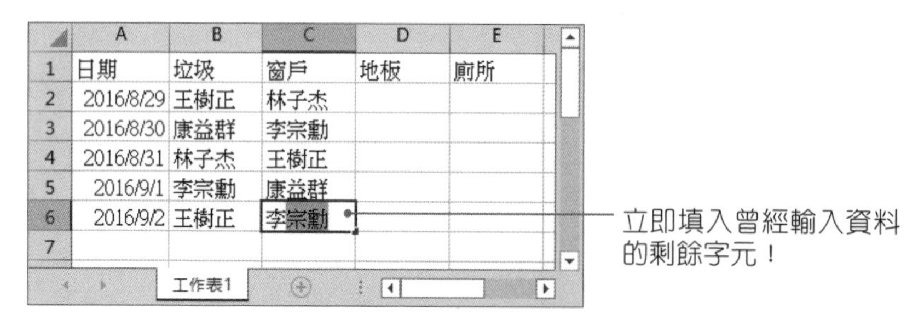

	A	B	C	D	E
1	日期	垃圾	窗戶	地板	廁所
2	2016/8/29	王樹正	林子杰		
3	2016/8/30	康益群	李宗勳		
4	2016/8/31	林子杰	王樹正		
5	2016/9/1	李宗勳	康益群		
6	2016/9/2	王樹正	李宗勳		
7					

按下「Enter」鍵可將提示的文字資料存入儲存格中。若不是使用者想要的文字資料，只要繼續輸入即可。

1-1-6 複製儲存格

雖然自動完成功能會自動幫使用者輸入剩餘的字元，但是如果有名字類似的人，就比較麻煩了！這時使用者就可運用複製儲存格的功能，直接複製到另一個儲存格，而不需輸入任何字。接下來，將延續上述範例來說明。

Step 1

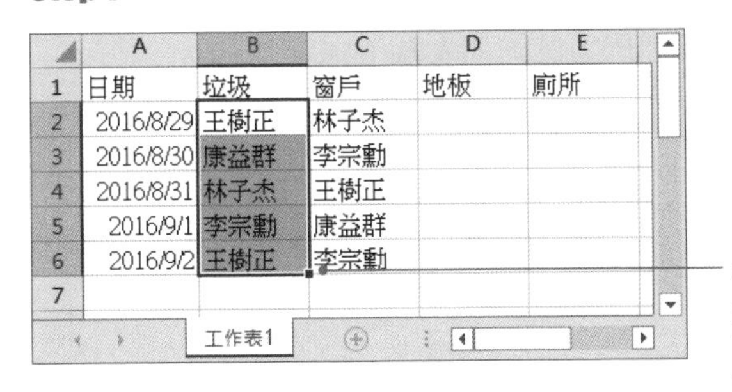

在 B2 儲存格上按住滑鼠左鍵並拖曳至 B6 儲存格，然後按下「Ctrl」+「C」鍵來複製選取資料

Step 2

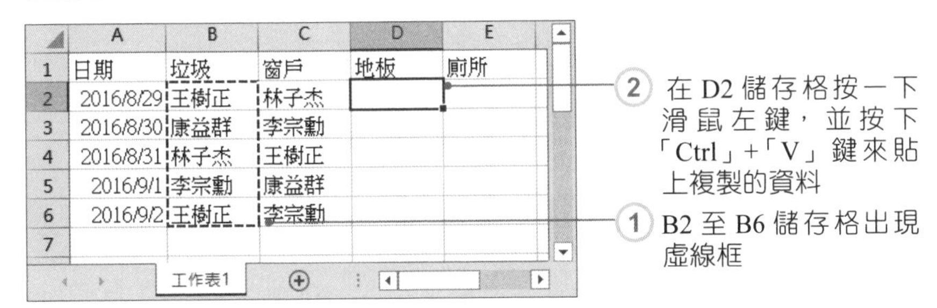

除了使用快速鍵外，亦可在選取資料後，點選「常用」標籤中的「複製」鈕來複製選取資料，再點選放置的儲存格後按下「常用」標籤中的「貼上」鈕來將複製的資料貼入儲存格中。

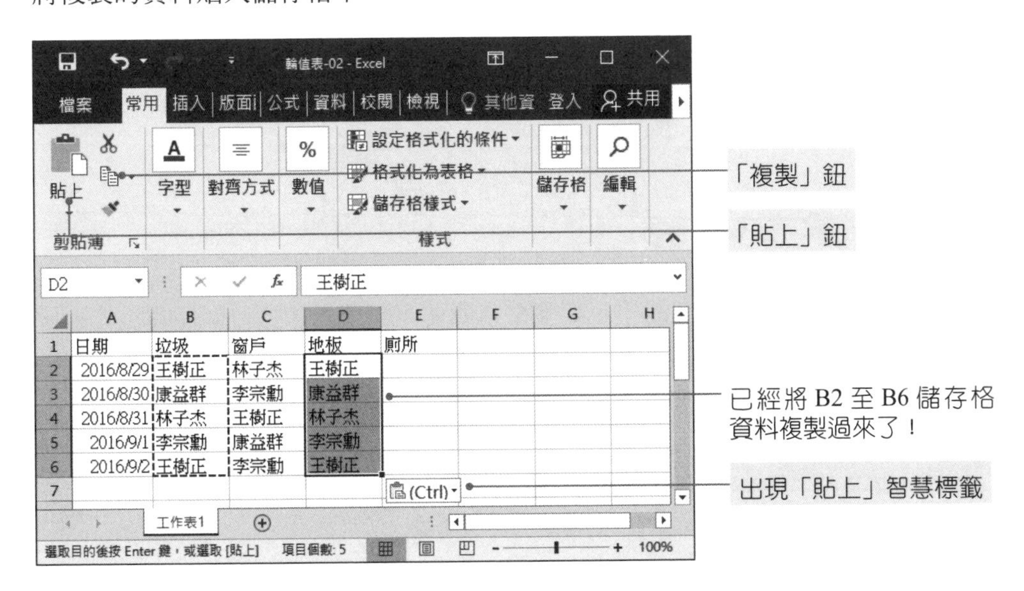

貼上儲存格資料後，可在貼上的儲存格右下方，看到「貼上標籤」(Ctrl) 選項，可按下此智慧標籤，選擇貼上資料的方式。如下圖所示：

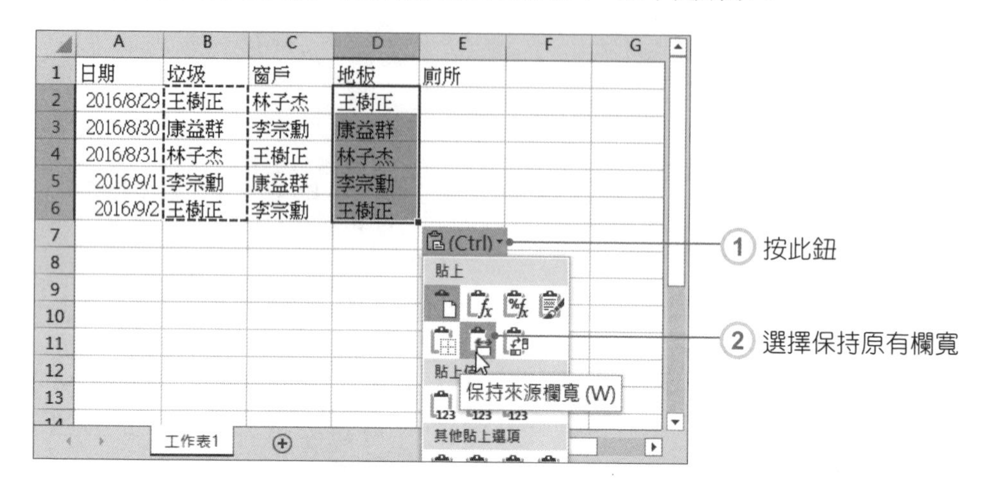

如果原來的儲存格欄寬比要貼上的儲存格欄寬大時，就可選擇「保持來源欄寬」，使貼上的欄寬加大，避免儲存格不能顯示完整資料。

1-2 輪值表格式化

輸入完工作表的資料內容後，如果覺得輪值表過於單調，不妨幫輪值表加上一些變化及色彩吧！ Excel 提供了儲存格格式化的功能，不論使用者想要對儲存格進行字型、顏色、字體大小或背景變化，都可以在「儲存格格式」對話視窗中進行設定。

1-2-1 加入輪值表標題

輪值表內容已經輸入完成了，接下來當然要幫輪值表加上一個標題，才不會使輪值表看起來過於單薄。請開啓範例檔「輪值表-02.xlsx」。

Step 1

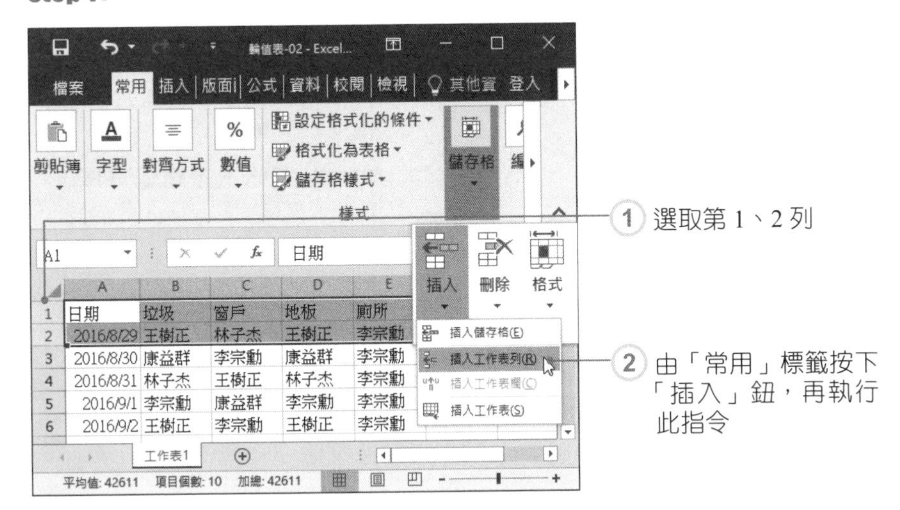

Step 2

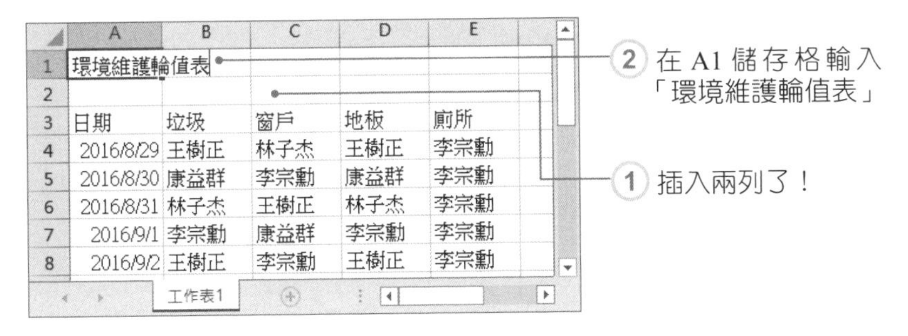

Step 3

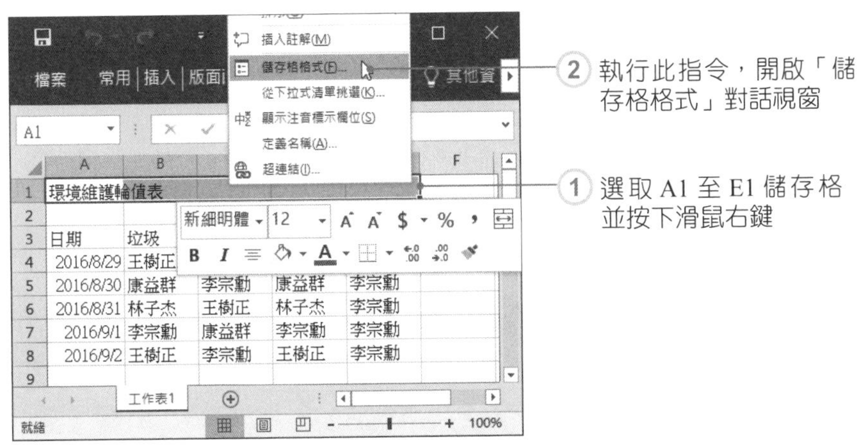

Step 4

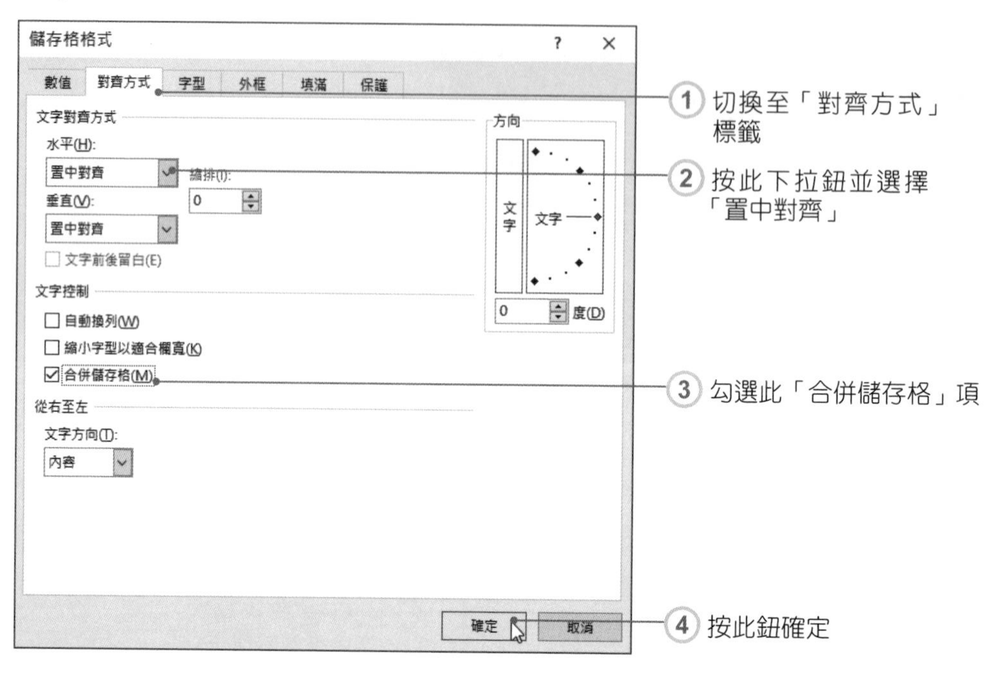

Step 5

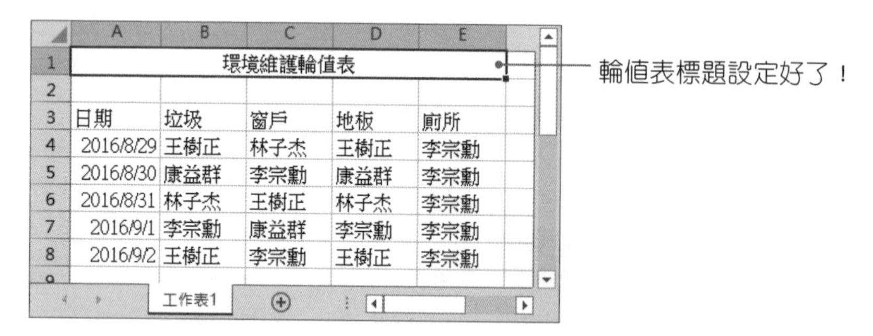

在使用「插入」指令時，若選取的並非一整欄或一整列，則會出現插入對話視窗，如右圖：

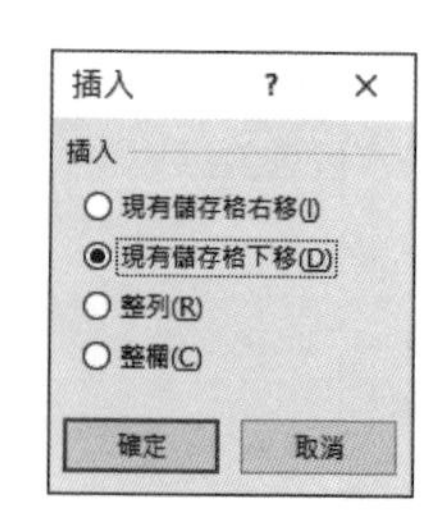

由此可讓使用者選擇將選取的儲存格直接往右移動、往下移、或是將選取儲存格整列的往下移動、整欄往右移動。

1-2-2 變化標題字型與背景顏色

雖然已經幫輪值表加上標題，但整個標題看起來還是不夠亮眼，讓我們再來變換一下輪值表標題的字型與背景顏色吧！將延續上述範例來做說明：

Step 1

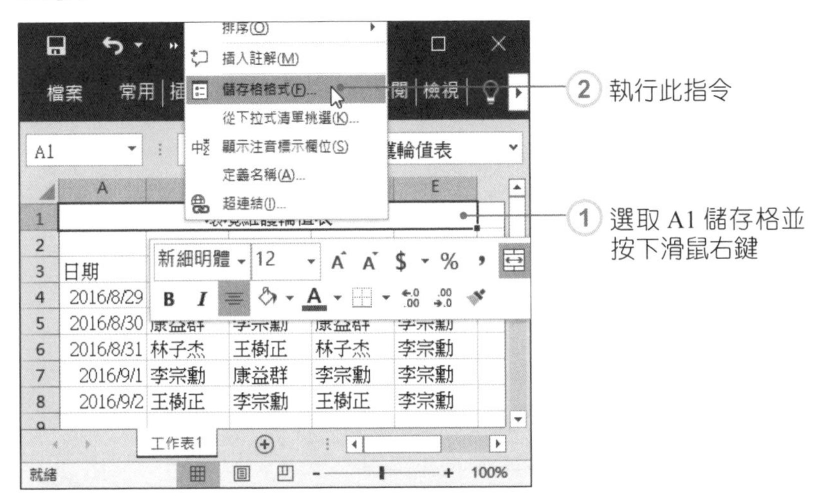

Step 2

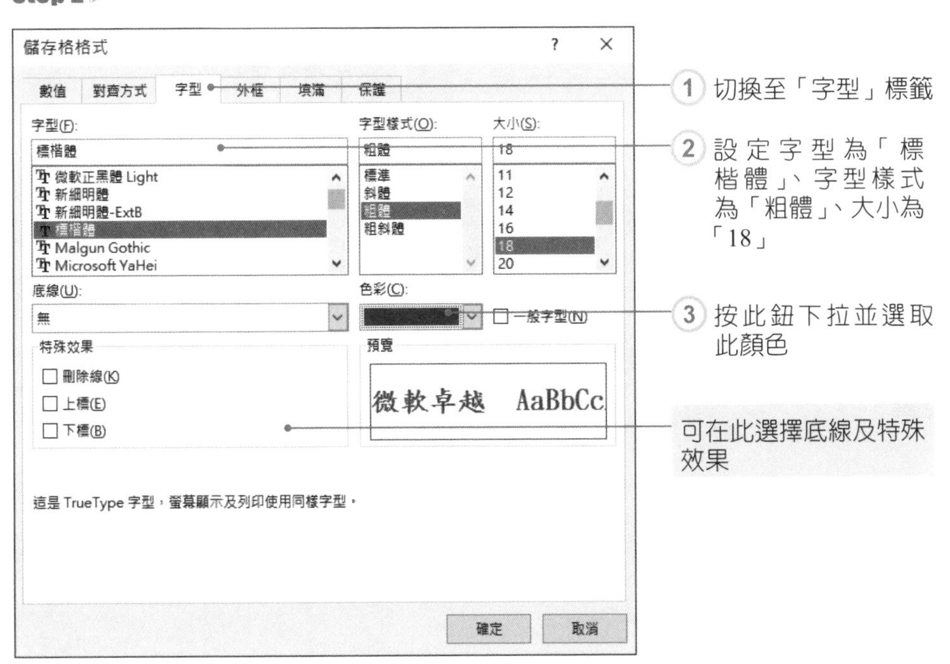

Step 3

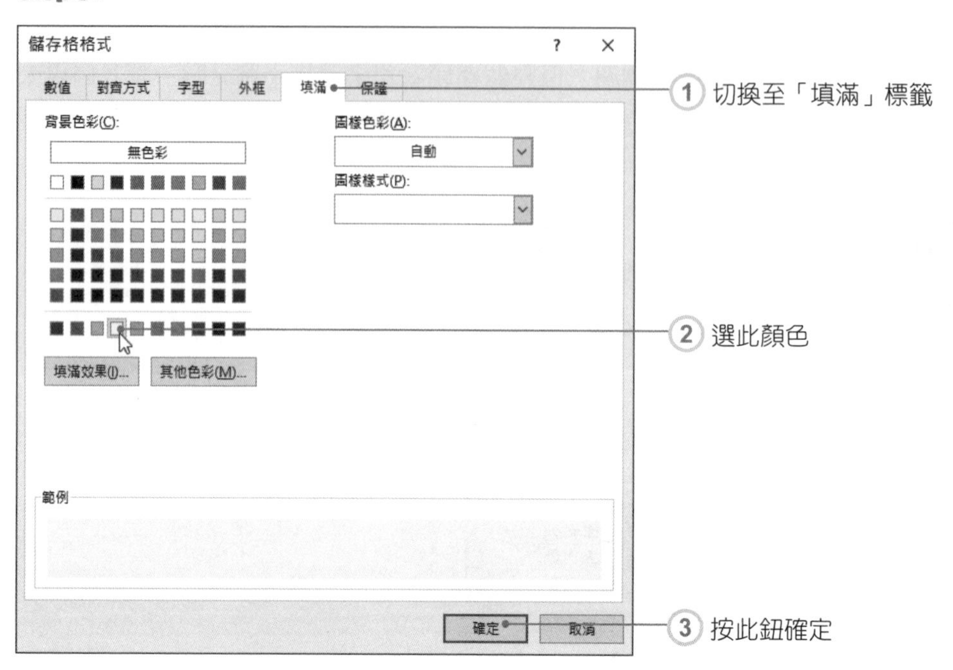

Step 4

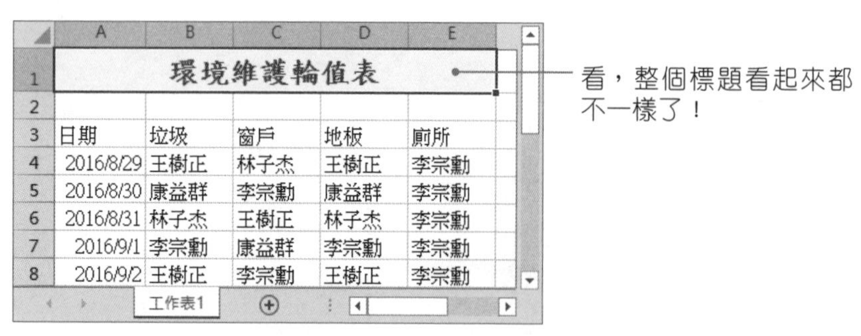

讀者可以試著將輪值表變換字型大小、顏色及對齊方式，讓輪值表看起來更加美觀。

1-3 調整輪值表欄寬與列高

如果想要將儲存格調整成適當的欄寬與列高，只要直接將滑鼠指標移至欄位名稱或列位名稱間，等到指標變爲 ✛ 狀或 ✛ 後，即可拖曳欄寬或列高。請開啓範例檔「輪值表-03.xlsx」。

Step 1

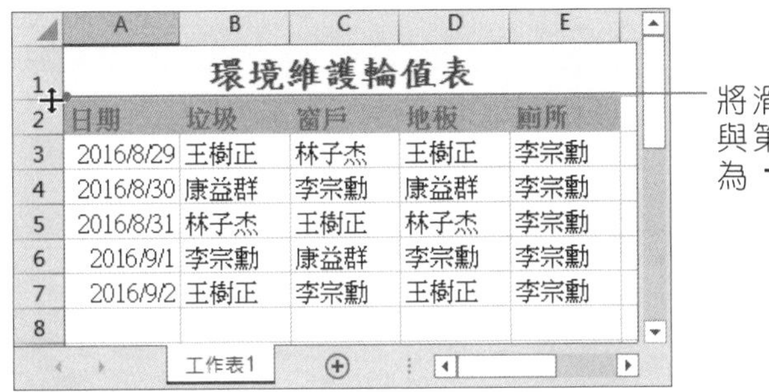

	A	B	C	D	E
1	環境維護輪值表				
2	日期	垃圾	窗戶	地板	廁所
3	2016/8/29	王樹正	林子杰	王樹正	李宗勳
4	2016/8/30	康益群	李宗勳	康益群	李宗勳
5	2016/8/31	林子杰	王樹正	林子杰	李宗勳
6	2016/9/1	李宗勳	康益群	李宗勳	李宗勳
7	2016/9/2	王樹正	李宗勳	王樹正	李宗勳
8					

將滑鼠指標移至第 1 列與第 2 列間，讓指標變為 ✛ 狀

Step 2

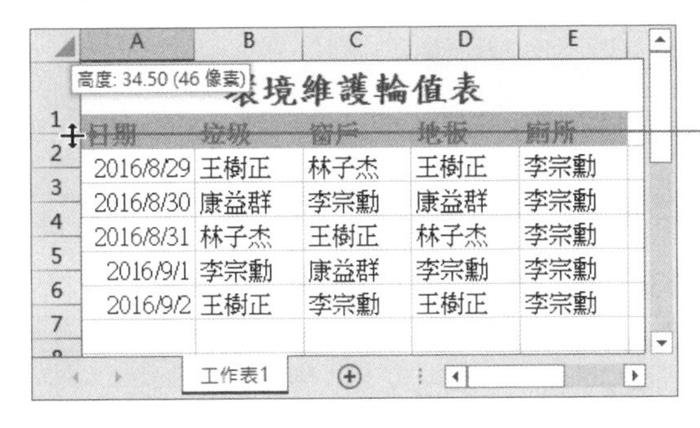

	A	B	C	D	E
1	環境維護輪值表				
2	日期	垃圾	窗戶	地板	廁所
3	2016/8/29	王樹正	林子杰	王樹正	李宗勳
4	2016/8/30	康益群	李宗勳	康益群	李宗勳
5	2016/8/31	林子杰	王樹正	林子杰	李宗勳
6	2016/9/1	李宗勳	康益群	李宗勳	李宗勳
7	2016/9/2	王樹正	李宗勳	王樹正	李宗勳

拖曳同時會顯示拖曳的高度及像素，按住滑鼠左鍵，往下拖曳至適當位置

Step 3

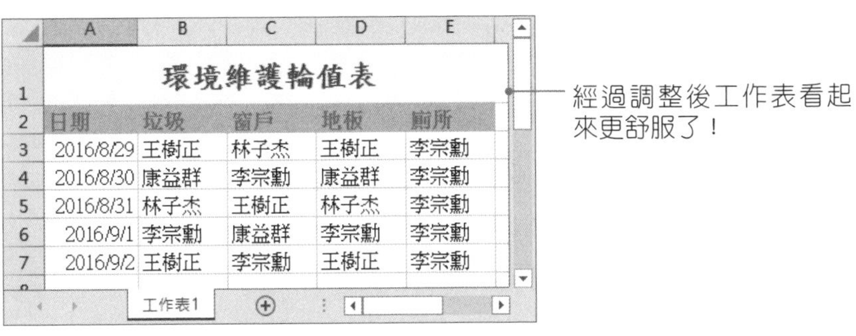

	A	B	C	D	E
1	環境維護輪值表				
2	日期	垃圾	窗戶	地板	廁所
3	2016/8/29	王樹正	林子杰	王樹正	李宗勳
4	2016/8/30	康益群	李宗勳	康益群	李宗勳
5	2016/8/31	林子杰	王樹正	林子杰	李宗勳
6	2016/9/1	李宗勳	康益群	李宗勳	李宗勳
7	2016/9/2	王樹正	李宗勳	王樹正	李宗勳

欄位的調整也是相同，等到滑鼠指標呈現 ✛ 狀，就可以滑鼠來拖曳欄位寬度了。

1-3-1 指定欄寬與列高

使用滑鼠來拖曳欄寬及列高雖然方便，但是如果要讓每一欄或列調整成一樣的寬度或高度，就有其困難度。這時就可使用指定方式來調整選取欄位或列位的寬度與高度。將延續上述範例來做說明。

Step 1

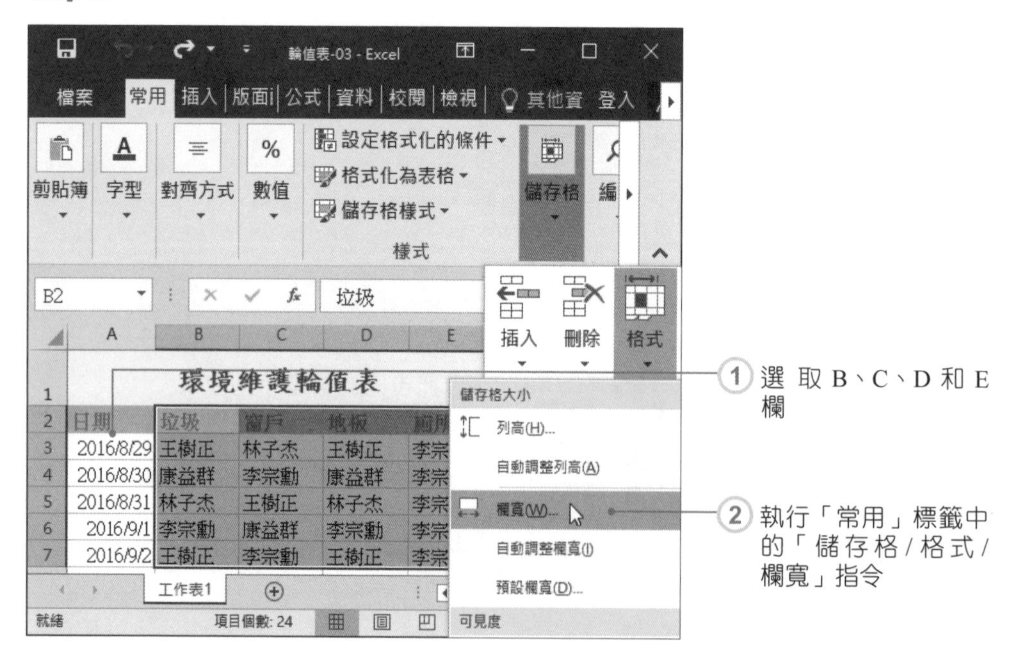

Step 2

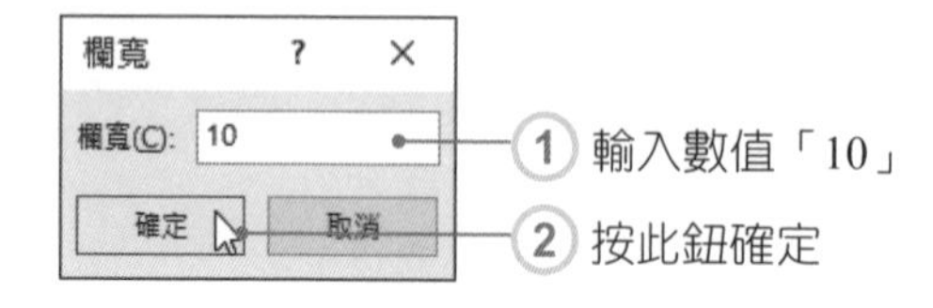

Step 3

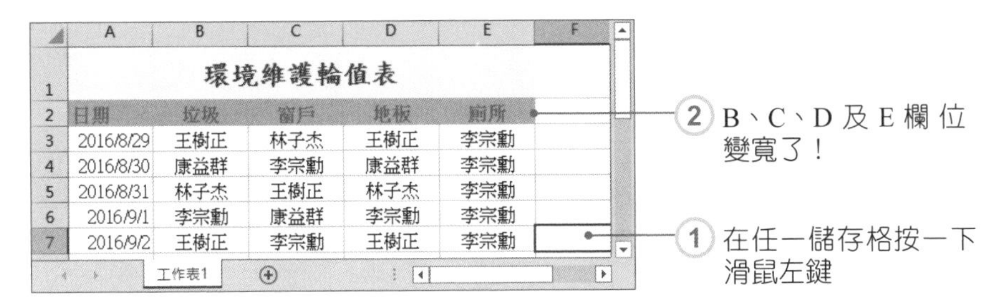

至於列位的高度也是一樣，只要先選取好列，再由「常用」標籤執行「格式／列高」指令，並在列高對話視窗輸入適當數值即可。

1-4 列印環境維護輪值表

當各位建立好檔案之後，最主要的就是把檔案給列印出來，首先確定印表機是否開啓且與電腦連結。Excel 2016 延續 Excel 2013 將列印的功能隱藏在「檔案」標籤中，並把列印功能的對話方塊直接顯示在列印功能頁面中，使用起來更加方便。

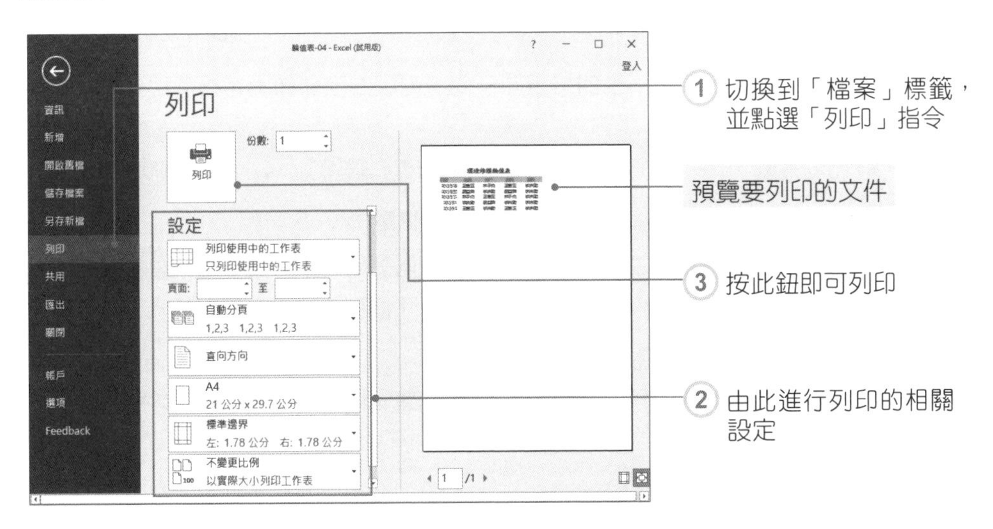

實力評量

是非題

( ) 1. 當填滿控點呈現 ＋時，可拖曳複製儲存格。

( ) 2. 清單可顯示同一列曾輸入的資料。

( ) 3. 複製選取資料的快速鍵為 Ctrl+V。

( ) 4. 當滑鼠游標變為 ✢ 時，即可調整列高。

( ) 5. 在儲存格上按一下滑鼠左鍵，並按下「Delete」鍵，就可將儲存格中的資料全部刪除。

( ) 6. 輸入文字後，可在資料編輯列，按下取消鈕，文字資料就會從儲存格中消除。

選擇題

( ) 1. 第一次於儲存格上輸入資料時，狀態列上會顯示下列何者？
(A) 編輯　(B) 就緒　(C) 修改　(D) 輸入

( ) 2. 於儲存格上輸入資料後按「Enter」鍵，其用義與何按鈕相同？
(A) ⊞　(B) ✔　(C) ✕　(D) ＋

( ) 3. Excel 會在作業背景裡不斷的檢查同一欄中內容並自動顯示相符的部分，此功能稱為：
(A) 自動完成　(B) 清單輸入　(C) 資料驗證　(D) 自動填滿

( ) 4. 清單輸入功能乃是蒐集何處的資料來顯示於清單中？
(A) 同欄位中的上下儲存格　(B) 同列中的左右儲存格
(C) 不同欄位中的上下儲存格　(D) 不同列中的左右儲存格

( ) 5. 拖曳作用儲存格何處可快速複製資料內容？
(A) 整個儲存格　(B) 外框線　(C) 填滿控點　(D) 儲存格內容

▶ 實作題

1. 請建立一個如下的家具展覽輪值表：

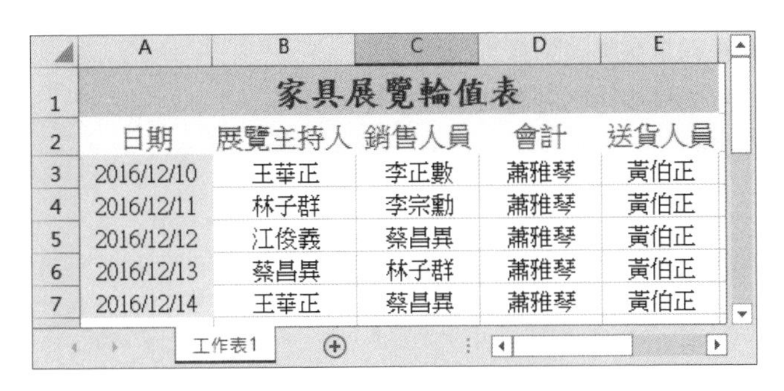

	A	B	C	D	E
1	家具展覽輪值表				
2	日期	展覽主持人	銷售人員	會計	送貨人員
3	2016/12/10	王華正	李正數	蕭雅琴	黃伯正
4	2016/12/11	林子群	李宗勳	蕭雅琴	黃伯正
5	2016/12/12	江俊義	蔡昌異	蕭雅琴	黃伯正
6	2016/12/13	蔡昌異	林子群	蕭雅琴	黃伯正
7	2016/12/14	王華正	蔡昌異	蕭雅琴	黃伯正

提示：

- 首先建立標題「家具展覽輪值表」，此標題需要將 A1 至 E1 儲存格合併，再將此標題「置中」於儲存格中。
- 建立五個欄位，分別為「日期」、「展覽主持人」、「銷售人員」、「會計」及「送貨人員」，並將這些欄位的文字置中。
- 利用填滿控點方式將日期複製完畢。
- 在 B7 儲存格中，使用「清單」功能，填入「王華正」名字。
- 在 C7 儲存格中，使用「自動完成」功能，填入「蔡昌異」名字。
- 在 D3 儲存格輸入「蕭雅琴」，在 E3 儲存格中輸入「黃伯正」，最後以複製儲存格的方式將 D 欄及 E 欄的儲存格填寫完畢。
- 最後幫標題、文字及儲存格變換顏色。

2. 請開啟範例檔「輪值表-05.xlsx」，將其欄寬及列高調整至適當位置，並將所有儲存格格式變換成「置中對齊」模式，如下圖：

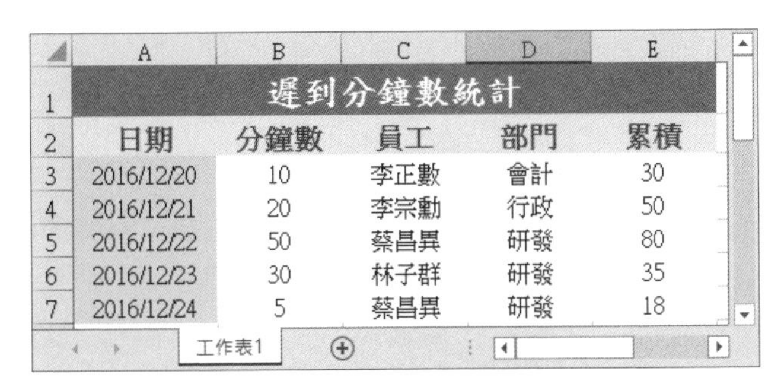

	A	B	C	D	E
1	遲到分鐘數統計				
2	日期	分鐘數	員工	部門	累積
3	2016/12/20	10	李正數	會計	30
4	2016/12/21	20	李宗勳	行政	50
5	2016/12/22	50	蔡昌異	研發	80
6	2016/12/23	30	林子群	研發	35
7	2016/12/24	5	蔡昌異	研發	18

3. 如何變更欄寬為指定精確的欄寬大小，而不是用滑鼠拖曳的方式。
4. 在 Excel 中要插入儲存格，需要先選取一個儲存格或範圍，再叫出「插入」對話方塊，請問在這個對話方塊，有哪幾種插入的選項？
5. 如何用滑鼠調整適當欄寬與列高？
6. 如何將選取的多個儲存格合併為單一儲存格？
7. 如何指定工作表列印的紙張大小為“A4”？

筆記欄

CHAPTER

02 在職訓練成績計算、排名

學習重點

- 運用數列填滿輸入員工編號
- 自動加總
- 計算平均值
- 複製公式
- 使用 RANK.EQ() 函數與數列填滿來排名次

本章簡介

有些企業會定期舉行在職訓練，在訓練過程中通常會有測驗，藉此瞭解職員受訓的各種表現，因此不妨製作一個在職訓練成績計算表，來統計每個受訓員工的成績，藉以獎勵或懲罰職員。

製作在職訓練成績計算表過程中，將講解如何計算各項成績平均及總分計算，讓管理者充分利用在職訓練成績計算表來做獎勵或處分的依據。

Excel 2016

範例成果

	A	B	C	D	E	F	G	H	I	J
1	員工編號	員工姓名	電腦應用	英文對話	銷售策略	業務推廣	經營理念	總分	總平均	名次
2	910001	王楨珍	98	95	86	80	88	447	89.4	2
3	910002	郭佳琳	80	90	82	83	82	417	83.4	8
4	910003	葉千瑜	86	91	86	80	93	436	87.2	4
5	910004	郭佳華	89	93	89	87	96	454	90.8	1
6	910005	彭天慈	90	78	90	78	90	426	85.2	6
7	910006	曾雅琪	87	83	88	77	80	415	83	9
8	910007	王貞琇	80	70	90	93	96	429	85.8	5
9	910008	陳光輝	90	78	92	85	95	440	88	3
10	910009	林子杰	78	80	95	80	92	425	85	7
11	910010	李宗勳	60	58	83	40	70	311	62.2	12
12	910011	蔡昌洲	77	88	81	76	89	411	82.2	10
13	910012	何福謀	72	89	84	90	67	402	80.4	11

員工成績計算表　員工成績查詢

2-1 以填滿方式輸入員工編號

規模大的公司中，可能會有同名同姓的人，所以需要以獨一無二的員工編號來協助判定員工。除了以拖曳填滿控點的方式來輸入員工編號外，還可以使用其他的方法快速完成。請開啟範例檔「在職訓練-01.xlsx」。

範例 運用填滿方式來填入員工編號

Step 1

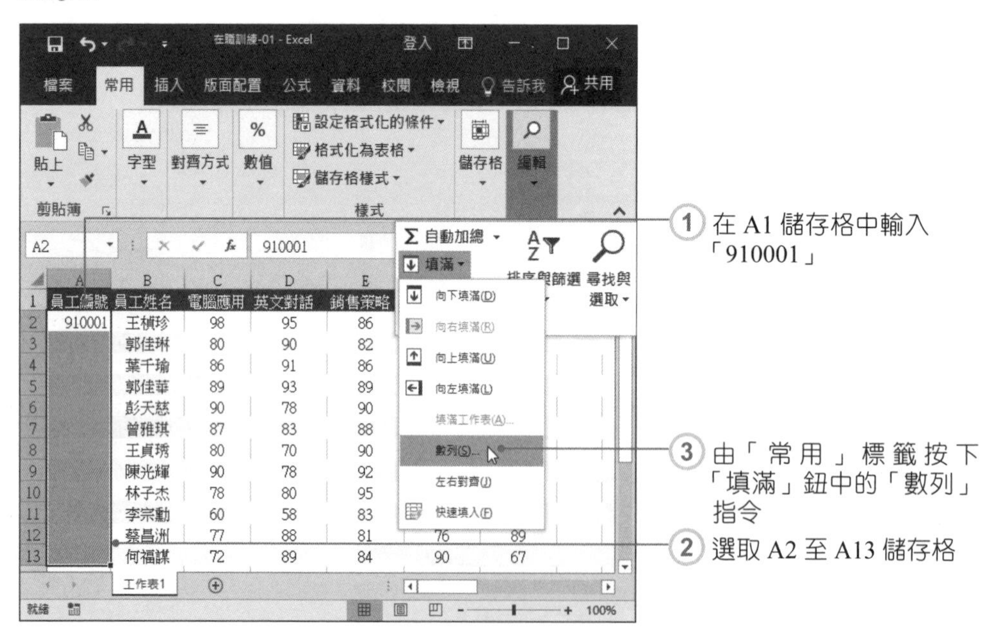

Step 2

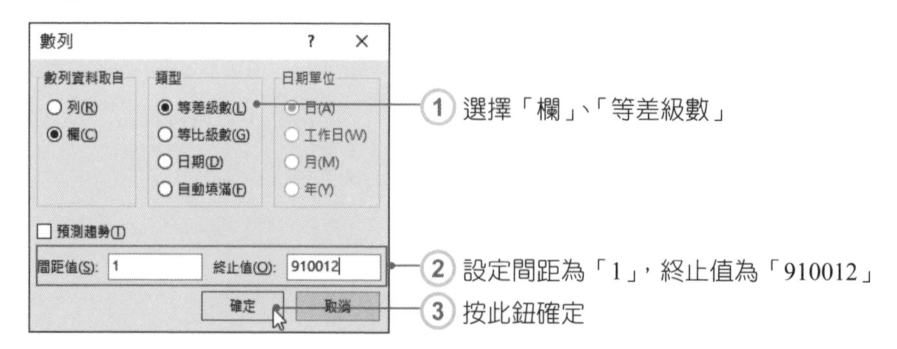

Step 3

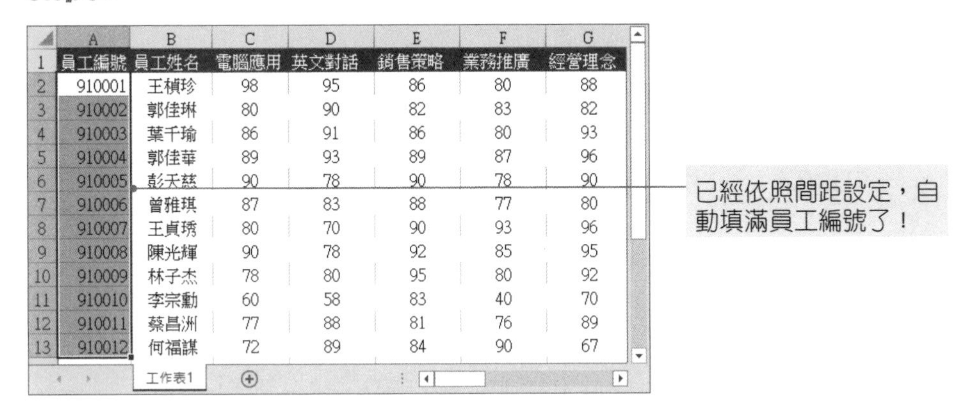

	A	B	C	D	E	F	G
1	員工編號	員工姓名	電腦應用	英文對話	銷售策略	業務推廣	經營理念
2	910001	王禎珍	98	95	86	80	88
3	910002	郭佳琳	80	90	82	83	82
4	910003	葉千瑜	86	91	86	80	93
5	910004	郭佳華	89	93	89	87	96
6	910005	彭天慈	90	78	90	78	90
7	910006	曾雅琪	87	83	88	77	80
8	910007	王貞琇	80	70	90	93	96
9	910008	陳光輝	90	78	92	85	95
10	910009	林子杰	78	80	95	80	92
11	910010	李宗勳	60	58	83	40	70
12	910011	蔡昌洲	77	88	81	76	89
13	910012	何福謀	72	89	84	90	67

在數列對話視窗中，還可設定資料選取自「列」或是「欄」、類型、日期單位、間距值與終止值等功能。如下圖：

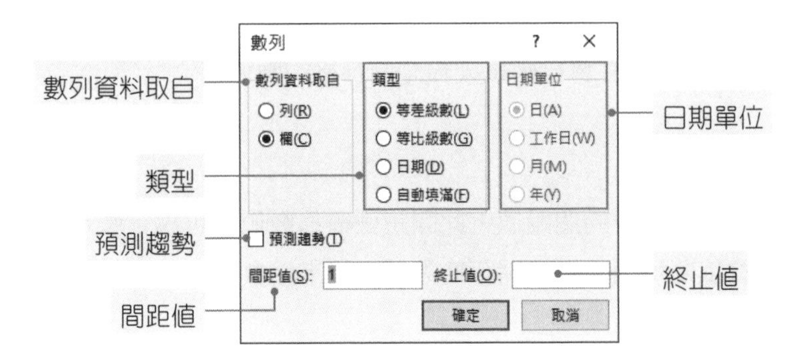

數列資料取自

可在此選擇資料是選取自「欄」或「列」，依照選取的欄或列來決定資料的來源。

類型

在此有四種類型，分別爲「等差級數」、「等比級數」、「日期」及「自動填滿」四種類型。

名稱	說明
等差級數	以等差級數方式來增加數值或減少數值。
等比級數	以等比級數方式來增加數值或減少數值。
日期	如果勾選此項，則需「日期單位」選項作進一步選擇。
自動填滿	由 Excel 自動填滿選取的儲存格。

日期單位

在此有四種日期單位選項，分別爲「日」、「工作日」、「月」及「年」。Excel 會依照選取的日期單位來增加或減少日期數值。例如在此選取「月」，Excel 就會依照比例增加或減少月份的數值。

預測趨勢

如果勾選此項，Excel 會自動填入預測儲存格的數值。

間距值

在此填入使用者想要的間距值，此間距值需爲數值，可爲正數或負數。如果填入正數，則會依照比例來增加儲存格數值；如果爲負數，則會依照比例來減少儲存格數值。

終止值

可設定終止值，不論選取範圍多大，填入的數值會到此終止值爲止。

只要在此設定好數列方式，以後只要直接在填滿控點智慧標籤中選擇「以數列方式填滿」，就會依照此數列方式來進行填滿動作。

2-2 計算總成績

輸入員工編號後，緊接著就是計算員工各項科目總成績，用來瞭解誰是綜合成績最佳的員工。首先說明計算總和的 SUM() 函數，然後再以實例講解。

2-2-1 SUM() 函數說明

計算總成績前，首先來看看計算總和的 SUM 函數的語法。

❖ SUM() 函數

語法：SUM(Number1:Number2)

說明：函數中 Number1 及 Number2 代表來源資料的範圍。

例如：SUM(A1:A10) 即表示從 A1 ＋ A2 ＋ A3…至＋ A10 為止。

2-2-2 計算員工總成績

在瞭解 SUM() 函數後，接下來將延續上述範例來繼續說明如何計算員工總成績。

範例 以自動加總計算總成績

Step 1

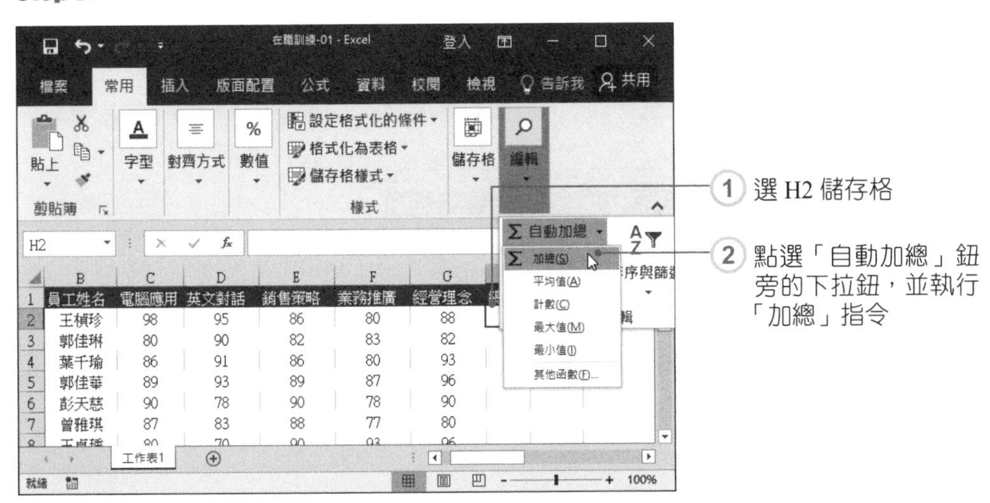

Step 2

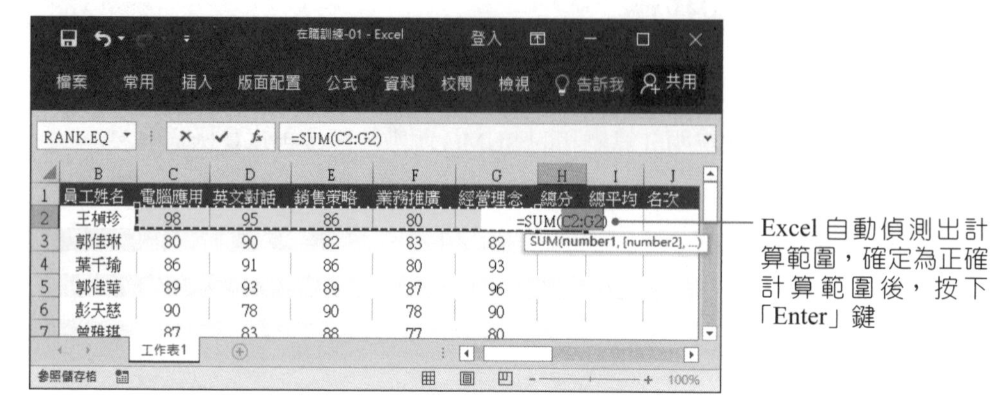

Step 3

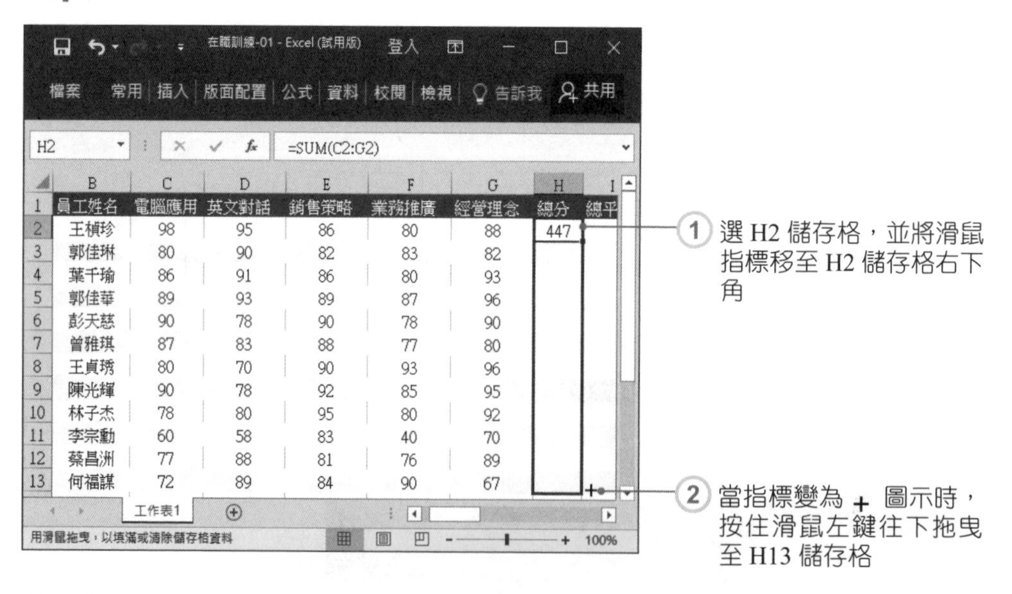

Step 4

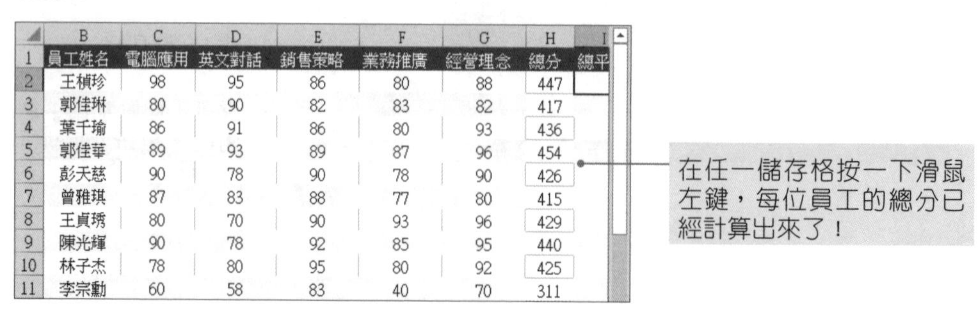

2-3 員工成績平均分數

計算出員工的總成績之後，接下來就來看看如何計算成績的平均分數。在此小節中，將先說明計算平均成績的 AVERAGE() 函數，然後再以實例講解。

2-3-1 AVERAGE() 函數說明

在計算平均成績前，首先來看看計算平均分數的 AVERAGE() 函數。以下為 AVERAGE() 函數說明。

❖ AVERAGE() 函數

語法：AVERAGE(Number1:Number2)

說明：函數中 Number1 及 Number2 引數代表來源資料的範圍，Excel 會自動計算總共有幾個數值，在加總之後再除以計算出來的數值單位。

2-3-2 計算員工成績平均

使用 AVERAGE() 函數與使用 SUM() 函數的方法雷同，只要先選取好儲存格，再按下 Σ ▾ 自動加總鈕並執行「平均」指令即可。以下將延續上一節範例來說明。

範例 計算成績平均

Step 1

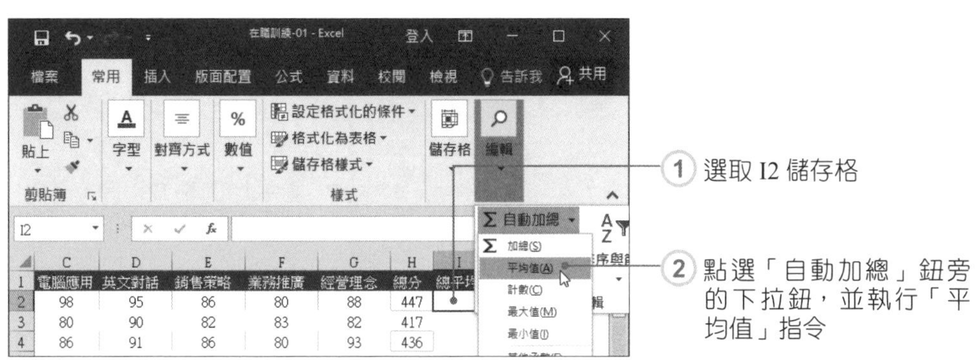

Step 2

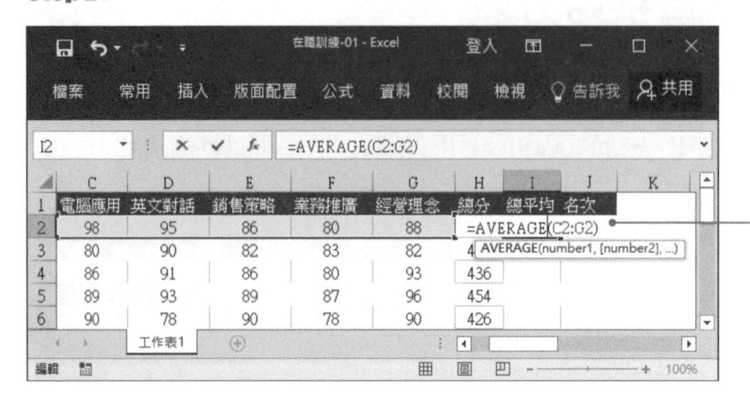

將 AVERAGE 函數中的資料範圍 (C2:H2) 改為 (C2:G2)，並按下「Enter」鍵

Step 3

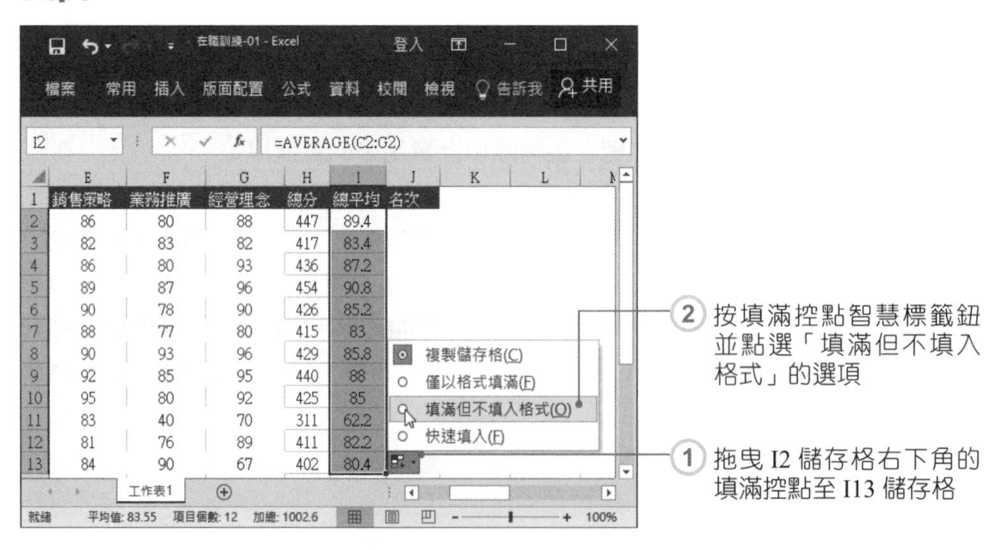

Step 4

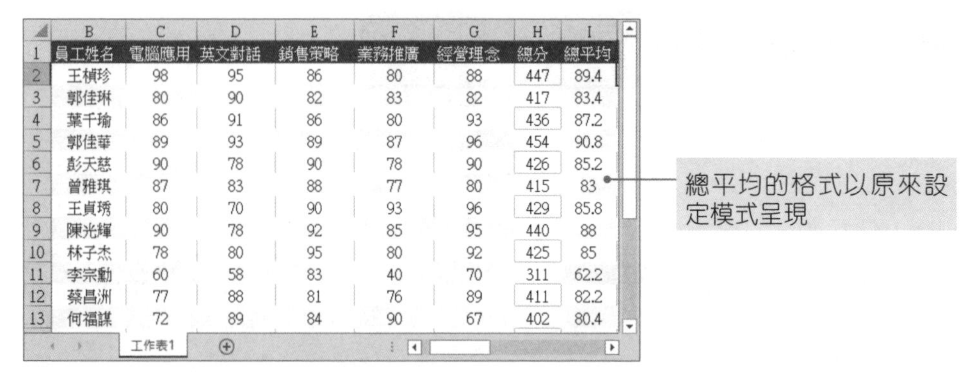

	B	C	D	E	F	G	H	I
1	員工姓名	電腦應用	英文對話	銷售策略	業務推廣	經營理念	總分	總平均
2	王楨珍	98	95	86	80	88	447	89.4
3	郭佳琳	80	90	82	83	82	417	83.4
4	葉千瑜	86	91	86	80	93	436	87.2
5	郭佳華	89	93	89	87	96	454	90.8
6	彭天慈	90	78	90	78	90	426	85.2
7	曾雅琪	87	83	88	77	80	415	83
8	王貞琇	80	70	90	93	96	429	85.8
9	陳光輝	90	78	92	85	95	440	88
10	林子杰	78	80	95	80	92	425	85
11	李宗勳	60	58	83	40	70	311	62.2
12	蔡昌洲	77	88	81	76	89	411	82.2
13	何福謀	72	89	84	90	67	402	80.4

只要善用填滿控點智慧標籤，所拖曳的儲存格就可以不同的方式呈現。

2-4 排列員工名次

知道了總成績與平均分數之後，接下來將瞭解員工名次的排列順序。在排列員工成績的順序時，可以運用 RANK.EQ() 函數來進行成績名次的排序。

2-4-1 RANK.EQ() 函數的說明

在排名次前，首先來看看排列順序的 RANK.EQ() 函數。

❖ RANK.EQ()

語法：RANK.EQ(Number,Ref,Order)

說明：RANK.EQ() 函數功能主要是用來計算某一數值在清單中的順序等級。

以下表格為 RANK.EQ 函數中的引數說明：

引數名稱	說明
Number	判斷順序的數值。
Ref	判斷順序的參照位址，如果非數值則會被忽略。
Order	用來指定排序的方式。如果輸入數值「0」或忽略，則以遞減方式排序；如果輸入數值非「0」，則以遞增的方式來進行排序。

2-4-2 排列員工成績名次

知道 RANK.EQ() 函數的意義之後，緊接著就以實例來說明。

範例 排列員工成績名次

Step 1

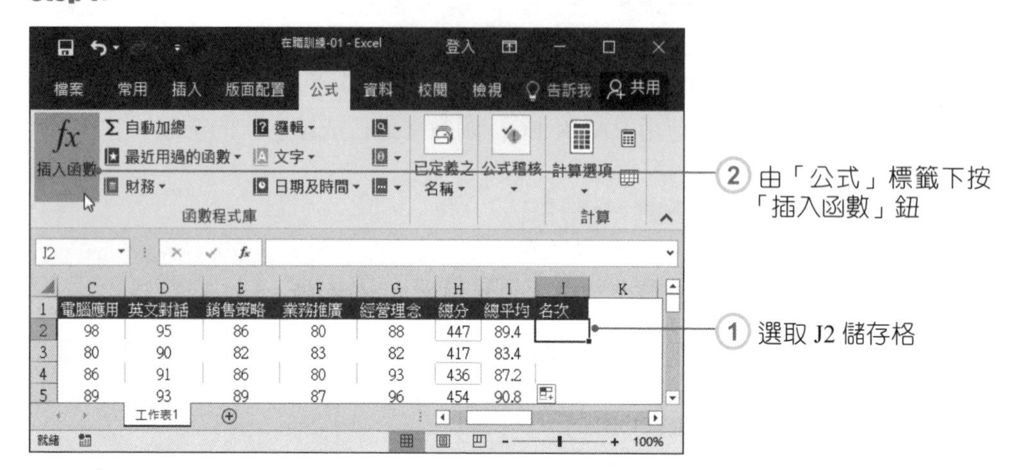

Step 2

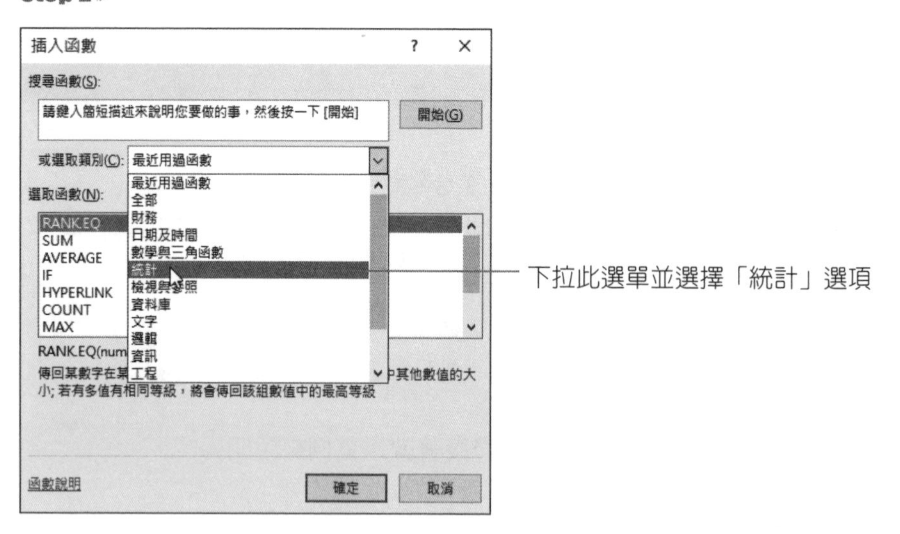

Step 3

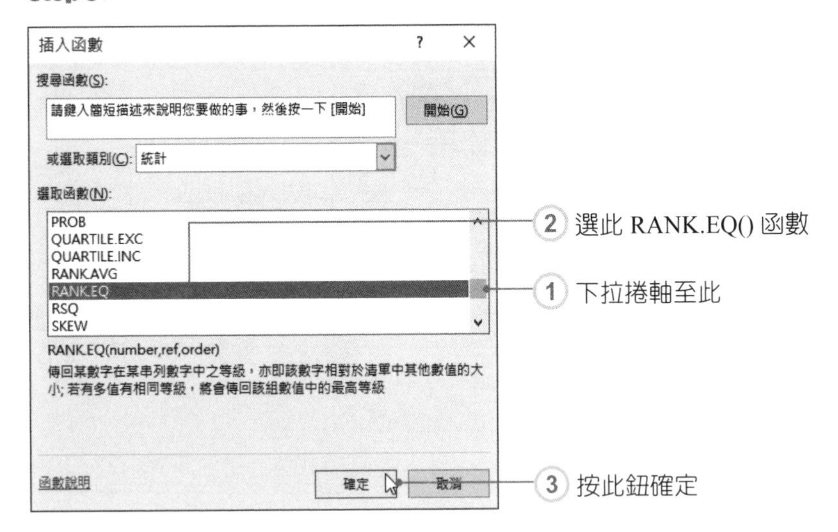
插入函數
搜尋函數(S):
請鍵入簡短描述來說明您要做的事，然後按一下 [開始]
開始(G)
或選取類別(C): 統計
選取函數(N):
PROB
QUARTILE.EXC
QUARTILE.INC
RANK.AVG
RANK.EQ
RSQ
SKEW
RANK.EQ(number,ref,order)
傳回某數字在某串列數字中之等級，亦即該數字相對於清單中其他數值的大小; 若有多值有相同等級，將會傳回該組數值中的最高等級
函數說明
確定
取消
2 選此 RANK.EQ() 函數
1 下拉捲軸至此
3 按此鈕確定

Step 4

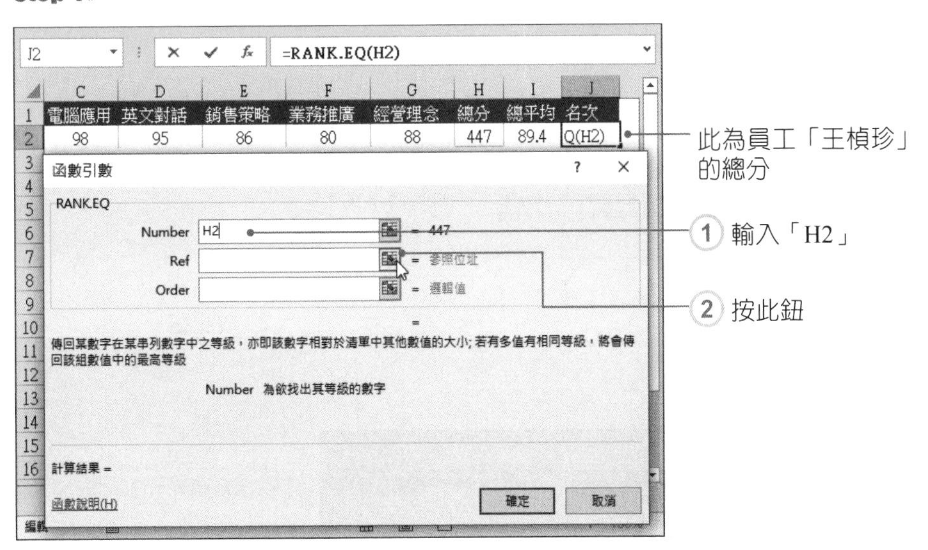
J2
=RANK.EQ(H2)
電腦應用 英文對話 銷售策略 業務推廣 經營理念 總分 總平均 名次
98 95 86 80 88 447 89.4 Q(H2)
函數引數
RANK.EQ
Number H2 = 447
Ref = 參照位址
Order = 邏輯值
傳回某數字在某串列數字中之等級，亦即該數字相對於清單中其他數值的大小; 若有多值有相同等級，將會傳回該組數值中的最高等級
Number 為欲找出其等級的數字
計算結果 =
函數說明(H)
確定
取消
此為員工「王楨珍」的總分
1 輸入「H2」
2 按此鈕

Step 5

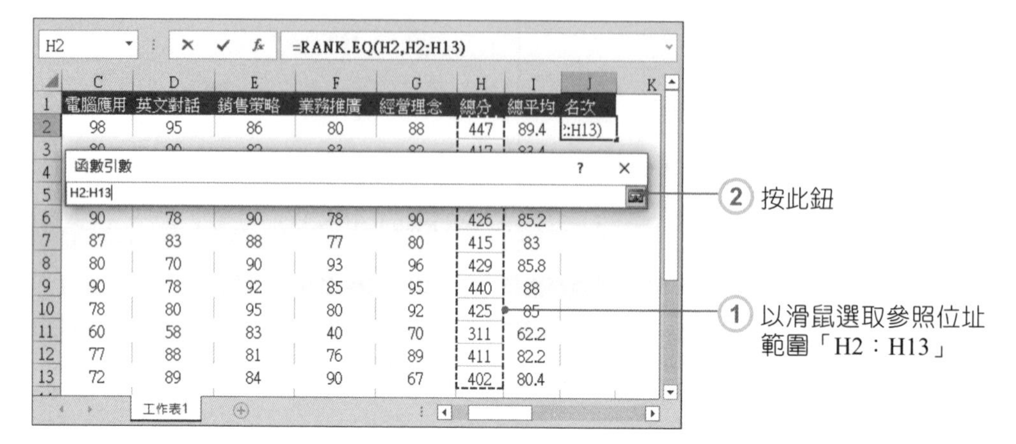

Step 6

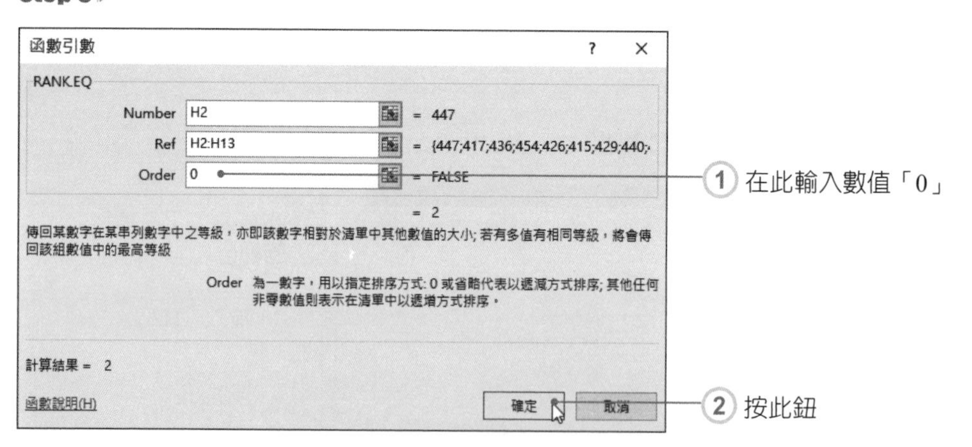

Step 7

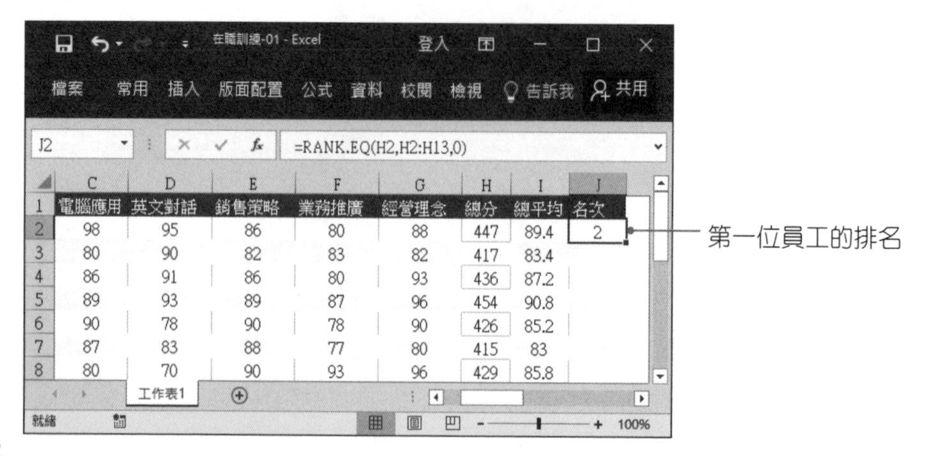

Step 8

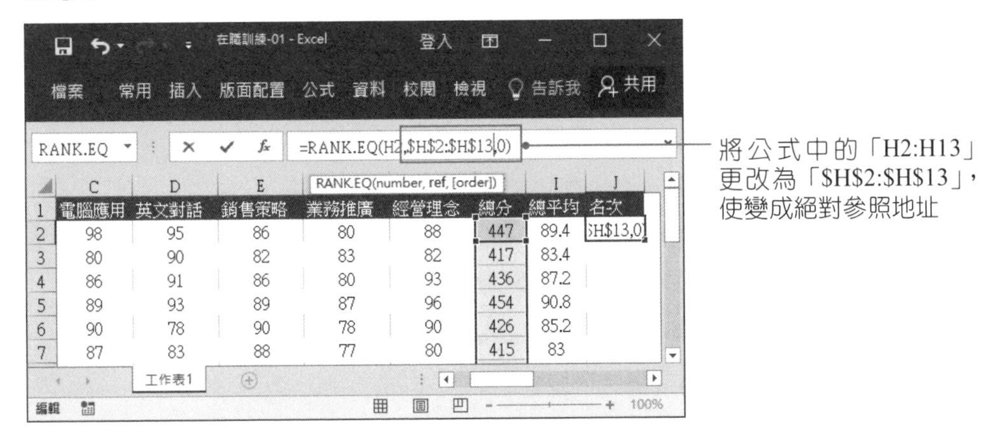

Step 9

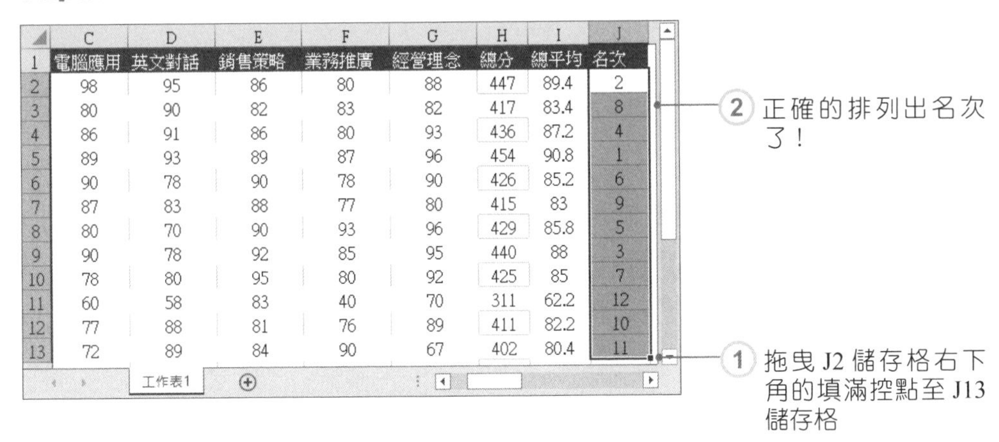

很簡單吧！不費吹灰之力就已經把在職訓練成績計算表的名次給排列出來了！

實力評量

是非題

( ) 1. RANK.EQ() 為統計類別的函數。

( ) 2. HLOOKUP() 函數是用來找出指定「資料範圍」的最左欄中符合「特定值」的資料，然後依據「索引值」傳回第幾個欄位的值。

( ) 3. 由「插入」標籤選擇「填滿／數列」指令，可開啟數列對話框。

( ) 4. SUM() 函數可用來求出數值的差數。

( ) 5. 在數列對話視窗中，還可設定資料選取自「列」或是「欄」、類型、日期單位、間距值與終止值等功能。

( ) 6. RANK.EQ() 函數功能主要是用來計算某一數值在清單中的順序等級。

選擇題

( ) 1. 儲存格中公式或是函數都是以何種符號開始？
(A)# (B)= (C)& (D)*

( ) 2. 下何者非 Excel 所提供的函數類別？
(A) 股票 (B) 統計 (C) 資訊 (C) 財務

( ) 3. 下列何者非數列對話框內的類型選項？
(A) 等差級數 (B) 等比級數 (C) 數值 (D) 日期

( ) 4. RANK.EQ() 函數中的 order 引數如果為「1」則表示？
(A) 由小到大 (B) 由大到小 (C) 隨意排序 (D) 以上皆非

( ) 5. 函數格式中包含哪些部分？
(A) 函數名稱 (B) 括號 (C) 引數 (D) 以上皆是

( ) 6. 在 Microsoft Excel 的工作表中，儲存格 A1 到 A5 的值分別為 5、3、2、4、1，則在儲存格 B1 輸入下列何種內容所得到的數值最小？
(A)=AVERAGE(A1:A5) (B) =COUNT(A1:A5)
(C)=IF(A1<A4, A3,A2) (D)= RANK.EQ(A4,A1:A5)

(　) 7. 在 MS Excel 中，如果要在儲存格 B6 中計算儲存格 B2 至 B5 四筆數額的平均值，則下列公式何者正確？（複選）
(A)=AVERAGE(B2+B3+B4+B5)　(B)=AVERAGE(B2:B5)
(C)=AVERAGE(B2,B3,B4,B5)　(D)=(B2+B3+B4+B5)/4

實作題

1. 請開啟範例檔「學生成績.xlsx」。並切換至「成績計算表」工作表，如下圖：

	A	B	C	D	E	F	G	H
1	學生姓名	座號	英文	數學	國文	總分	平均	名次
2	陳光輝	1	98	95	86			
3	林子杰		80	90	82			
4	李宗勳		86	91	86			
5	蔡昌洲		89	93	89			
6	何福謀		90	78	90			
7	王楨珍		87	83	88			
8	王貞琇		80	70	90			
9	郭佳琳		90	78	92			
10	葉千瑜		78	80	95			
11	郭佳華		60	58	83			
12	彭天慈		77	88	81			
13	曾雅琪		72	89	84			

成績計算表　成績查詢

完成檔案：學生成績 OK.xlsx

	A	B	C	D	E	F	G	H
1	學生姓名	座號	英文	數學	國文	總分	平均	名次
2	陳光輝	1	98	95	86	279	93	1
3	林子杰	4	80	90	82	252	84	8
4	李宗勳	7	86	91	86	263	88	3
5	蔡昌洲	10	89	93	89	271	90	2
6	何福謀	13	90	78	90	258	86	5
7	王楨珍	16	87	83	88	258	86	5
8	王貞琇	19	80	70	90	240	80	11
9	郭佳琳	22	90	78	92	260	87	4
10	葉千瑜	25	78	80	95	253	84	7
11	郭佳華	28	60	58	83	201	67	12
12	彭天慈	31	77	88	81	246	82	9
13	曾雅琪	34	72	89	84	245	82	10

成績計算表　成績查詢

- 請以數列方式將此成績計算表中的座號填滿，其間距值為「3」，終止值為「34」。
- 請使用「SUM() 函數」設定總分分數。
- 請使用「AVERAGE() 函數」設定學生平均分數。
- 使用「RANK.EQ() 函數」排列學生名次。

2. 在數列對話視窗中，有哪幾種填滿類型？
3. 插入函數的圖示鈕在哪一個索引標籤的功能區。
4. 如何在工作表中進行兩個欄位的排序。
5. 請在 Excel 軟體中找出關於「排序」的線上說明文件。

筆記欄

CHAPTER

03 業務績效與樞紐分析

學習重點

- 資料篩選與排序
- 小計
- 樞紐分析表的建立

本章簡介

公司中最重要的就是業務推展，而這個重責大任通常都在業務員身上，因此業務員的業績績效及業績獎金對一個公司來說就顯得格外重要。有了完善的業績績效及業績獎金制度，才能使公司對不同的業績績效有所賞罰。

在本章中，學習製作表格來紀錄每個業務員的銷售業績、統計產品銷售資料及相關報表，讓業務人員能清楚業績績效的達成狀況。

Excel 2016

範例成果

	A	B	C	D	E	F	G	H
1	月份	產品代	產品種類	銷售地區	業務人員編	單價	數量	總金額
2	1	A0302	應用軟體	韓國	A0903	8000	4000	32000000
3	1	A0302	應用軟體	美西	A0905	12000	2000	24000000
4	1	A0302	應用軟體	英國	A0906	13000	600	7800000
5	1	A0302	應用軟體	法國	A0907	13000	2000	26000000
6	1	A0302	應用軟體	東南亞	A0908	5000	6000	30000000
7	1	A0302	應用軟體	義大利	A0909	8000	8000	64000000
8		A0302 合計				59000	22600	183800000
9	1	F0901	繪圖軟體	日本	A0901	10000	2000	20000000
10	1	F0901	繪圖軟體	美西	A0905	8000	1500	12000000
11	1	F0901	繪圖軟體	阿根廷	A0906	5000	500	2500000
12	1	F0901	繪圖軟體	美東	A0906	8000	2000	16000000
13	1	F0901	繪圖軟體	英國	A0906	9000	500	4500000
14	1	F0901	繪圖軟體	德國	A0907	9000	700	6300000
15	1	F0901	繪圖軟體	東南亞	A0908	4000	3000	12000000
16	1	F0901	繪圖軟體	義大利	A0909	5000	5000	25000000
17		F0901 合計				58000	15200	98300000
18	1	G0350	電腦遊戲	日本	A0901	5000	1000	5000000
19	1	G0350	電腦遊戲	韓國	A0902	3000	2000	6000000

銷售業績　產品銷售排行

銷售產品總數量及金額

3-1 製作產品銷售排行榜

利用前面所學的資料編輯技巧，就可以簡單又快速的建立一份業績表。接下來必須知道哪一項產品銷售量最好，讓管理者清楚瞭解公司的整個產品及人員的業績狀況。

3-1-1 篩選資料

建立業績表格時最重要的一件事，就是這份表格必須讓人隨時可以掌握每一種資料。而 Excel 中就有一種篩選功能，可以讓工作表只顯示指定條件的資料，隱藏其餘非指定條件資料。以下範例將利用此功能篩選出這個月份，業務人員編號「A0906」所有的業務狀況。請開啓範例檔「業績表-01.xlsx」。

範例 使用自動篩選功能

Step 1

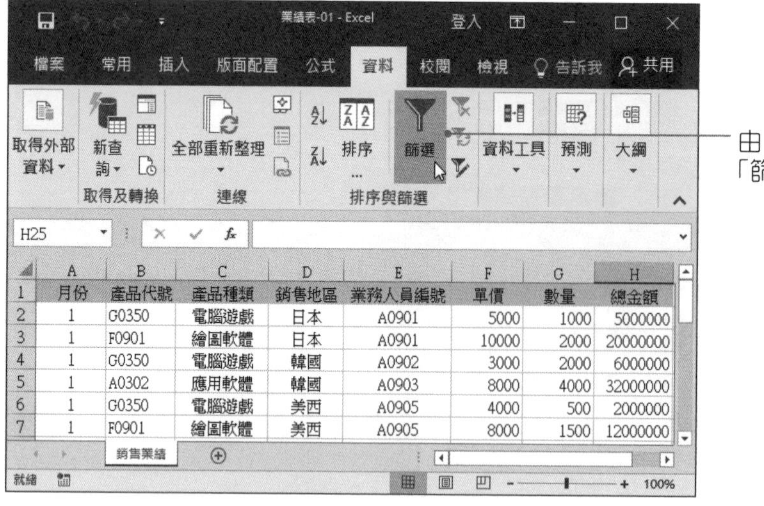

由「資料」標籤按下「篩選」鈕

Step 2

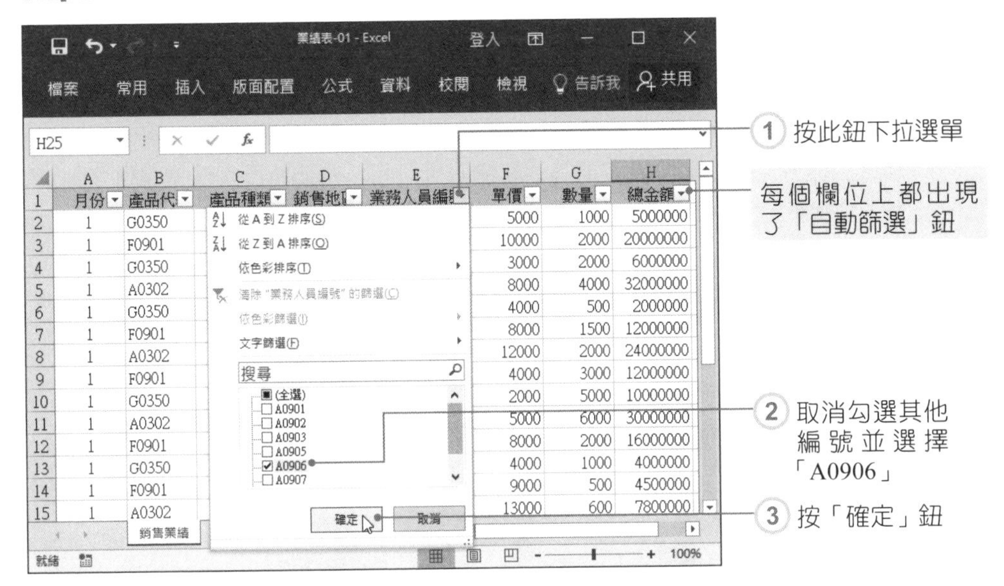

Step 3

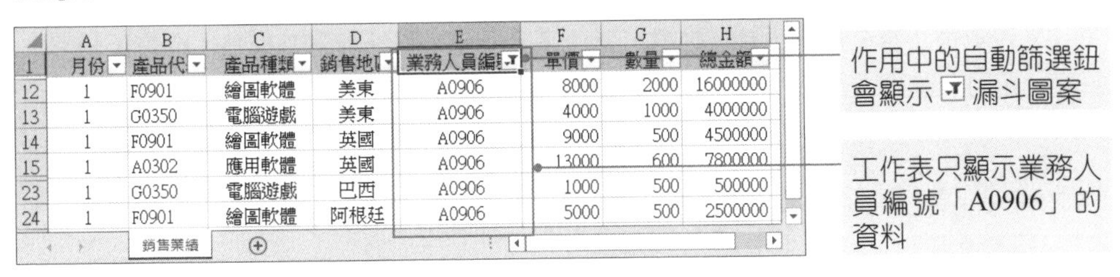

Tips 如果想要顯示全部資料，只要按下篩選下拉鈕，並執行「清除 " 業務人員編號 " 的篩選」指令，或重新勾選「全部」資料即可。如果要想要恢復原來的工作表，只要再執行一次「篩選」指令，就可以消除篩選鈕。

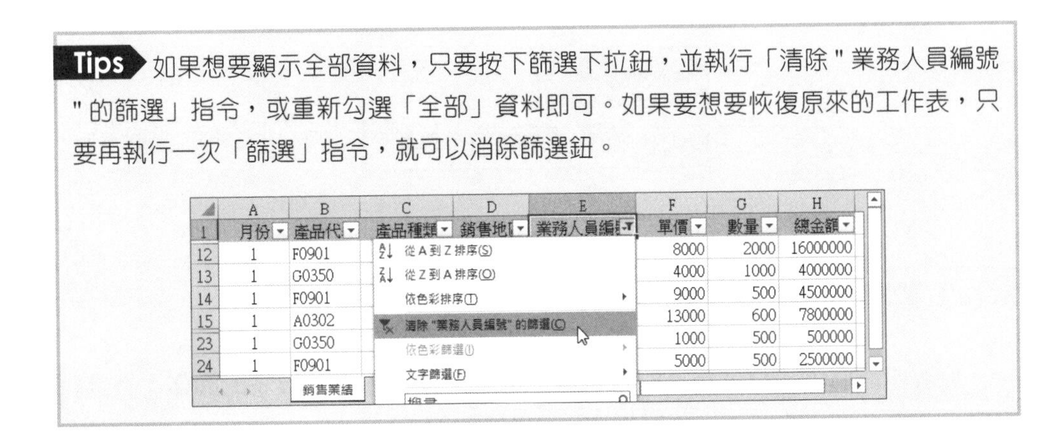

進階篩選選項

■ 按下篩選下拉鈕後，會依照儲存格數值格式不同出現「文字篩選」或「數字篩選」指令，在此則可設定更為進階的篩選設定。例如執行「前 10 項」指令，將會產生「自動篩選前 10 項」對話視窗，如下圖：

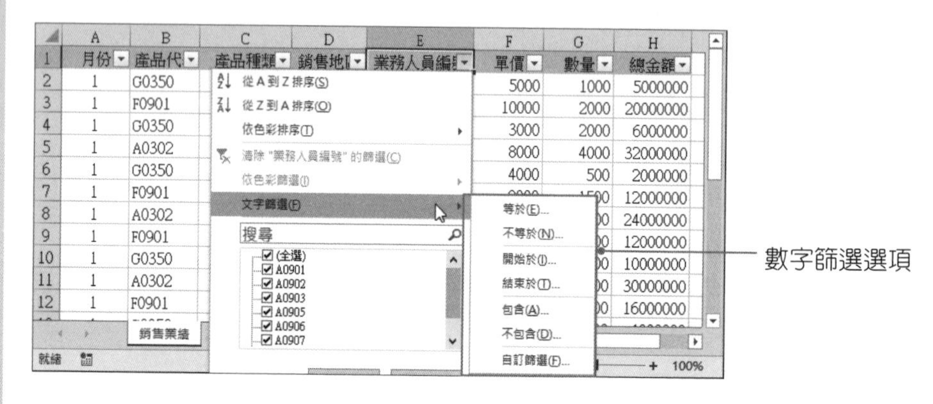

■ 如執行「數字篩選 / 自訂篩選」或「文字篩選 / 自訂篩選」指令，則會出現自訂自動篩選對話視窗，讓使用者自行訂定條件。如下圖：

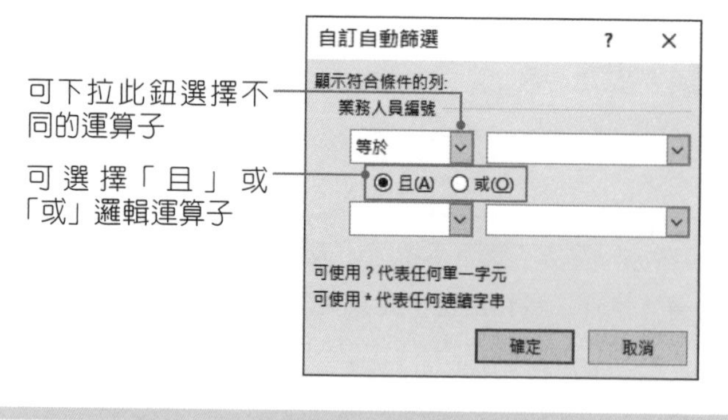

可下拉此鈕選擇欄位中的數值或自行輸入數值

3-1-2 業績表資料排序

瞭解如何篩選各位業務員的資料後，再來對業績表進行排序的動作。在進行排序之前，必須先瞭解排序對話視窗中的排序概念。

工作表中都有設定欄位名稱，當開始進行排序後，如果遇到欄位中有相同數值時，該如何判定先後分出高下呢？ Excel 的排序對話視窗中，提供「排序層級」的方式來解決這樣的問題。

接下來，請開啓範例檔「業績表-02.xlsx」，來看看 Excel 如何排序複雜的業績資料。

範例 將資料 / 記錄排序

Step 1

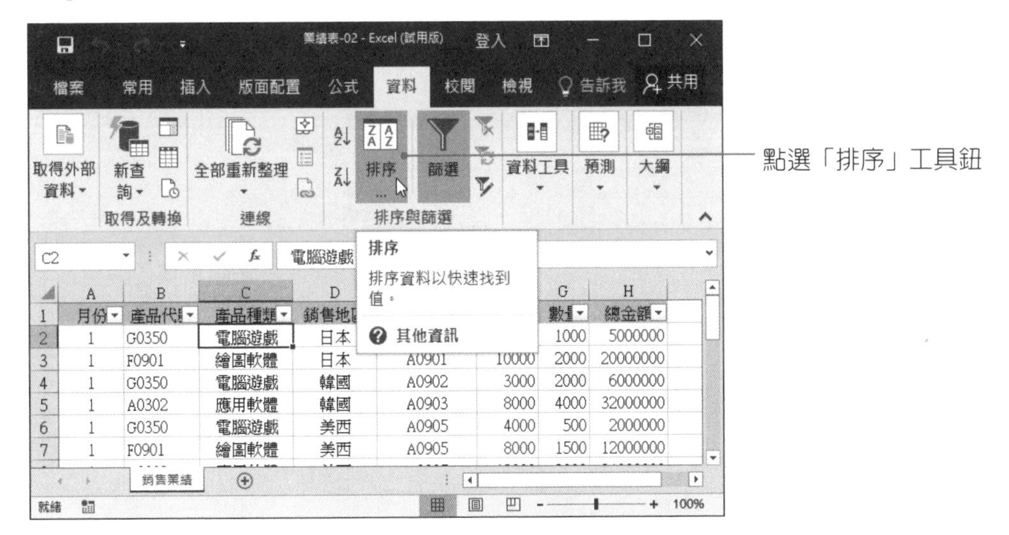

Step 2

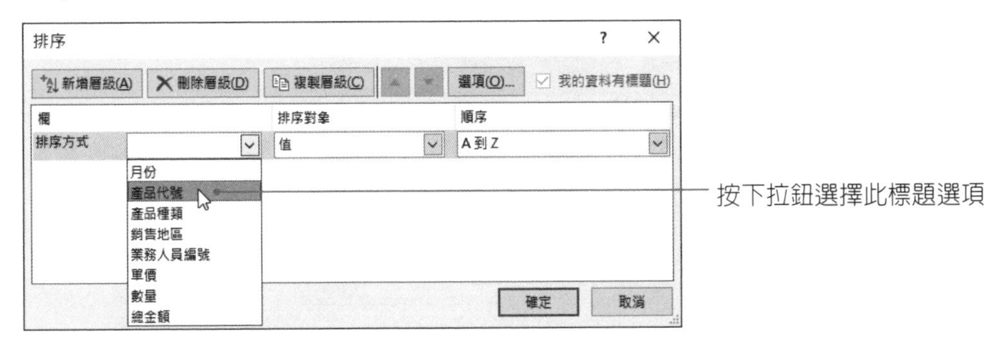

Step 3

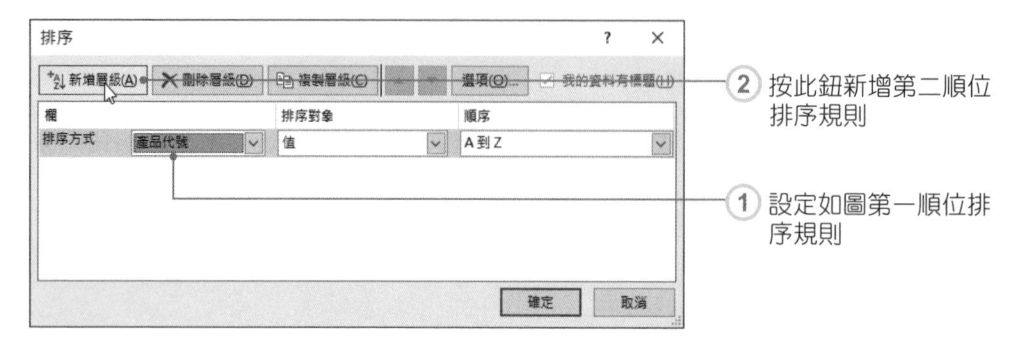

Step 4

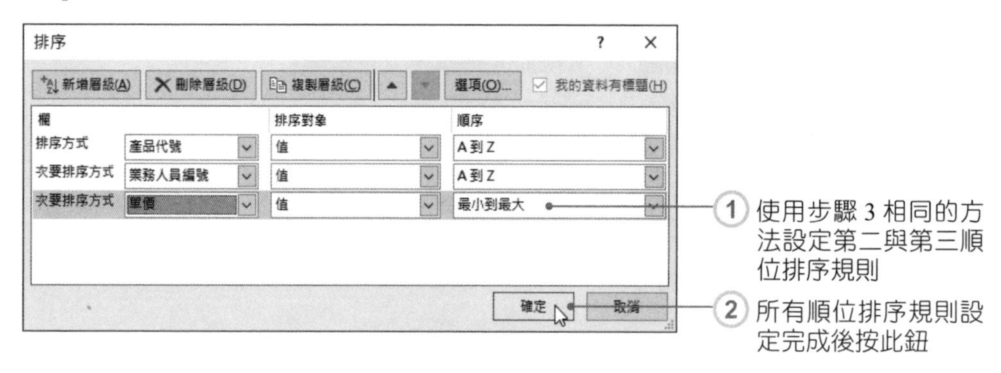

Step 5

	A	B	C	D	E	F	G	H
1	月份	產品代號	產品種類	銷售地區	業務人員編	單價	數量	總金額
2	1	A0302	應用軟體	韓國	A0903	8000	4000	32000000
3	1	A0302	應用軟體	美西	A0905	12000	2000	24000000
4	1	A0302	應用軟體	英國	A0906	13000	600	7800000
5	1	A0302	應用軟體	法國	A0907	13000	2000	26000000
6	1	A0302	應用軟體	東南亞	A0908	5000	6000	30000000
7	1	A0302	應用軟體	義大利	A0909	8000	8000	64000000
8	1	F0901	繪圖軟體	日本	A0901	10000	2000	20000000
9	1	F0901	繪圖軟體	美西	A0905	8000	1500	12000000
10	1	F0901	繪圖軟體	阿根廷	A0906	5000	500	2500000
11	1	F0901	繪圖軟體	美東	A0906	8000	2000	16000000
12	1	F0901	繪圖軟體	英國	A0906	9000	500	4500000
13	1	F0901	繪圖軟體	德國	A0907	9000	700	6300000
14	1	F0901	繪圖軟體	東南亞	A0908	4000	3000	12000000
15	1	F0901	繪圖軟體	義大利	A0909	5000	5000	25000000

步驟 4 中可以視實際需求來設定更多順位的排序規則，但如果設定的太多，也有可能會過於複雜或失去了要表達的涵義。

3-1-3 小計功能

設定排序之後，接下來運用「小計」功能，將每樣產品的業績總金額加起來，就可看出每樣產品銷售的總金額了！以下將延續上述範例來做說明。

範例 使用小計功能

Step 1

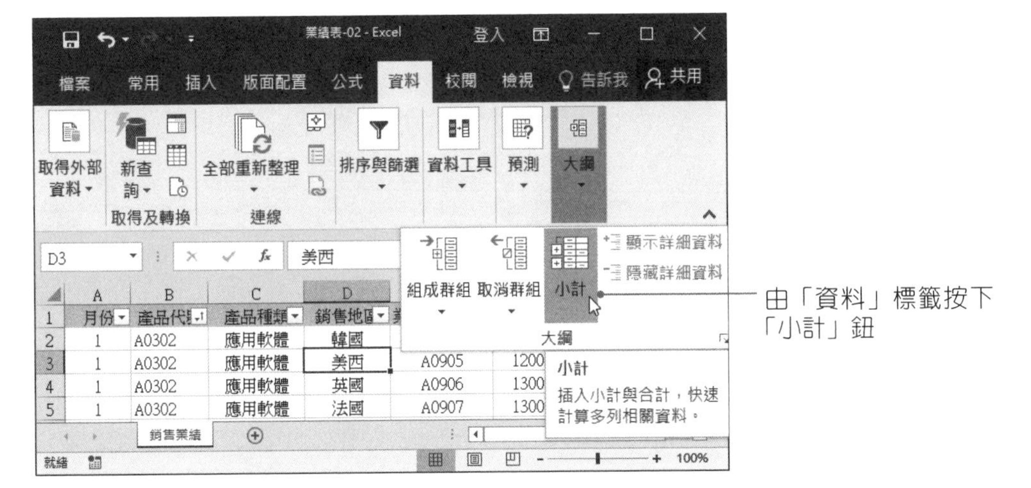

Step 2

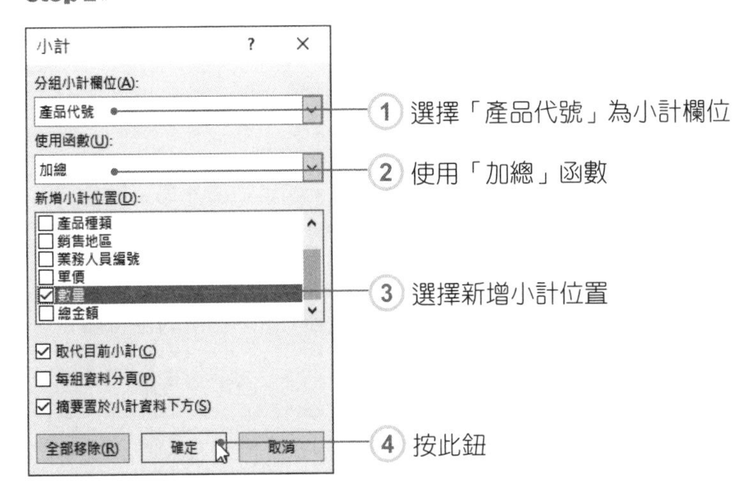

Step 3

	A	B	C	D	E	F	G	H
1	月份	產品代號	產品種類	銷售地區	業務人員編	單價	數量	總金額
2	1	A0302	應用軟體	韓國	A0903	8000	4000	32000000
3	1	A0302	應用軟體	美西	A0905	12000	2000	24000000
4	1	A0302	應用軟體	英國	A0906	13000	600	7800000
5	1	A0302	應用軟體	法國	A0907	13000	2000	26000000
6	1	A0302	應用軟體	東南亞	A0908	5000	6000	30000000
7	1	A0302	應用軟體	義大利	A0909	8000	8000	64000000
8		**A0302 合計**					22600	
9	1	F0901	繪圖軟體	日本	A0901	10000	2000	20000000
10	1	F0901	繪圖軟體	美西	A0905	8000	1500	12000000
11	1	F0901	繪圖軟體	阿根廷	A0906	5000	500	2500000
12	1	F0901	繪圖軟體	美東	A0906	8000	2000	16000000
13	1	F0901	繪圖軟體	英國	A0906	9000	500	4500000
14	1	F0901	繪圖軟體	德國	A0907	9000	700	6300000
15	1	F0901	繪圖軟體	東南亞	A0908	4000	3000	12000000

銷售業績

此為大綱符號，將資料分成三層

已經計算出每一個產品的銷售總數量及全部金額了！

學習園地

「小計」對話視窗

在小計對話視窗中，還有三個設定選項，分別為「取代目前小計」、「每組資料分頁」及「摘要至於小計資料下方」。

■ 取代目前小計

不論執行幾次小計，只要勾選此項，就會以此次小計結果覆蓋之前的小計結果。

■ 每組資料分頁

如果勾選此項，則會將每一組小計以分頁的方式列印出來。

■ 摘要置於小計資料下方

此項必須在勾選「取代目前小計」狀態下，才可勾選。如果勾選此項，則會將小計列及總計列置於每一組小計的下方，如果不勾選此項則會將小計列置於每一組的上方。

至於要取消小計列，只要再次執行「資料／小計」指令，按下小計對話視窗中的「全部移除」鈕即可移除。

3-1-4 運用大綱功能查看業績表小計結果

雖然已經以小計功能計算出每一種產品的銷售量，可是因為產品種類繁多，所以要查看所有的小計結果，就必須不停的移動捲軸來做比較。Excel 為了讓使用者一下就看出小計結果，所以在建立小計的同時，也已經把「大綱」給建立好了。如下圖所示：

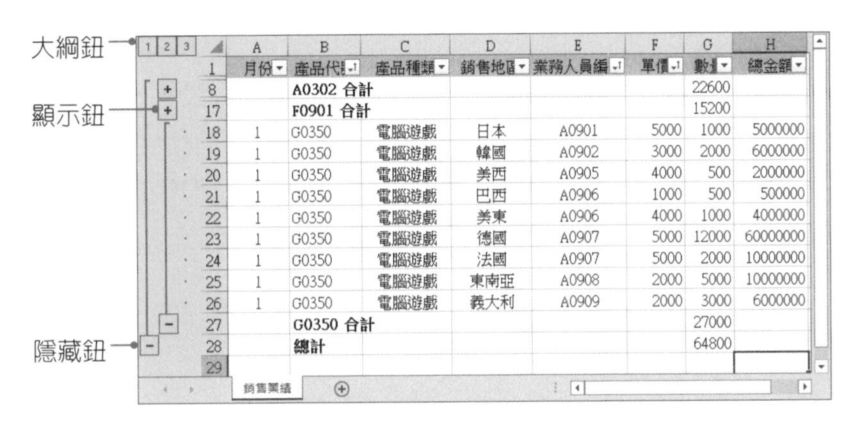

	A	B	C	D	E	F	G	H
1	月份	產品代	產品種類	銷售地區	業務人員編	單價	數量	總金額
8		A0302 合計					22600	
17		F0901 合計					15200	
18	1	G0350	電腦遊戲	日本	A0901	5000	1000	5000000
19	1	G0350	電腦遊戲	韓國	A0902	3000	2000	6000000
20	1	G0350	電腦遊戲	美西	A0905	4000	500	2000000
21	1	G0350	電腦遊戲	巴西	A0906	1000	500	500000
22	1	G0350	電腦遊戲	美東	A0906	4000	1000	4000000
23	1	G0350	電腦遊戲	德國	A0907	5000	12000	60000000
24	1	G0350	電腦遊戲	法國	A0907	5000	2000	10000000
25	1	G0350	電腦遊戲	東南亞	A0908	2000	5000	10000000
26	1	G0350	電腦遊戲	義大利	A0909	2000	3000	6000000
27		G0350 合計					27000	
28		總計					64800	
29								

- 大綱鈕 1 2 3：使用者會看到不同編號的符號，此符號乃依照小計的欄位來做不同層次區別。數字編號越小，顯示資料最精簡，數字越大資料顯示越多。
- 顯示鈕 ＋：按下此鈕，會將隱藏的資料顯示出來。
- 隱藏鈕 －：按下此鈕，會將顯示的資料隱藏起來。

瞭解大綱的使用方式之後，以下範例將查看各個產品的銷售金額。

範例 使用大綱功能

Step 1

	A	B	C	D	E	F	G	H
1	月份	產品代	產品種類	銷售地區	業務人員編	單價	數量	總金額
8		A0302 合計					22600	
17		F0901 合計					15200	
18	1	G0350	電腦遊戲	日本	A0901	5000	1000	5000000
19	1	G0350	電腦遊戲	韓國	A0902	3000	2000	6000000
20	1	G0350	電腦遊戲	美西	A0905	4000	500	2000000
21	1	G0350	電腦遊戲	巴西	A0906	1000	500	500000
22	1	G0350	電腦遊戲	美東	A0906	4000	1000	4000000
23	1	G0350	電腦遊戲	德國	A0907	5000	12000	60000000
24	1	G0350	電腦遊戲	法國	A0907	5000	2000	10000000
25	1	G0350	電腦遊戲	東南亞	A0908	2000	5000	10000000
26	1	G0350	電腦遊戲	義大利	A0909	2000	3000	6000000
27		G0350 合計					27000	

Step 2

3-1-5 製作銷售排行

使用大綱查看出各個產品的銷售量後，接著就來製作產品的銷售排行吧！讓公司藉此排行來決定下一個月的產品製造量，銷售好的產品下個月將增產，而銷售不好的產品則進行減產。請開啓範例檔「業績表-03.xlsx」。

範例 製作銷售產品總金額排行

Step 1

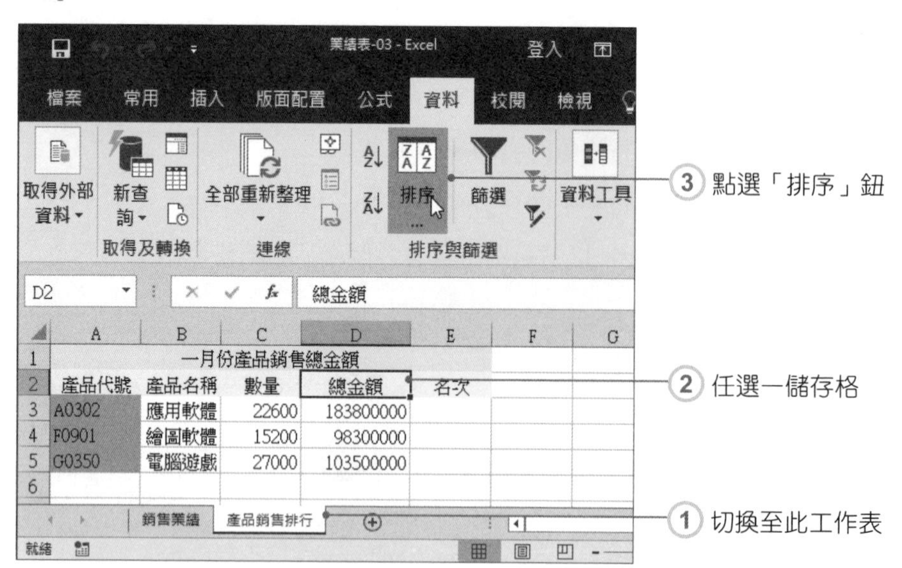

Step 2

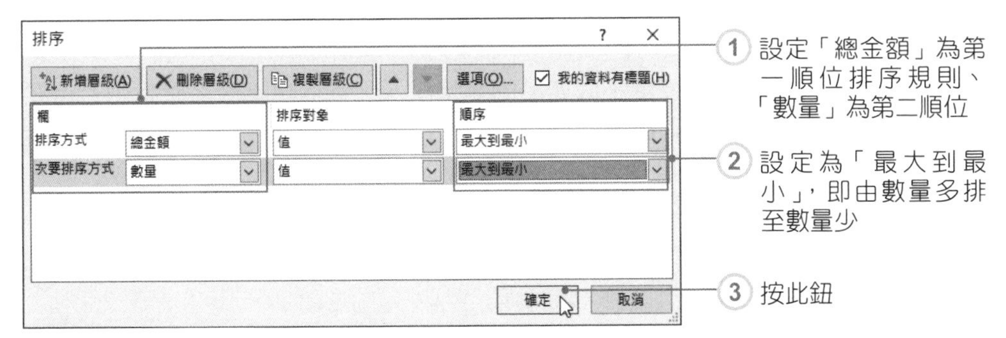

1. 設定「總金額」為第一順位排序規則、「數量」為第二順位
2. 設定為「最大到最小」，即由數量多排至數量少
3. 按此鈕

Step 3

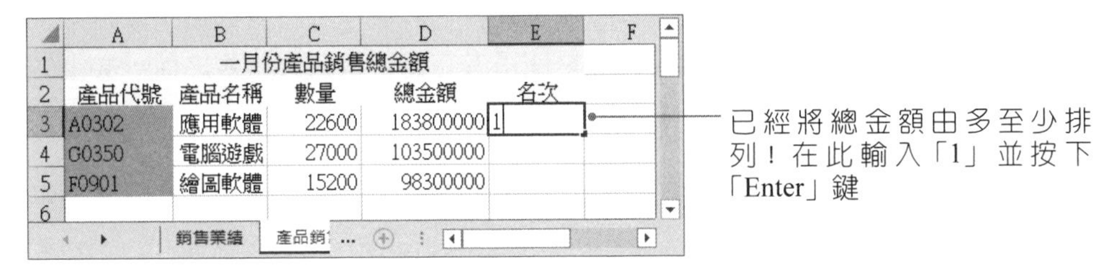

已經將總金額由多至少排列！在此輸入「1」並按下「Enter」鍵

Step 4

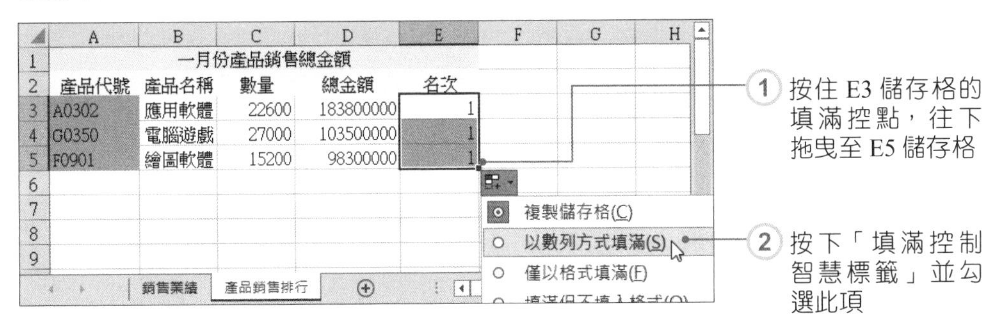

1. 按住 E3 儲存格的填滿控點，往下拖曳至 E5 儲存格
2. 按下「填滿控制智慧標籤」並勾選此項

Step 5

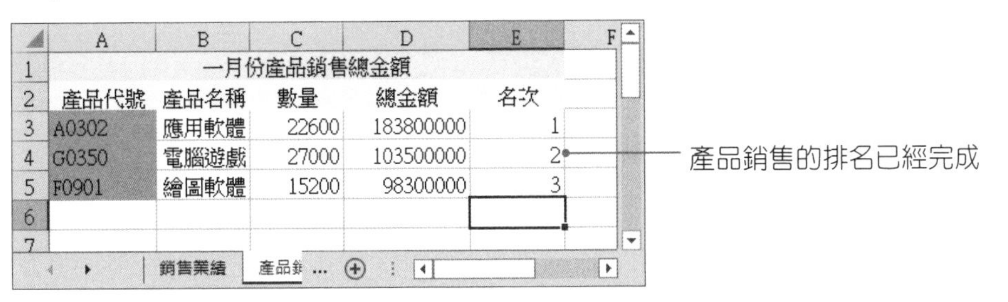

產品銷售的排名已經完成

3-2 建立樞紐分析表

產品銷售排行是用來瞭解不同產品的銷售狀況，進而決定產品產量是否需要增減，除此之外，也必須瞭解各個地區的銷售成績，依照各地銷售量的不同來擬定業務推廣計畫。所以在這一小節中，將製作各地銷售情形的樞紐分析表。

3-2-1 認識樞紐分析表

何謂「樞紐分析表」？簡單來說，樞紐分析表就是依照使用者的需求而製作的互動式資料表。當使用者想要改變檢視結果時，只需要透過改變樞紐分析表中的欄位，即可得到不同的檢視結果。但是使用者在建立樞紐分析表之前，必須知道資料分析所依據的來源，資料來源可爲資料庫的資料表或目前的工作表資料。

首先來瞭解樞紐分析表的組成元件爲何？樞紐分析表是由四種元件組成，分別爲欄、列、值及報表篩選。

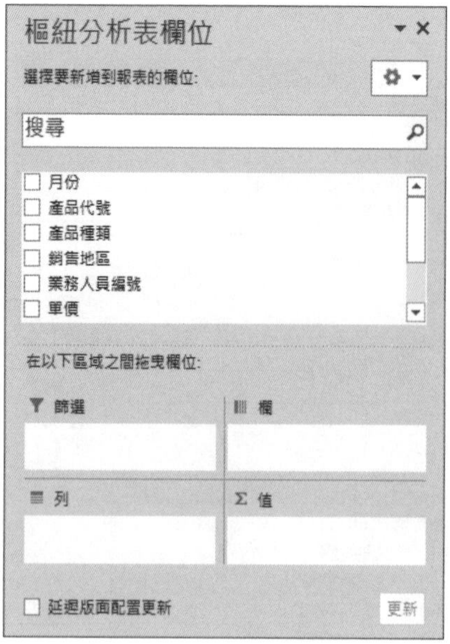

欄與列

通常為使用者用來查詢資料的主要根據。

值

「值」乃由欄與列交叉產生的儲存格內容，即樞紐分析表中顯示資料的欄位。

篩選

「篩選」並非樞紐分析表必要的組成元件，假如設定此項，可自由設定想要查看的區域或範圍。

3-2-2 樞紐分析表建立

建立樞紐分析表的過程中，主要會出現三個步驟，接著將在建立的過程中，同時說明步驟中的各個設定。請開啓範例檔「業績表-04.xlsx」。

樞紐分析表的建立

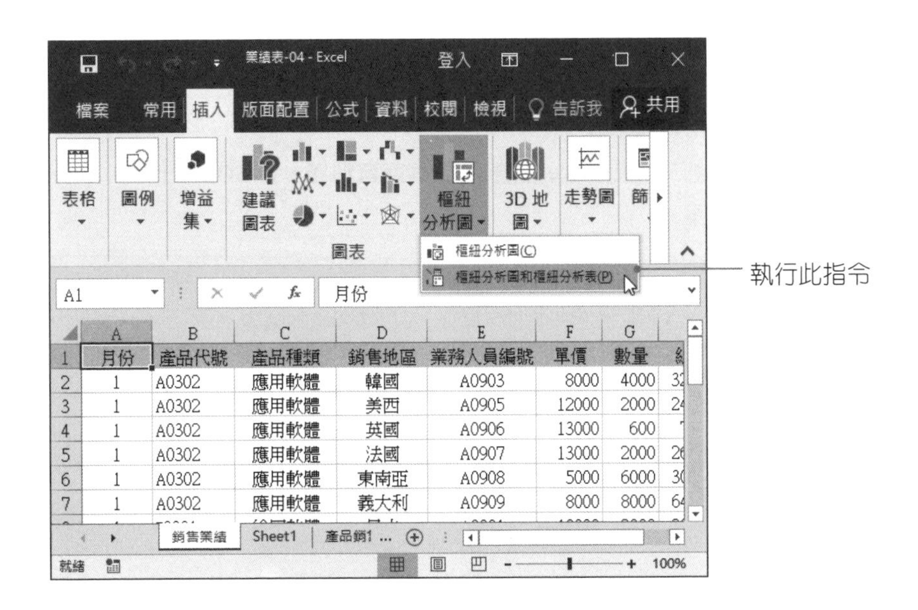

樞紐分析表設定視窗進行設定

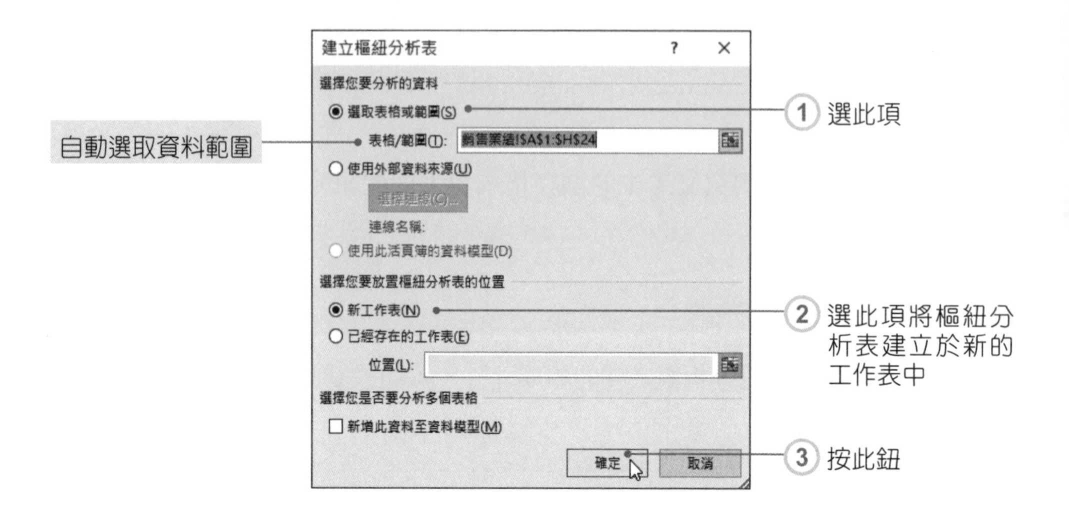

樞紐分析表資料來源

可依照使用者的資料來源而做設定，資料來源可為以下兩種方式：

■ 選取表格或範圍

設定目前活頁簿工作表中的資料清單範圍為資料來源。

■ 使用外部資料來源

設定資料來源為 Excel 外部的檔案或資料庫，如 SQL Server、Access 等等的資料檔案。

版面配置

因為要製作各個地區的產品銷售統計表，所以接下來，將「產品代號」欄位名稱拖曳至「列」組成元件欄位中，並將「銷售地區」欄位名稱拖曳至「欄」組成元件欄位，最後再將「總金額」移至「資料」組成元件欄位即可。

Step 1

Step 2

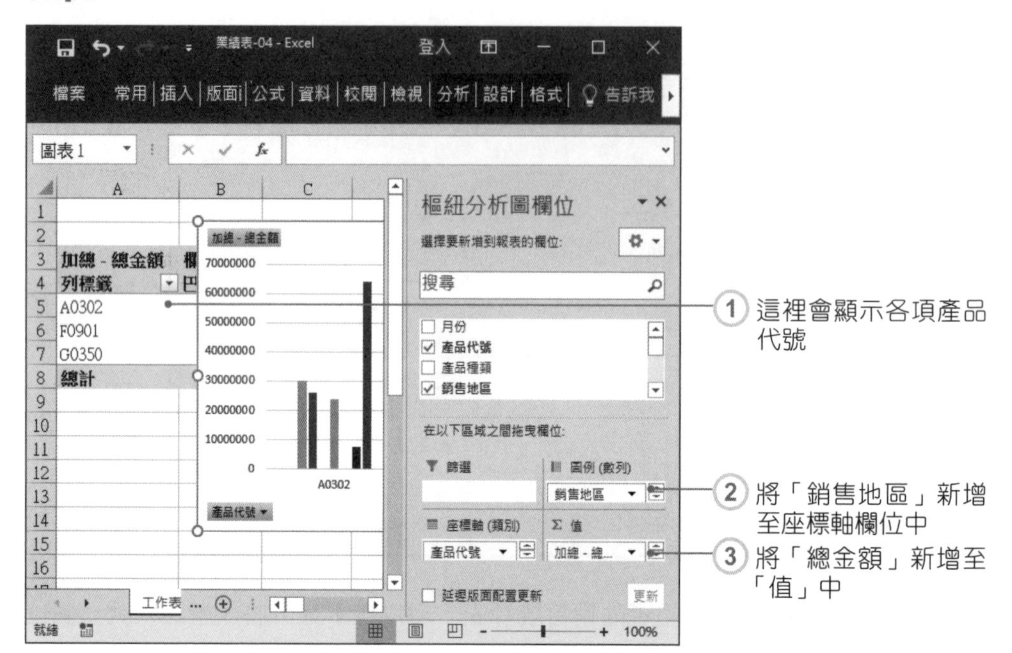
① 這裡會顯示各項產品代號
② 將「銷售地區」新增至座標軸欄位中
③ 將「總金額」新增至「值」中

Step 3

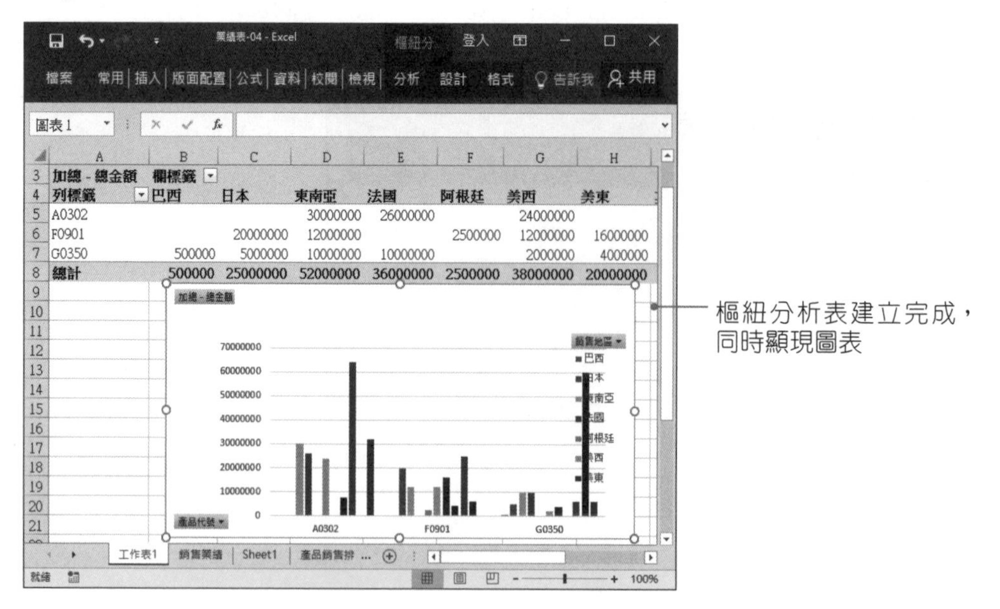
樞紐分析表建立完成，同時顯現圖表

3-2-3 顯示各個地區的銷售平均值

樞紐分析表還可依照選取不同的欄爲順序來變更顯示結果，如果主管要查看各個區域銷售的「最大值」狀況時，就可以利用欄位的更動，來轉變樞紐分析表的顯示。請開啓範例檔「業績表-05.xlsx」。

範例 變更欄位顯示方式

Step 1

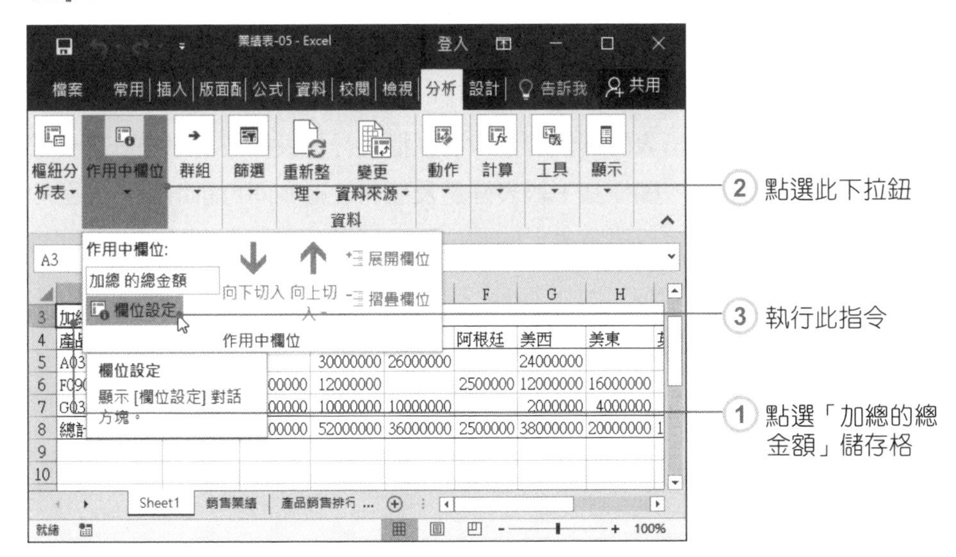

Step 2

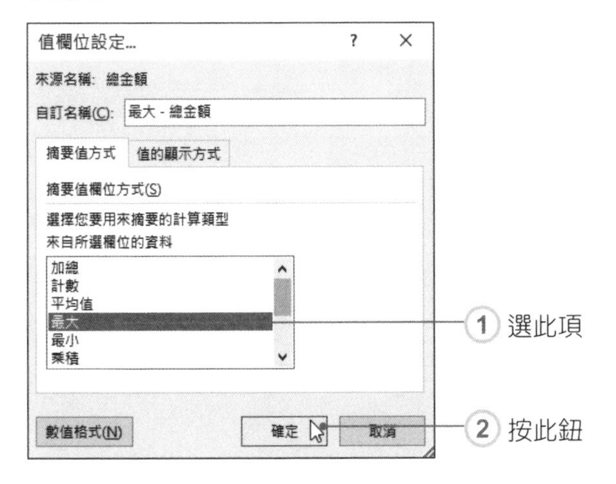

Step 3

	A	B	C	D	E	F	G	H
3	最大 - 總金額	銷售地區						
4	產品代號	巴西	日本	東南亞	法國	阿根廷	美西	美東
5	A0302			30000000	26000000		24000000	
6	F0901		20000000	12000000		2500000	12000000	16000000
7	G0350	500000	5000000	10000000	10000000		2000000	4000000
8	總計	500000	20000000	30000000	26000000	2500000	24000000	16000000

Sheet1 銷售業績 產品銷售排行

總計列中的資料都轉換成「最大值」了！

只要多練習幾次，熟悉樞紐分析表欄位設定，不管主管要求什麼資料，一定很快就可以製作符合需求的報表。

如果想要新增樞紐分析表的欄位時，只要在樞紐分析表欄位清單中，選擇需要的欄位並拖曳至列標籤、欄標籤、報表篩選及值欄位區域即可新增欄位。至於要刪除樞紐分析表的欄位，只要將表上的欄位拖曳至樞紐分析表以外的地區即可刪除。

實力評量

是非題

( ) 1. 小計功能可以不需自行設計公式，就可為工作表建立統計資料或加上摘要資料。

( ) 2. 篩選功能可用以過濾資料，將符合規定的清單顯示於工作表上，不符合者則隱藏起來。

( ) 3. 建立小計的同時，也會把「大綱」給建立好了。

( ) 4. 大綱鈕是依照小計的欄位來做不同層次區別。數字編號越小，顯示資料最精簡。

( ) 5. 樞紐分析表是由四種元件組成，分別為欄、列、值及報表篩選。

( ) 6.「報表篩選」是樞紐分析表必要的組成元件。

( ) 7. 樞紐分析表還可依照選取不同的欄位順序來變更顯示結果。

選擇題

( ) 1. 下列敘述何者有誤？
(A) 可同時於多個欄位設定篩選條件
(B) 點選「資料／篩選」工具鈕可使每個欄位產生「自動篩選」鈕
(C) 不同的欄位篩選條件採用「聯集」的方式進行
(D) 以上皆非

( ) 2. 應如何消取「自動篩選」模式？
(A) 再一次點選「資料」標籤的「篩選」鈕
(B) 下拉自動篩選鈕並選取「取消篩選」選項
(C) 點選「資料」標籤中的「小計」鈕
(D) 由「資料」標籤點選「篩選」鈕中的「數字篩選」指令

( ) 3. 下列何種功能主要是用來管理工作表中不同的資料，將資料區分成不同層次以方便管理？
(A) 排序 (B) 小計 (C) 大綱 (D) 篩選

( ) 4. 建立大綱前工作表中的清單內容必須先進行何種動作？
(A) 小計 (B) 排序 (C) 群組 (D) 篩選

(　) 5. 要顯示或隱藏儲存格中的註解內容，應執行和指令？
(A) 插入註解　(B) 儲存格格式　(C) 顯示 / 隱藏註解　(D) 排序

▶ 實作題

1. 請開啓範例檔「業績表-13.xlsx」。

	A	B	C	D	E	F	G	H
1	月份	產品代號	水果種類	銷售地區	業務人員編號	單價	數量	總金額
2	1	30369	香蕉	日本	R9001	50	32000	1600000
3	1	30587	蘋果	美國	R9030	100	56000	5600000
4	2	30369	香蕉	日本	R9001	60	54000	3240000
5	2	30587	蘋果	美國	R9030	120	25000	3000000

銷售業績

請以「表單」功能新增以下兩筆資料：

3	30880	哈密瓜	日本	R9700	90	35000
3	30369	香蕉	日本	R9001	55	12000

2. 以表單功能輸入之後，就以此表建立一個如下的樞紐分析表：

	A	B	C	D	E
3	加總 的總金額		銷售地區		
4	月份	水果種類	日本	美國	總計
5	⊟1	香蕉	1600000		1600000
6		蘋果		5600000	5600000
7	1 合計		1600000	5600000	7200000
8	⊟2	香蕉	3240000		3240000
9		蘋果		3000000	3000000
10	2 合計		3240000	3000000	6240000
11	⊟3	哈密瓜	3150000		3150000
12		香蕉	660000		660000
13	3 合計		3810000		3810000
14	總計		8650000	8600000	17250000

工作表1　銷售業績

提示：將「月份」及「水果種類」放置在樞紐分析表的「列標籤」元件中，將「銷售地區」放置在「欄標籤」元件中，並將「總金額」放置在「值」元件裡。

3. 樞紐分析表資料來源有哪兩種方式？
4. 簡述如何進行自動篩選的實作。
5. 請問在小計對話視窗中，還有哪三個設定選項？

筆記欄

CHAPTER

04 樣版 - 員工出勤記錄時數統計

學習重點

- 運用資料驗證避免輸入錯誤
- 日期顯示格式的變更
- 運用 VLOOKUP() 函數自動輸入

本章簡介

對一家公司而言，員工是最重要的資產，如果這家公司的員工常常請假、曠職或生病，不僅會對其他員工、公司造成影響，也會讓公司因而損失不少生意往來。所以，建立一個「員工每月出勤時數統計表」用來管理員工出席狀況是有其必要的。

在製作員工每月出勤時數統計表的過程中，會運用函數來簡化請假公式的計算，以及請假紀錄的建立，讓使用者輕易的就可查出各個員工請假的狀況。

Excel 2016

範例成果

	A	B	C	D	E	F
1	加總 - 天數	欄標籤				
2	列標籤	公假	年假	事假	病假	總計
3	李向承		1	1.3	2	4.3
4	周宜相	1	0.5	1	0.6	3.1
5	林亦夫	1			1.5	2.5
6	林佳玲			0.5	0.5	1
7	張小雯	2.5	2			4.5
8	張全尊	1	2	0.5	1	4.5
9	許小為			1	0.3	1.3
10	許易堅	2	2		1	5
11	陳益浩	1	1		1	3
12	陳貽宏		2			2
13	楊林憲				3	3
14	楊治宇	1	2	0.2		3.2
15	劉吟秀	3	2			5
16	總計	12.5	14.5	4.5	10.9	42.4

工作表1

員工請假樞紐分析表

4-1 建立休假制度

員工休假可分成支薪與不支薪的假別，不同的假別會有不同的扣錢方式，依照員工請假規範來限定員工請假的假別，建立出勤時數統計表，不但可計算每個月的請假人數、時數等，作爲支付薪資的依據，還能評估員工的適任性。

4-1-1 訂定員工請假規範

首先，瞭解一下「員工請假規範」的各項請假規定，規定如下：

假別

① 事假：因事需由本人親自處理，屬於不給薪的假別。

② 病假：因病或生理因素需要治療或休養者，薪水折半。

③ 分娩假：本人分娩前後。照給薪。

④ 喪假：親人喪亡。照給薪。

⑤ 公假：依政府法令規定應給予公假者，照給薪。

⑥ 年假：依照年資每年的假期，照給薪。

時數計算

請假單位爲「小時」，例如：請假不超過一小時則以一小時計算，以此類推。

年假給假方式

① 需年滿一年，才有年假。

② 一年以上未滿三年，每年 7 天年假。

③ 三年以上未滿五年，每年 10 天年假。

④ 五年以上未滿十年，每年 14 天年假。

⑤ 十年以上則每年增加一天，直至 30 天爲止。

4-1-2 建立年休表

當一個員工在公司工作年滿一年即會有年假，因年資的不同而有不一樣天數的年假，因此需要先建立好年假表，才能看出員工已經休過幾天年假或已經休完年假。請開啟範例檔「出勤時數-01.xlsx」。

範例 使用資料驗證避免輸入錯誤

Step 1

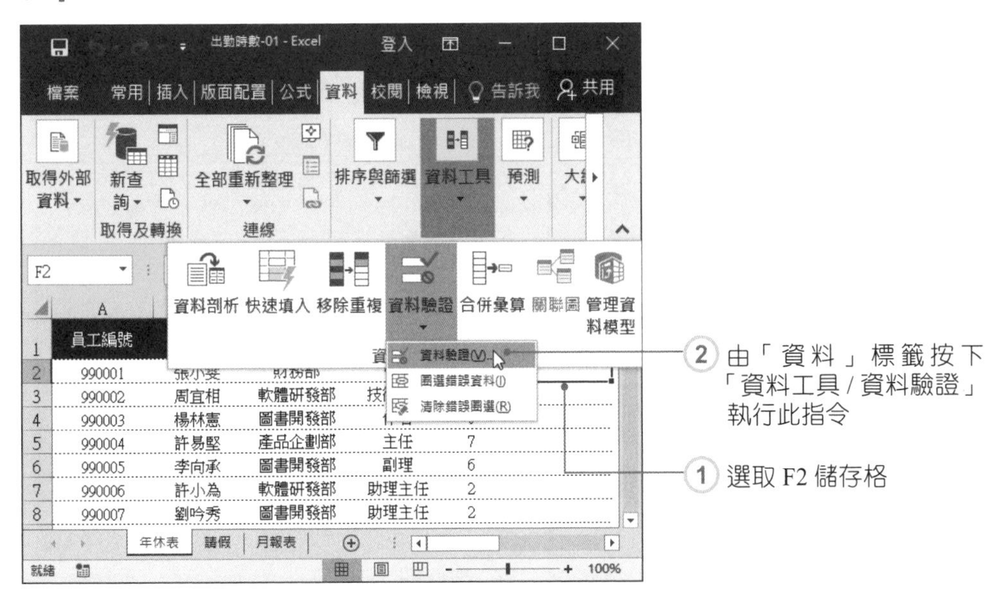

Step 2

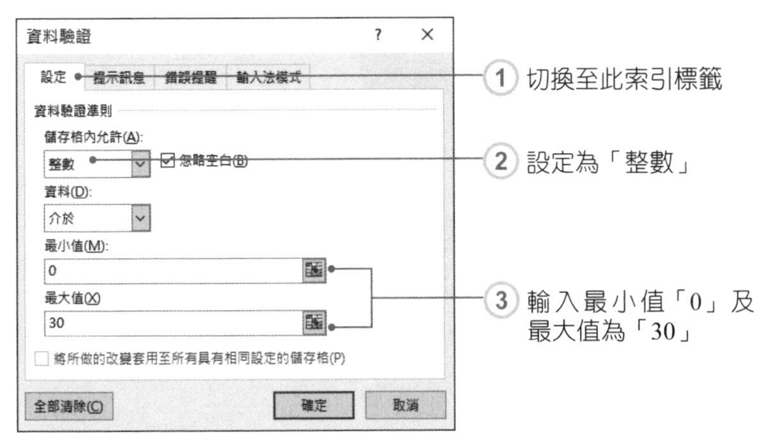

Step 3

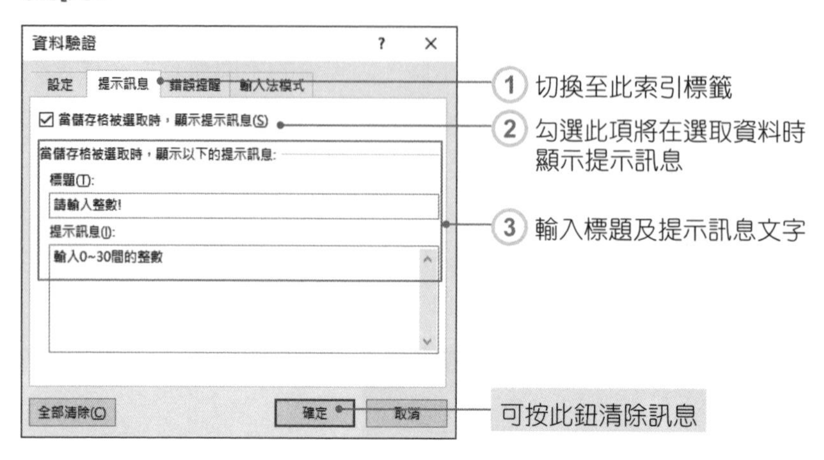

Step 4

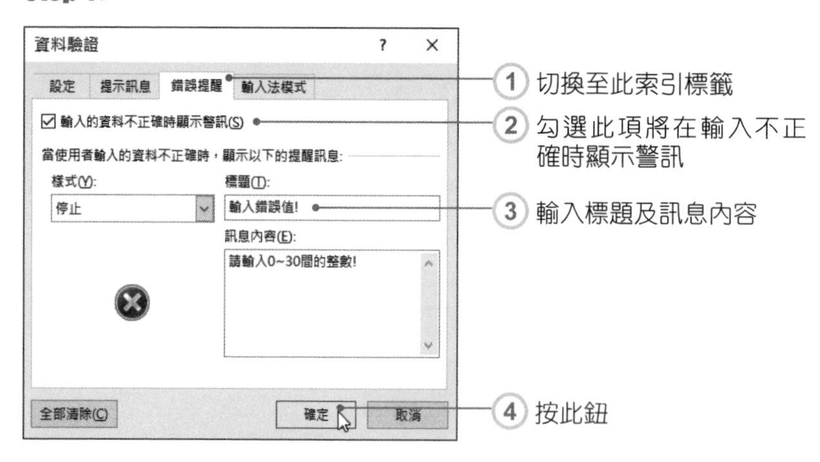

Step 5

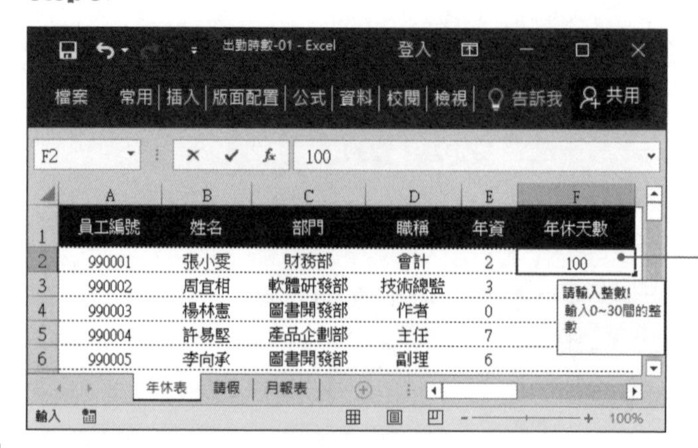

Step 6

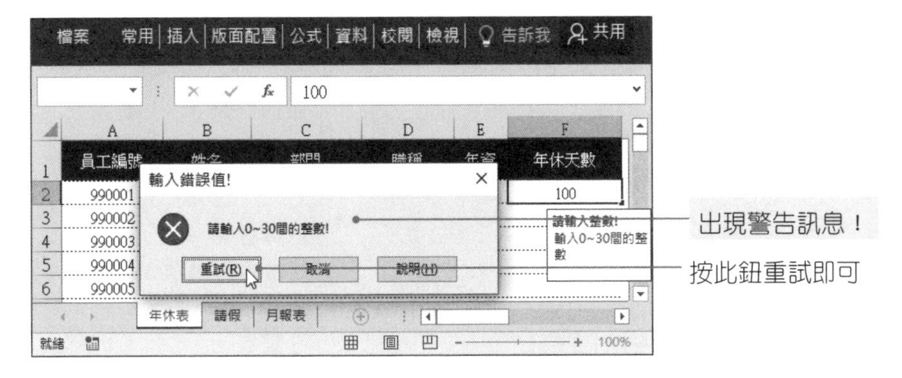

Step 7

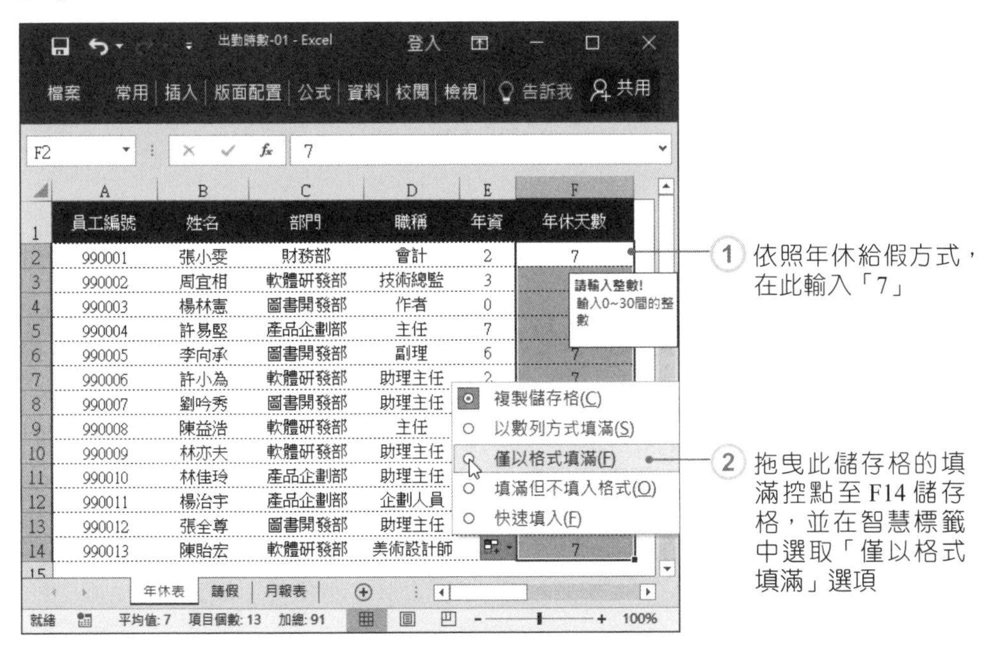

這樣就不會輸入錯誤了！各位只要將年資依序將比對年休給假方式，填入到年休天數即可。

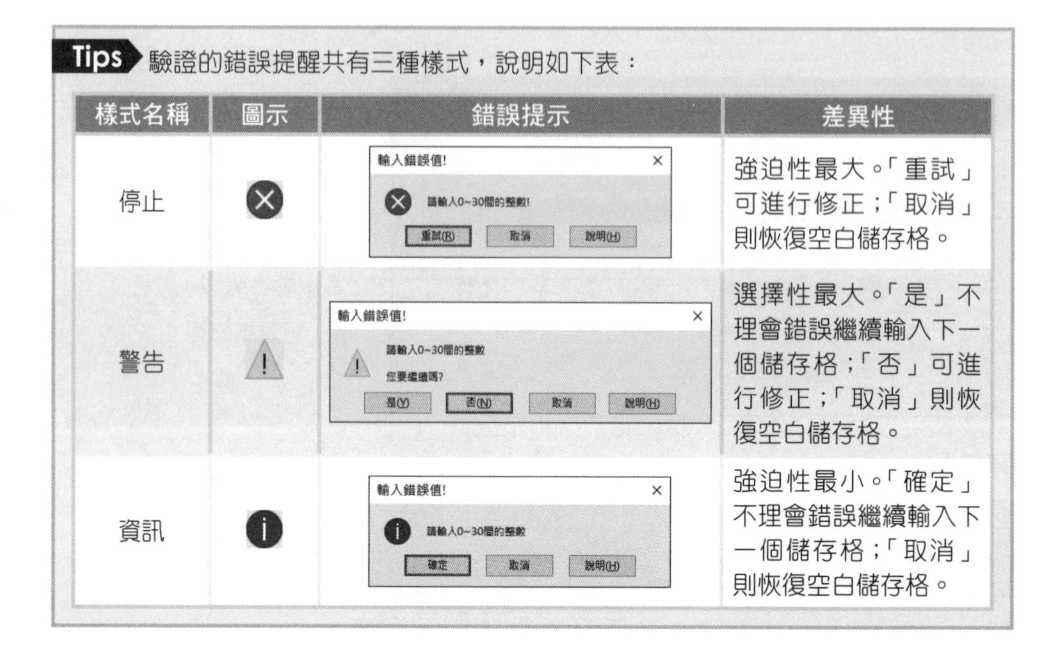

Tips 驗證的錯誤提醒共有三種樣式，說明如下表：

樣式名稱	圖示	錯誤提示	差異性
停止	✕	輸入錯誤值！ 請輸入0~30間的整數! 重試(R) 取消 說明(H)	強迫性最大。「重試」可進行修正；「取消」則恢復空白儲存格。
警告	!	輸入錯誤值！ 請輸入0~30間的整數 您要繼續嗎? 是(Y) 否(N) 取消 說明(H)	選擇性最大。「是」不理會錯誤繼續輸入下一個儲存格；「否」可進行修正；「取消」則恢復空白儲存格。
資訊	i	輸入錯誤值！ 請輸入0~30間的整數 確定 取消 說明(H)	強迫性最小。「確定」不理會錯誤繼續輸入下一個儲存格；「取消」則恢復空白儲存格。

4-2 建立請假紀錄表

接下來，要建立請假清單！筆者已經製作好請假清單，在此清單中有請假日期、員工編號、員工姓名、假別及天數。

4-2-1 設定日期顯示格式

首先來設定請假清單的日期。在 Excel 中，「日期」爲一特定格式，所以必須先設定好日期的格式，否則有可能把輸入的「民國」年當作「西元」年來輸入，而不能正常的顯示。請開啓範例檔「出勤時數-02.xlsx」。

範例 設定日期顯示格式

Step 1

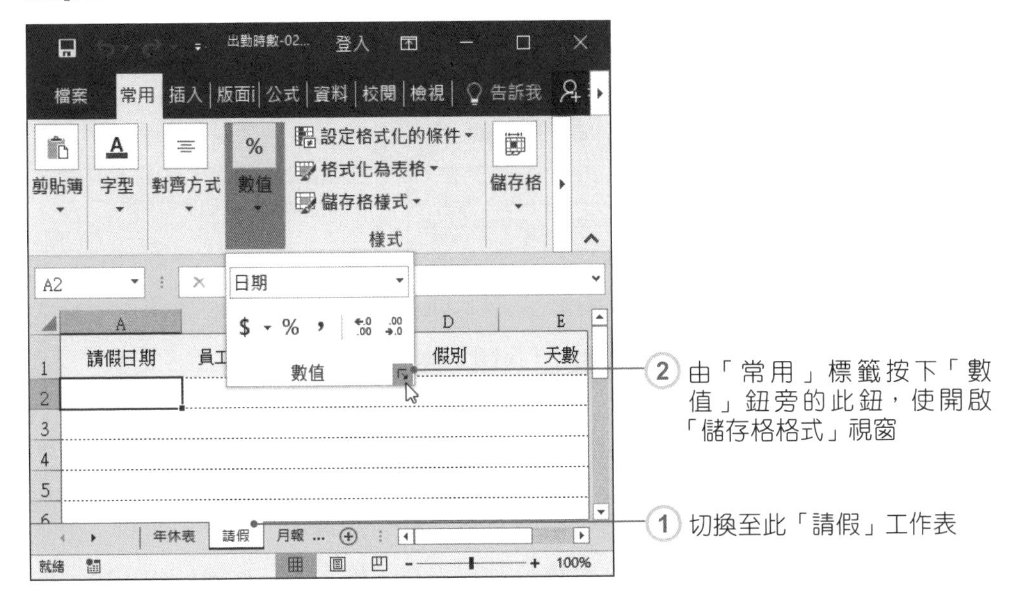

Step 2

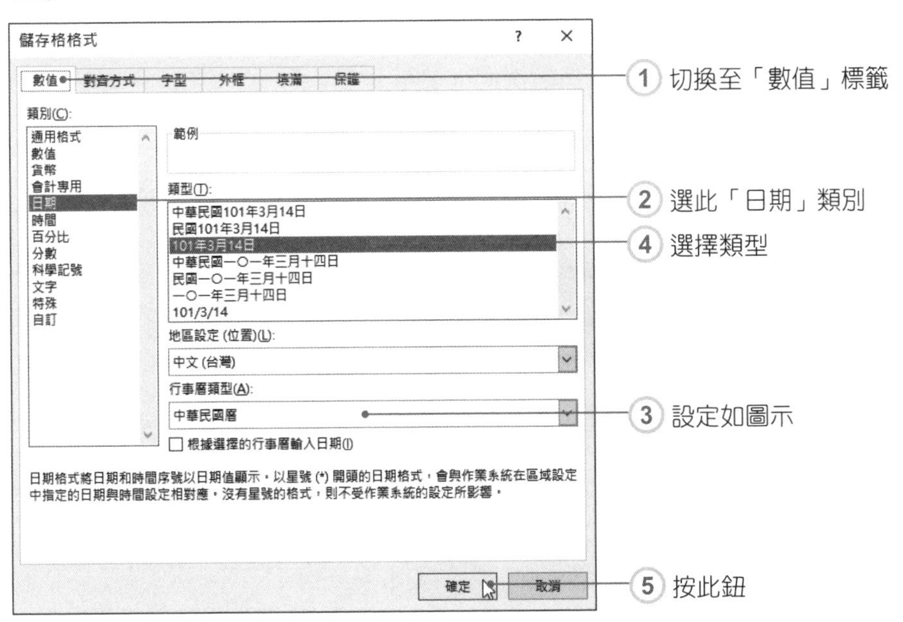

Step 3

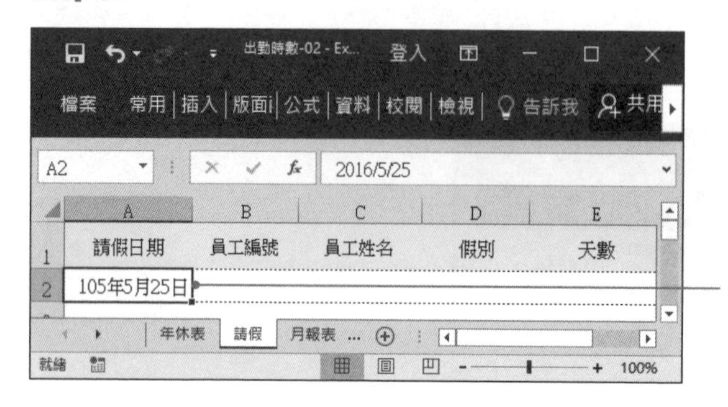

請注意！因爲民國年與西元年的年制不同，所以，在此儲存格中必須輸入「西元」年，如此才能正確的轉換爲「民國」年。

4-2-2 自動輸入員工姓名

爲了不讓使用者重複輸入員工編號及員工姓名的麻煩，所以不妨設定公式讓使用者輸入員工編號的同時，就會自動出現員工姓名。在此範例中，需要使用 VLOOKUP() 函數來參照「年休表」中的 A2 儲存格到 B14 儲存格內容，且需顯示第二欄的內容，所以 VLOOKUP() 函數內容應爲「(員工編號欄位 , 年休表 !A2:B14,2,0)」。以下將延續上述範例進行說明。

範例 自動輸入員工姓名

Step 1

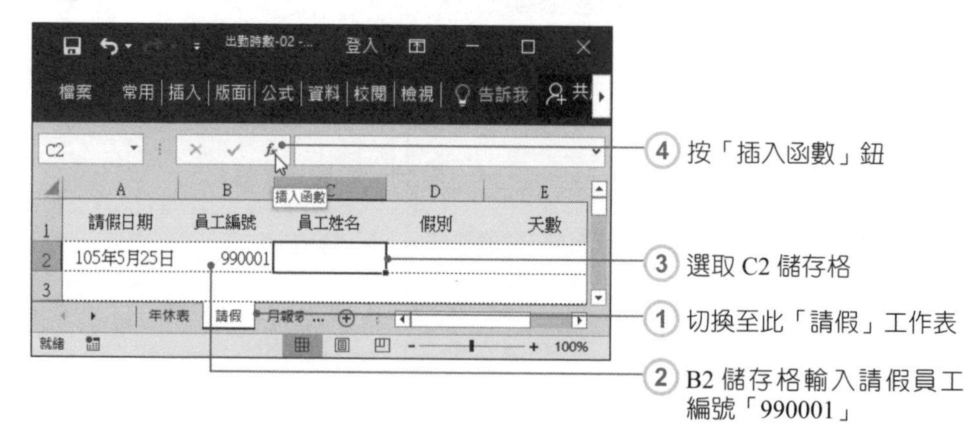

Step 2

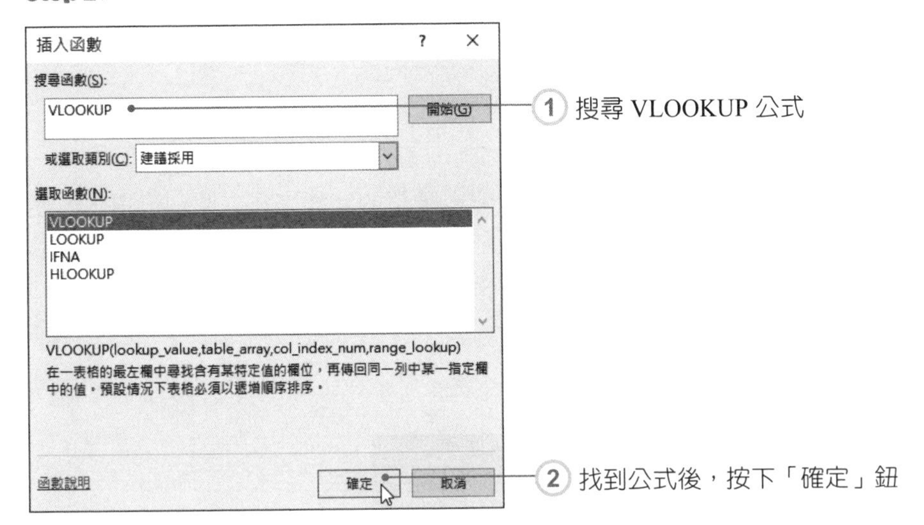

Step 3

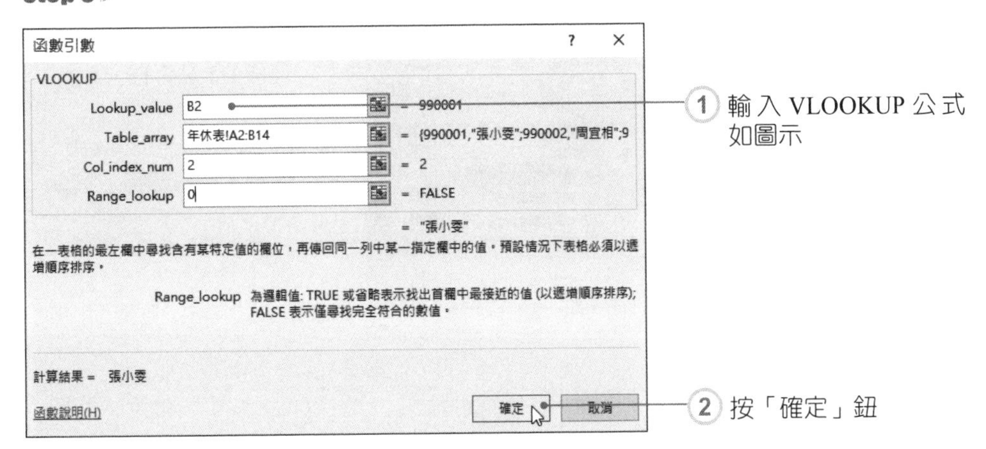

Step 4

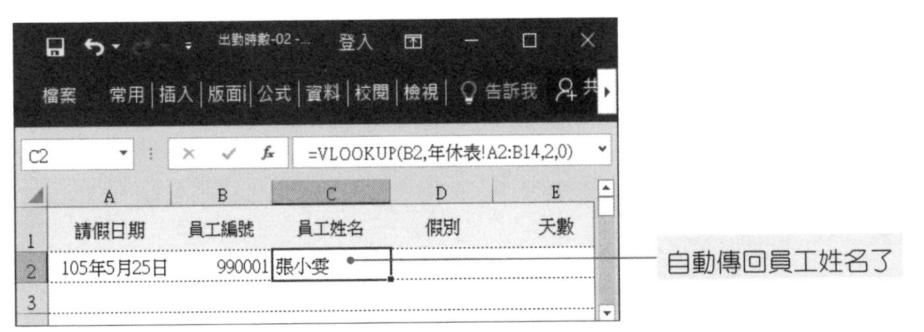

只要在其他員工姓名的欄位中，帶入此 VLOOKUP() 函數，就可以省略輸入員工姓名的程序。

4-2-3 假別清單的建立

因爲有太多不同的假別，所以將運用資料驗證的功能來建立假別清單，方便使用者來進行選取。

範例 假別清單的建立

Step 1

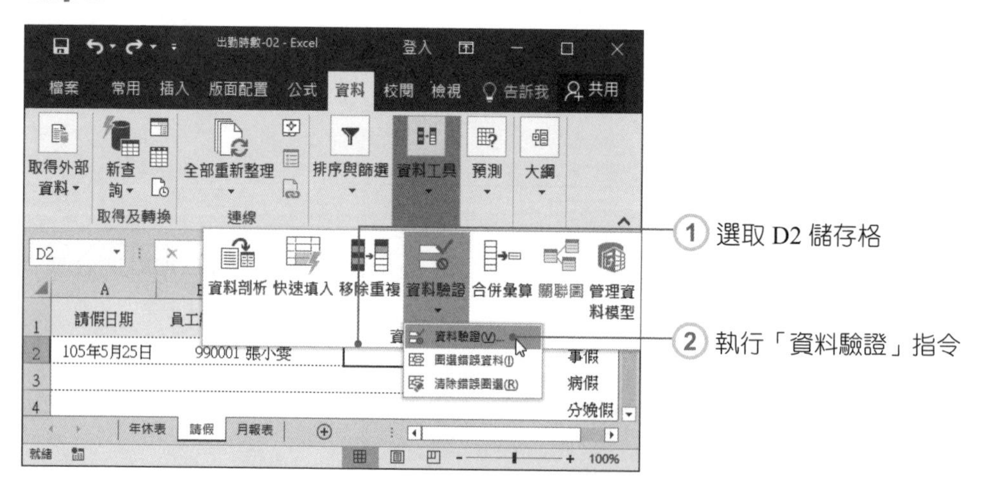

Step 2

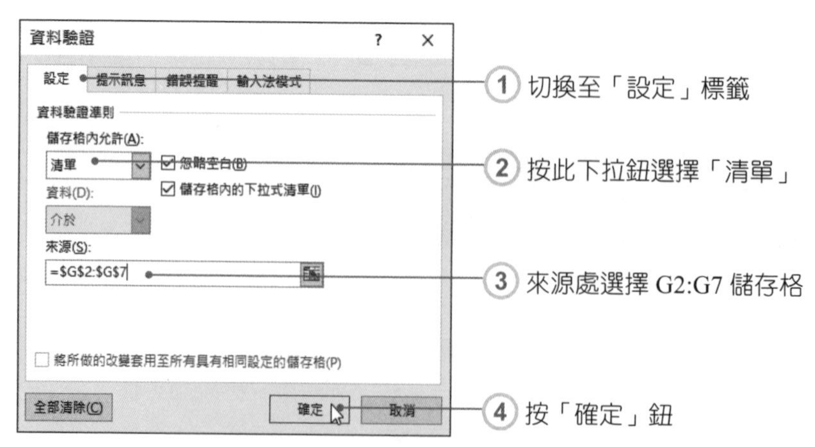

Step 3

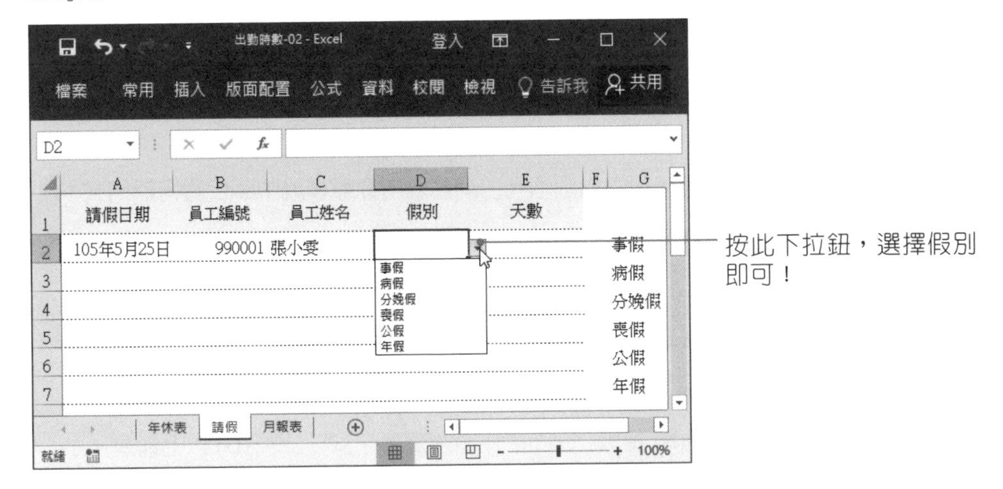

使用下拉式選單來選擇清單的方式，可以節省許多輸入資料的時間。至於「天數」欄位的輸入，只要依照員工請假的時數來計算，一小時爲 0.1 天，兩小時爲 0.2 天，最多到 8 小時爲止，如果爲 8 小時則以一整天計算。

實力評量

是非題

(　) 1. 在預設情形下，於儲存格中輸入西元日期將會自動轉換成中華民國日期格式。

(　) 2. 使用資料驗證可以避免輸入錯誤。

選擇題

(　) 1. 下列何者為資料驗證準則允許的內容型態？
(A) 整數　(B) 實數　(C) 清單　(D) 以上皆是

(　) 2. 下列何者對資料驗證功能的敘述有誤？
(A) 可提醒使用者應輸入的資訊　(B) 可設定輸入法模式
(C) 具有自動修護功能　(D) 可設定警告視窗

(　) 3. 下列何者不是合法的日期輸入格式？
(A)2004-2-11　(B)2004/2/11　(C)04_2_11　(D)04/02/11

(　) 4. 自動格式結合的格式種類不包含下列何者？
(A) 字型　(B) 數值　(C) 框線　(D) 備註

實作題

1. 請開啟範例檔「出勤時數-05.xlsx」，並依序完成以下要求：

	A	B	C	D	E
1	請假日期	員工編號	員工姓名	假別	天數
2	105年1月25日	66001		年假	1.0
3	105年1月25日	66005		事假	0.3
4	105年1月26日	66007		病假	0.5
5	105年1月26日	66008		公假	1.0
6	105年1月26日	66004		公假	1.0
7	105年1月26日	66008		公假	1.0
8	105年1月27日	66001		病假	1.0
9	105年1月27日	66010		病假	0.5
10	105年1月28日	66011		年假	1.0
11	105年1月28日	66006		病假	1.0
12	105年1月28日	66004		公假	1.0

年休表　請假

- 請在「請假」工作表的「員工姓名」欄位中使用「VLOOKUP() 函數」，以「員工編號」為目標，來參照於「年休表」中的員工姓名。
- 請在「請假」工作表「天數」欄位中，加入「資料驗證」，而其資料驗證準則，設定數值為「實數」，數值介於最小值為「0」，最大值為「30」之間。
- 在資料驗證的提示訊息標籤頁中，設定其標題為「請輸入實數」，提示訊息為「數值介於 0 ～ 30」。

2. 資料驗證的錯誤提醒共有哪三種樣式？

CHAPTER

05 計算 - 季節與年度員工考績評核

學習重點

- 複製工作表資料
- 以 INDEX() 函數參照缺勤記錄
- 使用 If 判斷式設定條件
- 使用合併彙算功能計算考績平均
- 利用 RANK.EQ() 函數排出名次
- 運用 LOOKUP() 函數對照年終獎金

本章簡介

員工考績是一年以來員工表現的總整理，這關係到每位員工的年終獎金，如果計算錯誤或是計算方法錯誤，都有可能影響每位員工的權益，所以必須小心求得正確的結果。

每個公司都有計算員工績效的方式，有些公司是以「月」來區分員工考績，也有的是用「季」來計算，而求得考績的方法也不盡相同。在本章中，將以計算每一季的考績，然後彙整成爲年度考績，並加以區分等級，然後依照不同的等級，再分給不同的年終獎金。

Excel 2016

範例成果

	A	B	C	D	E	F
2	員工編號	姓名	缺勤紀錄	出勤點數	工作表現	本季考績
3	990001	張小雯	1.0	29	92	93.4
4	990002	周宜相	2.6	27.4	96	94.6
5	990003	楊林憲	3.0	27	85	86.5
6	990004	許易堅	3.0	27	91	90.7
7	990005	李向承	3.3	26.7	88	88.3
8	990006	許小為	1.3	28.7	86	88.9
9	990007	劉吟秀	3.0	27	85	86.5
10	990008	陳益浩	2.0	28	84	86.8
11	990009	林亦夫	2.5	27.5	83	85.6
12	990010	林佳玲	1.0	29	90	92
13	990011	楊治宇	1.2	28.8	91	92.5
14	990012	張全尊	2.5	27.5	92	91.9
15	990013	陳貽宏	0.0	30	60	72
16	990014	王楨珍	0.0	30	95	96.5
17	990015	陳怡雯	2.0	28	70	77

第一季考績 | 第二季考績 | 第三季考績

第一季考績表

	A	B	C	D	E	F	G	H	I	J	K
1	部門考績分數：		90								
2											
3	年度員工考績										
4	員工編號	姓名	季平均	年度考績	名次	等級	獎金		名次對照	等級	獎金
5	990001	張小雯	91	90	3	A	50,000		5	A	50000
6	990002	周宜相	91	91	2	A	50,000		10	B	40000
7	990003	楊林憲	82	87	14	C	30,000		15	C	30000
8	990004	許易堅	86	88	12	C	30,000				
9	990005	李向承	89	89	7	B	40,000				
10	990006	許小為	90	90	4	A	50,000				
11	990007	劉吟秀	87	89	10	B	40,000				
12	990008	陳益浩	89	89	9	B	40,000				
13	990009	林亦夫	84	88	13	C	30,000				
14	990010	林佳玲	89	90	5	A	50,000				
15	990011	楊治宇	89	90	6	B	40,000				
16	990012	張全尊	89	89	8	B	40,000				
17	990013	陳貽宏	86	89	11	C	30,000				
18	990014	王楨珍	94	92	1	A	50,000				
19	990015	陳怡雯	82	87	15	C	30,000				

第三季考績 | 第四季考績 | 年度考績

年度考績表

5-1 製作各季考績紀錄表

既然是以季為單位，首先要製作各季的考績紀錄表，其中包含出缺勤紀錄及工作表現等考績分數，以便日後做年度彙整。

5-1-1 複製員工基本資料

為了節省輸入員工資料的時間，可以使用複製的方式，將員工資料複製到每個工作表中。請開啟範例檔「人員考績-01.xlsx」。

範例 複製員工基本資料

Step 1

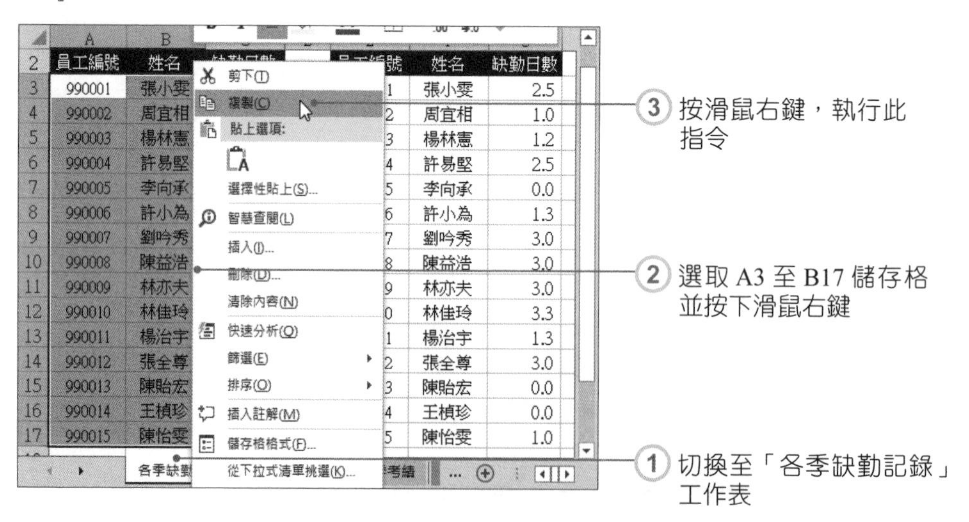

Step 2

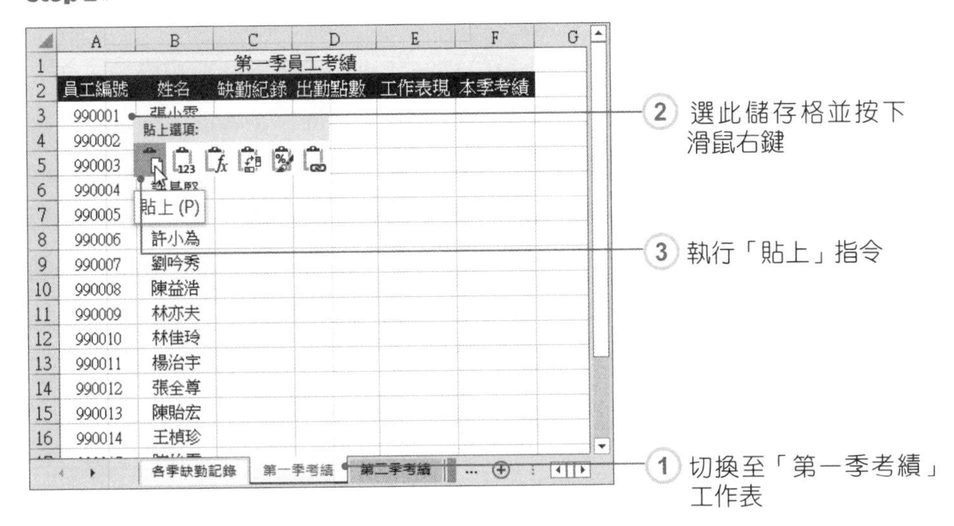

Step 3

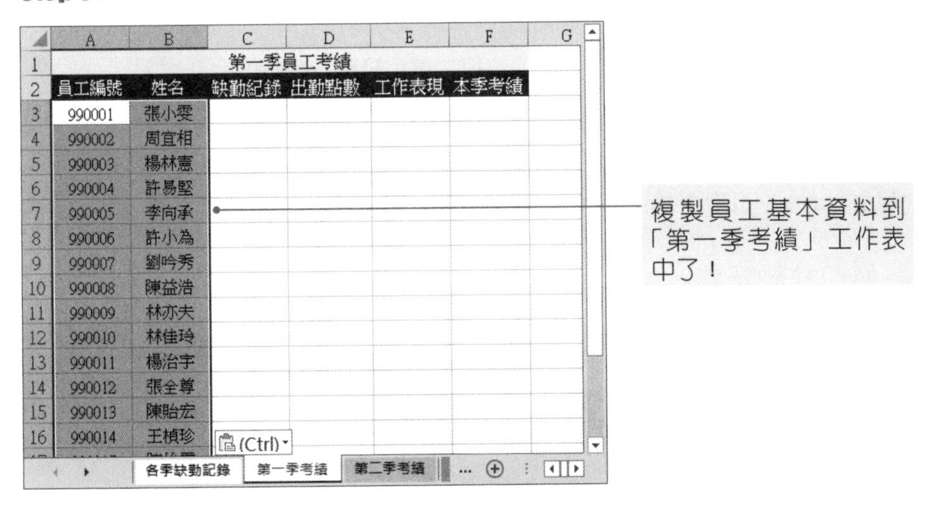

只要再切換到「第二季考績」、「第三季考績」、「第四季考績」及「年度考績」中，以相同的方法複製即可節省輸入員工基本資料的時間。

5-1-2 參照各季缺勤記錄

爲了對照方便，首先將每一季的缺勤記錄統計放在「各季缺勤記錄」工作表中。而接下來就必須將每一季的員工缺勤記錄一一放到每一季考績工作表中，雖然可以用複製的方法將缺勤記錄複製到各個考績表中，但是爲了下一年度統計的方便，所以用參照的方式，將各季缺勤的紀錄對照到各個考績表中，當下一次要計算考績表時，就不需要一一複製，只要修改「各季缺勤記錄」工作表中的缺勤記錄即可。在進行範例之前，先來瞭解所需的 INDEX() 函數。

❖ INDEX() 函數

語法：INDEX(Array,Row_num,Column_num)

說明：以下表格為 INDEX() 函數說明。

引數名稱	說明
Array	指定儲存格的範圍。
Row_num	傳回的值位於指定範圍的第幾列。
Column_num	傳回的值位於指定範圍的第幾欄。

瞭解 INDEX() 函數之後，以下將延續上一小節範例來進行說明。

範例 傳回缺勤記錄

Step 1

Step 2

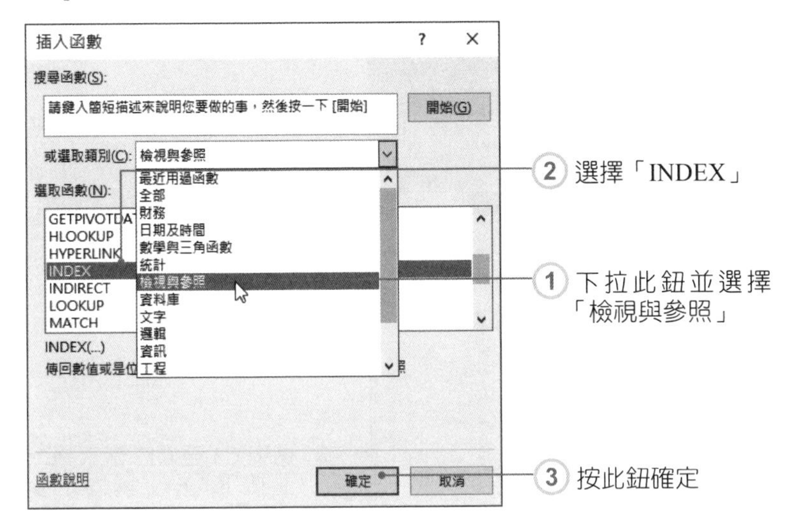

Step 3

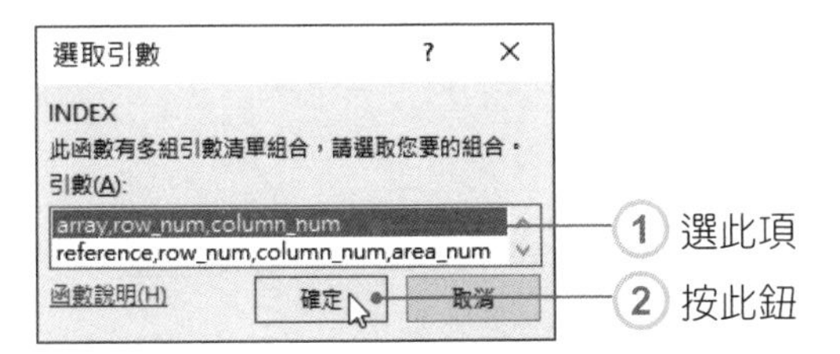

Step 4

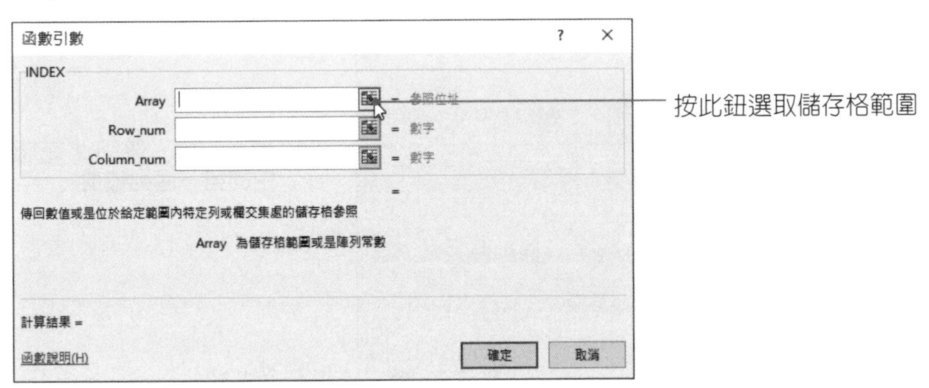

Step 5

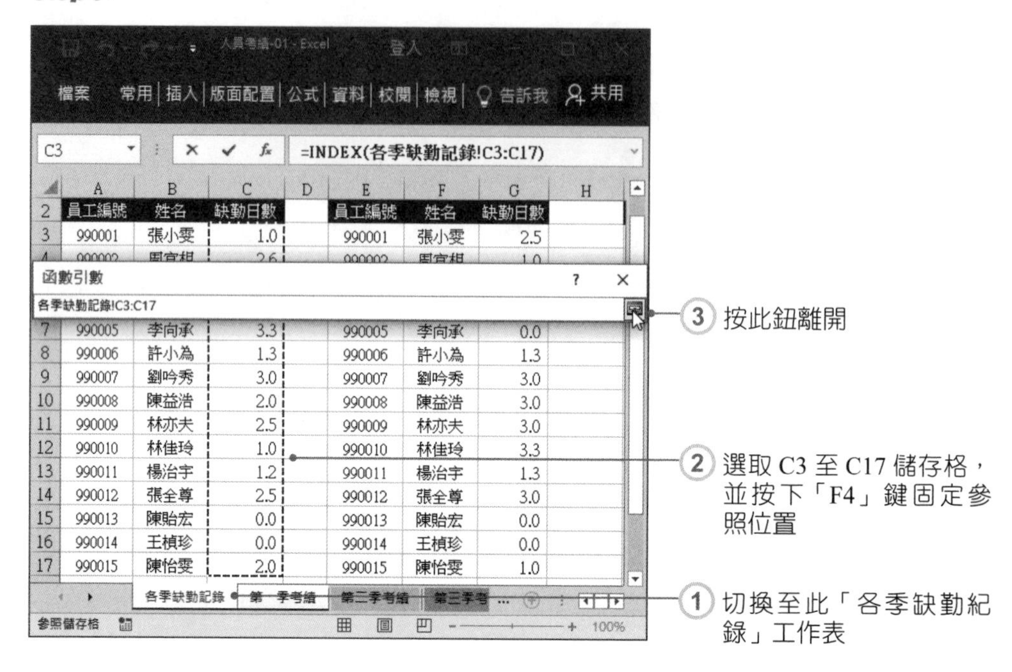

Tips 在 Excel 中，按下「F4」鍵使用來將選取的儲存格更改為「絕對參照位址」，當要以填滿控點來複製儲存格內容時，此參照位址就不會隨著變動。

Step 6

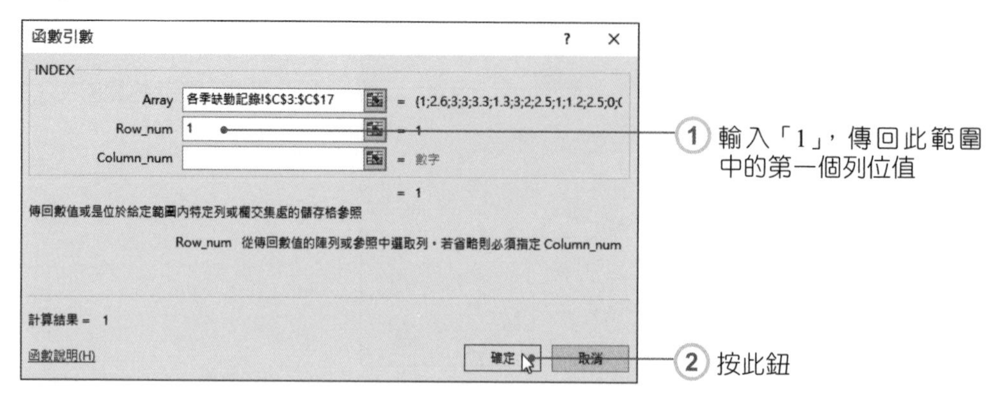

Step 7

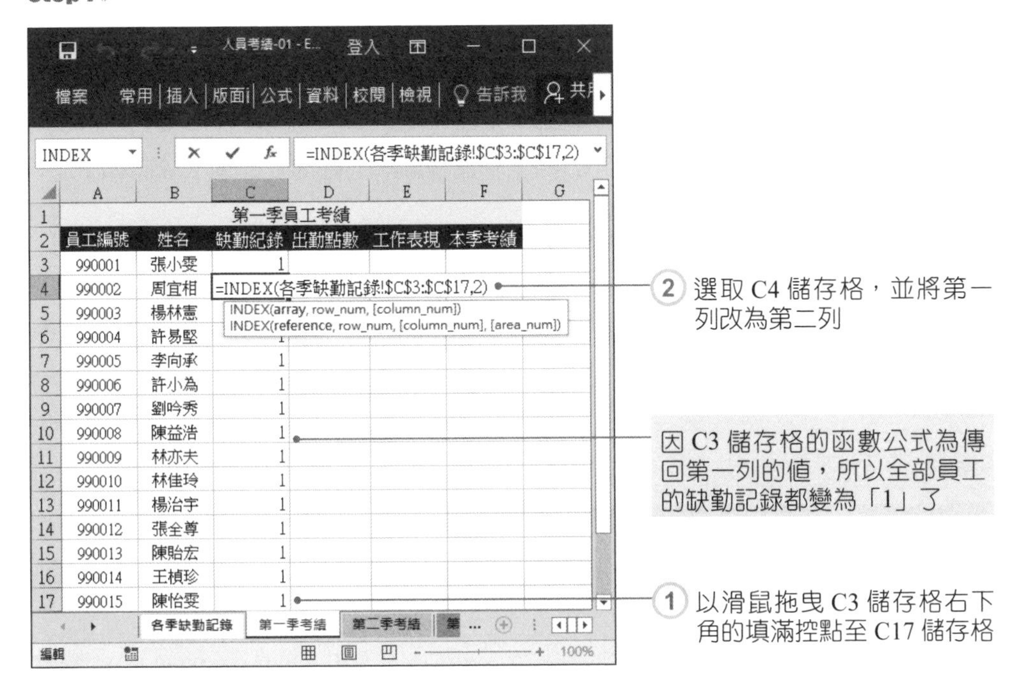

Step 8

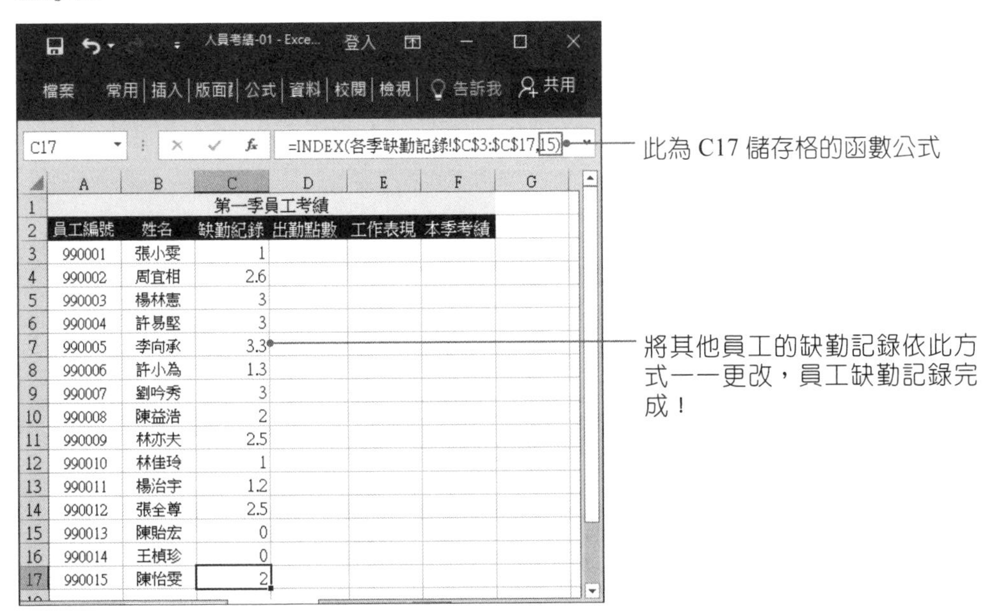

以相同的方法製作 2、3、4 季考績的缺勤記錄。

5-1-3 計算出勤點數

在此設定公司出勤點數是以 30 點爲總點數，只要將出勤點數扣去缺勤點數，就是本季的出勤點數，如果缺勤點數爲「0」，則此員工就可得到「30」點的點數，如果此員工缺勤點數超過「30」點，就直接顯示「開除」二字。公式如下：

If((30- 缺勤記錄)>=0, (30- 缺勤記錄)," 開除 ")

以下將以範例說明。請開啓範例檔「人員考績-02.xlsx」。

範例 計算出勤點數

Step 1

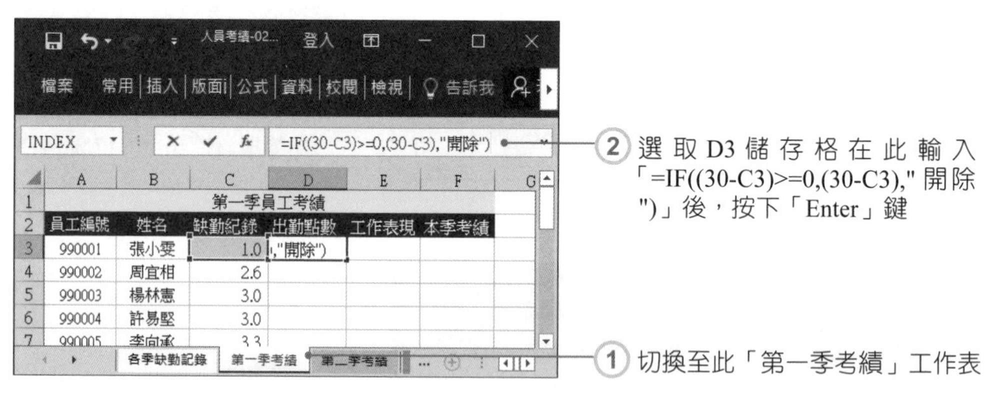

Step 2

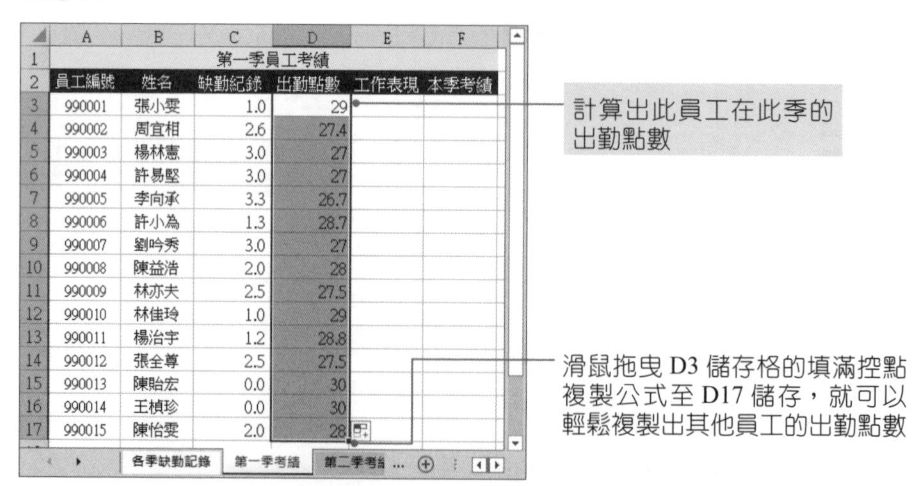

至於其他季的考績工作表，也是以相同的方法即可算出出勤點數。

5-1-4 員工季考績計算

每一位員工的工作表現分數是以「100」分來計算，在主管一一輸入每位員工的工作表現分數之後，接下來就來計算此季的員工考績分數。公司的季考績分數是以「出勤點數」加上「工作表現」，而「出勤點數」佔了總比例的「30%」，而「工作表現」則佔了「70%」。比如說某一員工的「出勤點數」爲「20」、「工作表現」分數爲「90」，則此員工的考績計算方式如下：

某員工季考績分數= 20 + (90*0.7) = 83

瞭解計算方式之後，以下將直接以範例說明。請開啟範例檔「人員考績-03.xlsx」。

範例 季考績的計算

Step 1

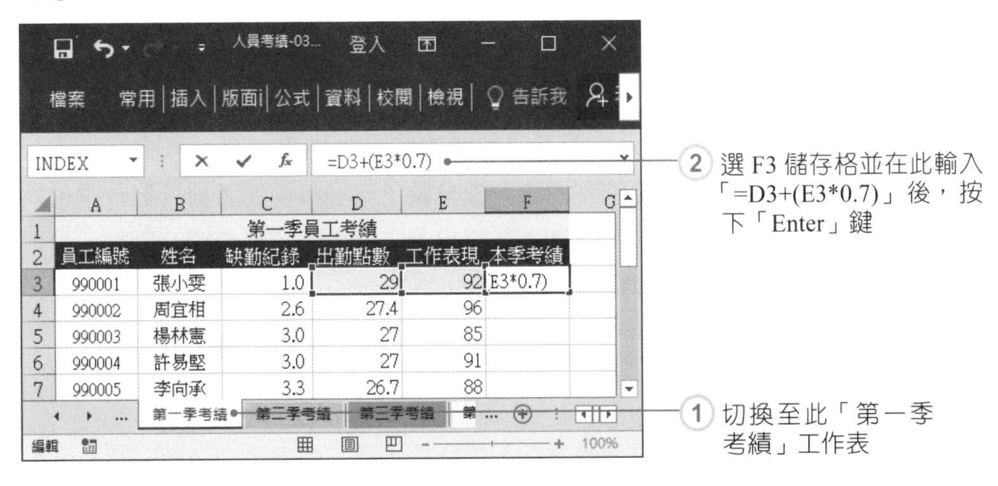

Step 2 ▶

	A	B	C	D	E	F
1	第一季員工考績					
2	員工編號	姓名	缺勤紀錄	出勤點數	工作表現	本季考績
3	990001	張小雯	1.0	29	92	93.4
4	990002	周宜相	2.6	27.4	96	94.6
5	990003	楊林憲	3.0	27	85	86.5
6	990004	許易堅	3.0	27	91	90.7
7	990005	李向承	3.3	26.7	88	88.3
8	990006	許小為	1.3	28.7	86	88.9
9	990007	劉吟秀	3.0	27	85	86.5
10	990008	陳益浩	2.0	28	84	86.8
11	990009	林亦夫	2.5	27.5	83	85.6
12	990010	林佳玲	1.0	29	90	92
13	990011	楊治宇	1.2	28.8	91	92.5
14	990012	張全尊	2.5	27.5	92	91.9
15	990013	陳貽宏	0.0	30	60	72
16	990014	王楨珍	0.0	30	95	96.5
17	990015	陳怡雯	2.0	28	[illegible]	77

5-2 年度考績計算

由於年度考績分數關係著年終獎金的多寡，因此必須準確的計算出每位員工的考績分數，才不會造成年終獎金分配不公平的狀況。

因為每個部門的工作不同，如果以部門中的季平均來計算，似乎有點不公平，所以總經理會給予每個部門不同的考績分數，然後按照此考績分數及季平均分數來計算出此員工的年度考績分數。計算出員工個人的年度考績分數後，再依照比例來評判等級，不同的等級會有不同的年終獎金。

5-2-1 計算季平均分數

首先，可以用「合併彙算」的方式，來計算出員工的季平均分數。請開啟範例檔「人員考績-04.xlsx」。

範例 合併彙算計算出季平均分數

Step 1

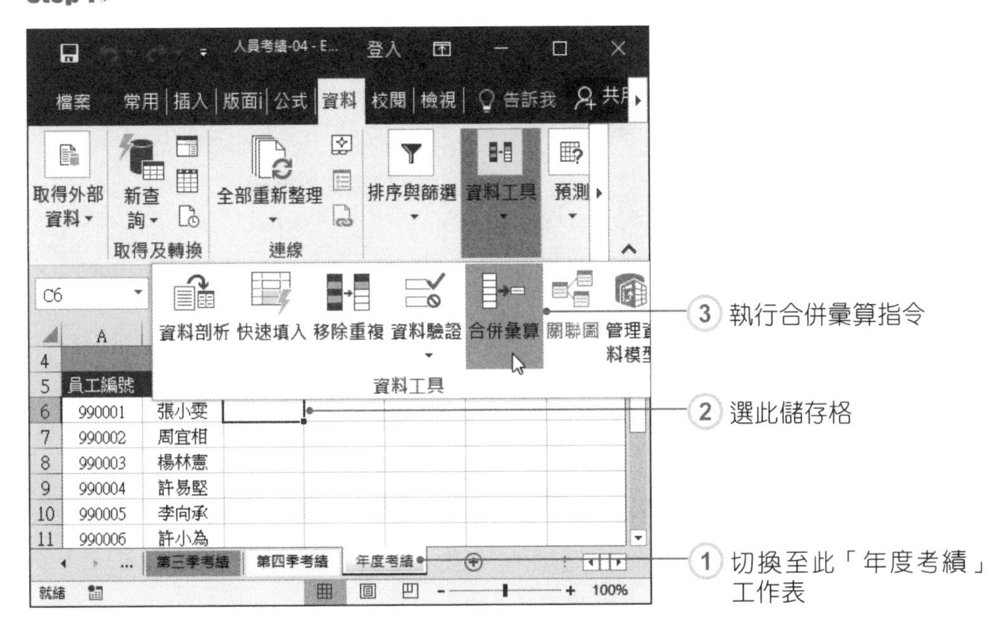

Step 2

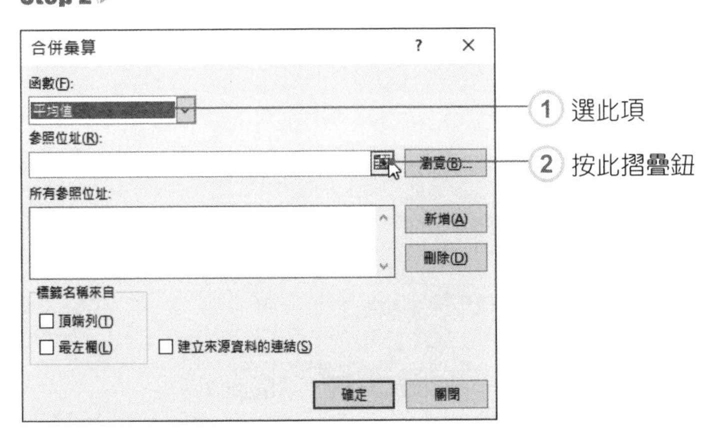

Step 3

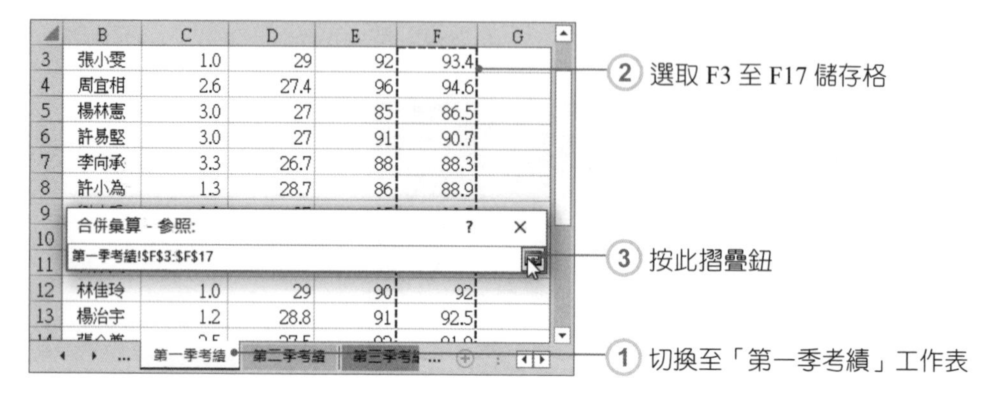

Step 4

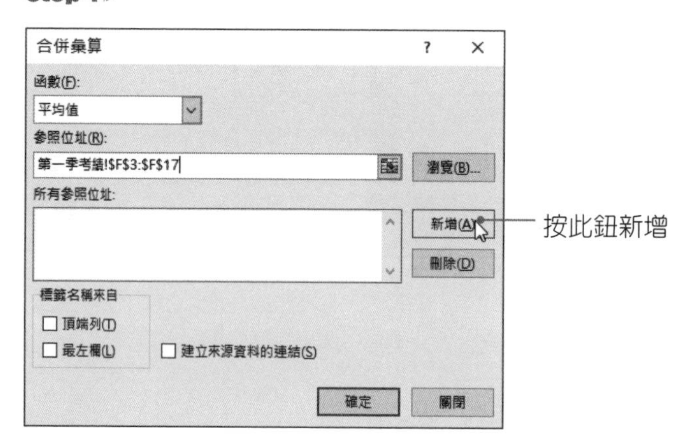

Step 5

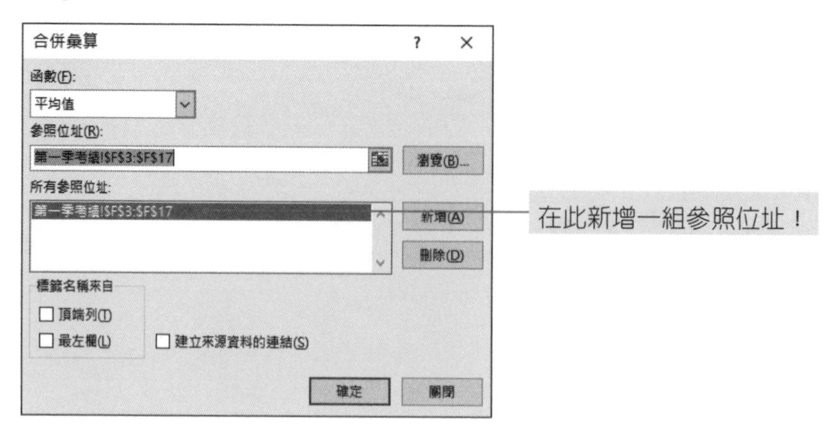

 以相同的步驟將其他三季考績的季考績分數位置新增至此參照位址中。

Step 6

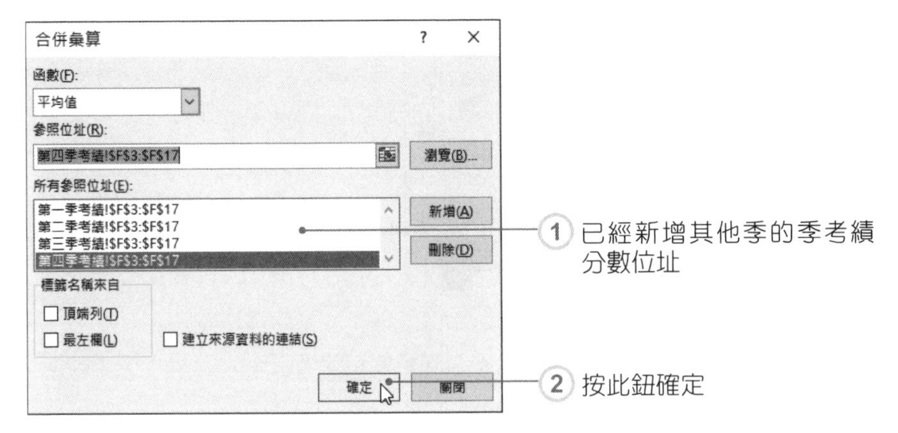

Step 7

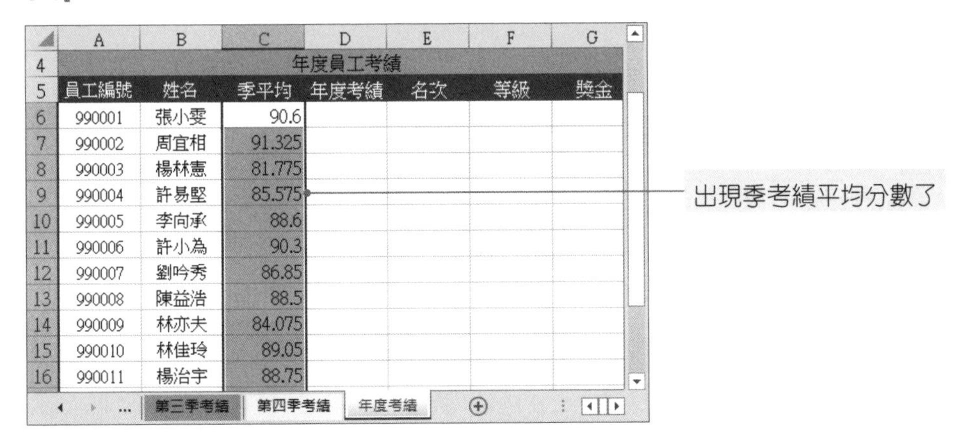

	A	B	C	D	E	F	G
4	年度員工考績						
5	員工編號	姓名	季平均	年度考績	名次	等級	獎金
6	990001	張小雯	90.6				
7	990002	周宜相	91.325				
8	990003	楊林憲	81.775				
9	990004	許易堅	85.575				
10	990005	李向承	88.6				
11	990006	許小為	90.3				
12	990007	劉吟秀	86.85				
13	990008	陳益浩	88.5				
14	990009	林亦夫	84.075				
15	990010	林佳玲	89.05				
16	990011	楊治宇	88.75				

Tips 由於計算出的數值是小數點後三位，為了計算方便及工作表美觀，所以必須將小數點去除。

Step 8

Step 9

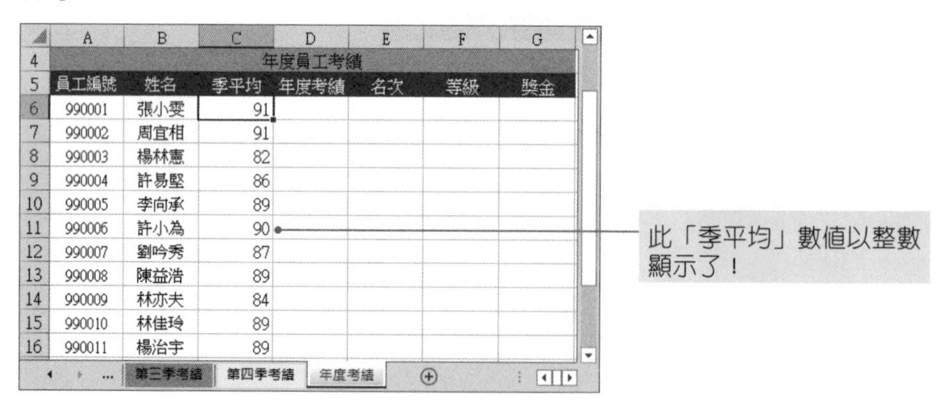

5-2-2 計算年度考績分數

總經理給予此部門考績分數之後，接著就可以計算出年度考績分數了！「年度考績」分數是以「部門考績分數」佔 60%，「季平均」分數佔 40%，也就是「部門考績分數」乘上 60% 後，再加上「季平均」乘上 40% 的分數。簡單來說：該部門的考績分數爲「90」，而某員工的季考績分數爲「80」，因此年度考績分數就是：(90*0.6)+(80*0.4)=86。

現在，開啓範例檔「人員考績-05.xlsx」來練習。

範例 計算年度考績分數

Step 1

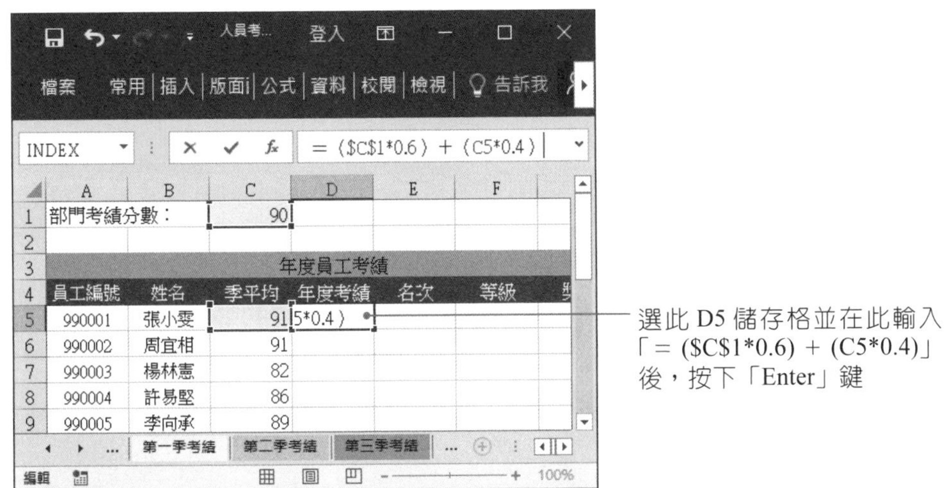

Step 2

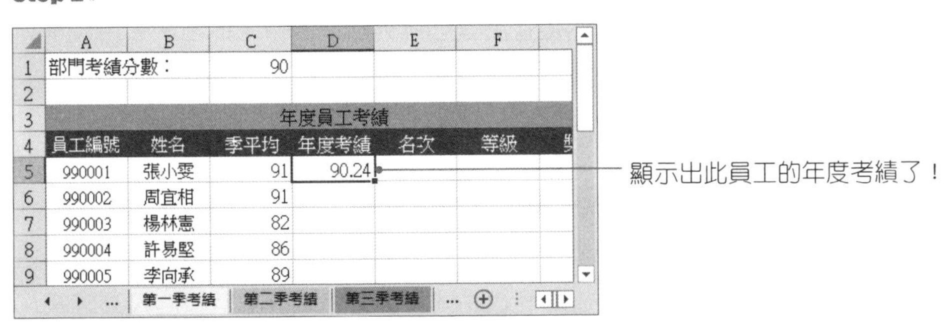

Tips 使用者可能會覺得奇怪，為什麼 D5 儲存格計算出來的值並非「90.4」而是「90.24」？因為 D5 儲存格只是運用「減少小數位數」的方法讓此儲存格看起來整齊而已，實際上此儲存格的值為「90.6」，所以在此是以「(90*0.6)+(90*0.4)」來計算，因此計算出來的值為「90.24」。

接下來，只要以滑鼠直接拖曳填滿控點來複製即可，結果如下圖：

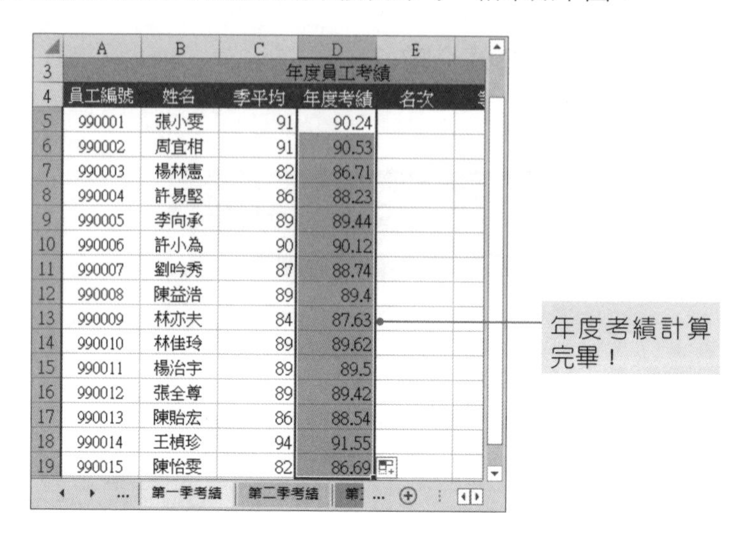

	A	B	C	D	E
3			年度員工考績		
4	員工編號	姓名	季平均	年度考績	名次
5	990001	張小雯	91	90.24	
6	990002	周宜相	91	90.53	
7	990003	楊林憲	82	86.71	
8	990004	許易堅	86	88.23	
9	990005	李向承	89	89.44	
10	990006	許小為	90	90.12	
11	990007	劉吟秀	87	88.74	
12	990008	陳益浩	89	89.4	
13	990009	林亦夫	84	87.63	
14	990010	林佳玲	89	89.62	
15	990011	楊治宇	89	89.5	
16	990012	張全尊	89	89.42	
17	990013	陳貽宏	86	88.54	
18	990014	王楨珍	94	91.55	
19	990015	陳怡雯	82	86.69	

為了顯示整齊，可使用「減少小數位數」鈕，將小數點去除！

5-2-3 排列部門名次

知道員工的年度考績後，當然接著就是要排列此部門員工的名次，用以排列不同的考績等級。首先認識用來排名的 RANK.EQ() 函數。

❖ RANK.EQ() 函數

語法：RANK.EQ(Number,Ref,Order)

說明：將傳回指定數字在數字清單中的排序等級，數字的大小相對於清單中其他值的大小。如果有多個數值的等級相同，則會傳回該組數值的最高等級。相關引數說明如下：

引數名稱	說明
Number	指定數字，或指定儲存格數值。
Ref	數字清單的陣列或參照的儲存格位置。陣列中的非數值會被忽略。
Order	指定數字排列順序的數字。 如果 order 為 0（零）或被省略，陣列將當成從大到小排序來評定等級。 如果 order 不是 0，則將陣列從小到大排序來評定等級。

初步了解 RANK.EQ() 函數後，以下將以實際範例作爲練習，請延續上述範例檔。

範例 使用 RANK.EQ() 函數排名次

Step 1

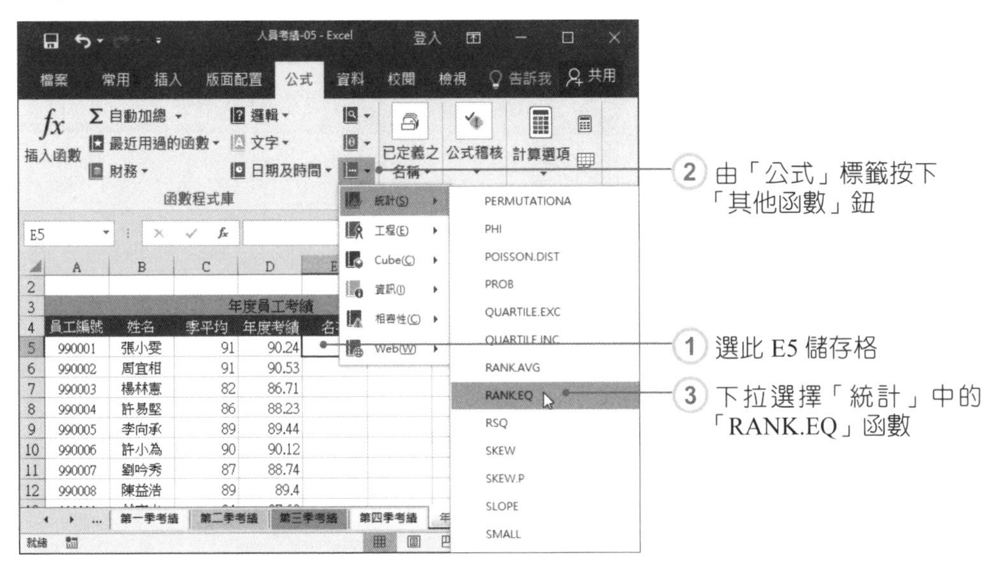

Step 2

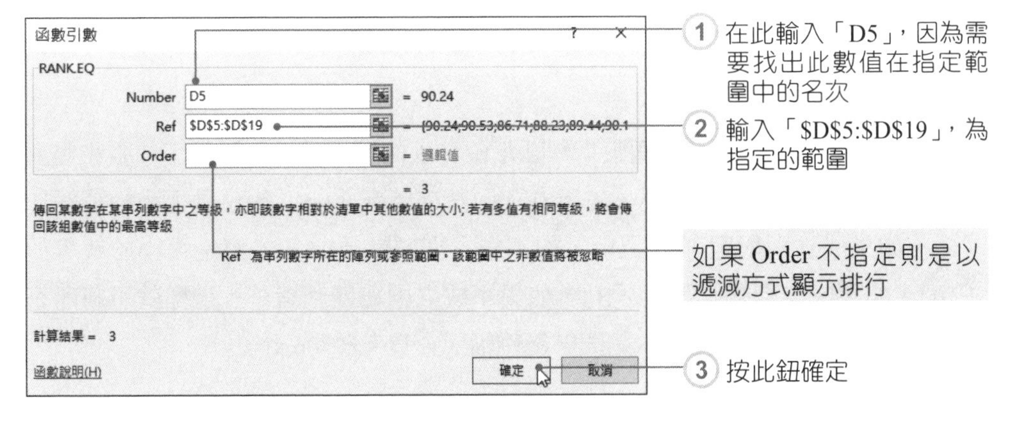

Step 3

	A	B	C	D	E	F	G
2							
3	年度員工考績						
4	員工編號	姓名	季平均	年度考績	名次	等級	獎金
5	990001	張小雯	91	90.24	3		
6	990002	周宜相	91	90.53	2		
7	990003	楊林憲	82	86.71	14		
8	990004	許易堅	86	88.23	12		
9	990005	李向承	89	89.44	7		
10	990006	許小為	90	90.12	4		
11	990007	劉吟秀	87	88.74	10		
12	990008	陳益浩	89	89.4	9		
13	990009	林亦夫	84	87.63	13		
14	990010	林佳玲	89	89.62	5		
15	990011	楊治宇	89	89.5	6		
16	990012	張全尊	89	89.42	8		
17	990013	陳貽宏	86	88.54	11		
18	990014	王楨珍	94	91.55	1		
19	990015	陳怡雯	82	86.69	15		

5-2-4 排列考績等級

計算出名次排行之後，接著就以此名次來對照考績等級。在此考績等級是以名次排行來分等級，在部門中考績名次排行 1-5 名的員工，其考績等級爲「A」、排行 6-10 名的員工，其考績等級爲「B」、排行 11-15 名的員工，其考績等級則爲「C」。

以對照的方式，用 IF() 函數來判斷每位員工的等級爲何。以員工「張小雯」爲例，其名次儲存格爲「E5」，使用 IF() 函數來判斷「E5」的值是否小於或等於「5」，如果成立則對照等級「A」，如不成立則判斷「E5」的值是否小於或等於「10」，如果成立則對照等級「B」，如果不成立則繼續判斷…。這樣就可將所有員工依照名次來排考績等級。請開啓範例檔「人員考績-06.xlsx」。

範例 使用 IF 函數排出考績等級

Step 1

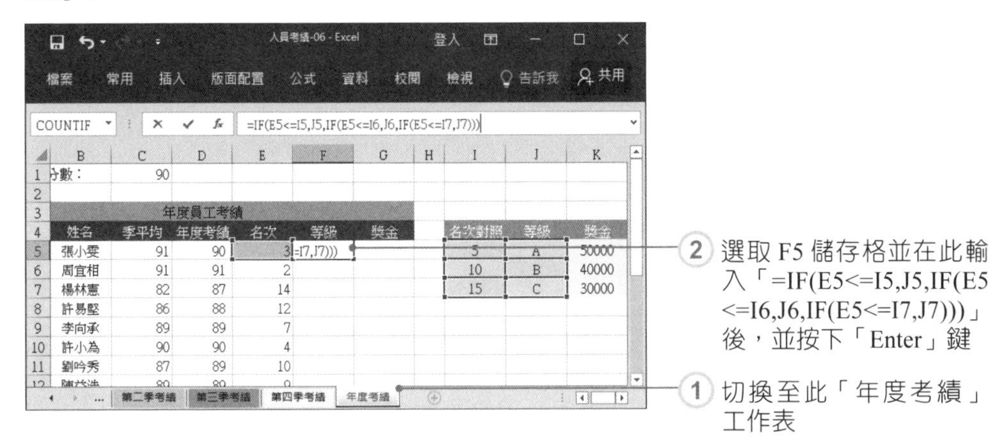

Step 2

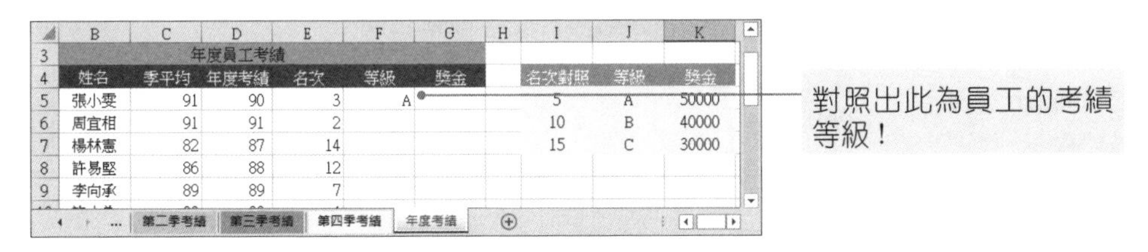

因為對照的等級範圍不需變動，所以使用者可按下「F4」鍵將這些不變的對照位址固定起來之後，再以滑鼠拖曳此儲存格的填滿控點將此公式複製到其他儲存格中即可，其成果如下：

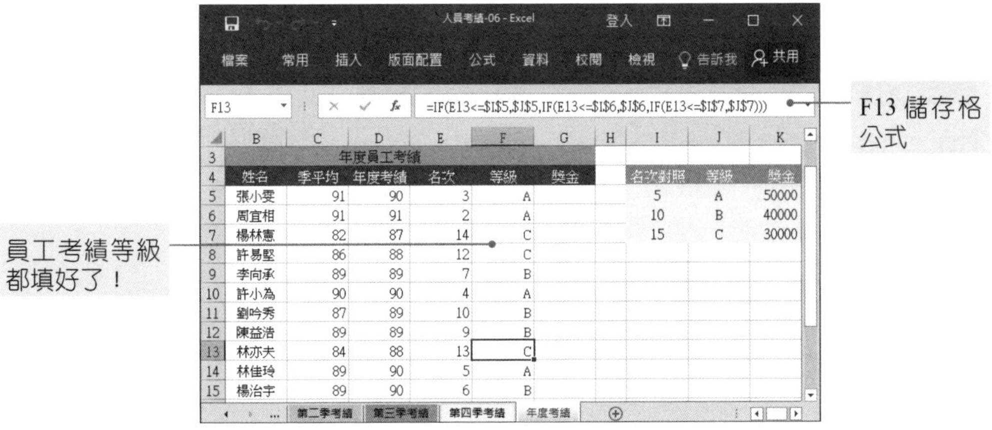

5-2-5 年終獎金發放

計算年終獎金的時刻終於到來！依據考績等級的好壞，將會發放不同金額的年終獎金。等級「A」的員工將會有「50000」元的年終獎金，等級「B」的員工將會有「40000」元的年終獎金，至於等級「C」的員工則只有「30000」元年終獎金。

在此範例中將以 LOOKUP() 函數來對照出每位員工的年終獎金，可以先來瞭解 LOOKUP() 函數的使用方式。

❖ LOOKUP() 函數

語法：LOOKUP(Lookup_value,Lookup_vector,Result_vector)

說明：以下表格為 LOOKUP() 函數中的引數說明：

引數名稱	說明
Lookup_value	搜尋的數值。可為數字、文字或邏輯值。
Lookup_vector	僅可包含單列或單欄的數值或文字，如果為數值則以遞增的次序排列。
Result_vector	僅可包含單列或單欄的範圍，大小需與 Lookup_vector 相同。

瞭解 LOOKUP() 函數之後，接下來請開啓範例檔「人員考績-07.xlsx」。

範例 以 VLOOKUP() 函數填入年終獎金金額

Step 1

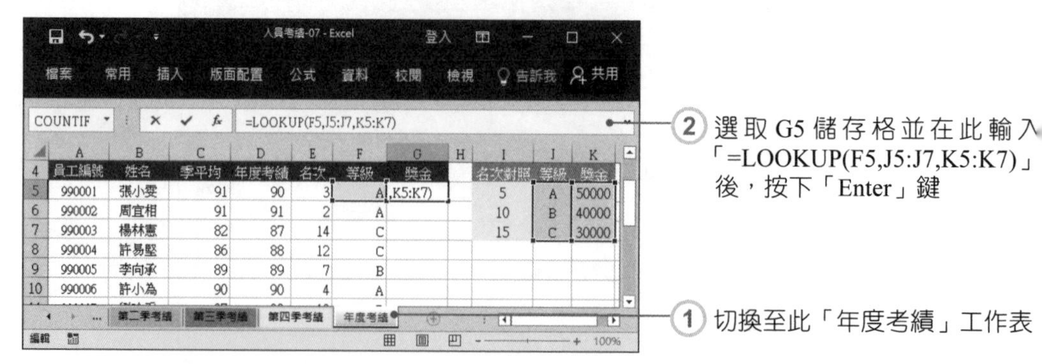

Step 2

	B	C	D	E	F	G	H	I	J	K
4	姓名	季平均	年度考績	名次	等級	獎金		名次對照	等級	獎金
5	張小雯	91	90	3	A	50,000		5	A	50000
6	周宜相	91	91	2	A	50,000		10	B	40000
7	楊林憲	82	87	14	C	30,000		15	C	30000
8	許易堅	86	88	12	C	30,000				
9	李向承	89	89	7	B	40,000				
10	許小為	90	90	4	A	50,000				
11	劉吟秀	87	89	10	B	40,000				
12	陳益浩	89	89	9	B	40,000				
13	林亦夫	84	88	13	C	30,000				

第二季考績 | 第三季考績 | 第四季考績 | 年度考績

顯示出此員工的年終獎金了！

在 G5 儲存格中輸入的 LOOKUP() 函數，「= LOOKUP(F5,J5:J7,K5:K7)」，意義是要在「J5:J7」中找出「F5」的值，找到時傳回「K5:K7」中的數值。爲了方便塡入其他員工的年終獎金金額，所以將此公式中的「J5:J7」改爲「$J$5:$J$7」，「K5:K7」改爲「$K$5:$K$7」，然後再將公式複製到其他儲存格即可，各位可開啓範例檔「人員考績-08.xlsx」參考最後完成的檔案。

實力評量

是非題

( ) 1. 於選取的來源資料內按下複製圖示鈕，於目的儲存格內按下貼上圖示鈕，即可完成複製 / 貼上指令。

( ) 2. INDEX() 函數的「Row_num」引數為傳回的值位於指定範圍的第幾列。

( ) 3. INDEX() 函數為統計類別函數。

( ) 4. 在 Excel 中，按下「F5」鍵是用來將選取的儲存格更改為「相對參照位址」。

( ) 5. 執行合併彙算時，已新增的參照位址無法刪除。

( ) 6. RANK.EQ(Number,Ref,Order) 會傳回指定數字在數字清單中的排序等級。

( ) 7. LOOKUP(Lookup_value,Lookup_vector,Result_vector) 其中搜尋的數值 Lookup_value 可為數字、文字或邏輯值。

選擇題

( ) 1. 在 Excel 中，按下何鍵可用來將選取的儲存格更改為「絕對參照位址」？
(A)F4 鍵 (B)F5 鍵 (C)F2 鍵 (D)F11 鍵

( ) 2. LOOKUP() 函數為哪一類別函數？
(A) 檢視與參照 (B) 統計 (C) 財務 (D) 資訊

( ) 3. 下列哪一圖示鈕可減少小數位數？
(A) ←.0 .00 (B) .00 →.0 (C) (D)

( ) 4. 絕對參照位址的表示方法為在欄名及列號前加上下列哪一符號？
(A)# (B)@ (C)$ (D)&

( ) 5. 儲存格參照位址可區分為？
(A) 絕對參照位址 (B) 相對參照位址
(C) 混和參照位址 (D) 以上皆是

( ) 6. 加總工具鈕可進行哪些運算？
(A) 加總 (B) 平均 (C) 最大值 (D) 以上皆是

( ) 7. 統計函數中不包含哪一項？
(A)AVERAGE() (B)MIN() (C)PMT() (D)STDEV()

▶ 實作題

1. 請開啓範例檔「人員考績-09.xlsx」。

	A	B	C	D	E	F	G
1	10月份缺勤記錄				11月份缺勤記錄		
2	學生座號	姓名	缺勤日數		學生座號	姓名	缺勤日數
3	1	陳光輝	0.0		1	陳光輝	0.0
4	2	郭旻宜	0.0		2	郭旻宜	0.0
5	3	王楨珍	0.5		3	王楨珍	1.0
6	4	李宗勛	5.0		4	李宗勛	2.5
7	5	林麗嘉	2.0		5	林麗嘉	0.0
8	6	張小雯	1.5		6	張小雯	2.0
9	7	周宜相	3.0		7	周宜相	3.0
10	8	楊林憲	2.0		8	楊林憲	3.0
11	9	許易堅	2.5		9	許易堅	3.0
12	10	李向承	1.0		10	李向承	2.5

缺勤記錄 | 10月份表現

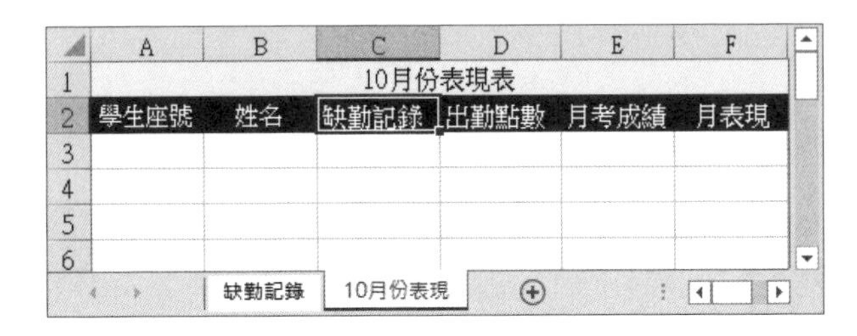

	A	B	C	D	E	F
1	10月份表現表					
2	學生座號	姓名	缺勤記錄	出勤點數	月考成績	月表現
3						
4						
5						
6						

缺勤記錄 | 10月份表現

將「缺勤記錄」工作表的學生座號及姓名，複製到「10 月份表現」工作表中。

2. 延續上述範例，請依序完成以下要求：
   - 請在「10 月份表現」工作表的「缺勤記錄」欄位中使用 INDEX() 函數，以「缺勤記錄」工作表的 10 月份缺勤記錄為指定範圍，參照出每位學生 10 月份的缺勤記錄。
   - 使用 IF() 函數，設定此月份的出勤總點數為「30」，以「出勤總點數」減去「缺勤點數」，就是這個月的「出勤點數」，如果「出勤點數」小於「0」，則在此「出勤點數」欄位中會顯示「開除」二字。
   - 隨意填入每位學生的月考成績，請依照以下方式計算出「月表現」成績：以「出勤點數」加上「月考成績」乘以「0.7」的總和。即出勤點數佔「30%」，而月考成績佔「70%」。
3. 如何實作自動加總的計數功能？

CHAPTER

06 問卷 - 企業活動問卷調查與統計

學習重點

- 超連結功能應用
- 插入文字藝術師
- 插入美工圖案

本章簡介

隨著時代的進步，科技帶給人們的便利也愈來愈多樣化。在企業電子化愈來愈普遍的今天，相信許多公司早已使用電腦代替了大部分的人工作業。部分需釘在牆壁公佈欄的公布事項，已被網頁所取代，而公司內部各種文件的交流，也都改爲以電子郵件的方式傳送，不僅節省了紙張，也省下了許多的人力資源。在本章的範例裡，即要學習如何利用企業內部網路的連結來製作意見調查。

Excel 2016

範例成果

國內旅遊意見調查表

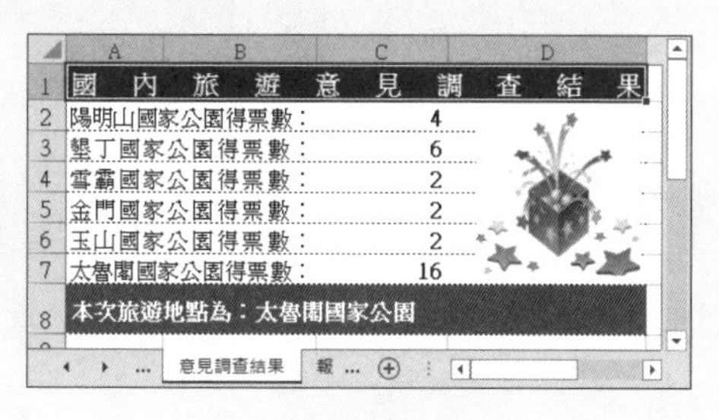

意見調查結果

6-1 製作意見調查表

製作意見調查表除了必備的主題與問題外，整體的美觀也不可忽視，因為旅遊意見調查表屬公司內部較不嚴肅的文件，如果將此調查表做得較為活潑化，也可因而帶動大家愉悅的心情。請開啟範例檔「調查與統計表-01.xlsx」：

6-1-1 插入文字藝術師

首先利用文字藝術師功能，製作公司名稱文字方塊，作為意見調查表的表頭。

Step 1

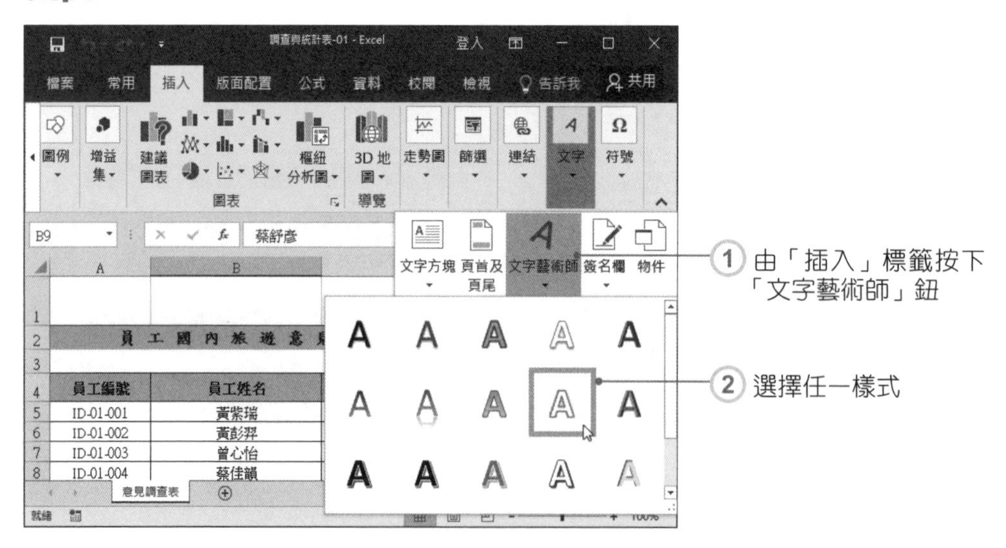

Step 2

Step 3

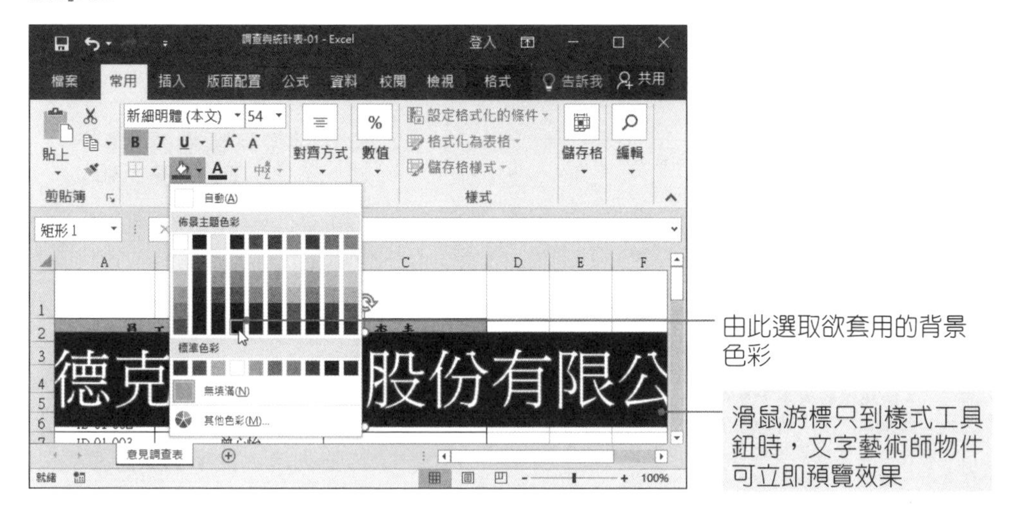

Step 4

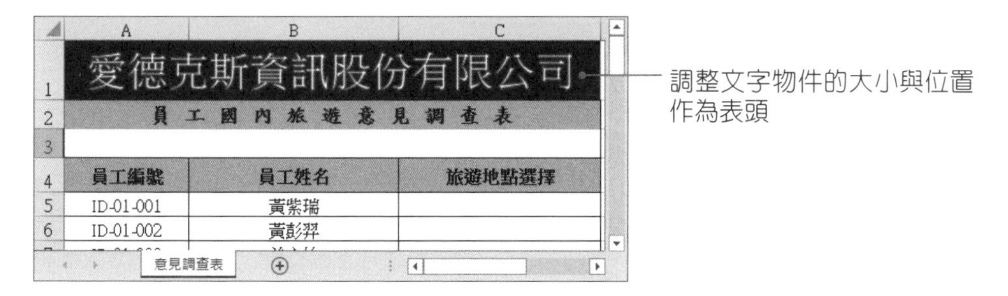

成公司名稱後，緊接著輸入此意見調查表的主題。

Step 1

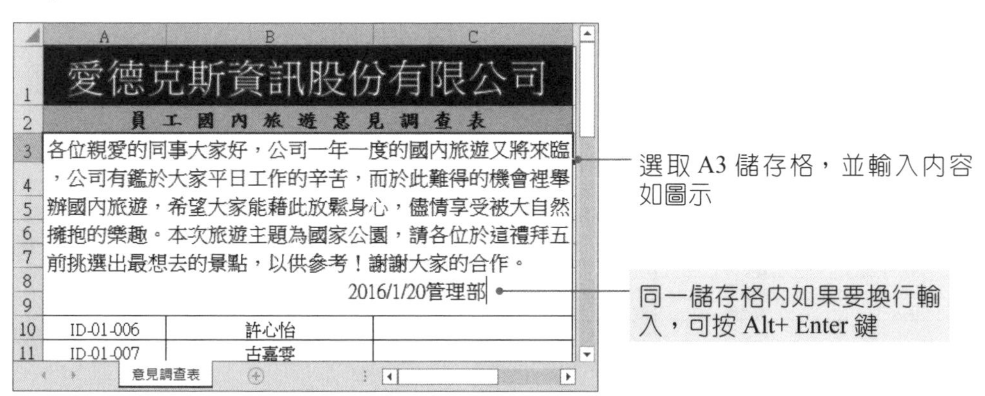

Step 2

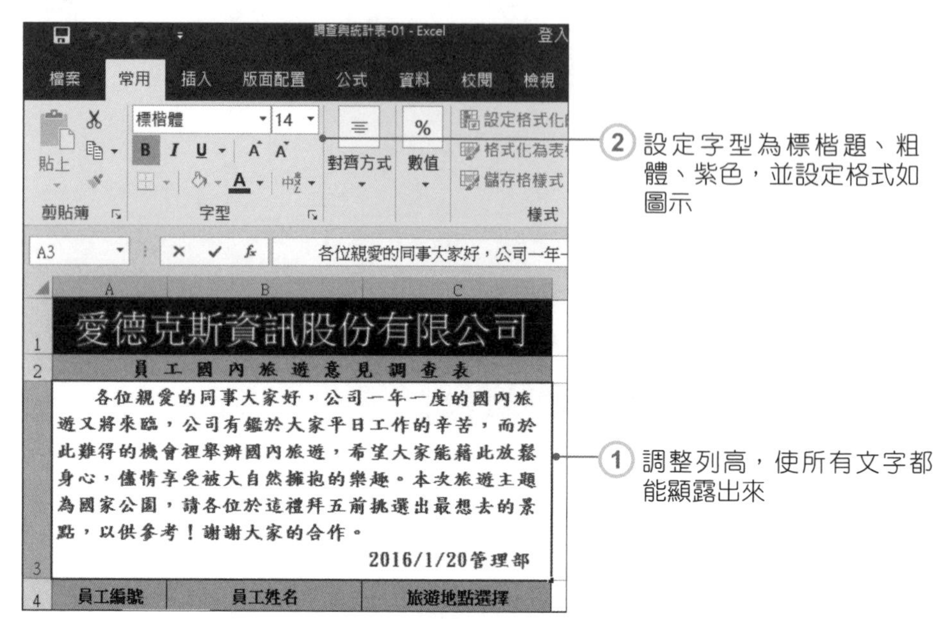

6-1-2 製作下拉式選單與提示訊息

「旅遊地點選擇」請設定為下拉選單樣式，以方便填寫意見調查表者選擇：

Step 1

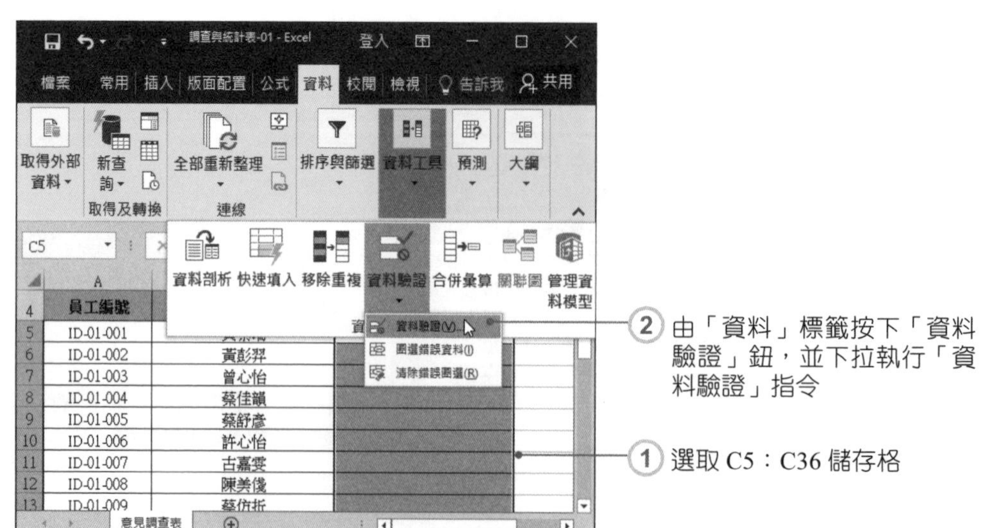

Step 2

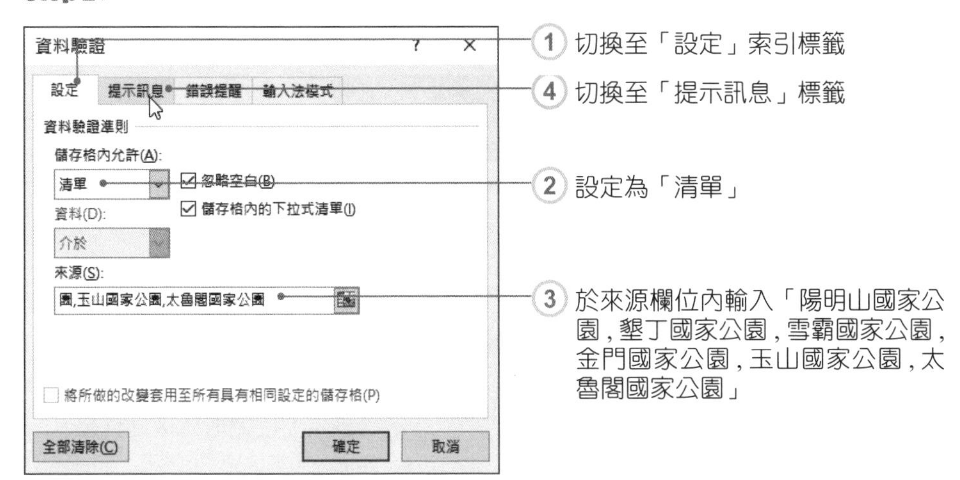

Step 3

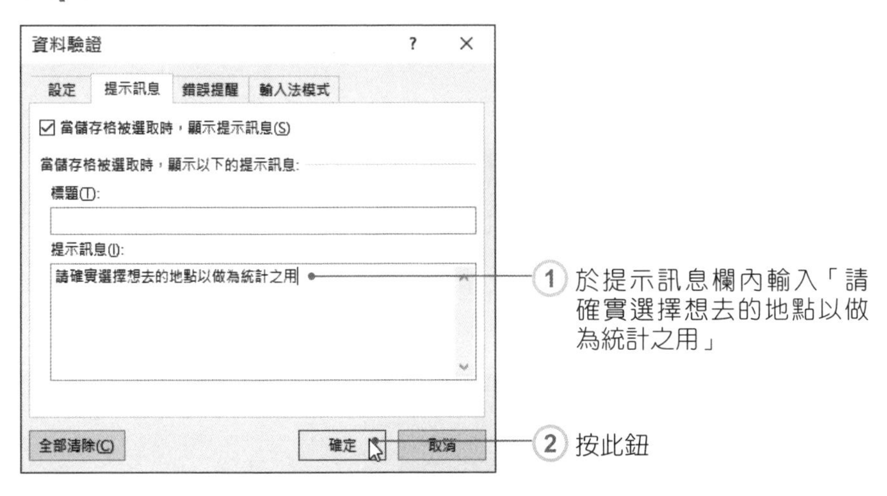

Step 4

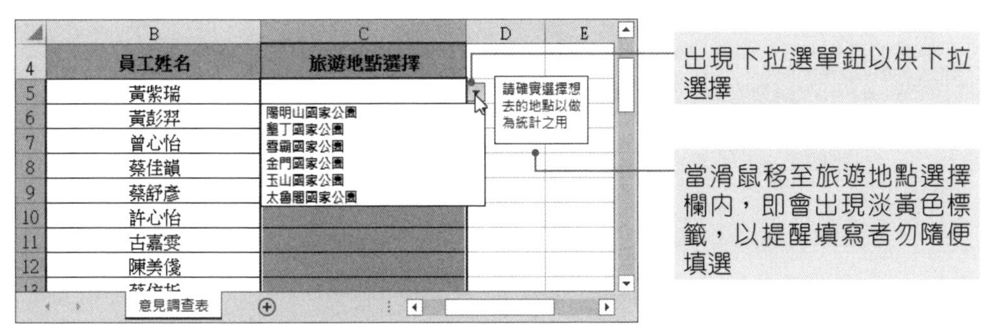

注意事項欄內亦請填入有關此次旅遊需特別注意的地方：

Step 1

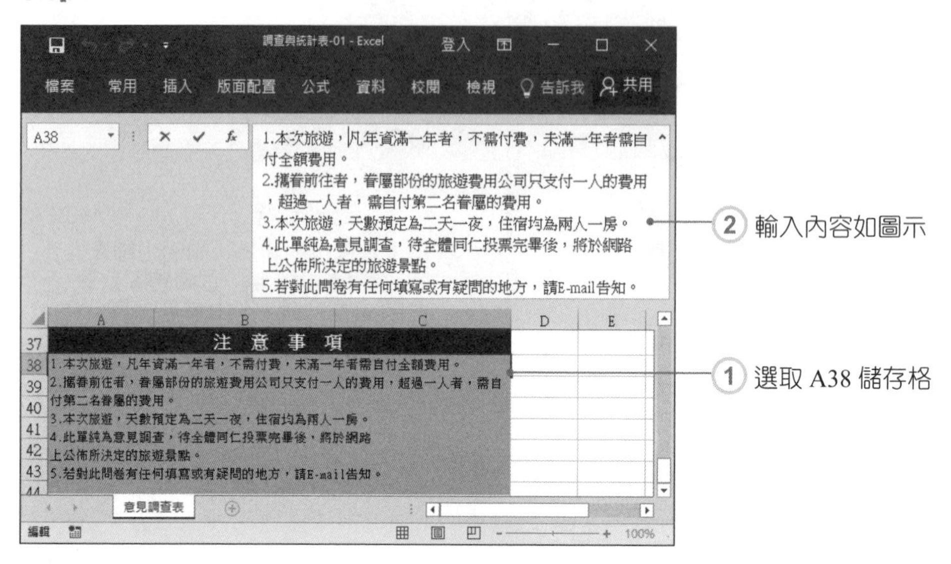

Step 2

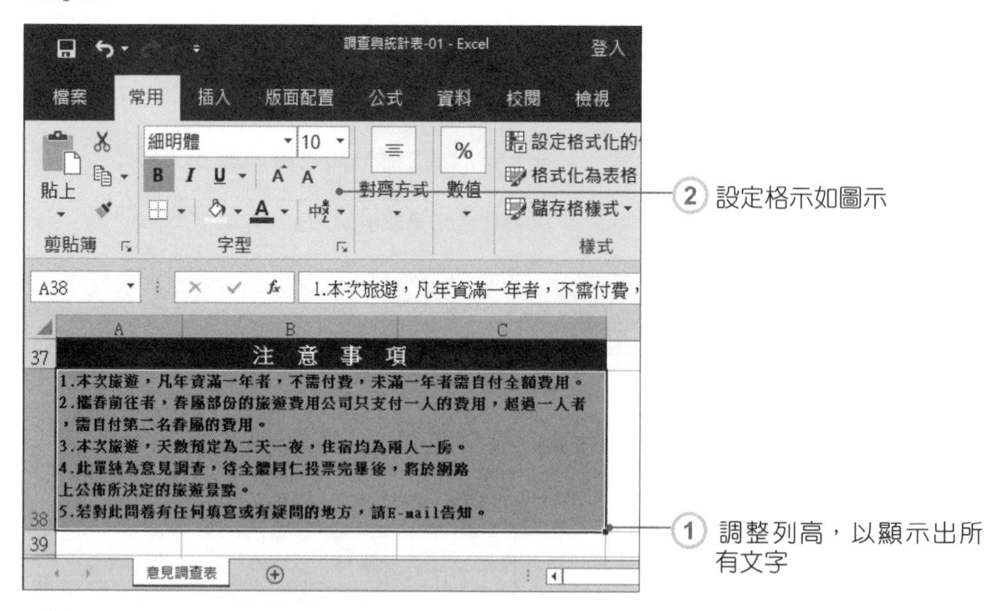

6-1-3 從檔案插入圖片

於注意事項欄內插入圖片，以設定超連結至 E-mail：

Step 1

Step 2

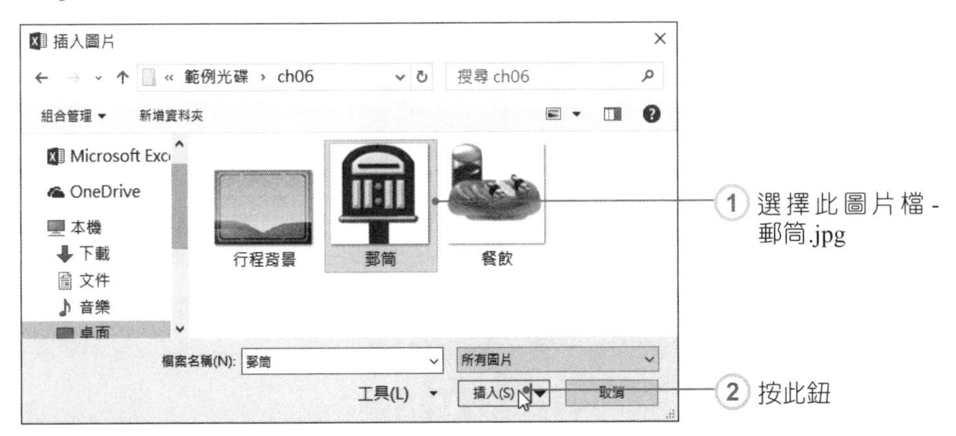

Step 3

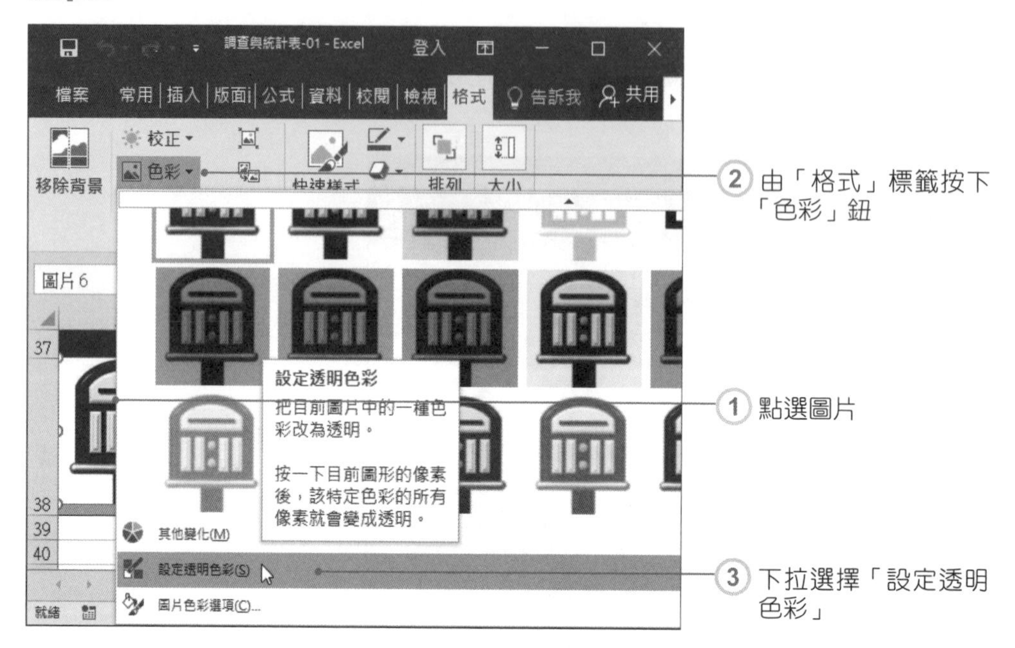

Step 4

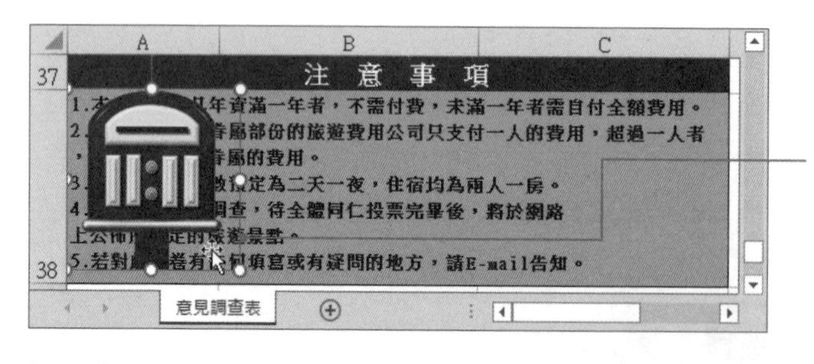

將滑鼠移到圖片白色背景處，當滑鼠變為筆狀時按一下滑鼠左鍵即可去背

Step 5

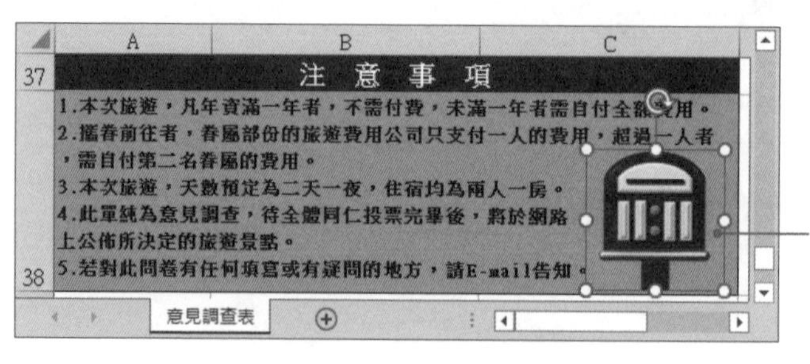

調整圖片大小並移置適當位置

6-1-4 圖片物件超連結

Excel 文件除了文字可做超連結外，圖片物件也同樣可使用連結的功能。

Step 1

Step 2

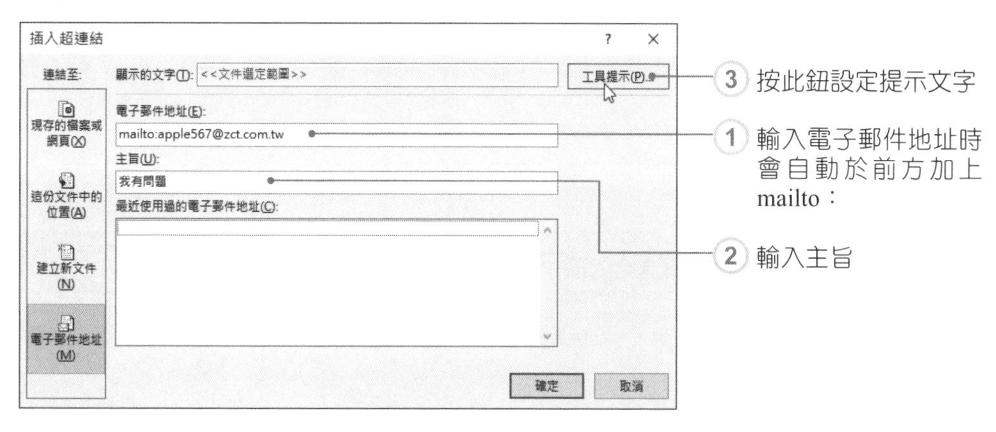

Step 3

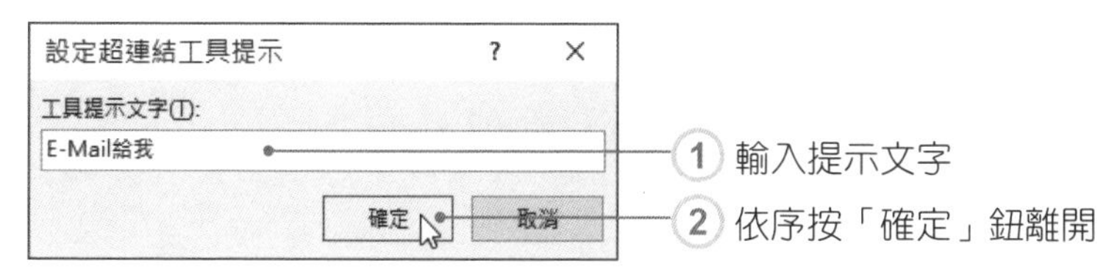

Step 4

Step 5

Tips 如果要選取已設定超連結的圖片物件，可按滑鼠右鍵選取。

6-1-5 保護活頁簿

調查表的製作工作完畢後，即可傳送此調查表讓所有員工加以填寫，在傳送之前，爲避免調查表格式或部分內容被不小心的員工給刪除掉了，所以先對此調查表作一保護的動作。請開啓範例檔「調查與統計表-02.xlsx」：

Step 1

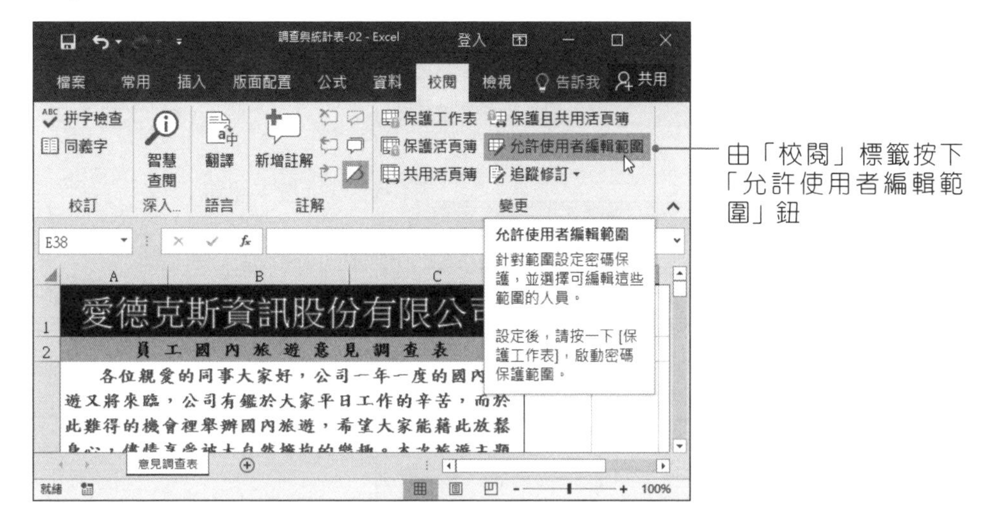

Step 2

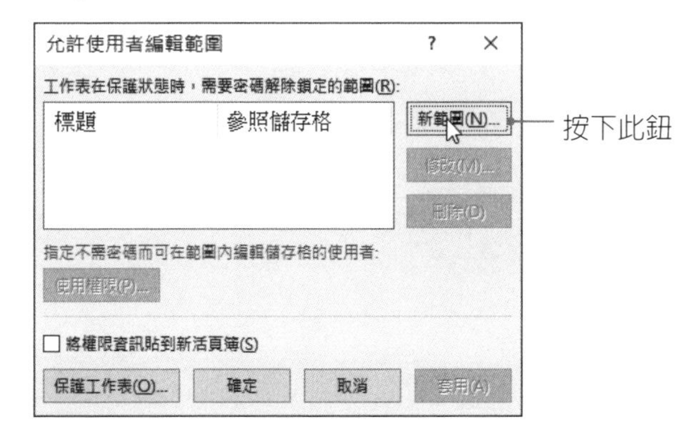

Step 3

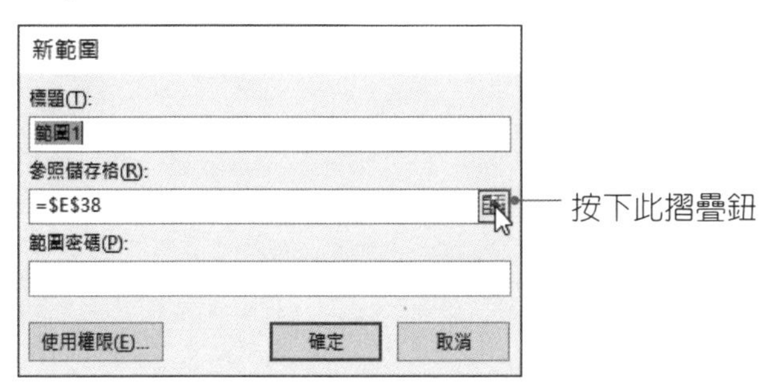

Step 4

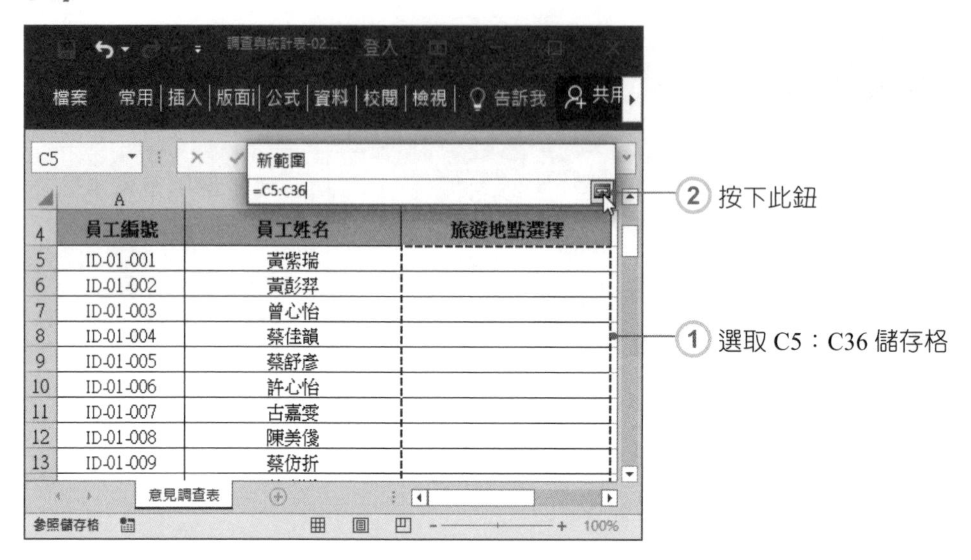

Step 5

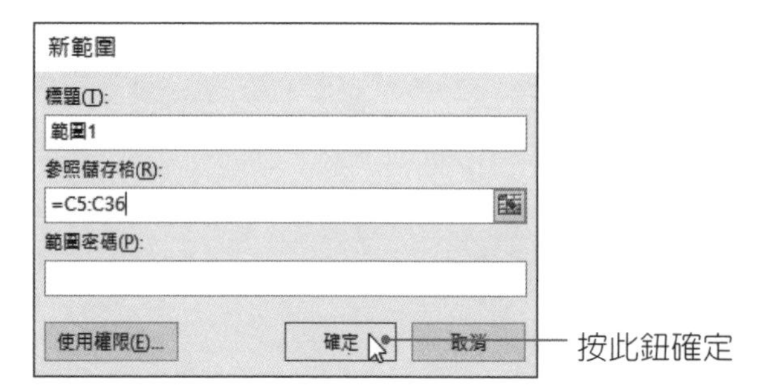

Step 6

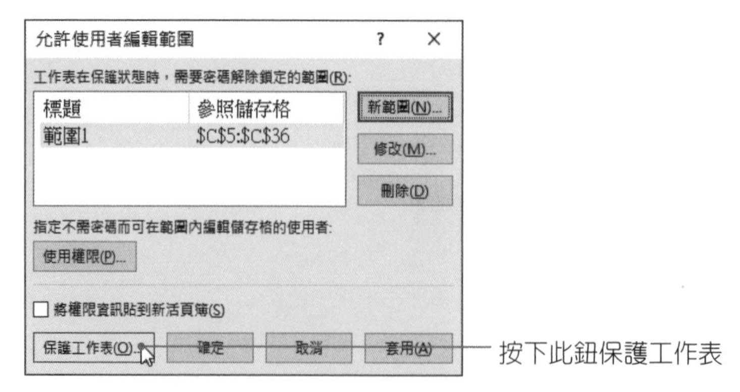

Step 7

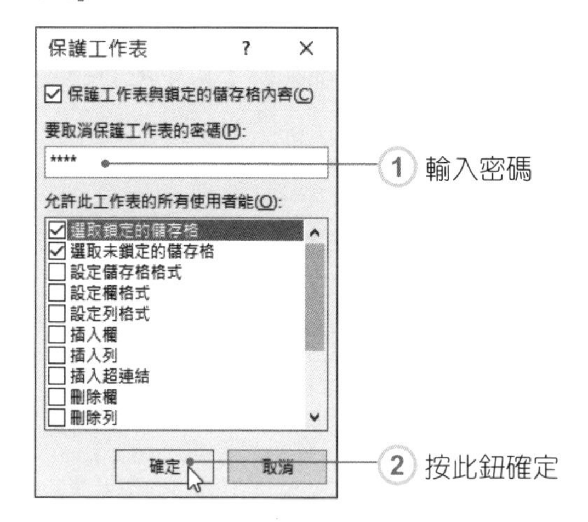

Step 8

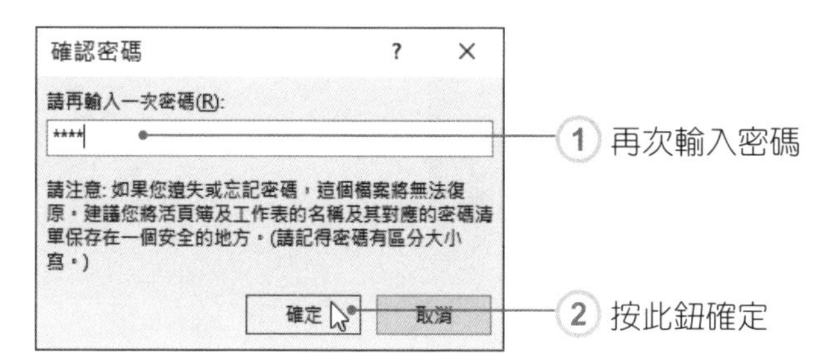

設定保護後，現在此份意見調查表只能對剛所選取的欄位進行填選或修改的動作，如果欲對其他的欄位進行刪除或更改的動作，則會出現如下對話框：

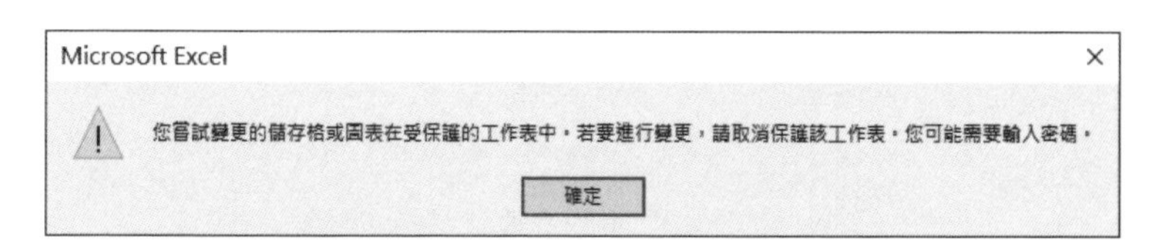

如此一來，即可放心將此調查表開放給其他員工使用了。

6-1-6 共用活頁簿

保護活頁簿的設定完成後，便需將調查表放在公司內部網路上以供所有員去做填選：

Step 1

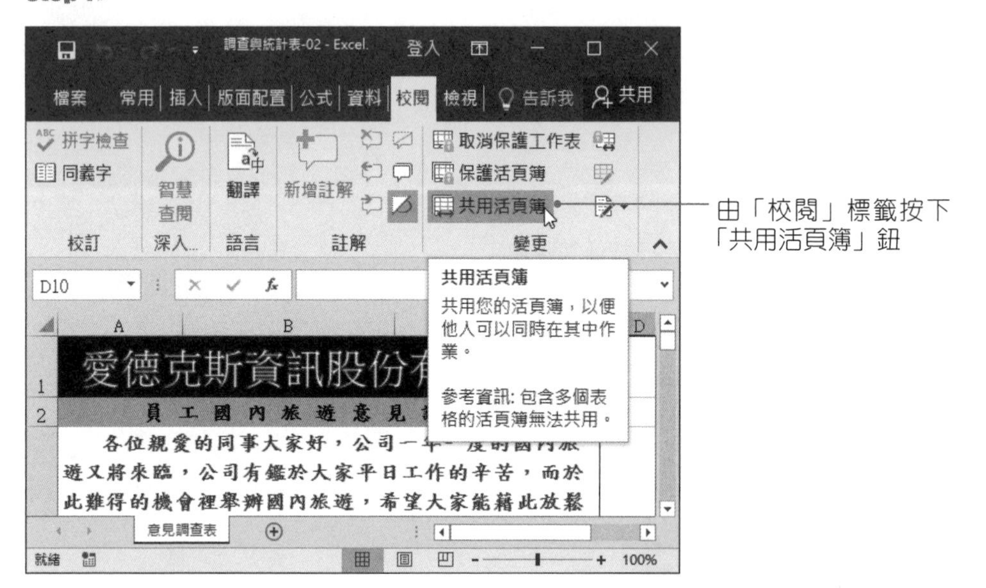

Step 2

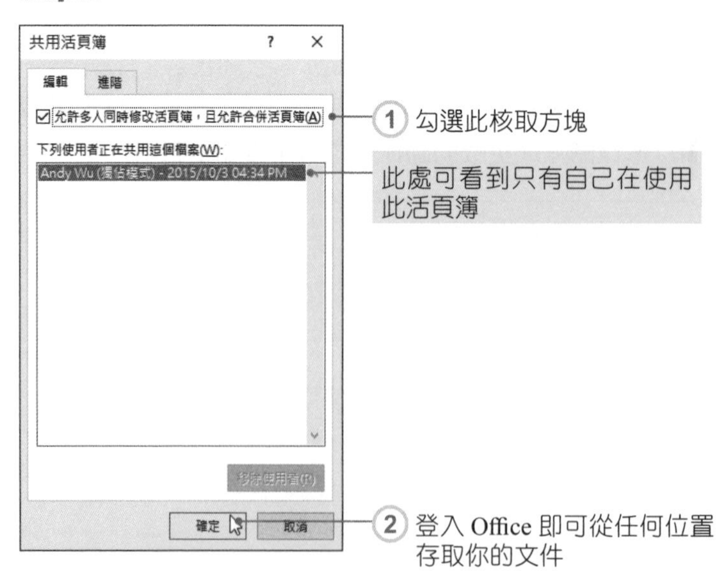

Step 3

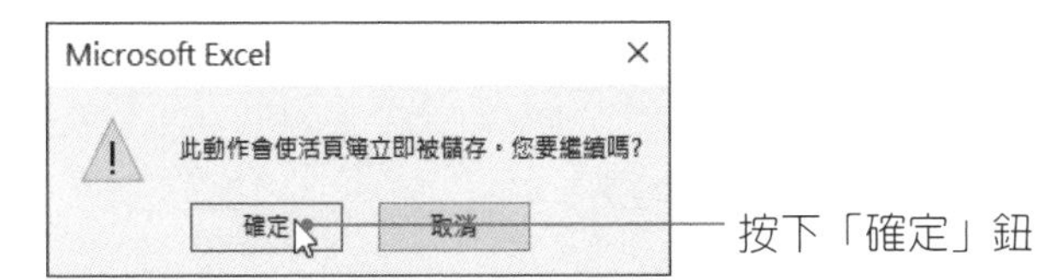

Step 4

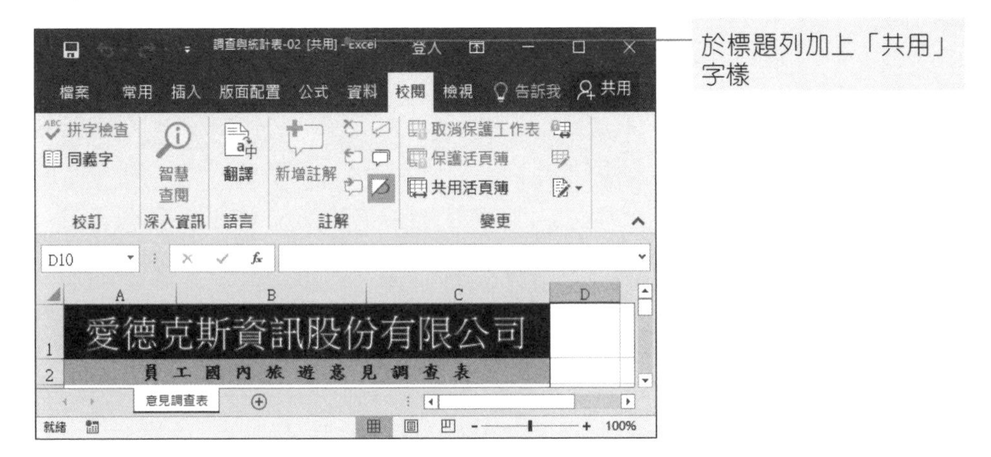

接下來只要確定區域網路連線作業正常，且將此活頁簿所在的資料夾分享出去，如此一來，所有員工即能存取這份調查表。

當所員工都已填選自己想去的地方後，即可取消活頁簿的共用：

Step 1

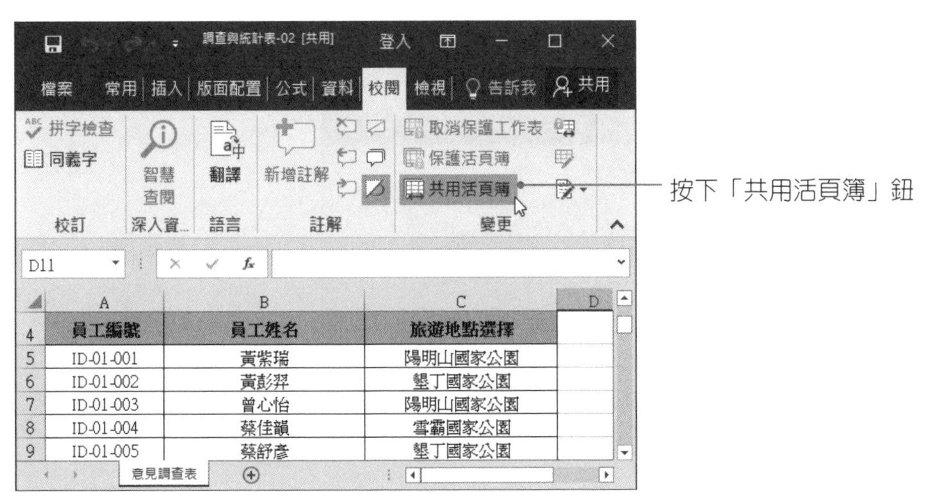

Step 2

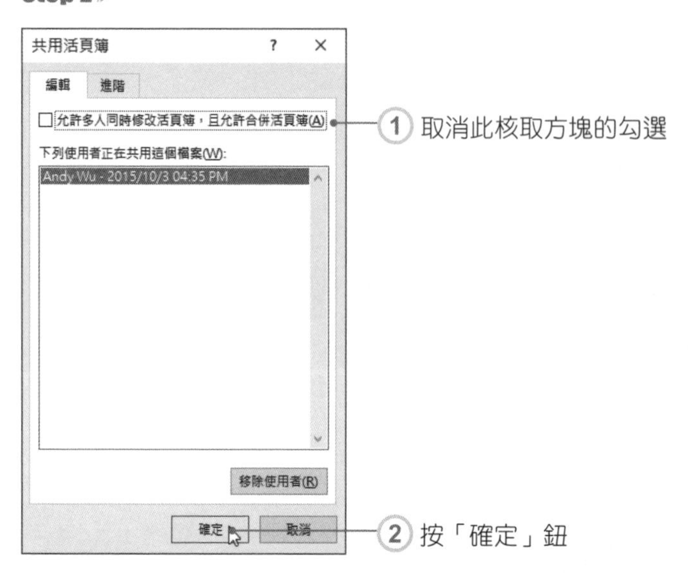

Step 3

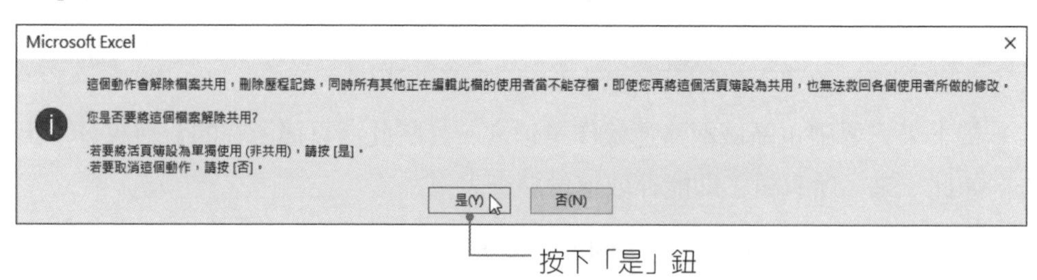

Step 4

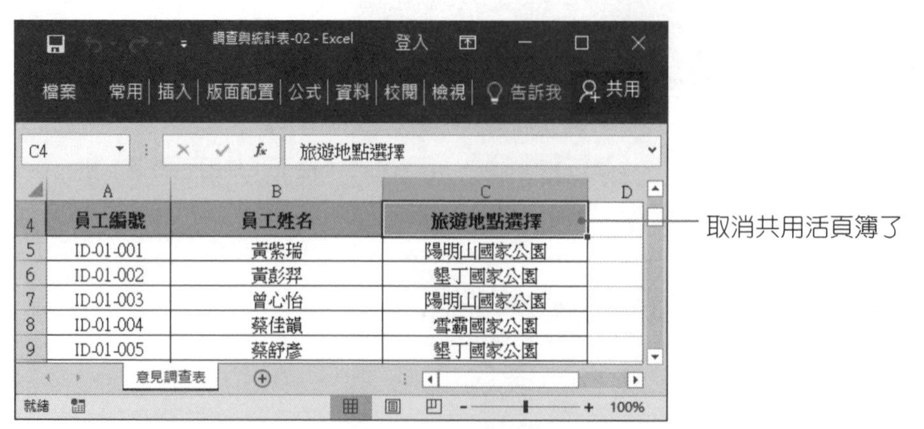

6-1-7 取消保護活頁簿

調查工作完成，即可取消保護活頁簿的功能，以便做其他的修改：

Step 1

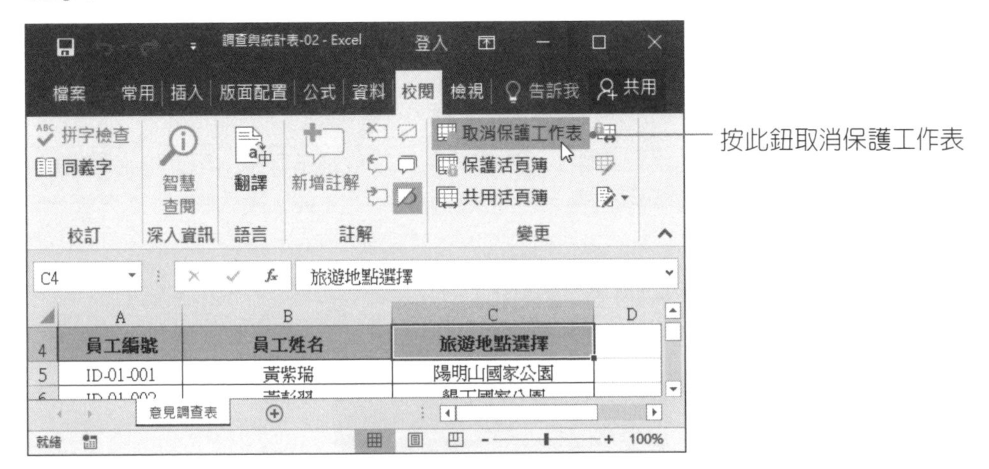

Step 2

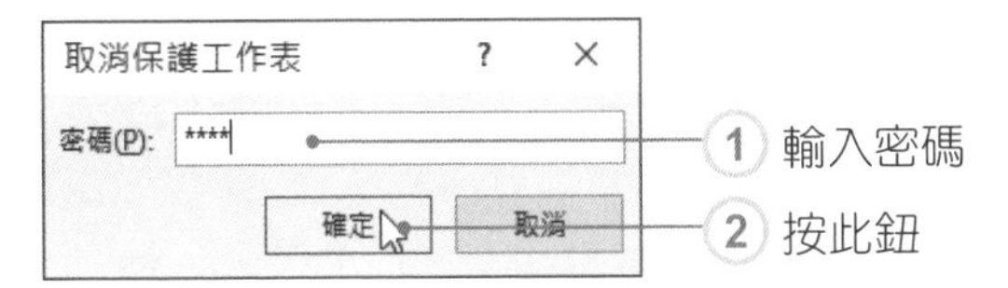

6-2 意見調查結果統計

到了令人興奮的時刻了，意見調查表經過一段時間填寫之後，就要開始進行統計的工作，真想快點知道這次旅遊到底是要在哪個地點舉辦。

6-2-1 COUNTIF() 函數說明

善用 Excel 的 COUNTIF() 函數，可以快速統計各旅遊地點的支持度，答案就要揭曉了！

❖ COUNTIF() 函數

語法：COUNTIF(Range,Criteria)

說明：COUNTIF() 函數主要是用來計算某範圍內符合篩選條件的儲存格個數。相關引數說明如下：

引數名稱	說明
Range	計算指定條件儲存格的範圍。
Criteria	此為比較條件，可為數值、文字或是儲存格，用以指定哪些儲存格會被計算。

請開啓範例檔「調查與統計表-03.xlsx」：

Step 1

Step 2

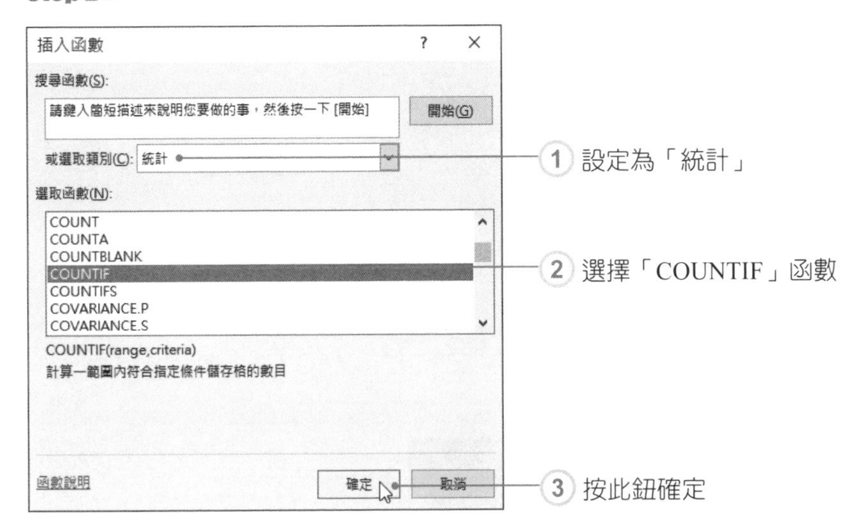

Step 3

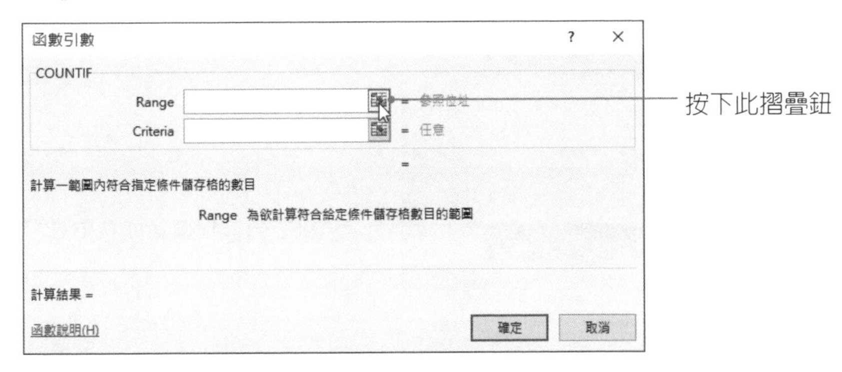

Step 4

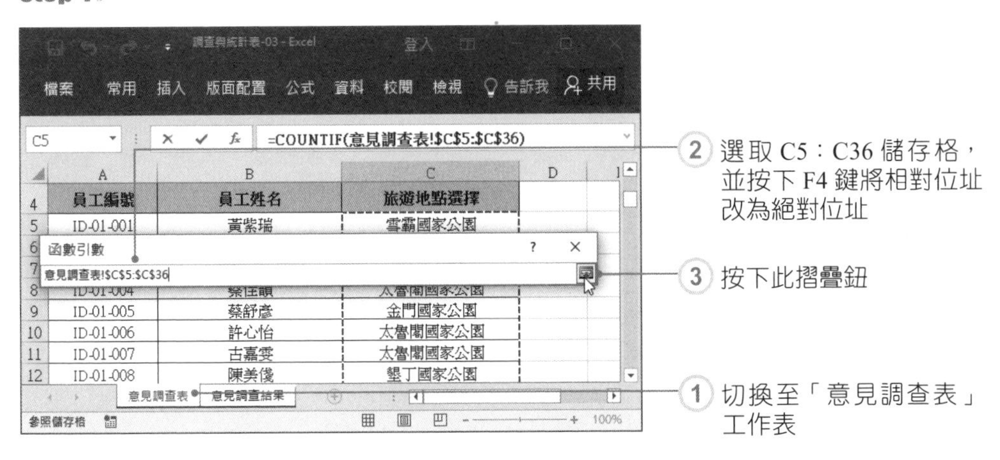

Step 5

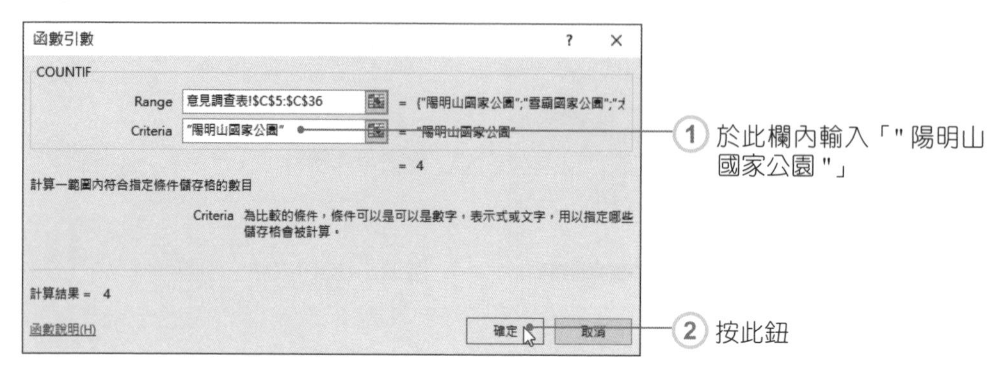

Step 6

Step 7

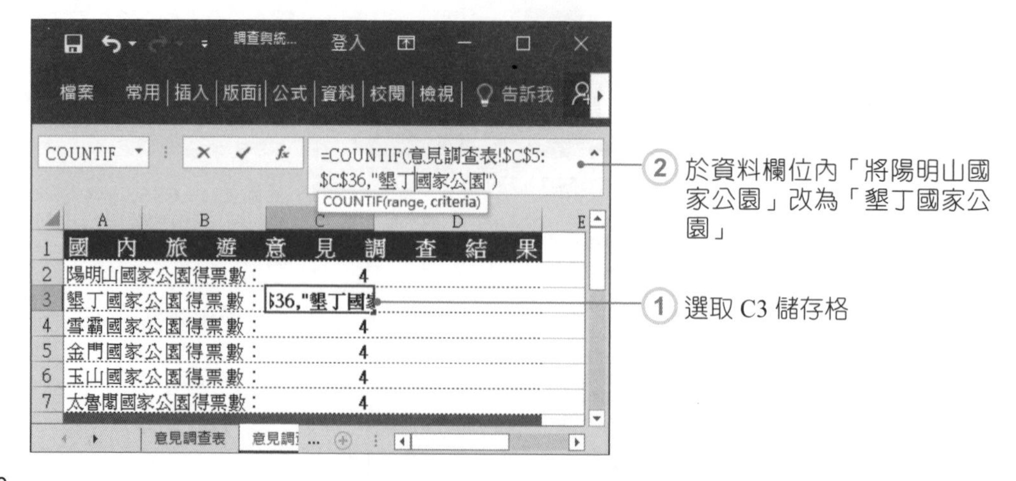

其他各欄位請依照步驟 7 做修改即可。

當得票數最高者出現時，只要將該地點輸入本次旅遊地點即可。

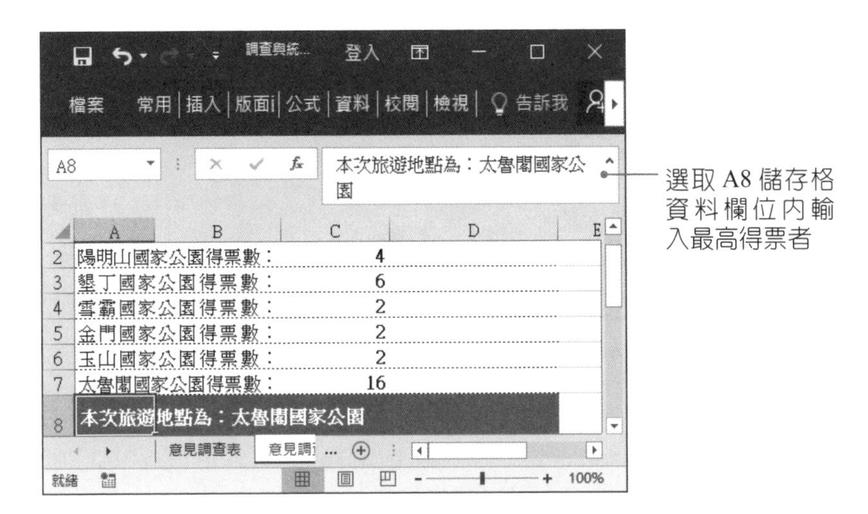

6-2-2 插入美工圖案

爲表示一下慶祝之意，可在調查結果表裡加上與慶祝有關的美工圖案，即可顯得更加生動。

Step 1

Step 2

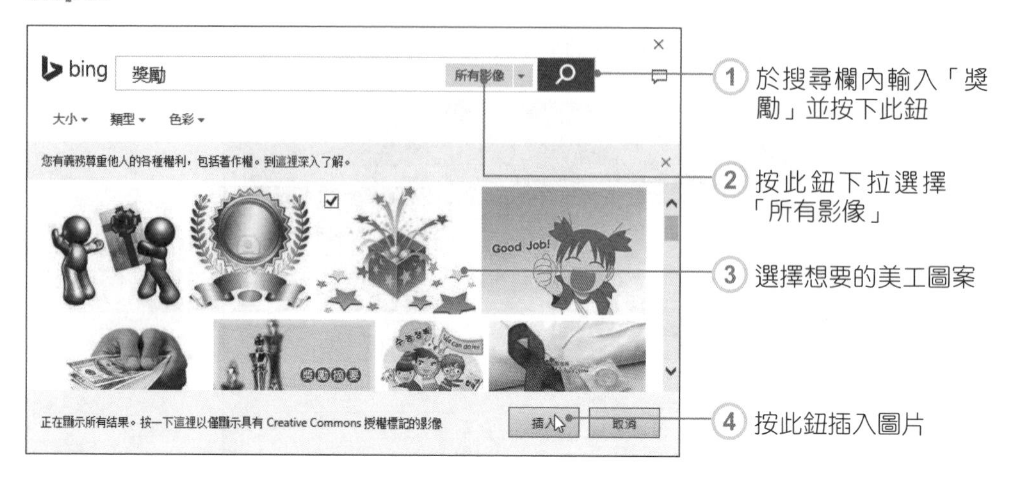
bing
獎勵
所有影像
大小 類型 色彩
您有義務尊重他人的各種權利，包括著作權。到這裡深入了解。
Good Job!
正在顯示所有結果。按一下這裡以僅顯示具有 Creative Commons 授權標記的影像
插入
取消
1 於搜尋欄內輸入「獎勵」並按下此鈕
2 按此鈕下拉選擇「所有影像」
3 選擇想要的美工圖案
4 按此鈕插入圖片

Step 3

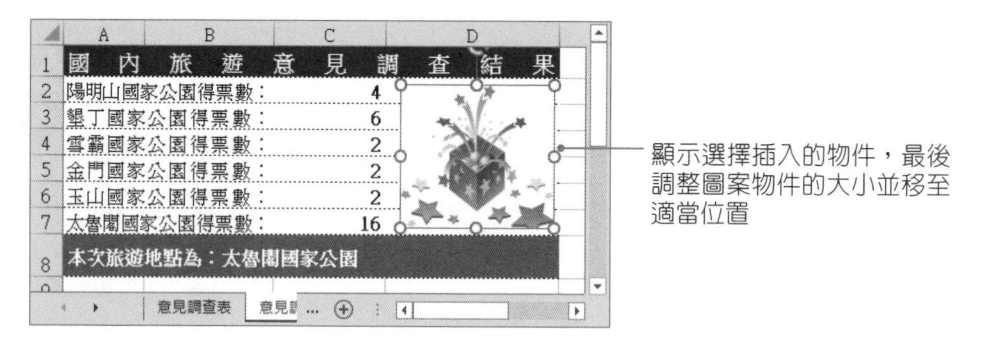
國內旅遊意見調查結果
陽明山國家公園得票數： 4
墾丁國家公園得票數： 6
雪霸國家公園得票數： 2
金門國家公園得票數： 2
玉山國家公園得票數： 2
太魯閣國家公園得票數： 16
本次旅遊地點為：太魯閣國家公園
意見調查表
顯示選擇插入的物件，最後調整圖案物件的大小並移至適當位置

實力評量

是非題

( ) 1. 透過傳送活頁簿附件的方式，可將活頁簿設為「請檢閱」檔案，讓收件者接獲活頁簿郵件並修編工作表內容後將變更的郵件回寄給寄件者，再由寄件者將寄回的資料一併彙整。

( ) 2. 如果要於同一儲存格做換行的動作，可按下 Alt +Enter 鍵來完成此需求。

( ) 3. 由「資料」標籤按下「資料驗證」鈕，當設定為「清單」樣式時，如果於來源欄內直接輸入來源文字，需注意當輸入一個以上的來源時，需以「半型」逗點隔開。

( ) 4. Excel 可插入預設的美工圖案，但無法插入外部的圖片或圖案。

( ) 5. 於 Excel 工作表插入的圖片也可使用超連結功能。

( ) 6. 使用文字藝術師滑鼠游標指到樣式工具鈕時，可立即預覽文字藝術師效果。

( ) 7. 共用活頁簿可在區域網路上以共享資源的方式讓其他人加以編輯。

( ) 8. AND() 函數裡如果所有的引數都是 TRUE 就傳回 TRUE。

選擇題

( ) 1. 下列關於超連結的敘述何者為非？
(A) 已設置超連結的文字或圖片也可按右鍵來選擇刪除或編輯超連結
(B) 點選「插入／超連結」工具鈕，可為工作表上的文字或圖片設置超連結
(C) 設置超連結後，會自動出現 Web 工具列，方便超連結的往返操作
(D) 只有點選「插入／超連結」工具鈕，才可開啓「插入超連結」對話

( ) 2. 超連結的標地為下列何者？
(A) 同一活頁簿的另一張工作表　(B) 不同的活頁簿檔案
(C) 其他相關軟體的檔案　(D) 以上皆是

(　) 3. 下列關於 COUNTIF() 函數的敘述何者有誤？
(A) 用來計算某範圍內符合篩選條件的儲存格個數
(B) 屬數學與三角函數類別函數
(C) 引數 range 為欲計算指定條件儲存格的範圍
(D) 引數 criteria 用以指定哪些儲存格會被計算

(　) 4. 如果欲插入外部 jpg 檔圖片，可按下哪一圖示鈕？
(A)　(B)　(C)　(D)

▶ 實作題

1. 請開啟範例檔「聚餐意見調查表 .xlsx」，並製作成如下圖示的結果。
- 插入餐飲.jpg 圖片檔
- 請於聚餐地點選擇如圖示內容
- 請插入文字藝術師如圖示

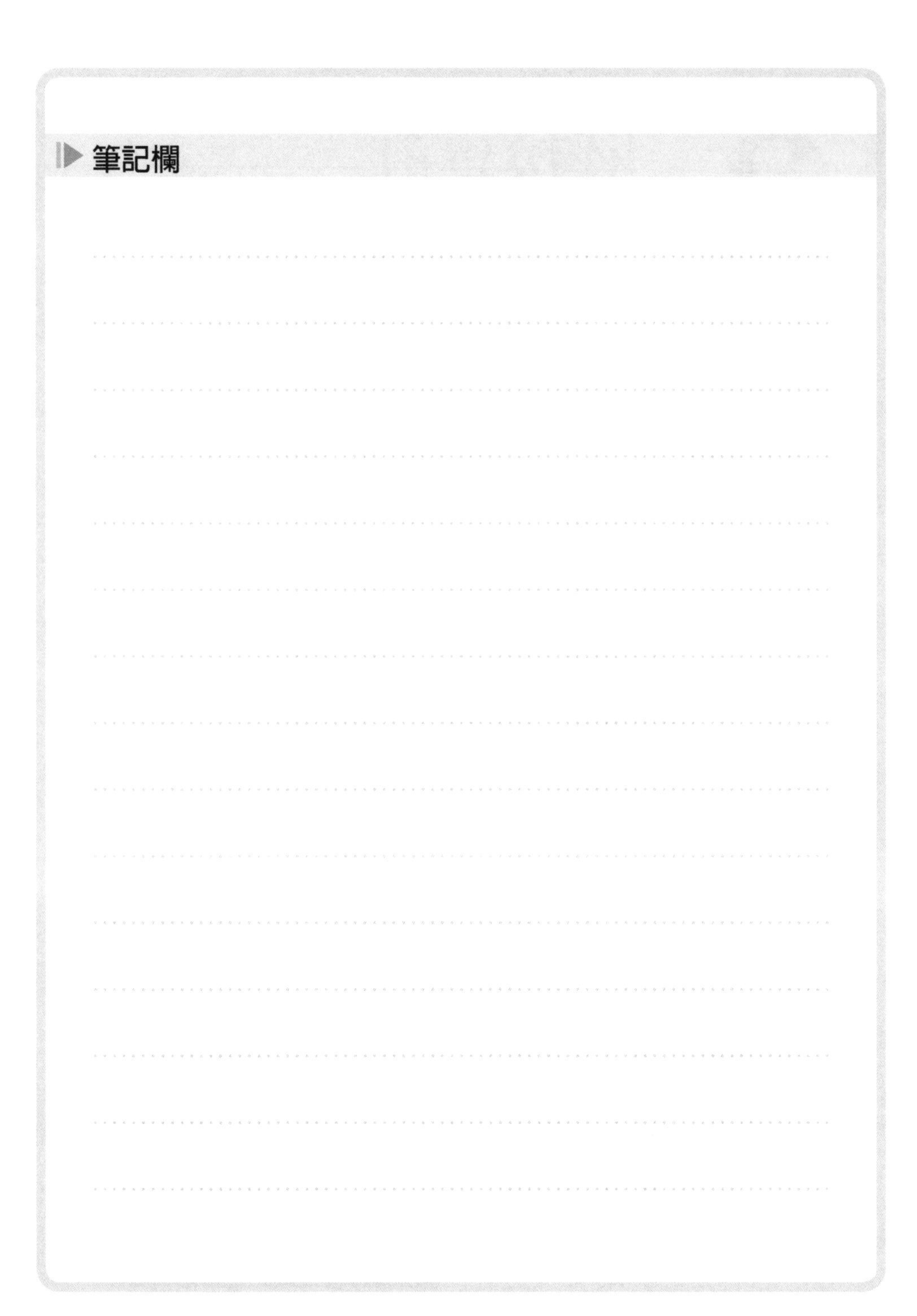
筆記欄

PART

2 財務會計實戰篇

時至今日，由於電腦科技的蓬勃發展與普遍，將電腦帶入了企業與組織體系中。
早期單純的作為資料處理的工具，到今日支援知識工作，甚至於協助高層管理者應用
份資訊來進行決策活動的創造競爭勢。加上網路興起的推波助瀾，電腦已成為辦公室
不可或缺的最佳工作利器。

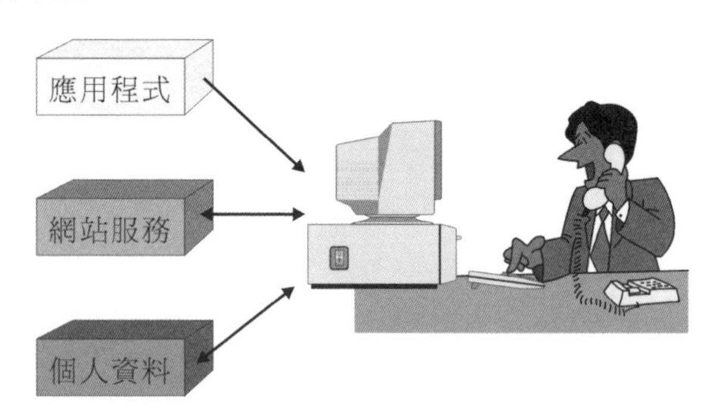

對於一個企業組織而言，最核心的部門無非就是人事與會計部門。人員是企業最
貴的資產，人事部門就是負責人員績效與獎懲的最重要單位，工作還包括人事資料的
存、薪資的發放、在職訓練課程與各種活動的舉辦等等。

基本資料

- 姓名：陳小智
- 生日：65.3.28
- 性別：男
- 身高：172
- 體重：58
- 星座：牡羊座
- 職業：系統分析師

而會計部門不但負責薪資待遇的發放，更掌管公司帳款與資產的重要工作，包括資產負債表、應收應付票據管理、折舊方法計算等等。當然這些看似繁重的工作，都可以透過 Excel 的強大功能來解決，本篇中會以企業中的實務工作來為各位講解進階的 Excel 財務功能。

	A	B	C	D	E
1		伊斯爾科技股份有限公司			13
2		薪資明細表			
3	年度	2015			
4	給薪月份	10			
5	員工編號	ZN05080	姓名	張亞玲	
6	部門	研發部	代扣所得稅	-	
7	底薪	24,000.00	代扣健保費	622	
8	全勤獎金	-	代扣勞保費	294	
9	績效獎金	-	扣：請假款	200	
10	薪資總額	$ 23,800	減項小計	$ 916	
12	應付薪資	$ 22,884			

薪資明細表 ｜ 轉帳明細表 ｜ 計算

	A	B	C
1	伊斯爾科技股份有限公司		
2	轉帳明細表		
3	日期	民國104年10月11日	
4	公司帳號	258-16-98760-1	
5	轉帳總金額	$ 429,493	
6			
7	員工姓名	銀行帳號	金額
8	蘇雅屏	000-00-02150-0	$ 46,006
9	許家誠	000-00-09876-0	$ 27,840
10	李育名	000-00-02450-0	$ 27,388
11	何柏弘	000-00-02650-0	$ 27,388
12	林原良	000-00-03600-0	$ 43,098
13	林晉士	000-00-03600-0	$ 33,598
14	許黎星	000-00-02450-0	$ 28,447
15	朱韋伯	000-00-02750-0	$ 33,598
16	王智淨	000-00-02650-0	$ 26,437
17	孫義先	000-00-02550-0	$ 31,747

薪資明細表 ｜ 轉帳明細表 ｜ 計算 ...

員工薪資明細表與轉帳明細表

	A	B	C	D	E	F	G	H	I	J	K
1	愛德機械股份有限公司										
2	應付票據管理表										
3										日期	2015/10/12
4	廠商名稱	票據資訊				應付票據票齡分析					其它
5	廠商名稱	票據號碼	票據金額	開票日	到期日	0~15天	16~30天	31~60天	61~90天	90天以上	票據狀況
6	開心電器股份有限公司	ID90342170	$ 8,000	2015/07/30	2015/09/12	$ 8,000					已兌現
7	富能五金行	ID90342171	$ 5,000	2015/08/06	2015/09/20	$ 5,000					已兌現
8	享功機械有限公司	ID90342172	$ 6,000	2015/08/13	2015/09/28	$ 6,000					已兌現
9	國際電器股份有限公司	ID90342173	$ 30,000	2015/08/20	2015/10/05	$ 30,000					已兌現
10	紅橋五金行	ID90342174	$ 900	2015/08/27	2015/10/13	$ 900					未兌現
11	金頂企業有限公司	ID90342175	$ 3,000	2015/09/04	2015/10/21	$ 3,000					未兌現
12	南功貿易有限公司	ID90342176	$ 2,000	2015/09/11	2015/10/29		$ 2,000				未兌現
13	享功機械有限公司	ID90342177	$ 3,300	2015/09/18	2015/11/07		$ 3,300				未兌現
14	開心電器股份有限公司	ID90342178	$ 7,000	2015/09/25	2015/12/15				$ 7,000		未兌現
15	國際電器股份有限公司	ID90342179	$ 20,000	2015/09/25	2015/12/16				$ 20,000		未兌現
16											
25											
26											
27	應付票據金額合計		$ 85,200			$ 52,900	$ 5,300	$ -	$ 27,000	$ -	
28	應付票據金額比例					62.09%	6.22%	0.00%	31.69%	0.00%	

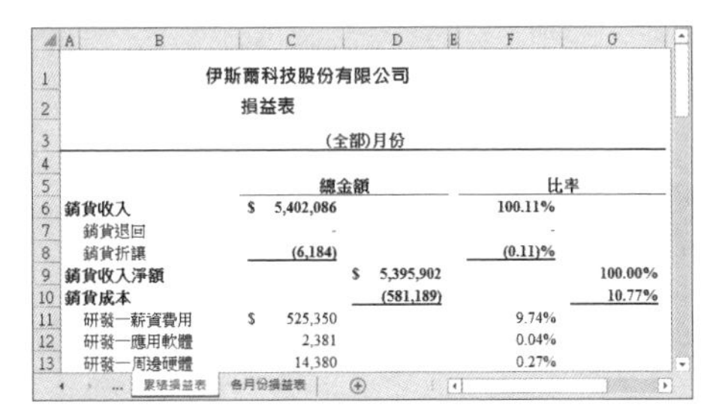

	A	B	C	D	E	F	G
1			伊斯爾科技股份有限公司				
2			損益表				
3			(全部)月份				
4							
5			總金額			比率	
6		銷貨收入	$ 5,402,086			100.11%	
7		銷貨退回	-			-	
8		銷貨折讓	(6,184)			(0.11)%	
9		銷貨收入淨額		$ 5,395,902			100.00%
10		銷貨成本		(581,189)			10.77%
11		研發—薪資費用	$ 525,350			9.74%	
12		研發—應用軟體	2,381			0.04%	
13		研發—周邊硬體	14,380			0.27%	

... ｜ 業績損益表 ｜ 各月份損益表

應付票據管理表與損益分析表

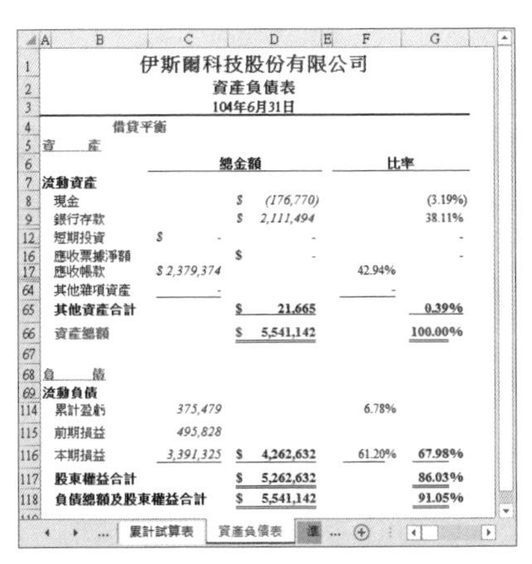

	A	B	C	D	E	F	G
1		伊斯爾科技股份有限公司					
2		資產負債表					
3		104年6月31日					
4		借貸平衡					
5	資 產						
6				總金額			比率
7	流動資產						
8		現金		$ (176,770)			(3.19%)
9		銀行存款		$ 2,111,494			38.11%
12		短期投資	$ -				-
16		應收票據淨額		$ -			-
17		應收帳款	$ 2,379,374			42.94%	
64		其他雜項資產	-			-	
65		其他資產合計		$ 21,665			0.39%
66		資產總額		$ 5,541,142			100.00%
67							
68	負 債						
69	流動負債						
114		累計盈虧	375,479			6.78%	
115		前期損益	495,828				
116		本期損益	3,391,325	$ 4,262,632		61.20%	67.98%
117		股東權益合計		$ 5,262,632			86.03%
118		負債總額及股東權益合計		$ 5,541,142			91.05%

... ｜ 累計試算表 ｜ 資產負債表 ｜ 進 ...

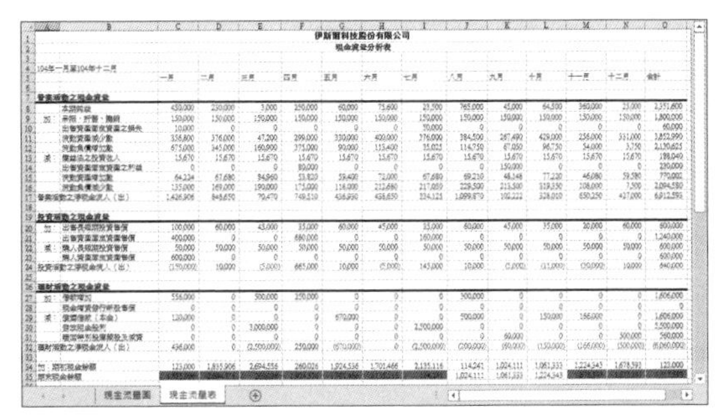

資產負債表與現金流量表

CHAPTER

07 人事薪資系統應用

學習重點

- 建立勞健保、薪資所得稅參考表格
- 定義範圍名稱
- 使用 IF() 函數判斷是否有全勤獎金
- 運用 VLOOKUP() 函數

本章簡介

人事薪資資料表所包含的範圍很廣，對公司內部而言，是用來統計每位員工的薪資，藉由此統計表讓決策者參考員工的薪資水平及薪水支出；對外而言，此表必須統計勞保、健保、及薪資代扣稅額等等。因此對會計人員來說，不啻是一項艱辛繁瑣的工作。

為了減少會計人員的工作負擔，接下來將運用 VLOOKUP 函數、IF 判斷式及 Excel 功能把原本繁瑣的工作，轉換成自動化的報表系統。

Excel 2016

範例成果

伊斯爾科技股份有限公司

10月員工薪資

序號	員工編號	姓名	部門	底 薪	全勤獎金	扣：請假款	薪資總額	代扣所得稅	代扣健保費	代扣勞保費	減項小計	應付薪資	病假天	事假天	遲到mins	備註
1	ZM12046	蘇雅屏	行政部	47,000	2,000	-	$ 49,000	2,190	1,974	471	$ 4,635	**$ 44,365**				
2	ZN01049	許家誠	研發部	24,000	2,000	-	$ 26,000	-	688	328	$ 1,016	**$ 24,984**				
3	ZN02051	李育名	資訊部	22,500	2,000	-	$ 24,500	-	656	312	$ 968	**$ 23,532**				
4	ZN03059	何柏弘	行政部	24,500	2,000	-	$ 26,500	-	720	343	$ 1,063	**$ 25,437**				
5	ZN04063	林原良	研發部	44,000	-	733	$ 43,267	-	1,146	471	$ 1,617	**$ 41,650**	1.00			
6	ZN04064	林晉士	資訊部	33,000	2,000	-	$ 35,000	-	950	452	$ 1,402	**$ 33,598**				
7	ZN04066	許馨星	研發部	25,500	2,000	-	$ 27,500	-	1,080	343	$ 1,423	**$ 26,077**				
8	ZN04068	朱韋伯	研發部	30,000	2,000	-	$ 32,000	-	868	413	$ 1,281	**$ 30,719**			5	
9	ZN04073	王智淨	資訊部	23,500	2,000	-	$ 25,500	-	688	328	$ 1,016	**$ 24,484**				
10	ZN04074	孫義先	研發部	30,000	2,000	-	$ 32,000	-	1,736	413	$ 2,149	**$ 29,851**				
11	ZN04075	鄭惠欣	行政部	23,000	2,000	-	$ 25,000	-	656	312	$ 968	**$ 24,032**				
12	ZN05078	林凱利	資訊部	25,500	-	150	$ 25,350	-	688	328	$ 1,016	**$ 24,334**			15	
13	ZN05080	張亞玲	研發部	24,000	-	200	$ 23,800	-	622	294	$ 916	**$ 22,884**	0.50			
14	ZN05081	林茂雄	行政部	25,000	2,000	-	$ 27,000	-	720	343	$ 1,063	**$ 25,937**				

計算 調薪紀錄

人事薪資計算表

7-1 人事基本資料建立

一個人事薪資表中，需包含有人事薪資計算表、調薪紀錄表、健保費用扣繳表、勞保費用扣繳表及薪資所得扣繳表。以下將一一說明各個工作表的作用：

① 「人事薪資計算表」：此表的功用是彙整其他表格的資料，在此計算出每位員工的薪資狀況。

② 「調薪紀錄表」：記錄每位員工從進公司到目前為止的薪資調整狀況、扶養人數、健保人數及員工的銀行帳號等等資料。

③ 「健保費用扣繳表」：列出依照薪資的不同，健保費用扣繳的明細。

④ 「勞保費用扣繳表」：列出各個等級的勞保扣繳費用表。

⑤ 「薪資所得扣繳表」：列出各個薪資等級差距的所得扣繳費用表。

為了讓使用者省去收集資料和輸入的時間，筆者已經分別將「健保費用扣繳表」、「勞保費用扣繳表」及「薪資所得扣繳表」建立在範例檔「薪資系統-01.xlsx」之中，使用者只要切換工作表即可看到這三個不同的參照表格，表格如下：

	A	B	C	D	E	F
1	每月投保金額	被保險人及眷屬負擔金額				投保單位負擔金額
2		本人	本人+1眷口	本人+2眷口	本人+3眷口	
3	0	0	0	0	0	0
4	15,800	216	432	648	864	770
5	16,500	225	450	675	900	802
6	17,400	238	476	714	952	846
7	18,300	250	500	750	1000	889
8	19,200	262	524	786	1048	933
9	20,100	274	548	822	1096	977
10	21,000	287	574	861	1148	1020
11	21,900	299	598	897	1196	1064
12	22,800	311	622	933	1244	1108
13	24,000	328	656	984	1312	1166
14	25,200	344	688	1032	1376	1225
15	26,400	360	720	1080	1440	1283
16	27,600	377	754	1131	1508	1341
17	28,800	393	786	1179	1572	1400

調薪紀錄 / Chart1 / 健保費用扣繳表 / 勞

健保費用扣繳表

	A	B	C
1	投保金額	自行給付	雇主負擔
2	0	0	0
3	14,010	182	638
4	14,400	187	655
5	15,000	195	683
6	15,600	203	710
7	16,500	215	751
8	17,400	226	792
9	18,300	238	833
10	19,200	250	874
11	20,100	261	915
12	21,000	273	956
13	21,900	285	997
14	22,800	294	1037
15	24,000	312	1092
16	25,200	328	1147

健保費用扣繳表 勞保費用扣

勞保費用扣繳表

	A	B	C	D	E	F
1				扶養人數		
2	薪資所得	無	1	2	3	4
3	0	-	-	-	-	-
4	47,501	2,060	-	-	-	-
5	48,001	2,130	-	-	-	-
6	48,501	2,190	-	-	-	-
7	49,001	2,260	-	-	-	-
8	49,501	2,320	-	-	-	-
9	50,001	2,390	-	-	-	-
10	50,501	2,450	-	-	-	-
11	51,001	2,520	-	-	-	-
12	51,501	2,580	-	-	-	-
13	52,001	2,650	-	-	-	-
14	52,501	2,710	-	-	-	-
15	53,001	2,780	-	-	-	-
16	53,501	2,840	2,040	-	-	-
17	54,001	2,910	2,110	-	-	-
18	54,501	2,970	2,170	-	-	-
19	55,001	3,040	2,240	-	-	-
20	55,501	3,100	2,300	-	-	-

薪資所得扣繳表

薪資所得扣繳表

以上這些參考表會隨時變更，使用者有興趣依現行制度製作專屬的人事薪資系統應用，可以自行到各地健保局、勞保局及國稅局查詢最新的資料，亦或者可以上網查詢這些參考表的內容，再自行依本範例的精神自行修改符合現狀或自己個人需求的工作表。有關網址如下：

- 中央健保局：http://www.nhi.gov.tw
- 勞工保險局：http://www.bli.gov.tw

- 財政部高雄市國稅局：http://www.ntak.gov.tw
- 財政部台北市國稅局：http://www.ntat.gov.tw

7-1-1 人事薪資計算表架構

人事薪資計算表彙整了其他四種工作表的資料後，才能計算出每位員工的本月薪資，因此在此人事薪資計算表中除了員工的基本資料，還需要「底薪」、「全勤」、「代扣健保費」、「代扣所得稅」、「代扣勞保費」及「應付薪資」…等欄位來計算員工的本月薪資。員工的薪資計算如下：

員工薪資＝「員工底薪」＋全勤金額」－「代扣所得稅」－「代扣勞保費」－「代扣健保費」

- **員工底薪**－員工底薪資料是由「調薪紀錄」工作表中查得最新的底薪紀錄。
- **全勤金額**－是以「調薪紀錄」工作表中查出此員工的全勤金額，再查詢是否有請假、遲到等紀錄，若沒有這些記錄才會發給全勤金額。
- **代扣所得稅**－首先在「調薪紀錄」工作表查出員工是否有扶養人數，然後依照員工的底薪及扶養人數，對照「薪資所得扣繳表」中查詢應扣所得稅金額。
- **代扣勞保費**－依照員工的底薪薪資，對照「勞保費用扣繳表」中查詢應扣勞保費金額。
- **代扣健保費**－首先在「調薪紀錄」工作表查出員工的健保人數，然後再依照底薪及健保人數，對照「健保費用扣繳表」中查詢應扣健保費金額。

將這幾項金額計算之後，才是此員工的應得薪資。因為運算過程過於繁瑣，若運用人力來做計算，一定會錯誤連連且浪費時間，現在只要將公式設定好，Excel 就通通幫您搞定！

7-1-2 定義資料名稱

人事薪資計算表中，有許多地方需要參照到其他工作表的資料範圍，為了簡化搜尋資料時的資料範圍設定，所以先將這些儲存格範圍定義成「範圍名稱」，在函數中就可以直接以「範圍名稱」代表指定資料工作表及儲存格範圍。請開啓範例檔「薪資系統-01.xlsx」。

範例 定義儲存格範圍名稱

Step 1

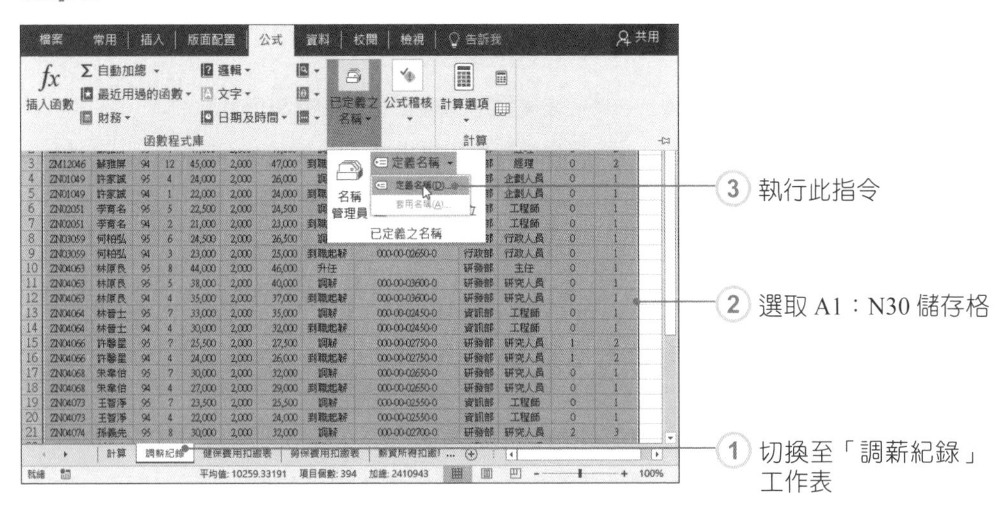

Step 2

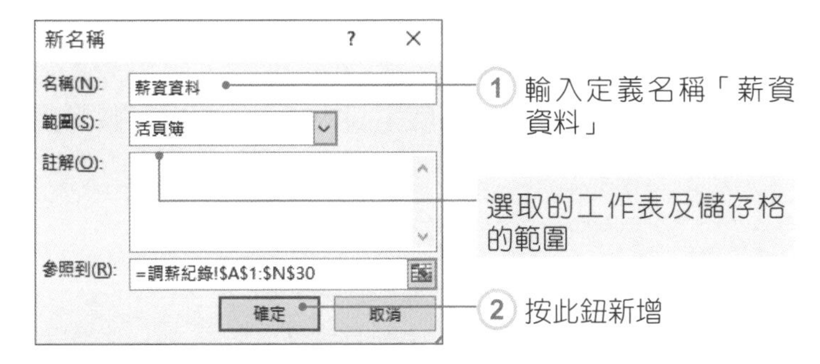

Step 3

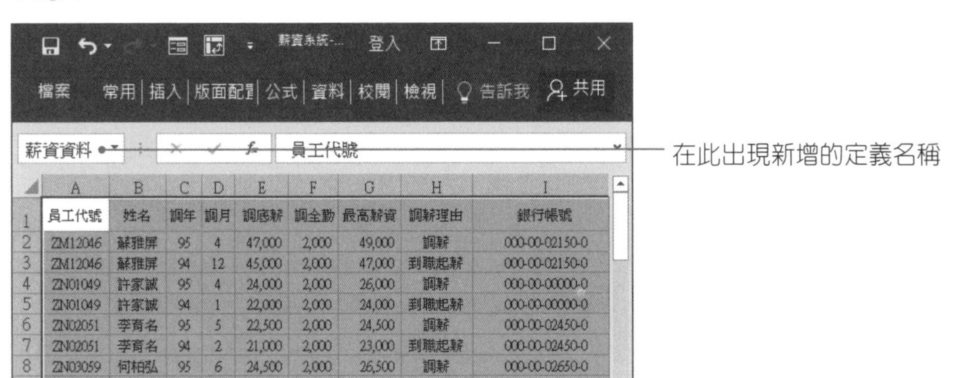

除此定義名稱之外，筆者將所有需要定義的資料範圍名稱整理如下表，請讀者自行定義：

定義名稱	範圍
薪資資料	= 調薪紀錄 !$A$1:$N$30
健保費用扣繳表	= 健保費用扣繳表 !$A$3:$F$100
勞保費用扣繳表	= 勞保費用扣繳表 !$A$2:$C$100
薪資所得扣繳表	= 薪資所得扣繳表 !$A$3:$F$100
薪資總額	= 計算 !$I$4:$I$17

7-1-3 IF() 與 VLOOKUP() 函數說明

在整個計算過程中，會一直使用到 IF() 函數及 VLOOKUP() 函數來判斷及查詢各種表格，所以在此先對這兩個函數做說明，讓使用者瞭解函數的使用方法。

❖ IF() 函數

語法：IF(Logical_test,Value_if_true,Value_if_false)

說明：IF() 函數可用來測試數值和公式條件，並傳回不同的結果，相關引數說明如下：

引數名稱	說明
Logical_test	此為判斷式。用來判斷測試條件是否成立。
Value_if_true	此為條件成立時，所執行的程序。
Value_if_false	此為條件不成立時，所執行的程序。

❖ VLOOKUP() 函數

語法：VLOOKUP(Lookup_value,Table_array,Col_index_num,Range_lookup)

說明：VLOOKUP() 函數可在陳列或表格中尋找其特定值的欄位，並傳回同一列的某一指定儲存格中的值，相關引數說明如下：

引數名稱	說明
Lookup_value	搜尋資料的條件依據。
Table_array	搜尋資料範圍。
Col_index_num	指定傳回範圍中符合條件的那一欄。
Range_lookup	此為邏輯值，若設為 True 或省略，則會找出部分符合的值；若設為 False，則會找出全部符合的值。

7-1-4 填入部門名稱

因爲每個員工的部門名稱不盡相同，所以填寫起來相當麻煩，爲了讓使用者減少填入員工部門的時間，將直接以 IF() 函數及 VLOOKUP() 函數，來查詢在調薪紀錄中的各員工所屬部門，並將資料傳回到「計算」工作表中。筆者延續上述範例進行說明。

範例 填入部門名稱

Step 1

Step 2

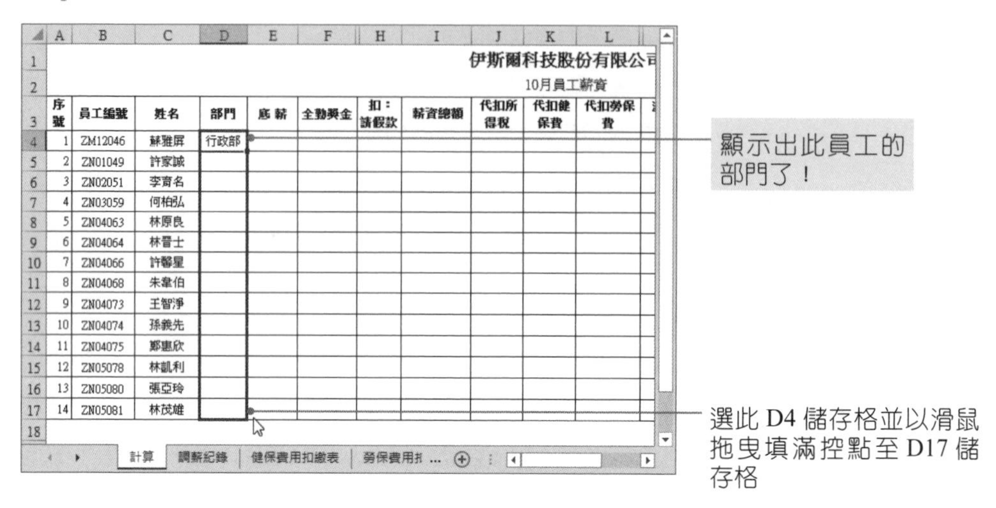

Step 3

上述範例中運用到「IF(B4="","",VLOOKUP(B4, 薪資資料 ,10,0))」公式，在此公式中「B4=""」代表搜尋的資料，假如「B4=""」（B4= 空白）成立，將在儲存格中輸入「""」，若不是「""」，則將執行「VLOOKUP(B4, 薪資資料 ,10,0)」。此函數表示將到薪資資料定義名稱範圍中，去搜尋等於 B4 儲存格中的相同資料，並將此筆資料的第 10 欄資料傳回。

7-1-5 計算員工底薪

在調薪紀錄中，有每位員工最新的底薪資料，所以在「計算」工作表中的底薪欄位中，只要參照到調薪紀錄工作表中的底薪資料即可。以下將延續上述範例來進行說明。

範例 計算出每位員工底薪

Step 1

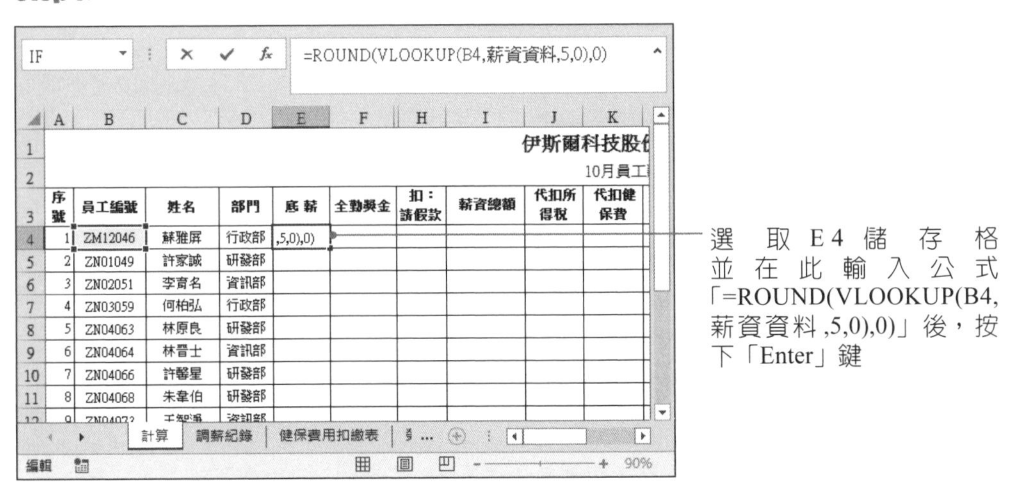

Step 2

Step 3

序號	員工編號	姓名	部門	底薪	全勤獎金	扣：請假款	薪資總額	代扣所得稅
1	ZM12046	蘇雅屏	行政部	47,000				
2	ZN01049	許家誠	研發部	24,000				
3	ZN02051	李育名	資訊部	22,500				
4	ZN03059	何柏弘	行政部	24,500				
5	ZN04063	林原良	研發部	44,000				
6	ZN04064	林晉士	資訊部	33,000				
7	ZN04066	許馨星	研發部	25,500				
8	ZN04068	朱韋伯	研發部	30,000				
9	ZN04073	王智淨	資訊部	23,500				
10	ZN04074	孫義先	研發部	30,000				
11	ZN04075	鄭惠欣	行政部	23,000				
12	ZN05078	林凱利	資訊部	25,500				
13	ZN05080	張亞玲	研發部	24,000				
14	ZN05081	林茂雄	行政部	25,000				

放開滑鼠，所有員工底薪資料都建立好了！

上述範例中，所使用的函數爲「=ROUND(VLOOKUP(B4, 薪資資料 ,5,0),0)」，其中 ROUND() 函數是用來將所得之值四捨五入的，而「VLOOKUP(B4, 薪資資料 ,5,0)」則表示此 B4 儲存格爲搜尋目標，在「薪資資料」定義名稱範圍中來尋找，並傳回第 5 欄的資料。

Tips 每當要改變調薪紀錄時，使用者必須將最新的資料放在此員工的最上列資料，或者執行「資料／排序」工具鈕，並將「調年」放在第一層級、「調月」放在第二層級、「員工代號」放在第三鍵以遞減的方式來排序，確保將最新的資料放在最上列，這樣才能正確搜尋並傳回員工最近的底薪資料。

7-1-6 計算全勤獎金

全勤獎金就是爲了鼓勵員工不要請假或遲到，但爲了講究人性化管理，每個月員工遲到分鐘總數不超過 5 分鐘，就不扣全勤獎金。如果員工在這個月中都沒有請假或遲到超過 5 分鐘，就可領取這筆獎金。在計算過程中，需要使用 IF() 函數來判斷員工是否曾經請過假或遲到超過 5 分鐘。請開啓範例檔「薪資系統-02.xlsx」。

範例 使用 IF() 函數判斷全勤獎金

Step 1

選擇 F4 儲存格並在此輸入「=IF(IF(R4<=5,1,0)+IF(P4+Q4=0,1,0)=2,2000,0)」後，按下「Enter」鍵

Step 2

出現全勤獎金金額了！

滑鼠拖曳 F4 儲存格的填滿控點至 F17 儲存格

Step 3

伊斯爾科技股份有限

10月員工薪資

部門	底薪	全勤獎金	扣：請假款	薪資總額	代扣所得稅	代扣健保費	代扣勞費
行政部	47,000	2,000					
研發部	24,000	2,000					
資訊部	22,500	2,000					
行政部	24,500	2,000					
研發部	44,000	-					
資訊部	33,000	2,000					
研發部	25,500	2,000					
研發部	30,000	2,000					
資訊部	23,500	2,000					
研發部	30,000	2,000					
行政部	23,000	2,000					
資訊部	25,500	-					
研發部	24,000	-					
行政部	25,000	2,000					

計算 調薪紀錄 健保費 ...

放開滑鼠顯示出這個月的全勤獎金紀錄

上述範例中，所使用的函數為「=IF(IF(R4<=5,1,0) + IF(P4+Q4=0,1,0) = 2,2000,0)」，在這公式中總共有 3 個 IF() 函數，最外圍的 IF() 函數是用來判斷其中兩個 IF() 函數所產生的結果數值和是否等於「2」，若條件符合則在此儲存格顯示「2000」，否則將顯示為「0」；而內部兩個「IF」函數，一個是判斷此員工是否遲到不超過 5 分鐘，若不超過 5 分鐘則顯示為「1」，否則顯示為「0」；另一個是用來判斷是否請過病假或事假，若沒有請過假則顯示為「1」，否則顯示為「0」。

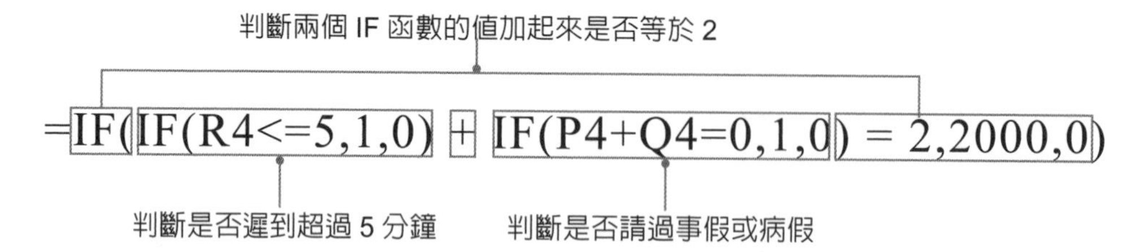

7-1-7 扣請假款計算

若有人請病假、請事假以及遲到，都會被扣請假款。遲到不超過 10 分鐘就不用扣遲到費用，超過 10 分鐘，則每分鐘要扣 10 元；請事假則是以底薪除以 30 天，然後再乘上事假天數，就是此月的請事假扣款額；請病假則是事假的一半扣款，公式如下：

(底薪 /30)*(病假 /2+ 事假)+(遲到超過 10 分鐘 *10)

瞭解請假或遲到的扣款方式之後，以下將延續上述範例進行說明。

範例 扣請假款的計算

Step 1

IF　=ROUND(VLOOKUP(B4,薪資資料,5,0)/30*(P4/2+Q4)+IF(R4>10,R4*10,0),0)

伊斯爾科技股份有限公司

10月員工薪資

	D	E	F	H	I	J	K	L	N
3	部門	底薪	全勤獎金	扣：請假款	薪資總額	代扣所得稅	代扣健保費	代扣勞保費	減項小計
4	行政部	47,000	2,000	),0),0)					
5	研發部	24,000	2,000						
6	資訊部	22,500	2,000						
7	行政部	24,500	2,000						
8	研發部	44,000	-						
9	資訊部	33,000	2,000						
10	研發部	25,500	2,000						
11	研發部	30,000	2,000						
12	資訊部	23,500	2,000						
13	研發部	30,000	2,000						
14	行政部	23,000	2,000						

計算　調薪紀錄　健保費用扣繳表 ...

編輯　90%

選取 H4 儲存格並在此輸入公式「=ROUND(VLOOKUP (B4,薪資資料 ,5,0)/30*(P4/2+Q4)+IF(R4>10,R4*10,0),0)」後，按下「Enter」鍵

Step 2

伊斯爾科技股份有限公司

10月員工薪資

	D	E	F	H	I	J	K	L	N
3	部門	底薪	全勤獎金	扣：請假款	薪資總額	代扣所得稅	代扣健保費	代扣勞保費	減項小計
4	行政部	47,000	2,000	-					
5	研發部	24,000	2,000						
6	資訊部	22,500	2,000						
7	行政部	24,500	2,000						
8	研發部	44,000	-						
9	資訊部	33,000	2,000						
10	研發部	25,500	2,000						
11	研發部	30,000	2,000						
12	資訊部	23,500	2,000						
13	研發部	30,000	2,000						
14	行政部	23,000	2,000						

以滑鼠拖曳 H4 儲存格的填滿控點至 H17 儲存格後

Step 3

	D	E	F	H	I	J	K
1					伊斯爾科技股份		
2						10月員工	
3	部門	底 薪	全勤獎金	扣：請假款	薪資總額	代扣所得稅	代扣健保費
4	行政部	47,000	2,000	-			
5	研發部	24,000	2,000	-			
6	資訊部	22,500	2,000	-			
7	行政部	24,500	2,000	-			
8	研發部	44,000	-	733			
9	資訊部	33,000	2,000	-			
10	研發部	25,500	2,000	-			
11	研發部	30,000	2,000	-			
12	資訊部	23,500	2,000	-			
13	研發部	30,000	2,000	-			

上述範例中，所使用的函數為「=ROUND (VLOOKUP (B4, 薪資資料 ,5,0)/30 * (P4/2+Q4) + IF(R4>10,R4*10,0) ,0)」，在最外圍的 ROUND 函數是用來將算出來的結果四捨五入，而 VLOOKUP 函數在「薪資資料」定義名稱範圍中搜尋此員工編號的資料，找到此筆資料後傳回第 5 欄的員工底薪資料。接下來將此筆資料除以 30，並乘上 (病假 /2+ 事假) 的數值，加上用 IF 函數求出遲到是否超過 10 分鐘，若超過則每分鐘扣 10 元，若沒有超過 10 分鐘則以「0」計算。所有函數計算出來的結果就是這個月的扣請假款金額了！

7-1-8 計算薪資總額

計算出員工的底薪、全勤獎金及請假扣款之後，就可以算出這個月公司給員工的薪資總額。薪資總額的計算很簡單，就是「底薪」加上「全勤獎金」，然後再減去「扣請假款」，就是這個月公司需要付給員工的薪資總額了！以下將延續上述範例進行說明。

範例 計算薪資總額並變化格式

Step 1

選取 I4 儲存格並在此輸入公式「=SUM(E4:F4)-H4」後，按下「Enter」鍵

Step 2

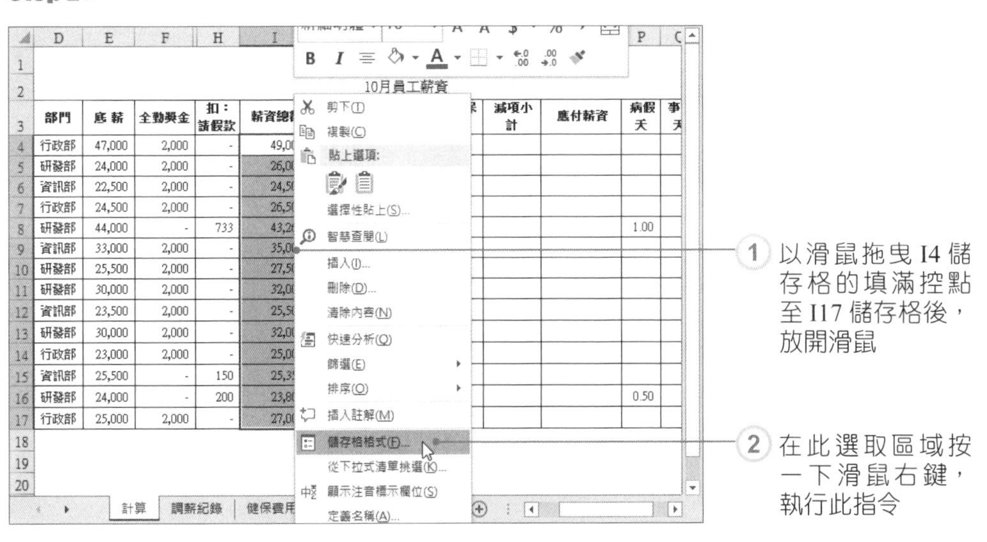

Step 3

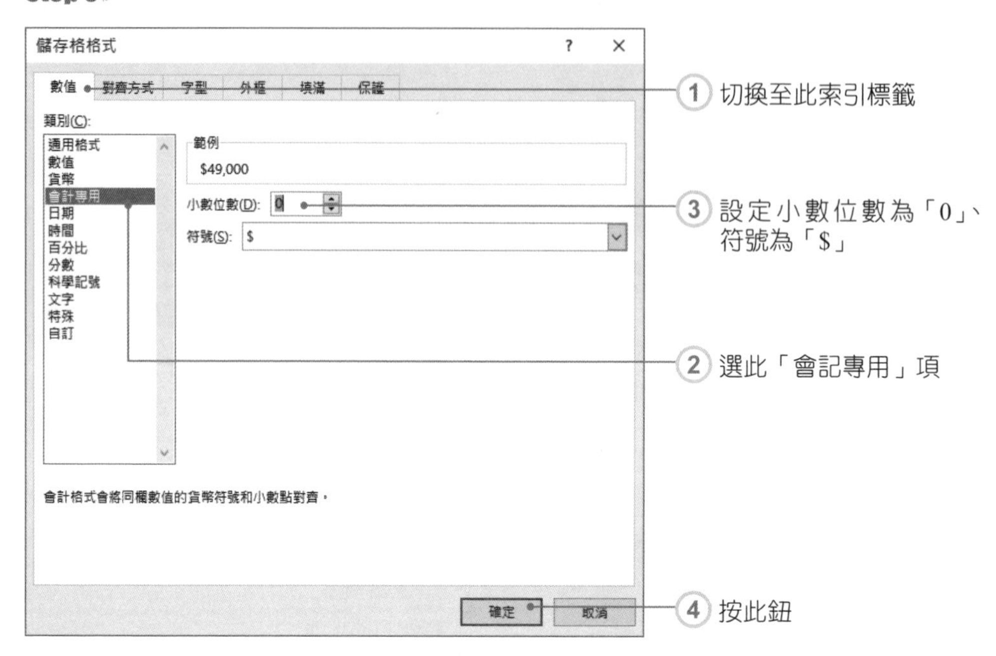

Step 4

	D	E	F	H	I	J	K	L
1					伊斯爾科技股份有限公			
2						10月員工薪資		
3	部門	底薪	全勤獎金	扣：請假款	薪資總額	代扣所得稅	代扣健保費	代扣勞保費
4	行政部	47,000	2,000	-	$ 49,000			
5	研發部	24,000	2,000	-	$ 26,000			
6	資訊部	22,500	2,000	-	$ 24,500			
7	行政部	24,500	2,000	-	$ 26,500			
8	研發部	44,000	-	733	$ 43,267			
9	資訊部	33,000	2,000	-	$ 35,000			
10	研發部	25,500	2,000	-	$ 27,500			
11	研發部	30,000	2,000	-	$ 32,000			
12	資訊部	23,500	2,000	-	$ 25,500			
13	研發部	30,000	2,000	-	$ 32,000			
14	行政部	23,000	2,000	-	$ 25,000			

將此欄位加上「$」金錢符號，會使這項「薪資總額」更爲凸顯、清楚。雖然我們已經算出「薪資總額」，但「薪資總額」只是對公司內部而言的款項，對外還需計算出「代扣所得稅」、「代扣健保費」及「代扣勞保費」，才是員工眞正的薪資所得。所以，緊接著將介紹這些款項的計算方式。

7-1-9 代扣所得稅計算

所得稅款之扣繳方式，是依照員工的薪資總額和員工的扶養人口，去對照薪資所得扣繳表中的扣繳標準。所以我們將依照這個方式，使用 VLOOKUP() 函數來查出員工應扣所得稅額。請開啓範例檔「薪資系統-03.xlsx」。

範例 計算代扣所得稅之金額

Step 1

Step 2

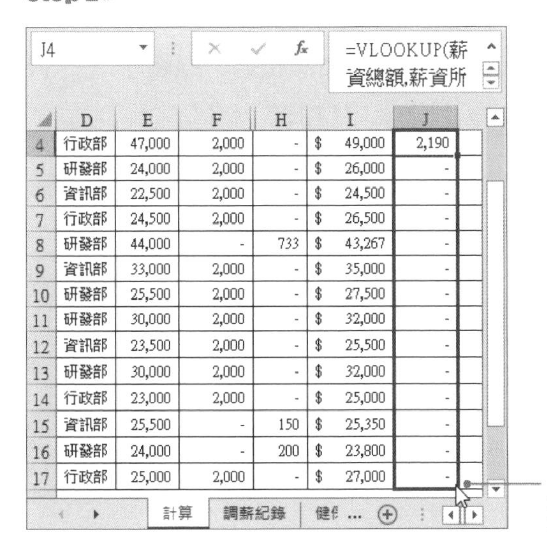

以滑鼠拖曳 J4 儲存格的填滿控點至 J17 儲存格後，放開滑鼠即可

上述範例中，所使用的函數為「=VLOOKUP(薪資總額 , 薪資所得扣繳表 ,VLOOKUP(B4, 薪資資料 ,12,0)+2,1)」，外部的 VLOOKUP() 函數是以「薪資總額」為搜尋目標，在指定的「薪資所得扣繳表」範圍中搜尋相對應的第「VLOOKUP(B4, 薪資資料 ,12,0) ＋ 2」的欄位資料，並將此欄位資料傳回。至於「VLOOKUP(B4, 薪資資料 ,12,0)」是以「B4」為搜尋目標，在「薪資資料」定義範圍中找出相對應的第 12 欄的扶養人數資料並將此資料傳回。至於為什麼要在此 VLOOKUP() 函數後加上「2」，這是因為外部的 VLOOKUP() 函數，以此為傳回資料的欄位，再加上「2」才是所得稅扣繳金額欄位。

	A	B	C	D	E	F
1				扶養人數		
2	薪資所得	無	1	2	3	4
3	0	-	-	-	-	-
4	47,501	2,060	-	-	-	-
5	48,001	2,130	-	-	-	-
6	48,501	2,190	-	-	-	-
7	49,001	2,260	-	-	-	-
8	49,501	2,320	-	-	-	-
9	50,001	2,390	-	-	-	-
10	50,501	2,450	-	-	-	-
11	51,001	2,520	-	-	-	-
12	51,501	2,580	-	-	-	-

健保費用扣繳表 / 勞保費用扣繳表 / 薪資所得扣繳

搜尋薪資所得時，會以大於實際薪資總額的前一列資料為標準列

扶養人數為「0」，則會以第 (扶養人數 +2) 欄，也就是將 B 欄的資料傳回

例如實際薪資總額為「49000」，則會以「48501」為標準列，而不以「49001」為標準列

計算出所得稅扣款後，使用者可能會覺得奇怪，似乎很少人需要繳交所得稅扣款，這並不是計算錯誤，而是稅法實行規則上代扣金額超過「2,000」元才符合實際效益，換算之下薪資總額在「47,501」元之上才需扣繳。

7-1-10 代扣健保費之計算

每個員工每月除了需要繳交本身健保費之外，員工還可幫家人負擔健保費用，最多可以幫 3 個人負擔，依照員工薪資總額及健保人數而繳交不同金額的健保費用。以下將延續上述範例來進行說明。

範例 代扣健保費之計算

Step 1

IF　=VLOOKUP(薪資總額,健保費用扣繳表,VLOOKUP(B4,薪資資料,13,0)+2)

	D	E	F	H	I	J	K	L	N	O
4	行政部	47,000	2,000	-	$ 49,000	2,190	,3,0)+2)			
5	研發部	24,000	2,000	-	$ 26,000	-				
6	資訊部	22,500	2,000	-	$ 24,500	-				
7	行政部	24,500	2,000	-	$ 26,500	-				
8	研發部	44,000	-	733	$ 43,267	-				
9	資訊部	33,000	2,000	-	$ 35,000	-				
10	研發部	25,500	2,000	-	$ 27,500	-				
11	研發部	30,000	2,000	-	$ 32,000	-				
12	資訊部	23,500	2,000	-	$ 25,500	-				
13	研發部	30,000	2,000	-	$ 32,000	-				
14	行政部	23,000	2,000	-	$ 25,000	-				

選取 K4 儲存格並在此輸入「=VLOOKUP(薪資總額,健保費用扣繳表,VLOOKUP(B4,薪資資料,13,0)+2)」後，按下「Enter」鍵

Step 2

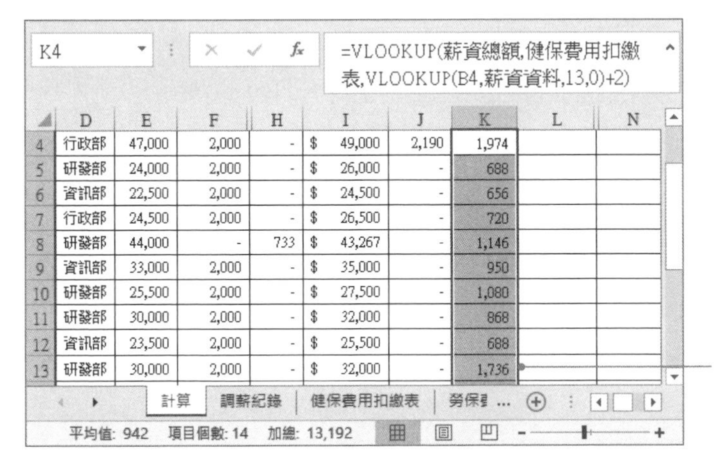

K4　=VLOOKUP(薪資總額,健保費用扣繳表,VLOOKUP(B4,薪資資料,13,0)+2)

	D	E	F	H	I	J	K	L	N
4	行政部	47,000	2,000	-	$ 49,000	2,190	1,974		
5	研發部	24,000	2,000	-	$ 26,000	-	688		
6	資訊部	22,500	2,000	-	$ 24,500	-	656		
7	行政部	24,500	2,000	-	$ 26,500	-	720		
8	研發部	44,000	-	733	$ 43,267	-	1,146		
9	資訊部	33,000	2,000	-	$ 35,000	-	950		
10	研發部	25,500	2,000	-	$ 27,500	-	1,080		
11	研發部	30,000	2,000	-	$ 32,000	-	868		
12	資訊部	23,500	2,000	-	$ 25,500	-	688		
13	研發部	30,000	2,000	-	$ 32,000	-	1,736		

計算　調薪紀錄　健保費用扣繳表　勞保費...

平均值: 942　項目個數: 14　加總: 13,192

以滑鼠拖曳 K4 儲存格的填滿控點至 K17 儲存格後，放開滑鼠即可

上述範例中，所使用的公式為「=VLOOKUP(薪資總額,健保費用扣繳表,VLOOKUP(B4,薪資資料,13,0)+2)」，外部的 VLOOKUP() 函數是以「薪資總額」為搜尋目標，在指定的「健保費用扣繳表」範圍中搜尋相對應的第「VLOOKUP(B4,薪資資料,13,0)＋2」的欄位資料，並將此欄位資料傳回。至於「VLOOKUP(B4,薪資資料,13,0)」是以「B4」為搜尋目標，在「薪資資料」定義範圍中找出相對應的第 13 欄的健保人數資料並將此資料傳回，至於為什麼要在此 VLOOKUP() 函數後加上「2」，道理與上小節「代扣所得稅」中相同。使用者請記得搜尋健保費用扣繳表時，會以大於薪資總額的前一列為標準列。

7-1-11 代扣勞保費計算

相較於所得稅及健保費之扣繳計算，代扣勞保費計算就簡單多了，不必考慮扶養人數或健保人數，只要直接以 VLOOKUP() 函數查出與薪資總額相對應的資料即可。以下將延續上述的範例來進行說明。

範例 代扣勞保費之計算

Step 1

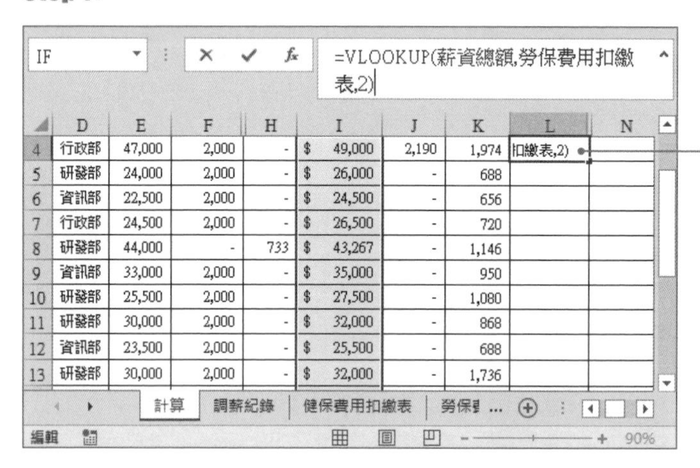

IF | =VLOOKUP(薪資總額,勞保費用扣繳表,2)

	D	E	F	H	I	J	K	L	N
4	行政部	47,000	2,000	-	$ 49,000	2,190	1,974	扣繳表,2)	
5	研發部	24,000	2,000	-	$ 26,000	-	688		
6	資訊部	22,500	2,000	-	$ 24,500	-	656		
7	行政部	24,500	2,000	-	$ 26,500	-	720		
8	研發部	44,000	-	733	$ 43,267	-	1,146		
9	資訊部	33,000	2,000	-	$ 35,000	-	950		
10	研發部	25,500	2,000	-	$ 27,500	-	1,080		
11	研發部	30,000	2,000	-	$ 32,000	-	868		
12	資訊部	23,500	2,000	-	$ 25,500	-	688		
13	研發部	30,000	2,000	-	$ 32,000	-	1,736		

選此 L4 儲存格並在此輸入「=VLOOKUP(薪資總額,勞保費用扣繳表,2)」後，按下「Enter」鍵

Step 2

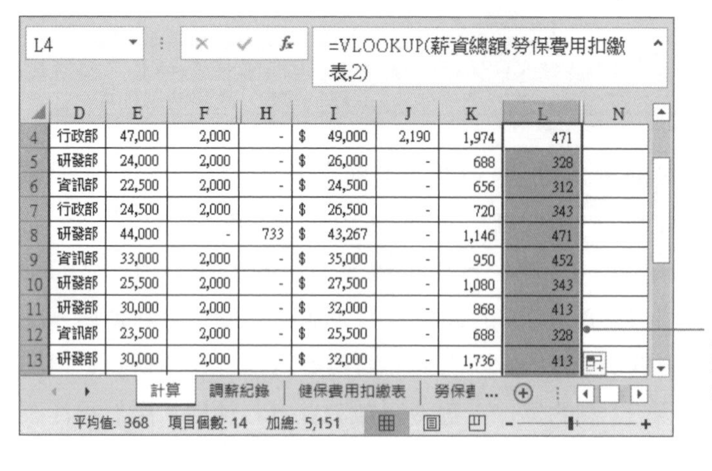

L4 | =VLOOKUP(薪資總額,勞保費用扣繳表,2)

	D	E	F	H	I	J	K	L	N
4	行政部	47,000	2,000	-	$ 49,000	2,190	1,974	471	
5	研發部	24,000	2,000	-	$ 26,000	-	688	328	
6	資訊部	22,500	2,000	-	$ 24,500	-	656	312	
7	行政部	24,500	2,000	-	$ 26,500	-	720	343	
8	研發部	44,000	-	733	$ 43,267	-	1,146	471	
9	資訊部	33,000	2,000	-	$ 35,000	-	950	452	
10	研發部	25,500	2,000	-	$ 27,500	-	1,080	343	
11	研發部	30,000	2,000	-	$ 32,000	-	868	413	
12	資訊部	23,500	2,000	-	$ 25,500	-	688	328	
13	研發部	30,000	2,000	-	$ 32,000	-	1,736	413	

以滑鼠拖曳 L4 儲存格的填滿控點至 L17 儲存格後，放開滑鼠即可

上述範例中，所使用的公式為「=VLOOKUP(薪資總額,勞保費用扣繳表,2)」，就是以「薪資總額」為搜尋目標，在「勞保費用扣繳表」定義名稱範圍中，以大於薪資總額的前一列為標準列，然後傳回此標準列的第 2 欄資料即可。

7-1-12 減項小計與應付薪資之計算

終於要進入此薪資計算表的最後階段了！「減項小計」就是將「薪資所得扣款」、「健保費用扣款」及「勞保費用扣款」這三項小計起來，最後再以「薪資總額」減去「減項小計」，結果就是「應付薪資」了！為了凸顯「減項小計」及「應付金額」的欄位資料，首先將此兩欄選取起來並將儲存格格式改為加上「$」符號的數值，然後再開始計算。請開啟範例檔「薪資系統-04.xlsx」。

範例 減項小計與應付薪資之計算

Step 1

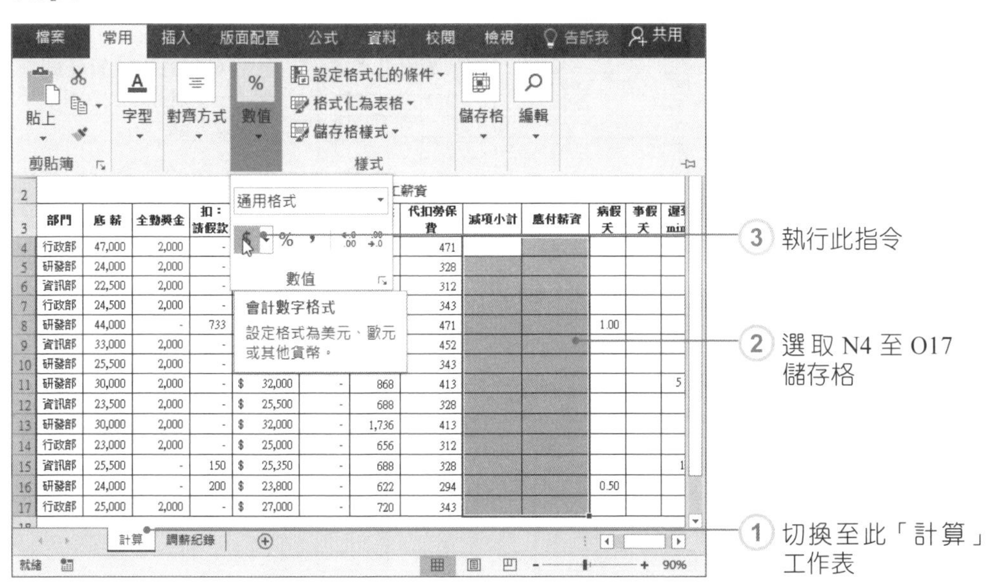

Step 2

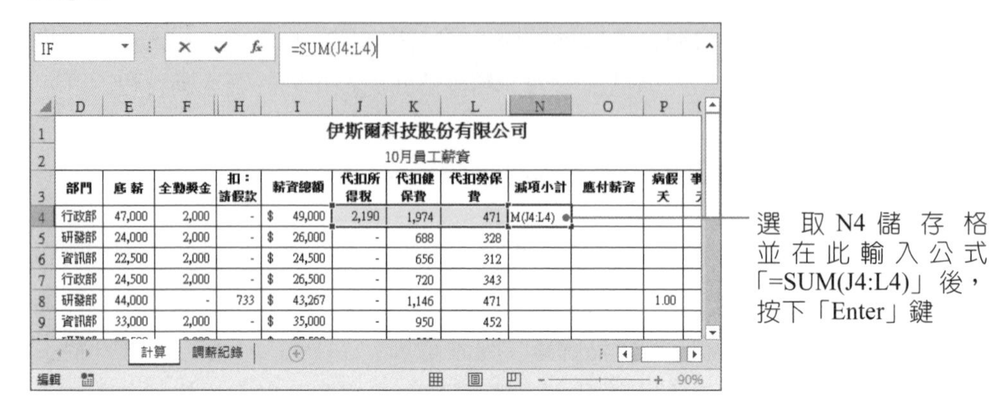

選取 N4 儲存格並在此輸入公式「=SUM(J4:L4)」後，按下「Enter」鍵

Step 3

選取 O4 儲存格並在此輸入「=I4-N4」後，按下「Enter」鍵

顯示出減項小計金額

Step 4

顯示出應付薪資金額

以滑鼠拖曳 N4:O4 儲存格的填滿控點至 N17:O17 儲存格後

Step 5

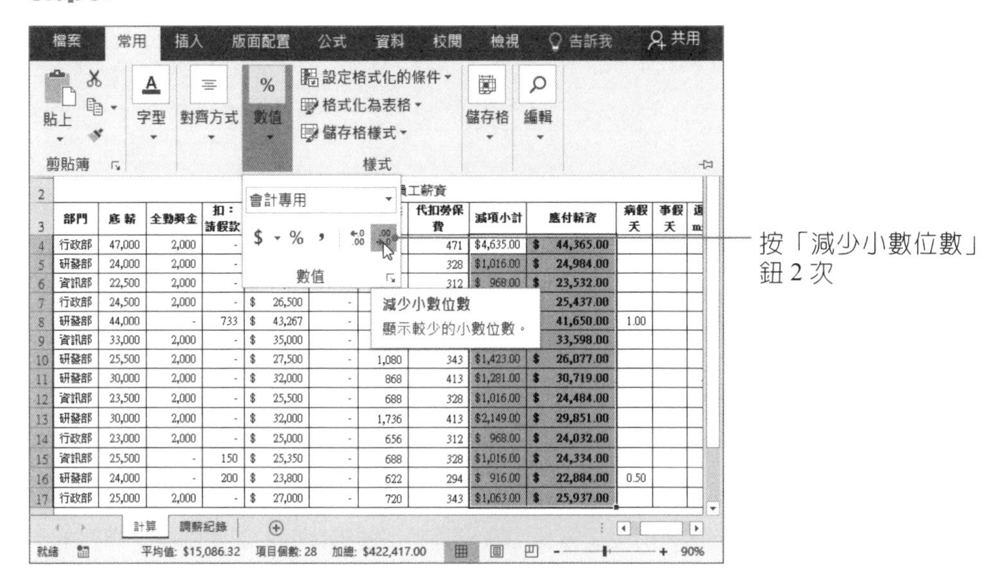

按「減少小數位數」鈕 2 次

Step 6

	D	E	F	H	I	J	K	L	N	O
1	伊斯爾科技股份有限公司									
2	10月員工薪資									
3	部門	底 薪	全勤獎金	扣：請假款	薪資總額	代扣所得稅	代扣健保費	代扣勞保費	減項小計	應付薪資
4	行政部	47,000	2,000	-	$ 49,000	2,190	1,974	471	$ 4,635	$ 44,365
5	研發部	24,000	2,000	-	$ 26,000	-	688	328	$ 1,016	$ 24,984
6	資訊部	22,500	2,000	-	$ 24,500	-	656	312	$ 968	$ 23,532
7	行政部	24,500	2,000	-	$ 26,500	-	720	343	$ 1,063	$ 25,437
8	研發部	44,000	-	733	$ 43,267	-	1,146	471	$ 1,617	$ 41,650
9	資訊部	33,000	2,000	-	$ 35,000	-	950	452	$ 1,402	$ 33,598
10	研發部	25,500	2,000	-	$ 27,500	-	1,080	343	$ 1,423	$ 26,077
11	研發部	30,000	2,000	-	$ 32,000	-	868	413	$ 1,281	$ 30,719
12	資訊部	23,500	2,000	-	$ 25,500	-	688	328	$ 1,016	$ 24,484
13	研發部	30,000	2,000	-	$ 32,000	-	1,736	413	$ 2,149	$ 29,851
14	行政部	23,000	2,000	-	$ 25,000	-	656	312	$ 968	$ 24,032
15	資訊部	25,500	-	150	$ 25,350	-	688	328	$ 1,016	$ 24,334
16	研發部	24,000	-	200	$ 23,800	-	622	294	$ 916	$ 22,884
17	行政部	25,000	2,000	-	$ 27,000	-	720	343	$ 1,063	$ 25,937

員工薪資表完成

大功告成！整個薪資計算統計表，都已經設定完成，雖然有一些繁瑣，但是日後只要更改一些變動資料，如請假、遲到或是底薪調整等等資料，就可輕鬆計算出每位員工的應付薪資了！

實力評量

是非題

( ) 1. 定義範圍名稱是為了簡化搜尋資料時的資料範圍設定。

( ) 2. ROUND() 函數主是用來依所指定的位數將數字四捨五入。

( ) 3. ROUND() 函數為統計類別函數。

( ) 4. 將儲存格範圍定義成「範圍名稱」，在函數中就可以直接以「範圍名稱」代表指定資料工作表及儲存格範圍。

( ) 5. IF(Logical_test,Value_if_true,Value_if_false) 中的 Logical_test 引數為判斷式，用來判斷測試條件是否成立。

( ) 6. VLOOKUP() 函數可在陣列或表格中尋找其特定值的欄位，並傳回同一欄的某一指定儲存格中的值。

選擇題

( ) 1. 下列何種資料格式無法顯示貨幣符號？
(A) 貨幣 (B) 數值 (C) 會計專用 (D) 以上皆可

實作題

1. 請開啓範例檔「薪資系統-06.xlsx」，首先幫威力科技公司建立定義範圍名稱，定義名稱及範圍如下所示：

定義名稱	範圍
健保費用扣繳表	= 健保費用扣繳表 !$A$3:$F$100
勞保費用扣繳表	= 勞保費用扣繳表 !$A$2:$C$100
薪資所得扣繳表	= 薪資所得扣繳表 !$A$3:$F$100
薪資計算表	= 薪資計算 !$A$3:$S$17
薪資資料	= 調薪紀錄 !$A$1:$M$30
薪資總額	= 薪資計算 !$I$4:$I$17

2. 請延續上述範例，幫威力科技公司執行以下計算：

   請在薪資計算工作表中，求出每位員工的底薪、全勤獎金、扣請假款為何？

   - 請求出每位員工的代扣所得稅、代扣健保費、代扣勞保費的金額為何？
   - 最後求出薪資總額、減項小計及應付薪資的金額。

   （提示：1. 遲到未滿 5 分鐘，沒請事、病假者，發予全勤獎金

   2. 遲到 10 分鐘以上，每分鐘扣 10 元）

CHAPTER

08 人事薪資資料

學習重點

» 使用 TODAY() 函數建立日期
» 以參照功能建立轉帳明細表
» 自訂類別資料
» 以表單建立下拉式選單

本章簡介

本章主要利用上一章所做的薪資資料，來製作轉帳明細表及薪資明細表。建立轉帳明細表及薪資明細表的過程中，將使用參照及表單功能來簡化填寫過程。

Excel 2016

範例成果

	A	B	C	D	E
1	伊斯爾科技股份有限公司				13
2	薪資明細表				
3	年度	2015			
4	給薪月份	10			
5	員工編號	ZN05080	姓名	張亞玲	
6	部門	研發部	代扣所得稅	-	
7	底薪	24,000.00	代扣健保費	622	
8	全勤獎金	-	代扣勞保費	294	
9	績效獎金	-	扣：請假款	200	
10	薪資總額	$ 23,800	減項小計	$ 916	
12	應付薪資	$ 22,884			

薪資明細表 | 轉帳明細表 | 計算

薪資明細表

	A	B	C
1	伊斯爾科技股份有限公司		
2	轉帳明細表		
3	日 期	民國104年10月11日	
4	公司帳號	258-16-98760-1	
5	轉帳總金額	$ 429,493	
6			
7	員工姓名	銀行帳號	金額
8	蘇雅屏	000-00-02150-0	$ 46,006
9	許家誠	000-00-09876-0	$ 27,840
10	李育名	000-00-02450-0	$ 27,388
11	何柏弘	000-00-02650-0	$ 27,388
12	林原良	000-00-03600-0	$ 43,098
13	林晉士	000-00-03600-0	$ 33,598
14	許馨星	000-00-02450-0	$ 28,447
15	朱韋伯	000-00-02750-0	$ 33,598
16	王智淨	000-00-02650-0	$ 26,437
17	孫義先	000-00-02550-0	$ 31,747

薪資明細表 | 轉帳明細表 | 計算 ...

轉帳明細表

8-1 轉帳明細表建立

現在金融轉帳安全又方便，大部分公司都會以轉帳的方式來發放每位員工的薪資，因此會計人員必須將所有員工的銀行帳號、公司帳號、轉帳日期、及員工新資金額製作成一張轉帳明細表給銀行，銀行才能依照此明細資料從公司帳號中一一轉出薪水匯入所有員工的戶頭。所以在這一小節中將教您如何製作轉帳明細表。

8-1-1 使用 TODAY() 函數建立日期

製作轉帳明細表的第一步驟就是要建立「日期」，「日期」對轉帳明細表來說也是一項重要的設定，因為填寫的「日期」不正確，有可能會造成銀行人員的困擾，且每次要填寫轉帳明細表時，就要修改一次日期，也是一件挺麻煩的事。所以，以下直接以 TODAY() 函數來建立「日期」，使轉帳明細表會自動隨著電腦系統的日期而改變。請開啓範例檔「薪資列印-01.xlsx」。

範例 以 TODAY() 函數建立「日期」

Step 1

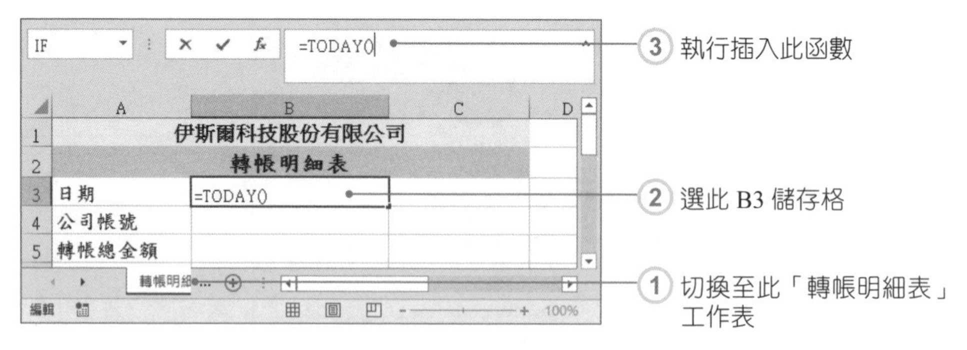

Step 2

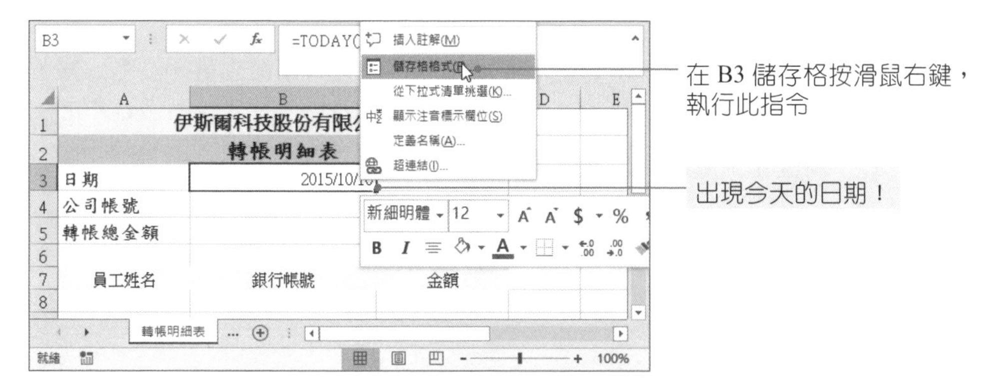

Step 3

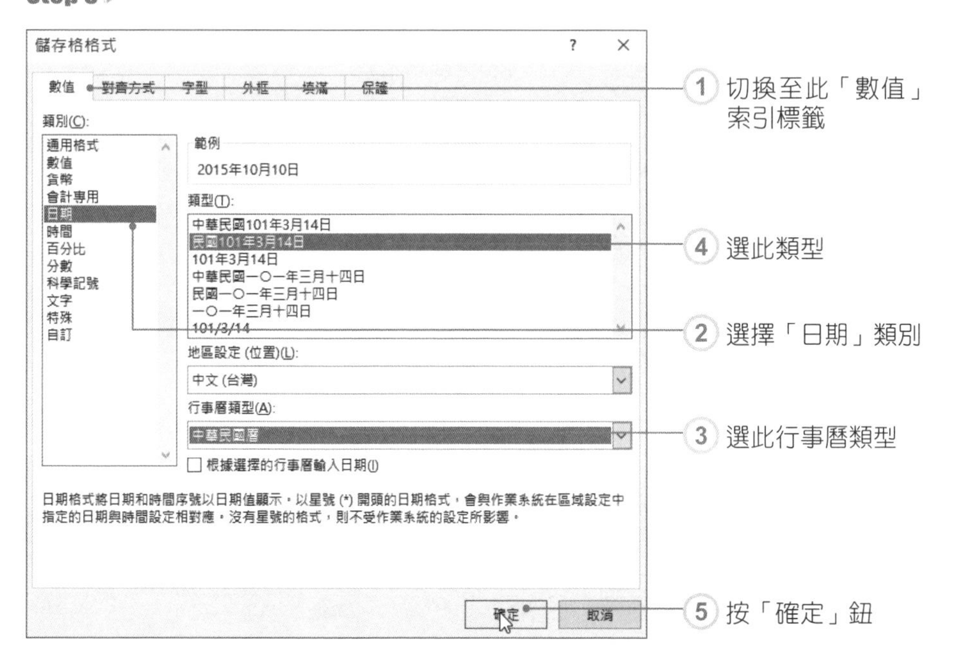

Step 4

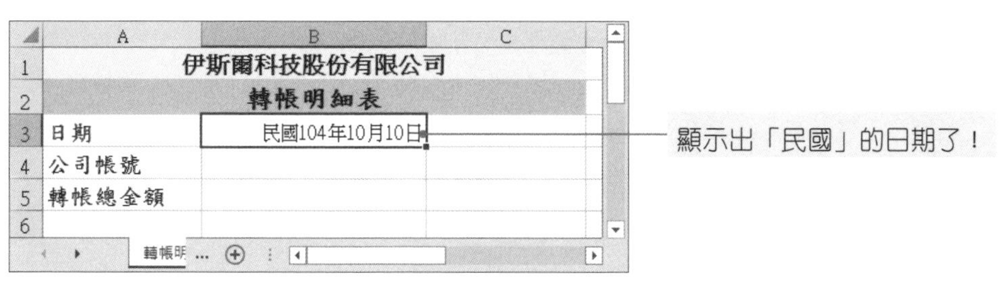

8-1-2 參照員工姓名、帳號及薪資金額

為了避免資料填寫錯誤，所以底下將使用參照的方式來建立員工姓名、帳號及薪資金額等資料，讓會計人員不必每次都要一直切換工作表，來對照員工的各項資料。以下將延續上述範例來進行說明。

範例 使用參照功能

Step 1

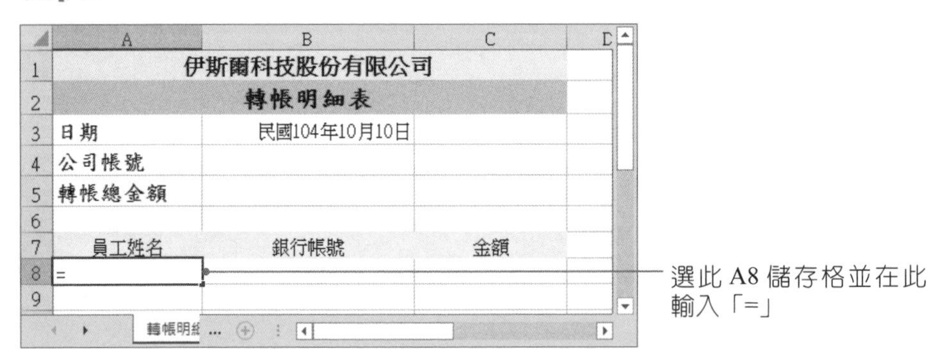

Step 2

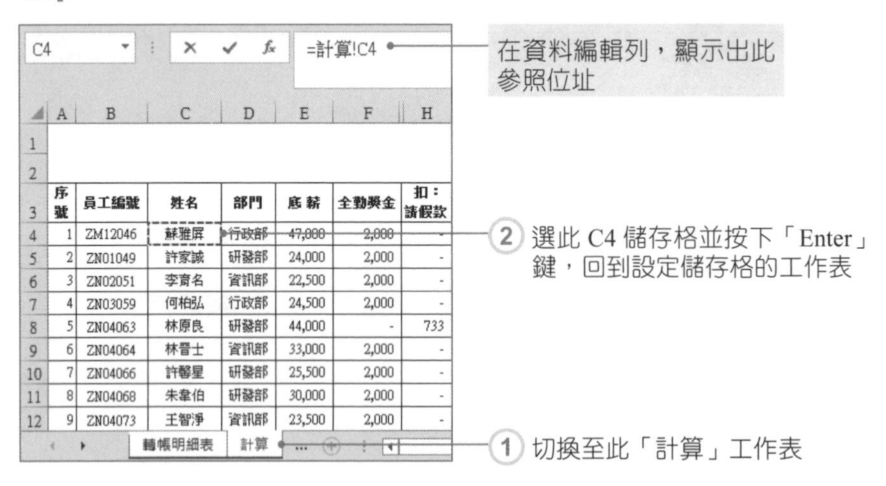

序號	員工編號	姓名	部門	底薪	全勤獎金	扣：請假款
1	ZM12046	蘇雅屏	行政部	47,000	2,000	-
2	ZN01049	許家誠	研發部	24,000	2,000	-
3	ZN02051	李育名	資訊部	22,500	2,000	-
4	ZN03059	何柏弘	行政部	24,500	2,000	-
5	ZN04063	林原良	研發部	44,000	-	733
6	ZN04064	林晉士	資訊部	33,000	2,000	-
7	ZN04066	許馨星	研發部	25,500	2,000	-
8	ZN04068	朱韋伯	研發部	30,000	2,000	-
9	ZN04073	王智淨	資訊部	23,500	2,000	-

Step 3

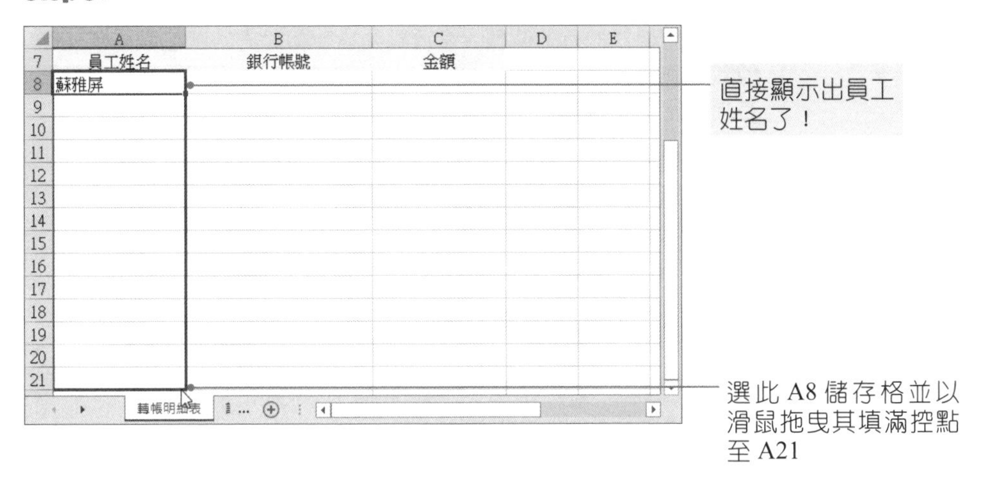

Step 4

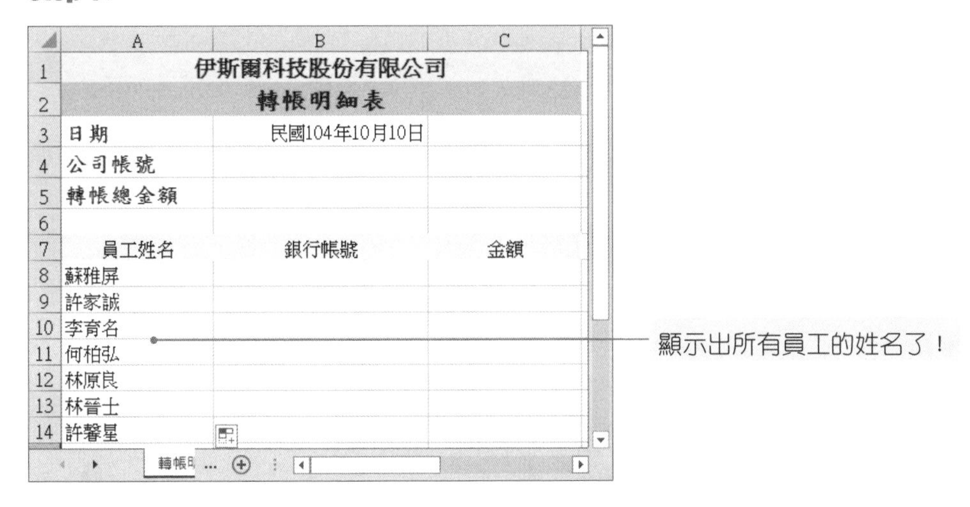

而帳號及薪資金額也是依照此種參照方法即可輕易填入所有的薪資資料。

8-1-3 自訂類別資料

當使用者以此方式參照完所有資料後，是否發覺到銀行帳號的數字只能以數值狀態顯示，而不能正確顯示帳號資料，因為 Excel 中並沒有可以正確顯示銀行帳號的格式，所以我們需要自己來自訂類別資料。在建立自訂類別資料前，先來瞭解一下格式符號所代表的意義：

符號	代表意義
#	顯示數值格式的有效位數。當資料內容小數點右方的位數多於 # 的位數，會將多餘的位數以四捨五入的方式捨去。但如果為小數點左方則會完全顯示。
0	是另一種顯示數值格式有效位數的方法，與「#」的用法相同。但當資料內容位數不足時會有補零的動作。
,	顯示千分位的分隔符號。
下底線（ _ ）	跳過下一個格式符號。
?	與「0」用法類似，為了將小數點對齊，不足位數將以空白補齊。
*	重複此符號的下一個字元，直到填滿儲存格為止。
""	在儲存格中顯示雙引號中的文字。
@	將儲存格中的資料視為文字型態。
[紅色]	設定此儲存格中的文字顏色。
/、空格、$、+、-	直接顯示的符號。

了解符號代表的意義之後，就直接來自訂銀行帳號的格式吧！請開啓範例檔「薪資列印-02.xlsx」。

範例 自訂類別資料

Step 1

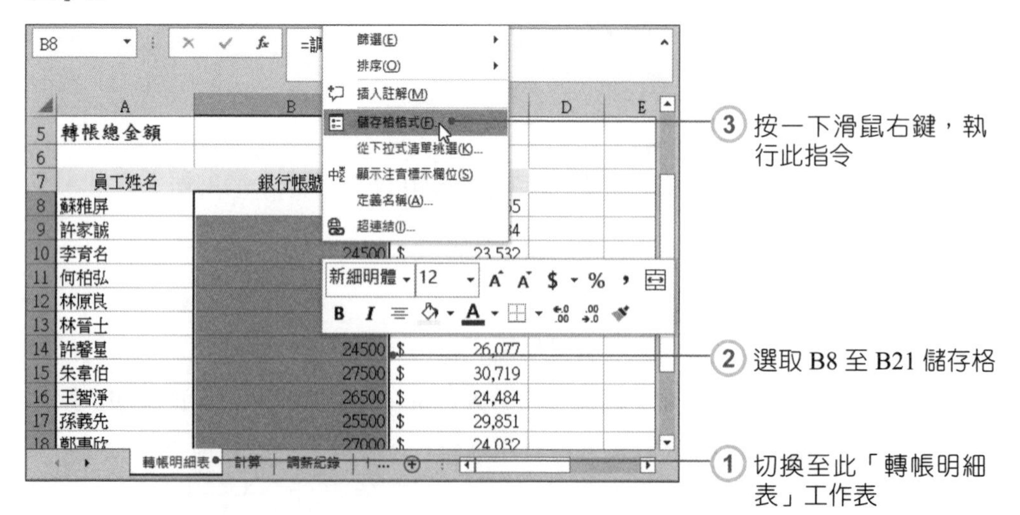

Step 2

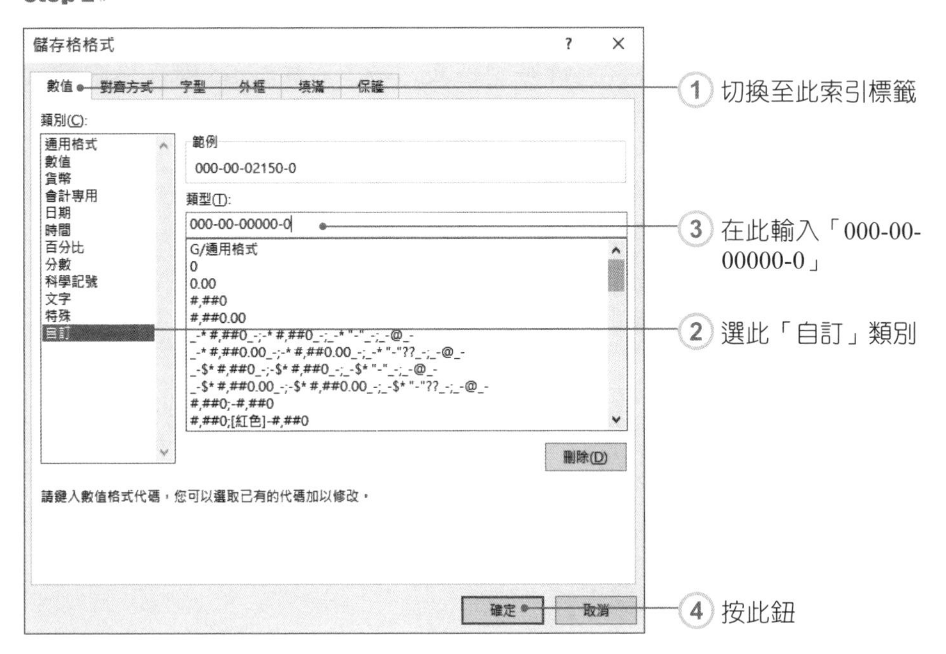

Step 3

	A	B	C
7	員工姓名	銀行帳號	金額
8	蘇雅屏	000-00-02150-0	$ 44,365
9	許家誠	000-00-09876-0	$ 24,984
10	李育名	000-00-02450-0	$ 23,532
11	何柏弘	000-00-02650-0	$ 25,437
12	林原良	000-00-03600-0	$ 41,650
13	林晉士	000-00-03600-0	$ 33,598
14	許馨星	000-00-02450-0	$ 26,077
15	朱韋伯	000-00-02750-0	$ 30,719
16	王智淨	000-00-02650-0	$ 24,484
17	孫義先	000-00-02550-0	$ 29,851
18	鄭惠欣	000-00-02700-0	$ 24,032
19	林凱利	000-00-02050-0	$ 24,334
20	張亞玲	000-00-02750-0	$ 22,884

8-1-4 計算轉帳總金額

當參照完所有員工的薪資到轉帳明細表之後，直接在 B5 儲存格中輸入「=SUM(C8:C21)」，將員工薪資加總就是轉帳的總金額了！如下圖：

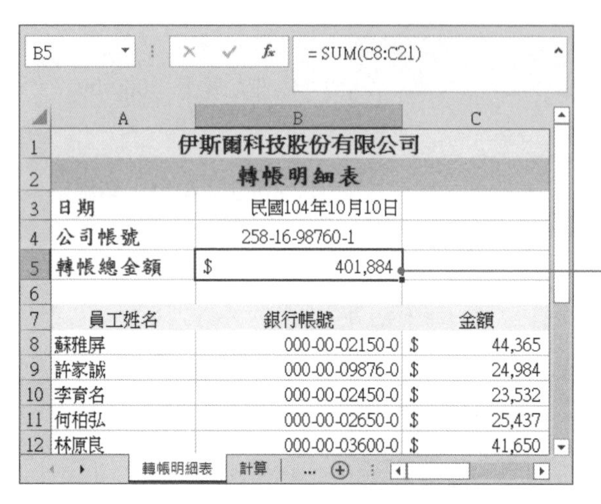

	A	B	C
1	伊斯爾科技股份有限公司		
2	轉帳明細表		
3	日期	民國104年10月10日	
4	公司帳號	258-16-98760-1	
5	轉帳總金額	$ 401,884	
6			
7	員工姓名	銀行帳號	金額
8	蘇雅屏	000-00-02150-0	$ 44,365
9	許家誠	000-00-09876-0	$ 24,984
10	李育名	000-00-02450-0	$ 23,532
11	何柏弘	000-00-02650-0	$ 25,437
12	林原良	000-00-03600-0	$ 41,650

選此 B5 儲存格並在此輸入「= SUM(C8:C21)」後，按下「Enter」鍵，就會顯示出轉帳總金額了！

8-2 員工個人薪資明細表

除了要製作轉帳明細表給銀行，還需要建立員工的薪資明細表，讓員工瞭解這個月的薪資狀況，但是如果公司規模過大，員工人數超過上千人，一個一個分別建立每位員工的薪資明細表似乎太累人了。所以，底下將教您如何使用表單功能，以及使用公式來建立一個方便查詢的薪資明細表。下圖為已經設定好的薪資明細表格式：

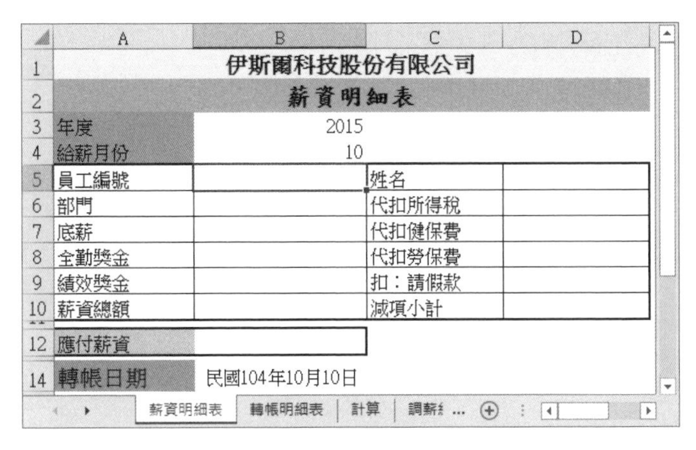

薪資明細表格式

8-2-1 以表單建立下拉式選單

如果使用人力去搜尋員工資料，未免太過繁瑣及浪費時間了！所以我們將利用表單功能建立下拉式選單，來直接選取員工編號資料。請開啟範例檔「薪資列印-03.xlsx」，並請用滑鼠按一下「檔案」功能表，接著請依照底下範例的操作過程，建立員工編號的下拉式選單。

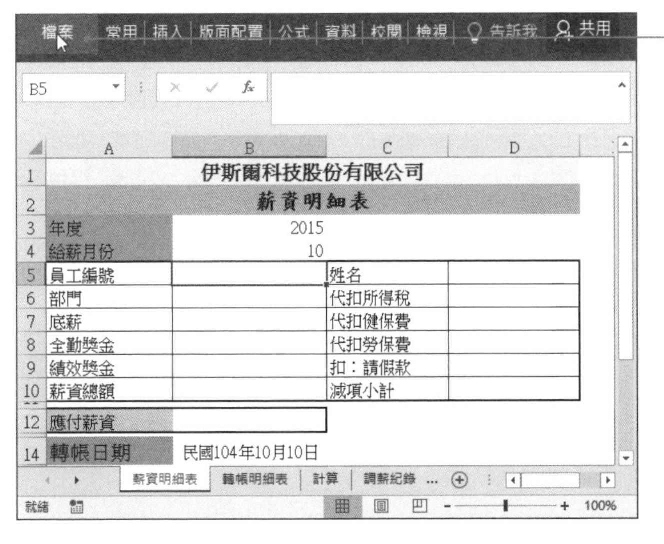

請用滑鼠按一下「檔案」功能表，接著會出現如底下範例的第一個畫面外觀。

範例 建立員工編號的下拉式選單

Step 1

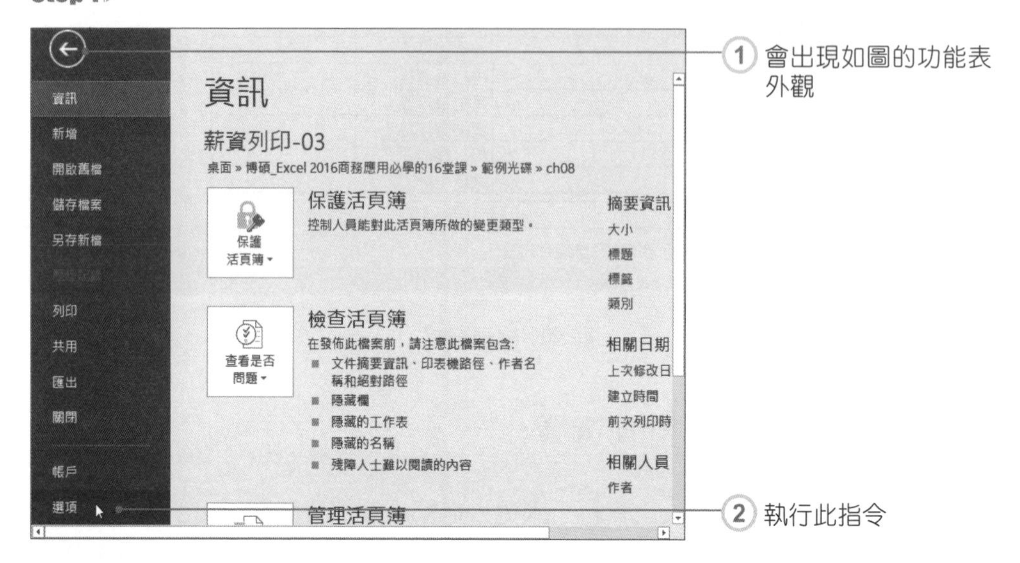

Step 2

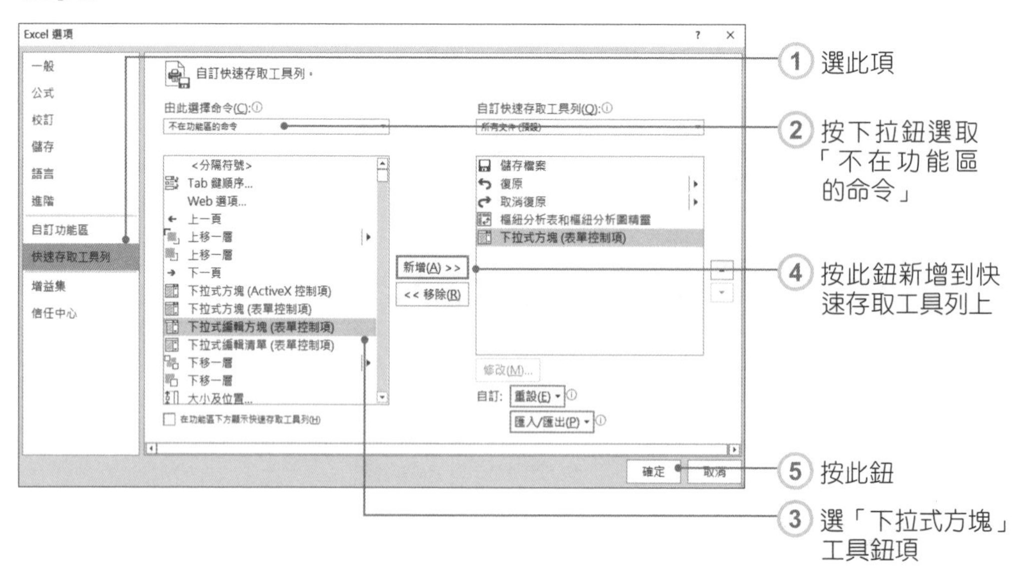

Step 3

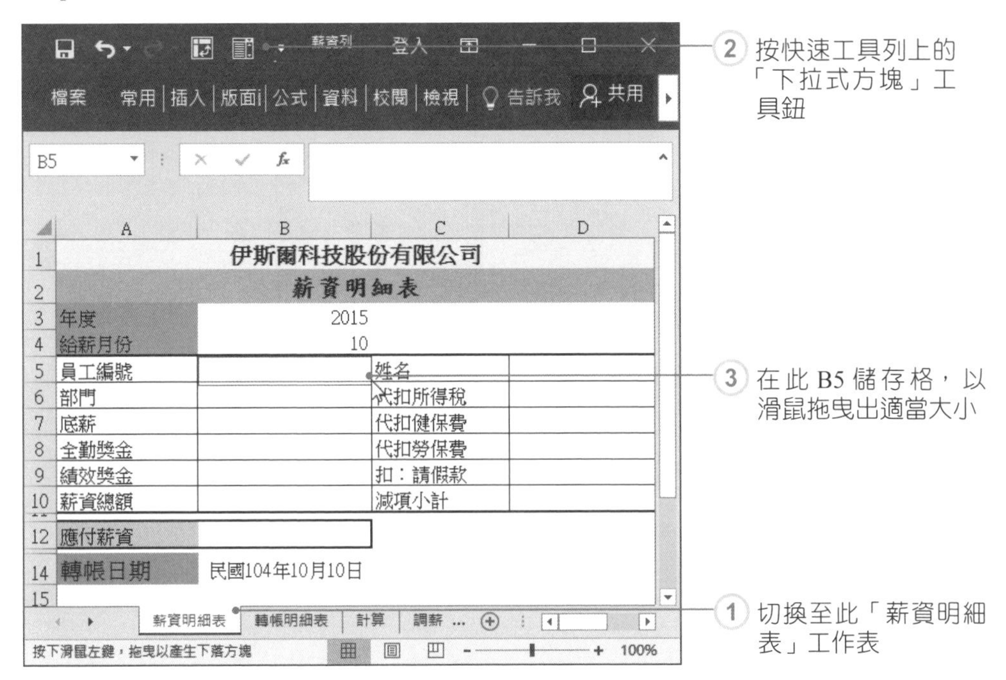

2 按快速工具列上的「下拉式方塊」工具鈕
3 在此 B5 儲存格，以滑鼠拖曳出適當大小
1 切換至此「薪資明細表」工作表
伊斯爾科技股份有限公司
薪資明細表
年度
2015
給薪月份
10
員工編號
姓名
部門
代扣所得稅
底薪
代扣健保費
全勤獎金
代扣勞保費
績效獎金
扣：請假款
薪資總額
減項小計
應付薪資
轉帳日期
民國104年10月10日
薪資明細表
轉帳明細表
計算
調薪
按下滑鼠左鍵，拖曳以產生下落方塊

Step 4

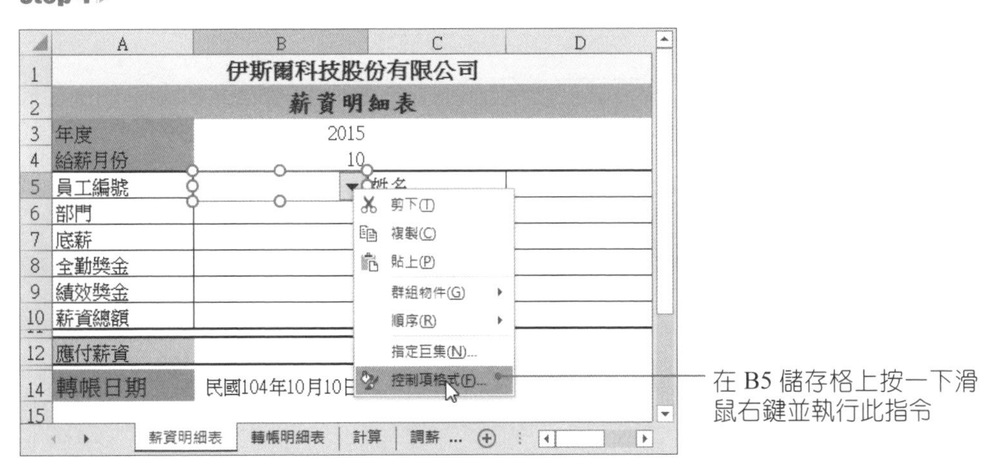

在 B5 儲存格上按一下滑鼠右鍵並執行此指令
剪下(T)
複製(C)
貼上(P)
群組物件(G)
順序(R)
指定巨集(N)...
控制項格式(F)...

Step 5

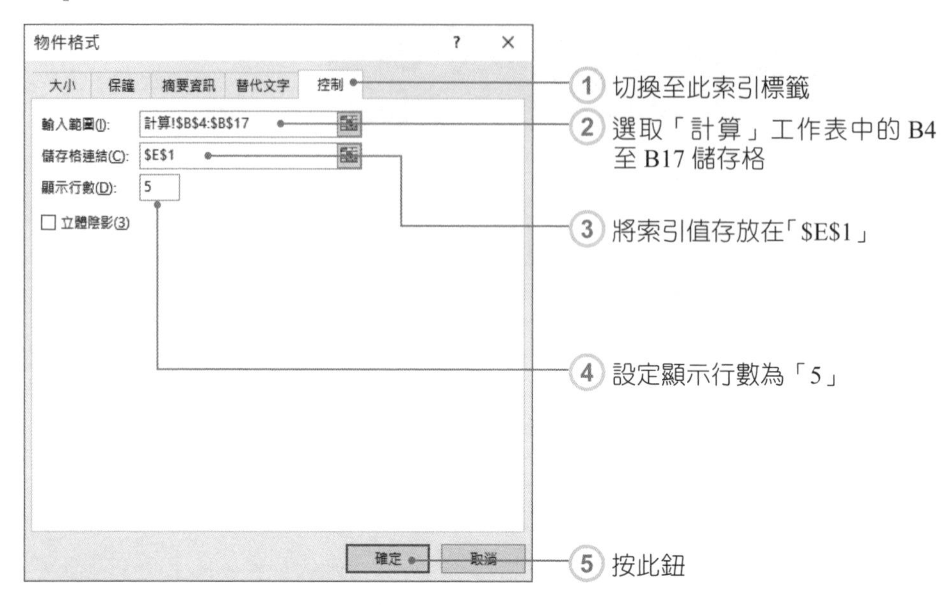

Step 6

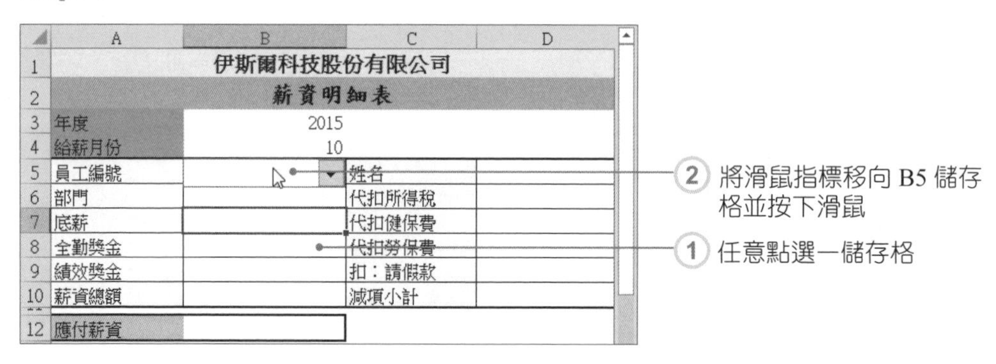

Step 7

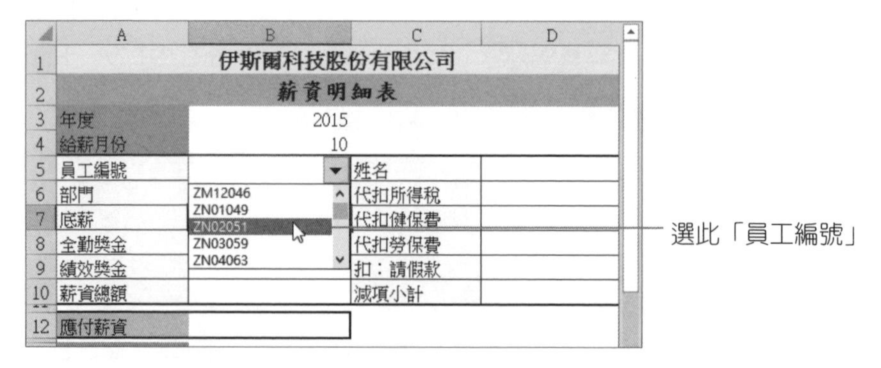

Step 8

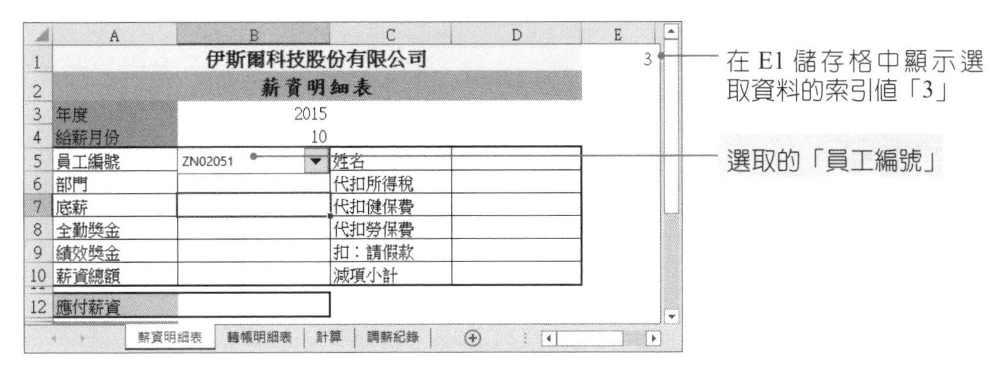

不需填入任何編號，只要以滑鼠點選適當的員工編號是不是方便多了！不僅省去輸入的時間，亦可減少輸入錯誤的困擾！

8-2-2 設定其他欄位格式

由於薪資明細表中的其他欄位都已經在「計算」工作表設定好了，所以接下來，只要使用 INDEX() 函數一一參照出欄位的資料即可。接下來將延續上述範例來進行說明。至於 INDEX() 函數的使用方式請參考第 5 章。

範例 以 INDEX() 函數設定其他欄位

Step 1

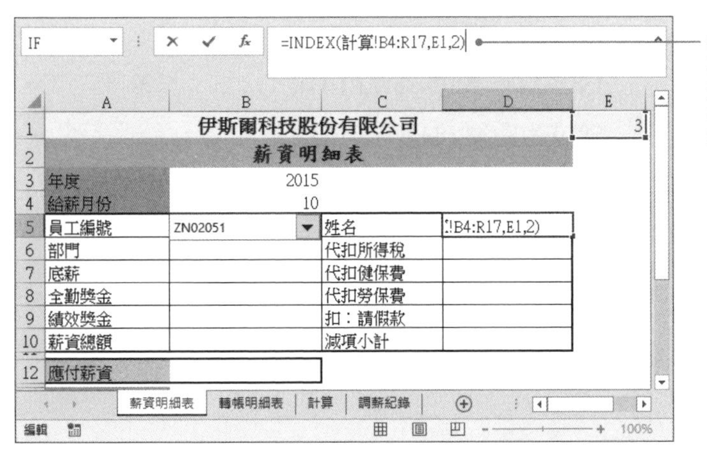

選取 D5 儲存格並在此輸入「=INDEX(計算!B4:R17,E1,2)」後，按下「Enter」鍵

Step 2

在此範例中，輸入的函數爲「=INDEX(計算 !B4:R17,E1,2)」，第一個引數是指定的資料範圍、第二個引數爲選取員工編號後產生在 E1 儲存格的索引值，至於第三個引數則是傳回此指定範圍的第 2 欄資料，也就是「姓名」。接下來只要在其他儲存格中套用此公式即可，如下表格：

儲存格位置	公式
B6	=INDEX(計算 !B4:R17,E1,3)
B7	=INDEX(計算 !B4:R17,E1,4)
B8	=INDEX(計算 !B4:R17,E1,5)
B9	=INDEX(計算 !B4:R17,E1,6)
D6	=INDEX(計算 !B4:R17,E1,9)
D7	=INDEX(計算 !B4:R17,E1,10)
D8	=INDEX(計算 !B4:R17,E1,11)
D9	=INDEX(計算 !B4:R17,E1,7)
B10	=B7+B8+B9-D9
D10	=SUM(D6:D8)
B12	=B10-D10

接著請開啟範例檔「薪資列印-04.xlsx」，讓我們來看看設定好的薪資明細表：

Step 1

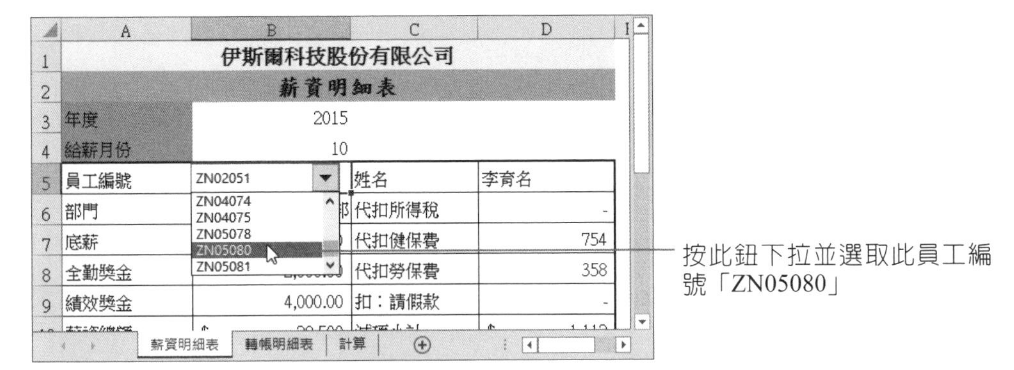

Step 2

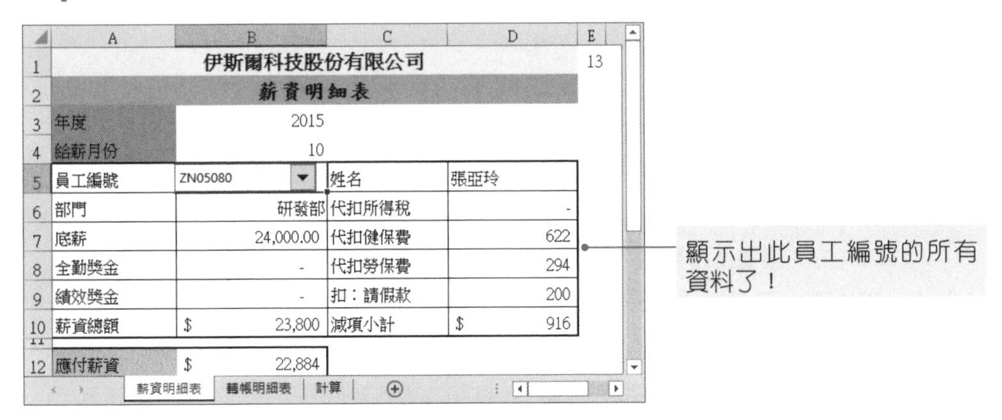

只要以滑鼠點選員工編號之後，就會顯示出此員工編號的所有資料，相信此方法絕對會比以人工填入的工作效率快上好幾十倍！

實力評量

是非題

(　) 1. 使用 TODAY() 函數所建立的日期無法改變其格式的類型。

(　) 2. 建立自訂類別資料時，@代表將儲存格中的資料視為數值型態。

(　) 3. 執行「下拉式方塊」物件之控制項格式指令，也同樣可設定作用儲存格的範圍。

(　) 4. 於預覽列印設定框裡也同樣可設定頁首與頁尾。

(　) 5. 以 TODAY() 函數來建立「日期」，使轉帳明細表會自動隨著電腦系統的日期而改變。

(　) 6. 在 Excel 中並沒有顯示銀行帳號的格式，所以需要自己來自訂類別資料。

選擇題

(　) 1. 下列於建立自訂類別資料時，各符號所對應的意義何者為非？
(A)「#」- 顯示數值格式的有效位數
(B)「,」- 顯示千分位的分隔符號
(C)「*」- 重覆此符號的下一個字元，直到填滿儲存格為止
(D)「""」- 在儲存格中顯示雙引號中的數值

(　) 2. 此為頁首設定的哪一按鈕功能？
(A) 插入總頁數　(B) 插入日期　(C) 插入時間　(D) 插入計時器

▶ 實作題

1. 請開啓範例檔「薪資列印-07.xlsx」，幫巨強公司建立起一個轉帳明細表，如下圖：

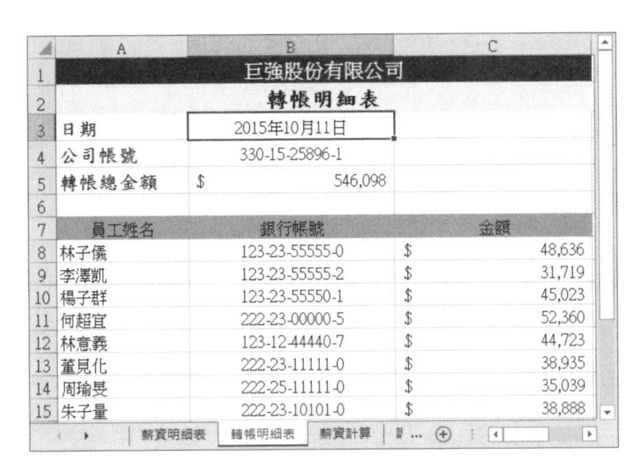

	A	B	C
1	巨強股份有限公司		
2	轉帳明細表		
3	日期	2015年10月11日	
4	公司帳號	330-15-25896-1	
5	轉帳總金額	$ 546,098	
6			
7	員工姓名	銀行帳號	金額
8	林子儀	123-23-55555-0	$ 48,636
9	李澤凱	123-23-55555-2	$ 31,719
10	楊子群	123-23-55550-1	$ 45,023
11	何超宜	222-23-00000-5	$ 52,360
12	林意義	123-12-44440-7	$ 44,723
13	董見化	222-23-11111-0	$ 38,935
14	周瑜旻	222-25-11111-0	$ 35,039
15	朱子量	222-23-10101-0	$ 38,888

- 使用 TODAY() 函數並將儲存格格式轉變為西元年格式。
- 使用參照方式將「調薪紀錄」工作表中的銀行帳號及「薪資計算」工作表中的應付薪 資，來建立轉帳明細表。
- 最後利用加總將所有人的應付薪資計算後，填入轉帳總金額的儲存格中。

2. 延續上述範例，建立起一個員工薪資明細表，如下圖：

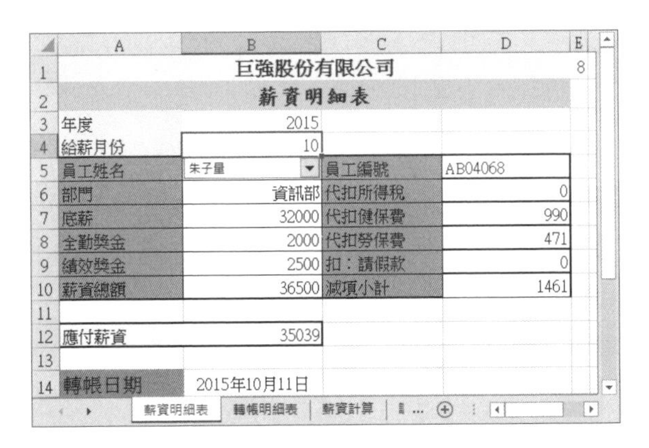

	A	B	C	D	E
1	巨強股份有限公司				8
2	薪資明細表				
3	年度	2015			
4	給薪月份	10			
5	員工姓名	朱子量	員工編號	AB04068	
6	部門	資訊部	代扣所得稅	0	
7	底薪	32000	代扣健保費	990	
8	全勤獎金	2000	代扣勞保費	471	
9	績效獎金	2500	扣：請假款	0	
10	薪資總額	36500	減項小計	1461	
11					
12	應付薪資	35039			
13					
14	轉帳日期	2015年10月11日			

此薪資明細表需要以表單方式建立起「員工姓名」的下拉式選單，只要在此下拉式選單中點選某員工姓名，此員工的所有資料就會出現在此表格之中。

（提示：使用參照方式）

CHAPTER

09 應收應付票據管理應用

學習重點

» 定義範圍名稱
» NOW()、IF() 及 AND() 函數
» 凍結窗格
» 建立應收、應付票據票齡分析

本章簡介

應收票據的主要來源爲公司提供勞務或商品予買方，買方所開立需於特定日期或時間內，無條件支付一定金額的票據。良好的票據控管，可有效提高公司資金的運轉。在本章的範例裡，將詳細介紹如何製作票據管理與查詢的工作，讓您隨時隨地都能有效控管票據狀況。

Excel 2016

範例成果

愛德機械股份有限公司

應收票據管理表

日期 2015/10/12

	客戶名稱	票據資訊				應收票據票齡分析					其它
	客戶名稱	票據號碼	票據金額	收票日	到期日	0~15天	16~30天	31~60天	61~90天	90天以上	票據狀況
9	中台電器股份有限公司	UV98502348	$ 600,000	2015/06/12	2015/09/13	$ 600,000					已兌現
10	全球電器股份有限公司	VQ78213428	$ 40,000	2015/06/17	2015/09/21	$ 40,000					已兌現
11	中台電器股份有限公司	XW23458890	$ 1,000,000	2015/06/22	2015/09/29	$ 1,000,000					已兌現
12	廣達五金行	GO32098715	$ 5,000	2015/06/25	2015/10/04	$ 5,000					已兌現
13	雅樂電器行	VO53217846	$ 3,000	2015/06/30	2015/10/12	$ 3,000					未兌現
14	中台電器股份有限公司	RO11223378	$ 7,000	2015/07/02	2015/10/18	$ 7,000					未兌現
15	雅樂電器行	DJ33675421	$ 200,000	2015/07/07	2015/10/26	$ 200,000					未兌現
16	發達電器行	RH63452109	$ 60,000	2015/07/12	2015/11/04		$ 60,000				未兌現
17	享功機械有限公司	ML76768800	$ 25,000	2015/07/15	2015/11/10		$ 25,000				未兌現
18	發達電器行	MV34562198	$ 10,000	2015/07/20	2015/11/18			$ 10,000			未兌現
19	弘亦企業有限公司	DJ89023167	$ 60,000	2015/07/23	2015/11/24			$ 60,000			未兌現
20	東頂貿易有限公司	QH13429201	$ 30,000	2015/07/28	2015/11/01		$ 30,000				未兌現
21	東頂貿易有限公司	SA89045632	$ 90,000	2015/08/03	2015/11/09		$ 90,000				未兌現
22	如意五金行	OC91232846	$ 3,000	2015/08/06	2015/11/15			$ 3,000			未兌現
23	全球電器股份有限公司	OS23143789	$ 20,000	2015/08/11	2015/11/23			$ 20,000			未兌現
24	友衛五金行	FK12480325	$ 330,000	2015/08/14	2015/11/29			$ 330,000			未兌現
25	全球電器股份有限公司	UV90342178	$ 80,000	2015/08/19	2015/12/06			$ 80,000			未兌現
26	發達電器行	QT71239045	$ 50,000	2015/08/24	2015/12/14				$ 50,000		未兌現
27	應收票據金額合計		$ 2,903,000			$ 2,145,000	$ 205,000	$ 503,000	$ 50,000	$ -	
28	應收票據金額比例					73.89%	7.06%	17.33%	1.72%	0.00%	

應收票據管理表

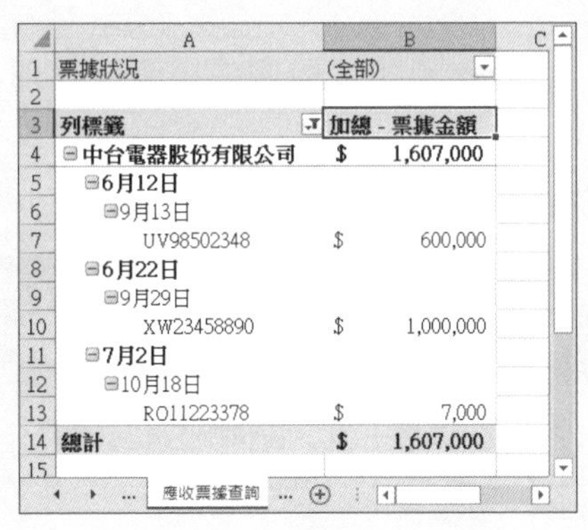

	A	B
1	票據狀況	(全部)
2		
3	列標籤	加總 - 票據金額
4	⊟中台電器股份有限公司	$ 1,607,000
5	⊟6月12日	
6	⊟9月13日	
7	UV98502348	$ 600,000
8	⊟6月22日	
9	⊟9月29日	
10	XW23458890	$ 1,000,000
11	⊟7月2日	
12	⊟10月18日	
13	RO11223378	$ 7,000
14	總計	$ 1,607,000
15		

應收票據查詢

愛德機械股份有限公司

應付票據管理表

日期 2015/10/12

	廠商名稱	票據資訊				應付票據票齡分析					其它
	廠商名稱	票據號碼	票據金額	開票日	到期日	0~15天	16~30天	31~60天	61~90天	90天以上	票據狀況
6	開心電器股份有限公司	ID90342170	$ 8,000	2015/07/30	2015/09/12	$ 8,000					已兌現
7	富能五金行	ID90342171	$ 5,000	2015/08/06	2015/09/20	$ 5,000					已兌現
8	享功機械有限公司	ID90342172	$ 6,000	2015/08/13	2015/09/28	$ 6,000					已兌現
9	國際電器股份有限公司	ID90342173	$ 30,000	2015/08/20	2015/10/05	$ 30,000					已兌現
10	紅橋五金行	ID90342174	$ 900	2015/08/27	2015/10/13	$ 900					未兌現
11	金頂企業有限公司	ID90342175	$ 3,000	2015/09/04	2015/10/21	$ 3,000					未兌現
12	南功貿易有限公司	ID90342176	$ 2,000	2015/09/11	2015/10/29		$ 2,000				未兌現
13	享功機械有限公司	ID90342177	$ 3,300	2015/09/18	2015/11/07		$ 3,300				未兌現
14	開心電器股份有限公司	ID90342178	$ 7,000	2015/09/25	2015/12/15				$ 7,000		未兌現
15	國際電器股份有限公司	ID90342179	$ 20,000	2015/09/25	2015/12/16				$ 20,000		未兌現
16											
25											
26											
27	應付票據金額合計		$ 85,200			$ 52,900	$ 5,300	$ -	$ 27,000	$ -	
28	應付票據金額比例					62.09%	6.22%	0.00%	31.69%	0.00%	

應付票據管理表

	A	B
2		
3	列標籤	加總 - 票據金額
4	⊟享功機械有限公司	$ 9,300
5	⊟8月13日	
6	⊟9月28日	
7	ID90342172	$ 6,000
8	⊟9月18日	
9	⊟11月7日	
10	ID90342177	$ 3,300
11	⊟金頂企業有限公司	$ 3,000
12	⊟9月4日	
13	⊟10月21日	
14	ID90342175	$ 3,000
15	⊟南功貿易有限公司	$ 2,000
16	⊟9月11日	
17	⊟10月29日	

應付票據查詢

9-1 應收票據票齡管理建立

收到客戶的票據時，第一步所就是記錄客戶名稱、票據號碼、金額、票據到期日等等資料，待票據到期日一到，則拿至銀行兌現，並核銷票據紀錄。但票據的到期日每張都不儘相同，反覆來往銀行可得浪費不少時間。若能將到期日相近的票據做統計，再一次前往銀行處理，則可讓此部分的工作更有效率。在本節裡，將介紹讓相近票齡的票據排排站的方法，讓您對各票據票齡一目了然。

9-1-1 定義客戶資料

首先請開啓範例檔「票據管理-01.xlsx」，並定義客戶資料，以方便後續工作。

Step 1

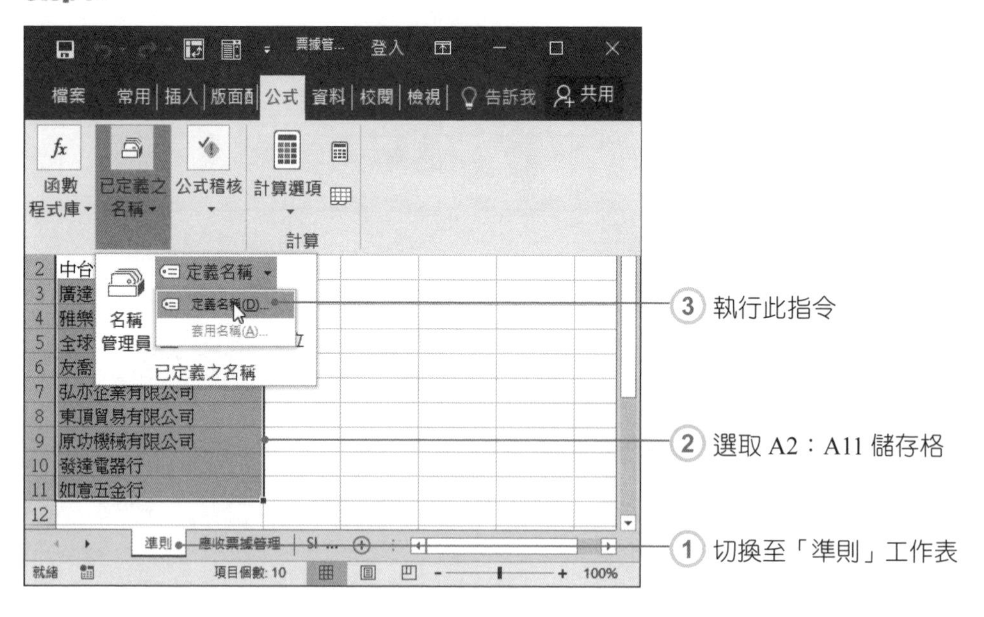

Step 2

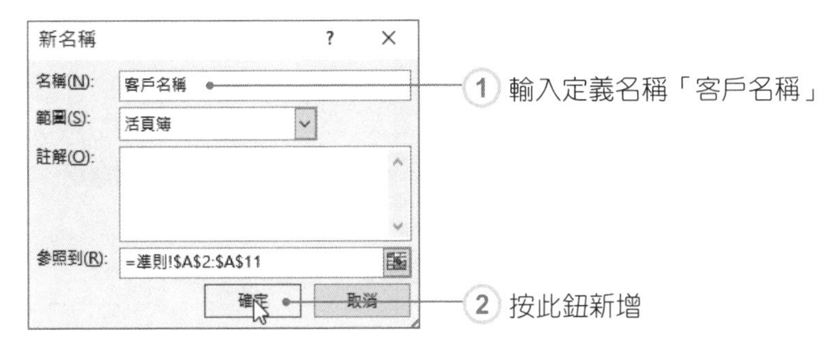

Step 3

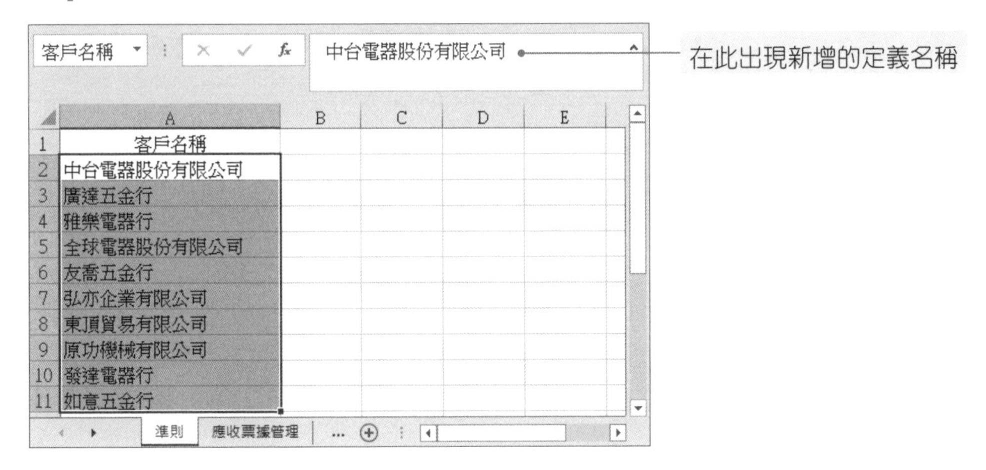

9-1-2 製作客戶名稱下拉選單

當客戶資料定義完成後，請切換到「應收票據管理」工作表，製作客戶名稱下拉式選單，方便日後資料處理。

Step 1

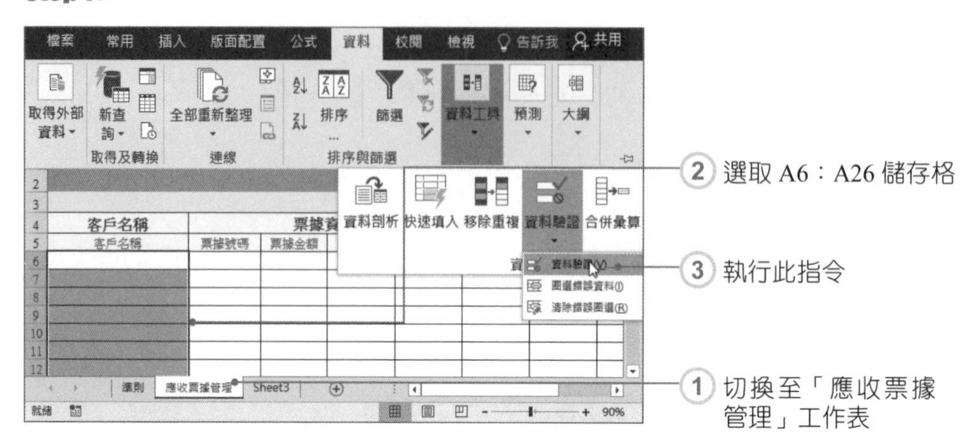

Step 2

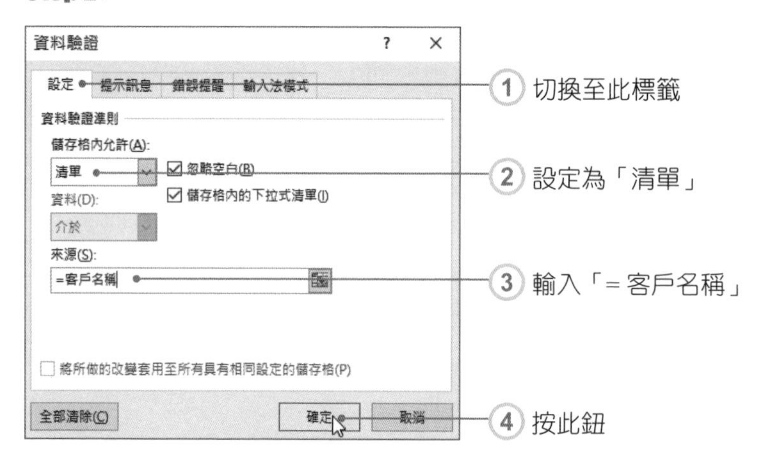

Step 3

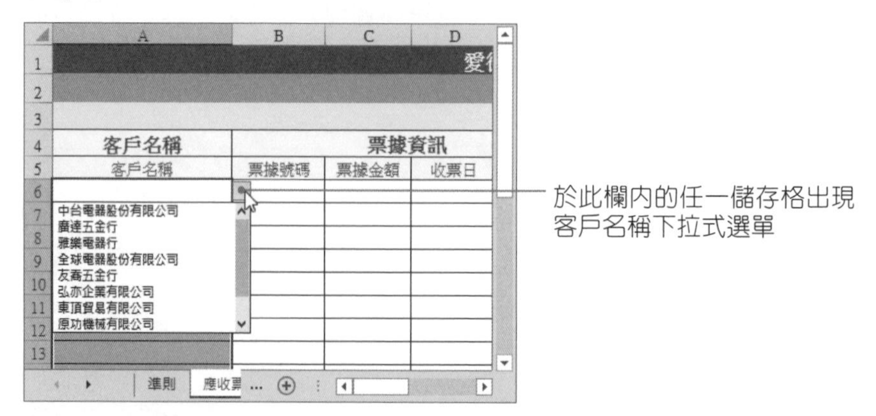

請自行輸入應收票據相關資料，練習使用下拉客戶選單。

9-1-3 應收票據票齡計算

完成輸入表格資料後，接下來再設定公式計算的部分，就可以輕鬆使用應收票據票齡管理表格，管理繁雜的應收票據。進行公式設定前，先認識會使用到的函數：

❖ IF() 函數

語法：IF(Logical_test,Value_if_true,Value_if_false)

說明：IF() 函數可用來測試數值和公式條件，並傳回不同的結果，相關引數說明如下：

引數名稱	說明
Logical_test	此為判斷式。用來判斷測試條件是否成立。
Value_if_true	此為條件成立時，所執行的程序。
Value_if_false	此為條件不成立時，所執行的程序。

❖ AND() 函數

語法：AND(Logical1,Logical2,…)

說明：AND() 函數裡如果所有的引數都是 TRUE 就傳回 TRUE；若有一或多個引數是 FALSE 則傳回 FALSE。

引數名稱	說明
Logical1, Logical2	欲測試的 1 到 30 個條件，可能是 TRUE 或 FALSE。

❖ NOW() 函數

說明：傳回目前日期與時間的序列號碼，如果儲存格格式為「通用」，則結果的格式會是日期格式。

接著開啓範例檔「票據管理-02.xlsx」，先定義「票據金額」與「到期日」，再設定日期，最後就進行輸入票據票齡的計算公式。

範例 設定票據票齡算式

Step 1

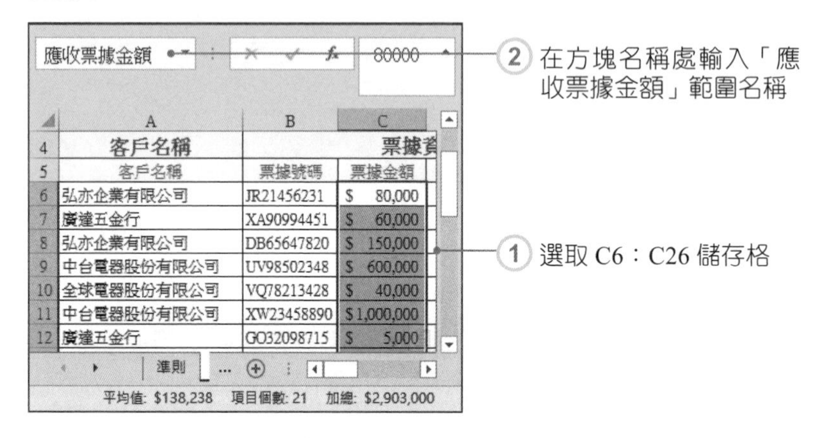

Step 2

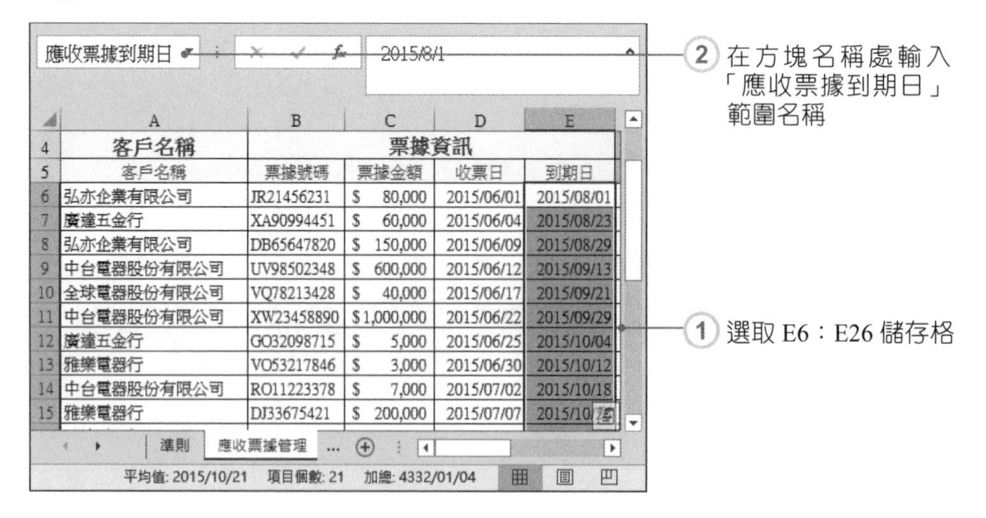

Step 3

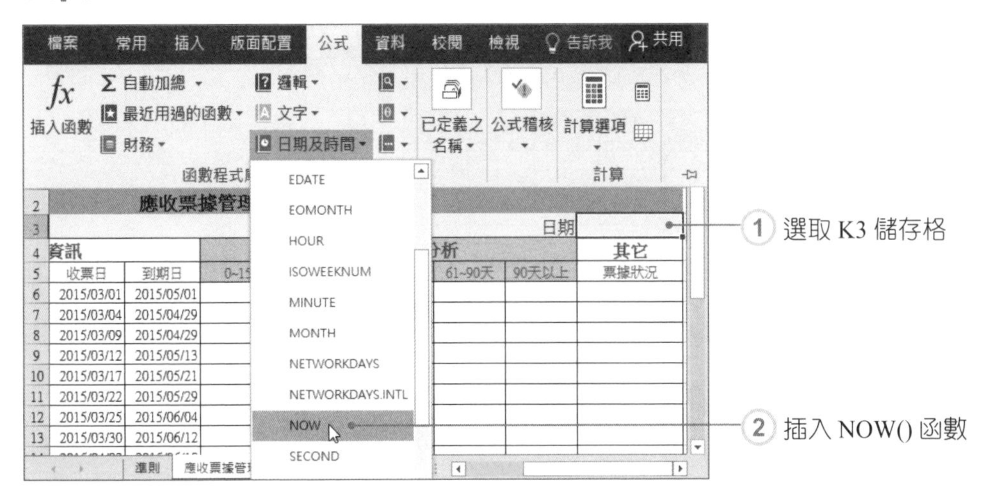

Step 4

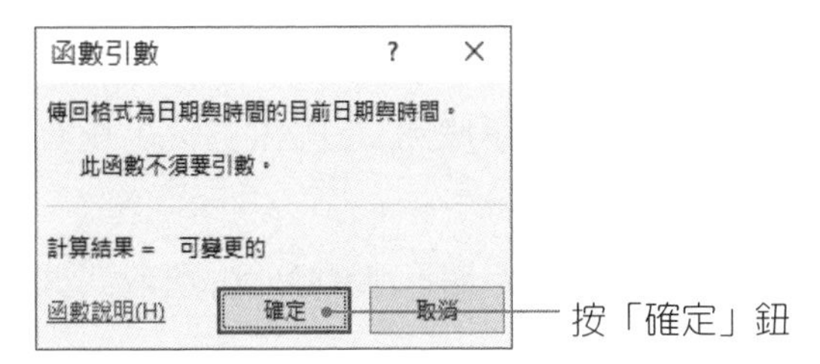

Step 5

Step 6

	C	D	E	F	G	H	I	J	K
1	愛德機械股份有限公司								
2	應收票據管理表								
3								日期	2015/10/11
4	票據資訊			應收票據票齡分析					其它
5	票據金額	收票日	到期日	0~15天	16~30天	31~60天	61~90天	90天以上	票據狀況
6	$ 80,000	2015/06/01	2015/08/01	$ 80,000					
7	$ 60,000	2015/06/04	2015/08/23						
8	$ 150,000	2015/06/09	2015/08/29						
9	$ 600,000	2015/06/12	2015/09/13						
10	$ 40,000	2015/06/17	2015/09/21						
11	$ 1,000,000	2015/06/22	2015/09/29						
12	$ 5,000	2015/06/25	2015/10/04						
13	$ 3,000	2015/06/30	2015/10/12						
14	$ 7,000	2015/07/02	2015/10/18						
15	$ 200,000	2015/07/07	2015/10/26						

選取 F6 儲存格，拖曳填滿控點複製公式至 F26 儲存格

另外分別於其他天數欄位內，輸入如下公式並重覆步驟 2 的動作：

- 16~30 天 IF(應收票據到期日 ="","",IF(AND(應收票據到期日 -$K$3>15, 應收票據到期日 -$K$3<=30), 應收票據金額 ,""))
- 31~60 天 IF(應收票據到期日 ="","",IF(AND(應收票據到期日 -$K$3>30, 應收票據到期日 -$K$3<=60), 應收票據金額 ,""))
- 61~90 天 IF(應收票據到期日 ="","",IF(AND(應收票據到期日 -$K$3>60, 應收票據到期日 -$K$3<=90), 應收票據金額 ,""))
- 90 天以上 IF(應收票據到期日 ="","",IF(應收票據到期日 -$K$3>90, 應收票據金額 ,""))

以下爲各儲存格公式說明：

F6	儲存格公式為「=IF(應收票據到期日 ="","",IF(應收票據到期日 -$K$3<=15, 應收票據金額 ,""))」此公式的意思為：假如「應收票據到期日 =""」的條件成立，將會於儲存格內輸入「""」("" 代表無資料)，若條件不成立，則將執行「IF(應收票據到期日 -$K$3<=15, 應收票據金額 ,"")」。內部的 IF 函數公式意思為：假如「應收票據到期日 -$K$3<=15」的條件成立的話，將於儲存格內輸入「應收票據金額」，條件若不成立，則於儲存格內輸入「""」。
G6	儲存格公式為「=IF(應收票據到期日 ="","",IF(AND(應收票據到期日 -$K$3>15, 應收票據到期日 -$K$3<=30), 應收票據金額 ,""))」此公式的意思為：假如「應收票據到期日 =""」的條件成立，將會於儲存格內輸入「""」，若條件不成立，則將執行「IF(AND(應收票據到期日 -$K$3>15, 應收票據到期日 -$K$3<=30), 應收票據金額 ,"")」。內部的 IF 函數公式意思為：假如「AND(應收票據到期日 -$K$3>15, 應收票據到期日 -$K$3<=30)」條件成立的話，則於儲存格內輸入「應收票據金額」，條件若不成立，則於儲存格內輸入「""」。AND 函數公式的意思為：應收票據到期日 -$K$3 需大於 15 且應收票據到期日 -$K$3 也必需小於或等於 30。

H6	儲存格公式為「=IF(應收票據到期日 ="","",IF(AND(應收票據到期日 -$K$3>30, 應收票據到期日 -$K$3<=60), 應收票據金額 ,""))」此公式的意思為：假如「應收票據到期日 =""」的條件成立，將會於儲存格內輸入「""」，若條件不成立，則將執行「IF(AND(應收票據到期日 -$K$3>30, 應收票據到期日 -$K$3<=60), 應收票據金額 ,"")」。內部的 IF 函數公式意思為：假如「AND(應收票據到期日 -$K$3>30, 應收票據到期日 -$K$3<=60)」條件成立的話，則於儲存格內輸入「應收票據金額」，條件若不成立，則於儲存格內輸入「""」。AND 函數公式的意思為：應收票據到期日 -$K$3 需大於 30 且應收票據到期日 -$K$3 也必需小於或等於 60。
I6	儲存格公式為「=IF(應收票據到期日 ="","",IF(AND(應收票據到期日 -$K$3>60, 應收票據到期日 -$K$3<=90), 應收票據金額 ,""))」此公式的意思為：假如「應收票據到期日 =""」的條件成立，將會於儲存格內輸入「""」，若條件不成立，則將執行「IF(AND(應收票據到期日 -$K$3>60, 應收票據到期日 -$K$3<=90), 應收票據金額 ,"")」。內部的 IF 函數公式意思為：假如「AND(應收票據到期日 -$K$3>60, 應收票據到期日 -$K$3<=90)」條件成立的話，則於儲存格內輸入「應收票據金額」，條件若不成立，則於儲存格內輸入「""」。AND 函數公式的意思為：應收票據到期日 -$K$3 需大於 60 且應收票據到期日 -$K$3 也必需小於或等於 90。
J6	儲存格公式為「=IF(應收票據到期日 ="","",IF(應收票據到期日 -$K$3>90, 應收票據金額 ,""))」此公式的意思為：假如「應收票據到期日 =""」的條件成立，將會於儲存格內輸入「""」("" 代表無資料)，若條件不成立，則將執行「IF(應收票據到期日 -$K$3>90, 應收票據金額 ,"")」。內部的 IF 函數公式意思為：假如「應收票據到期日 -$K$3>90」的條件成立的話，將於儲存格內輸入「應收票據金額」，條件若不成立，則於儲存格內輸入「""」。

待公式輸入完成後，應收票據票齡分析會呈現如下圖示內容：

	A	B	C	D	E	F	G	H	I	J	K
3										日期	2015/10/11
4	客戶名稱	票據資訊				應收票據票齡分析					其它
5	客戶名稱	票據號碼	票據金額	收票日	到期日	0~15天	16~30天	31~60天	61~90天	90天以上	票據狀況
6	弘亦企業有限公司	JR21456231	$ 80,000	2015/06/01	2015/08/01	$ 80,000					
7	廣達五金行	XA90994451	$ 60,000	2015/06/04	2015/08/23	$ 60,000					
8	弘亦企業有限公司	DB65647820	$ 150,000	2015/06/09	2015/08/29	$ 150,000					
9	中台電器股份有限公司	UV98502348	$ 600,000	2015/06/12	2015/09/13	$ 600,000					
10	全球電器股份有限公司	VQ78213428	$ 40,000	2015/06/17	2015/09/21	$ 40,000					
11	中台電器股份有限公司	XW23458890	$ 1,000,000	2015/06/22	2015/09/29	$ 1,000,000					
12	廣達五金行	GO32098715	$ 5,000	2015/06/25	2015/10/04	$ 5,000					
13	雅樂電器行	VO53217846	$ 3,000	2015/06/30	2015/10/12	$ 3,000					
14	中台電器股份有限公司	RO11223378	$ 7,000	2015/07/02	2015/10/18	$ 7,000					
15	雅樂電器行	DJ33675421	$ 200,000	2015/07/07	2015/10/26	$ 200,000					
16	發達電器行	RH63452109	$ 60,000	2015/07/12	2015/11/04		$ 60,000				
17	原功機械有限公司	ML76768800	$ 25,000	2015/07/15	2015/11/10		$ 25,000				
18	發達電器行	MV34562198	$ 10,000	2015/07/20	2015/11/18			$ 10,000			
19	弘亦企業有限公司	DJ89023167	$ 60,000	2015/07/23	2015/11/24			$ 60,000			
20	東頂貿易有限公司	QH13429201	$ 30,000	2015/07/28	2015/11/01		$ 30,000				
21	東頂貿易有限公司	SA89045632	$ 90,000	2015/08/03	2015/11/09		$ 90,000				
22	如意五金行	OC91232846	$ 3,000	2015/08/06	2015/11/15			$ 3,000			
23	全球電器股份有限公司	OS23143789	$ 20,000	2015/08/11	2015/11/23			$ 20,000			
24	友衛五金行	FK12480325	$ 330,000	2015/08/14	2015/11/29			$ 330,000			
25	全球電器股份有限公司	UV90342178	$ 80,000	2015/08/19	2015/12/06			$ 80,000			
26	發達電器行	QT71239045	$ 50,000	2015/08/24	2015/12/14				$ 50,000		
27	應收票據金額合計										
28	應收票據金額比例										

準則 | 應收票據管理 | Sheet3

由以上的票齡分析內容，便可清楚那張票據目前的票齡狀況爲何。例如：若今天爲 5/ 月 27 日，0~15 天票齡的票據共有 7 張，且有 5 張票據的到期日已過，此時就可視您的方便，看是要先將已到期的票據兌現，或是等另外 2 兩張票據期限到再一起兌現。

9-1-4 計算應收票據合計額

請開啟範例檔「票據管理-03.xlsx」，將票據及各票齡金額做一合計。

Step 1

Step 2

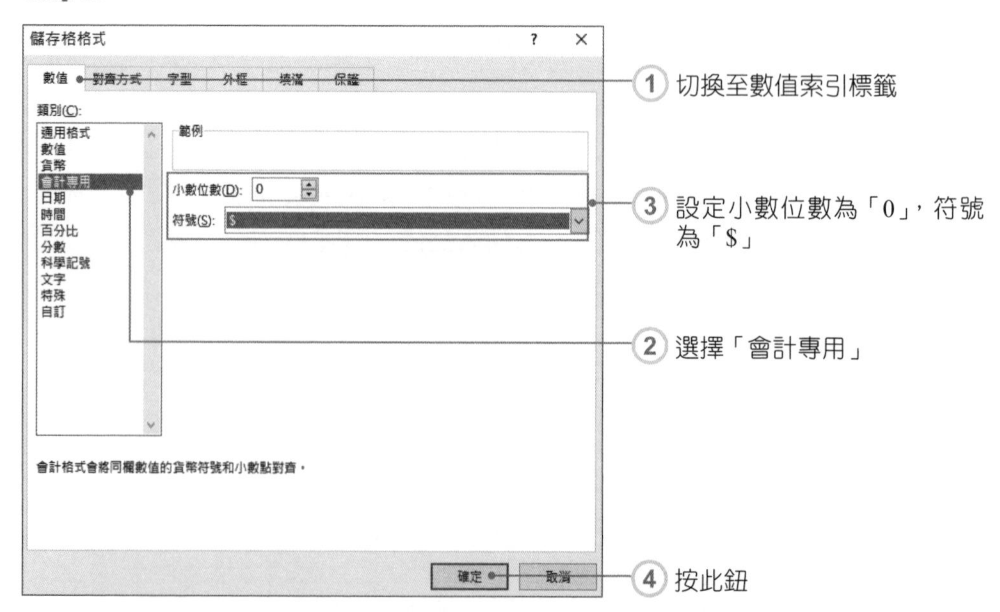

Step 3

	C	D	E	F	G	H	I	J
14	$ 7,000	2015/07/02	2015/10/18	$ 7,000				
15	$ 200,000	2015/07/07	2015/10/26	$ 200,000				
16	$ 60,000	2015/07/12	2015/11/04		$ 60,000			
17	$ 25,000	2015/07/15	2015/11/10		$ 25,000			
18	$ 10,000	2015/07/20	2015/11/18			$ 10,000		
19	$ 60,000	2015/07/23	2015/11/24			$ 60,000		
20	$ 30,000	2015/07/28	2015/11/01		$ 30,000			
21	$ 90,000	2015/08/03	2015/11/09		$ 90,000			
22	$ 3,000	2015/08/06	2015/11/15			$ 3,000		
23	$ 20,000	2015/08/11	2015/11/23			$ 20,000		
24	$ 330,000	2015/08/14	2015/11/29			$ 330,000		
25	$ 80,000	2015/08/19	2015/12/06			$ 80,000		
26	$ 50,000	2015/08/24	2015/12/14				$ 50,000	
27								
28								

2 下拉「自動加總」圖示鈕，並選擇「加總」會自動完成加總金額公式

1 選取 C27 及 F27:J27 儲存格

Step 4

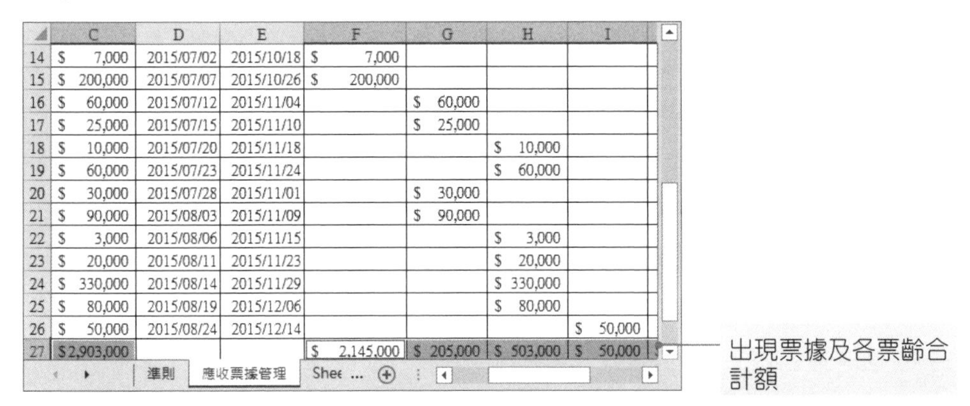

	C	D	E	F	G	H	I
14	$ 7,000	2015/07/02	2015/10/18	$ 7,000			
15	$ 200,000	2015/07/07	2015/10/26	$ 200,000			
16	$ 60,000	2015/07/12	2015/11/04		$ 60,000		
17	$ 25,000	2015/07/15	2015/11/10		$ 25,000		
18	$ 10,000	2015/07/20	2015/11/18			$ 10,000	
19	$ 60,000	2015/07/23	2015/11/24			$ 60,000	
20	$ 30,000	2015/07/28	2015/11/01		$ 30,000		
21	$ 90,000	2015/08/03	2015/11/09		$ 90,000		
22	$ 3,000	2015/08/06	2015/11/15			$ 3,000	
23	$ 20,000	2015/08/11	2015/11/23			$ 20,000	
24	$ 330,000	2015/08/14	2015/11/29			$ 330,000	
25	$ 80,000	2015/08/19	2015/12/06			$ 80,000	
26	$ 50,000	2015/08/24	2015/12/14				$ 50,000
27	$2,903,000			$ 2,145,000	$ 205,000	$ 503,000	$ 50,000

出現票據及各票齡合計額

9-1-5 各票齡的票據應收比例

將各票齡總金額算出後，若能再計算出各票齡合計額占票據總額的百分比，就可對各票齡金額對總票據金額所佔的比例更爲清楚。

Step 1

	C	D	E	F	G	H	I
16	$ 60,000	2015/07/12	2015/11/04		$ 60,000		
17	$ 25,000	2015/07/15	2015/11/10		$ 25,000		
18	$ 10,000	2015/07/20	2015/11/18			$ 10,000	
19	$ 60,000	2015/07/23	2015/11/24			$ 60,000	
20	$ 30,000	2015/07/28	2015/11/01		$ 30,000		
21	$ 90,000	2015/08/03	2015/11/09		$ 90,000		
22	$ 3,000	2015/08/06	2015/11/15			$ 3,000	
23	$ 20,000	2015/08/11	2015/11/23			$ 20,000	
24	$ 330,000	2015/08/14	2015/11/29			$ 330,000	
25	$ 80,000	2015/08/19	2015/12/06			$ 80,000	
26	$ 50,000	2015/08/24	2015/12/14				$ 50,000
27	$ 2,903,000			$ 2,145,000	$ 205,000	$ 503,000	$ 50,000
28				=F27/$C$27			

選取 F28 儲存格，並輸入「=F27/$C$27」後按下 Enter 鍵

Step 2

Step 3

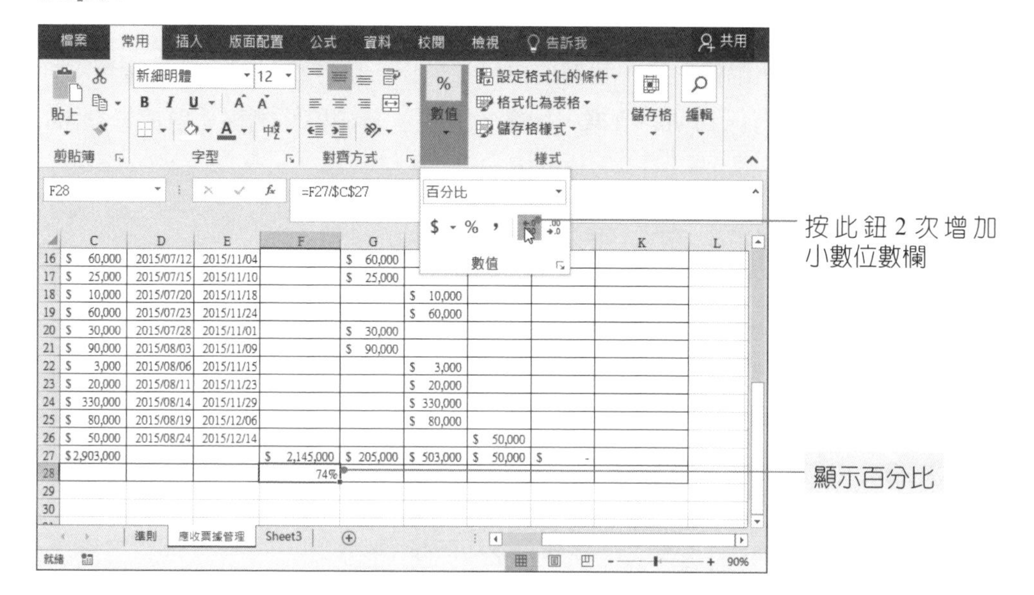

	C	D	E	F	G	H	I	J	K	L
16	$ 60,000	2015/07/12	2015/11/04		$ 60,000					
17	$ 25,000	2015/07/15	2015/11/10		$ 25,000					
18	$ 10,000	2015/07/20	2015/11/18			$ 10,000				
19	$ 60,000	2015/07/23	2015/11/24			$ 60,000				
20	$ 30,000	2015/07/28	2015/11/01		$ 30,000					
21	$ 90,000	2015/08/03	2015/11/09		$ 90,000					
22	$ 3,000	2015/08/06	2015/11/15			$ 3,000				
23	$ 20,000	2015/08/11	2015/11/23			$ 20,000				
24	$ 330,000	2015/08/14	2015/11/29			$ 330,000				
25	$ 80,000	2015/08/19	2015/12/06			$ 80,000				
26	$ 50,000	2015/08/24	2015/12/14				$ 50,000			
27	$2,903,000			$ 2,145,000	$ 205,000	$ 503,000	$ 50,000	$ -		
28				74%						
29										
30										

Step 4

	C	D	E	F	G	H	I	J
16	$ 60,000	2015/07/12	2015/11/04		$ 60,000			
17	$ 25,000	2015/07/15	2015/11/10		$ 25,000			
18	$ 10,000	2015/07/20	2015/11/18			$ 10,000		
19	$ 60,000	2015/07/23	2015/11/24			$ 60,000		
20	$ 30,000	2015/07/28	2015/11/01		$ 30,000			
21	$ 90,000	2015/08/03	2015/11/09		$ 90,000			
22	$ 3,000	2015/08/06	2015/11/15			$ 3,000		
23	$ 20,000	2015/08/11	2015/11/23			$ 20,000		
24	$ 330,000	2015/08/14	2015/11/29			$ 330,000		
25	$ 80,000	2015/08/19	2015/12/06			$ 80,000		
26	$ 50,000	2015/08/24	2015/12/14				$ 50,000	
27	$2,903,000			$ 2,145,000	$ 205,000	$ 503,000	$ 50,000	$ -
28				73.89%	7.06%	17.33%	1.72%	0.00%

進則 應收票據管理 Sheet3

平均值更改為百分比樣式後，以滑鼠拖曳此儲存格的填滿控點鈕至 J28

9-1-6 製作票據狀況下拉選單

於了解各票據票齡情形後，我們要再另外製作一票據狀況的下拉式選單，好隨時都能知道是否有已到期的票據，卻還未兌現。請開啟範例檔「票據管理-04.xlsx」：

Step 1▸

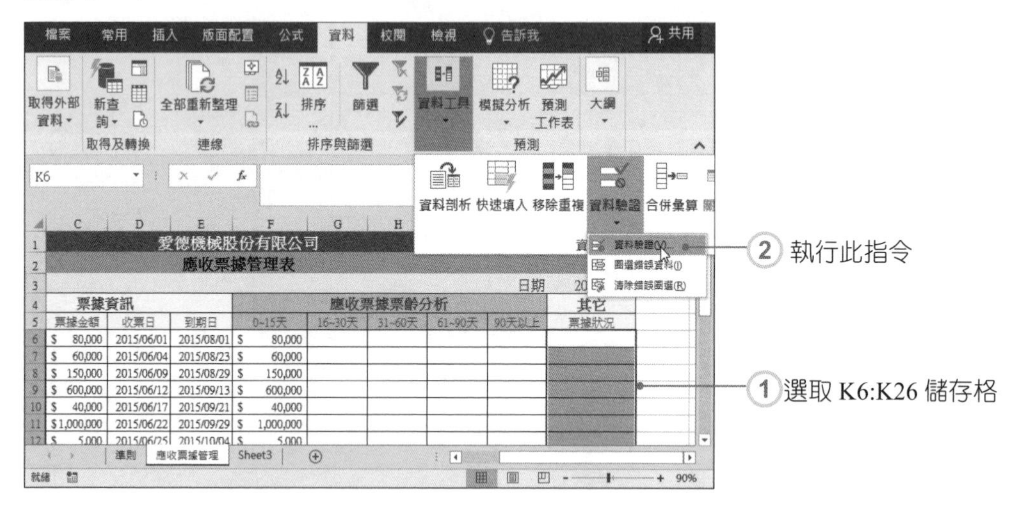

Step 2▸

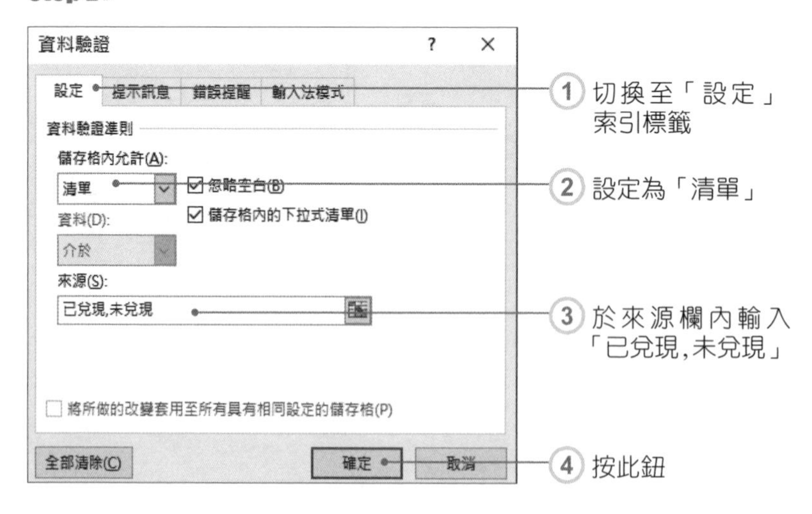

Step 3

	A	E	F	G	H	I	J	K
1	德機械股份有限公司							
2	應收票據管理表							
3							日期	2015/10/11
4	客戶名稱		應收票據票齡分析					其它
5	客戶名稱	到期日	0~15天	16~30天	31~60天	61~90天	90天以上	票據狀況
6	弘亦企業有限公司	2015/08/01	$ 80,000					
7	廣達五金行	2015/08/23	$ 60,000					
8	弘亦企業有限公司	2015/08/29	$ 150,000					已兌現 未兌現
9	中台電器股份有限公司	2015/09/13	$ 600,000					
10	全球電器股份有限公司	2015/09/21	$ 40,000					
11	中台電器股份有限公司	2015/09/29	$ 1,000,000					
12	廣達五金行	2015/10/04	$ 5,000					
13	雅樂電器行	2015/10/12	$ 3,000					
14	中台電器股份有限公司	2015/10/18	$ 7,000					
15	雅樂電器行	2015/10/26	$ 200,000					

準則　應收票據管理　Sheet3

選取儲存範圍都套用相同的選單樣式

接著請於票據狀況欄的下拉選單裡，分別替已兌現的票據標示為「已兌現」，其餘票據則標示為「未兌現」如下圖：

	A	E	F	G	H	I	J	K
1	德機械股份有限公司							
2	應收票據管理表							
3							日期	2015/10/11
4	客戶名稱		應收票據票齡分析					其它
5	客戶名稱	到期日	0~15天	16~30天	31~60天	61~90天	90天以上	票據狀況
9	中台電器股份有限公司	2015/09/13	$ 600,000					已兌現
10	全球電器股份有限公司	2015/09/21	$ 40,000					已兌現
11	中台電器股份有限公司	2015/09/29	$ 1,000,000					已兌現
12	廣達五金行	2015/10/04	$ 5,000					已兌現
13	雅樂電器行	2015/10/12	$ 3,000					未兌現
14	中台電器股份有限公司	2015/10/18	$ 7,000					未兌現
15	雅樂電器行	2015/10/26	$ 200,000					未兌現
16	發達電器行	2015/11/04		$ 60,000				未兌現
17	原功機械有限公司	2015/11/10		$ 25,000				未兌現
18	發達電器行	2015/11/18			$ 10,000			未兌現
19	弘亦企業有限公司	2015/11/24			$ 60,000			未兌現
20	東頂貿易有限公司	2015/11/01		$ 30,000				未兌現
21	東頂貿易有限公司	2015/11/09		$ 90,000				未兌現
22	如意五金行	2015/11/15			$ 3,000			未兌現
23	全球電器股份有限公司	2015/11/23			$ 20,000			未兌現

9-1-7 凍結窗格

完成上個步驟後，此票據管理表可說是已經完成了。但每要看最近收到的票據 (表格愈底下的票據資料愈新) 資料時，總要不停地上下轉動捲軸，才能知道某一儲存格的欄位代表何物，實在麻煩極了！其實只要使用 Excel 的「凍結窗格」功能，就可解決此一問題。請接著上述的範例：

Step 1

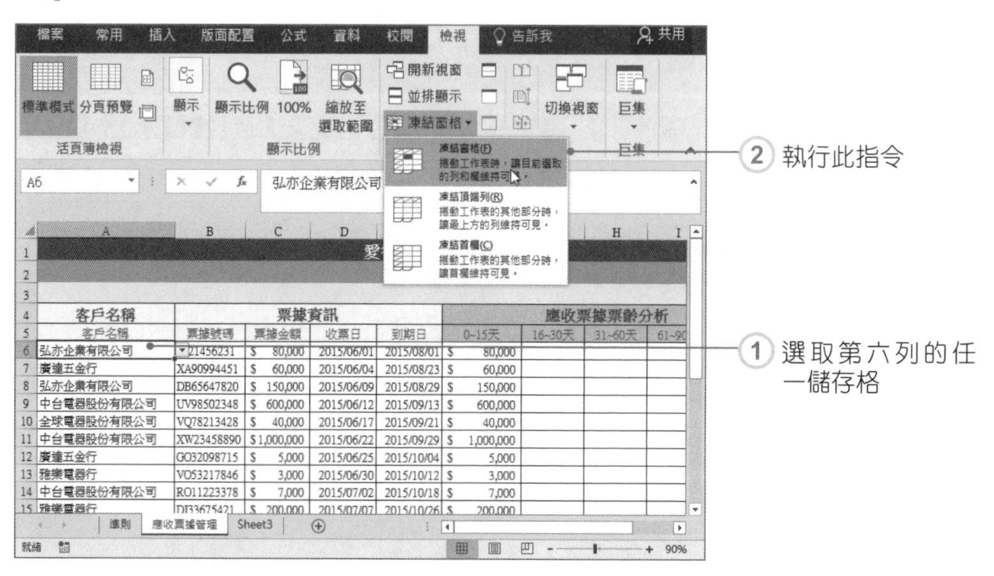

Step 2

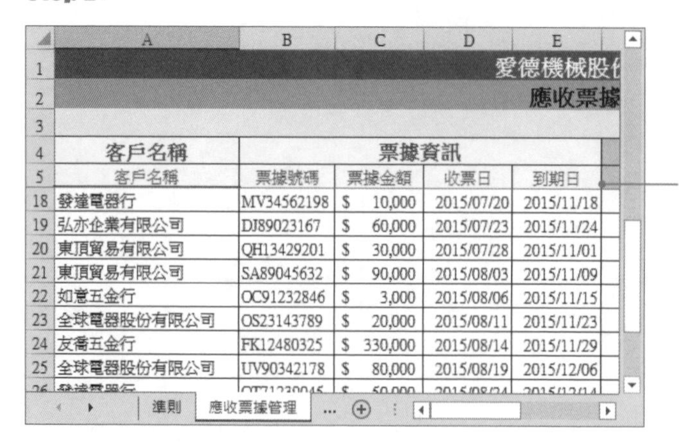

此時轉動捲軸時，於第 6 列以上的儲存格就不會跟著往上移動了

Step 3

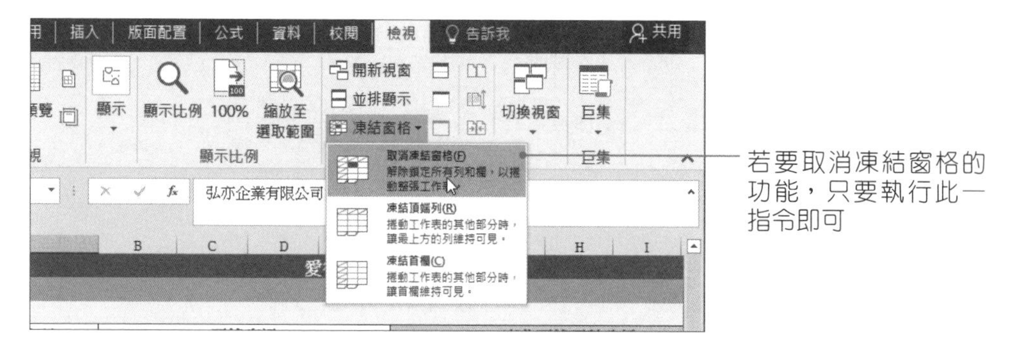

請暫時將現在的執行結果另存為「票據管理-04-1.xlsx」。

9-2 建立應收票據樞紐分析

當收到的票據愈來愈多，輸入票據管理表的內容也隨著增加時，如果想單單尋找某一客戶的票據資料或想知道已兌現或未兌現的票據金額有多少時，若一筆筆的查詢，可得花掉不少時間。在本節的範例裡，將介紹製作解決此一問題的分析表。請開啟「票據管理-04-1.xlsx」：

Step 1

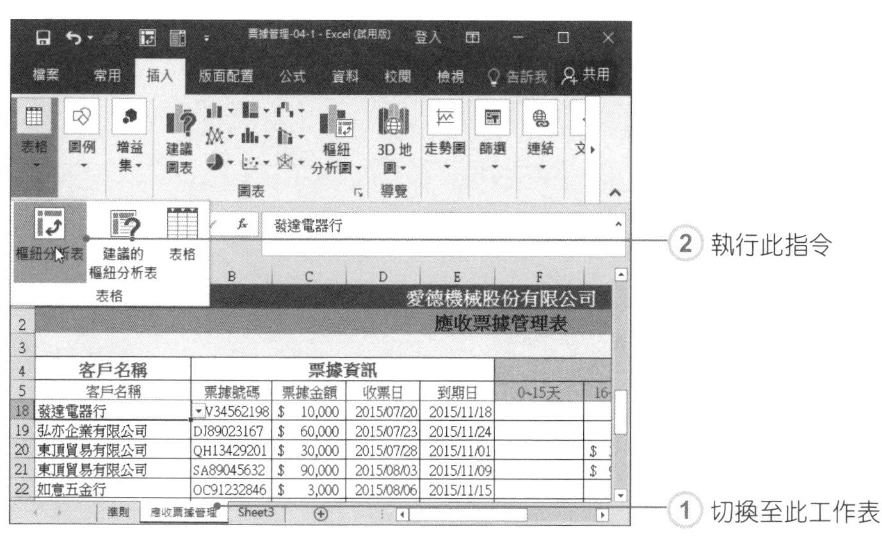

Step 2

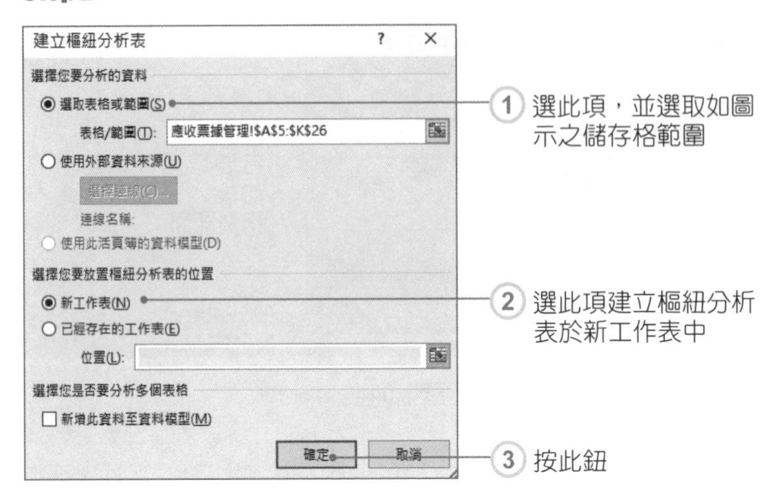
建立樞紐分析表
選擇您要分析的資料
選取表格或範圍(S)
表格/範圍(T): 應收票據管理!$A$5:$K$26
使用外部資料來源(U)
連線名稱:
使用此活頁簿的資料模型(D)
選擇您要放置樞紐分析表的位置
新工作表(N)
已經存在的工作表(E)
位置(L):
選擇您是否要分析多個表格
新增此資料至資料模型(M)
確定
取消
1 選此項，並選取如圖示之儲存格範圍
2 選此項建立樞紐分析表於新工作表中
3 按此鈕

Step 3

樞紐分析表1
若要建立報表，請自樞紐分析表欄位清單選擇欄位
樞紐分析表欄位
搜尋
客戶名稱
票據號碼
工作表1
增加「工作表 1」，並出現樞紐分析表表

請拖曳「票據狀況」到報表篩選欄位，拖曳「客戶名稱」、「收票日」、「到期日」、「票據號碼」到列標籤欄位，拖曳「票據金額」到值欄位。如下圖所示：

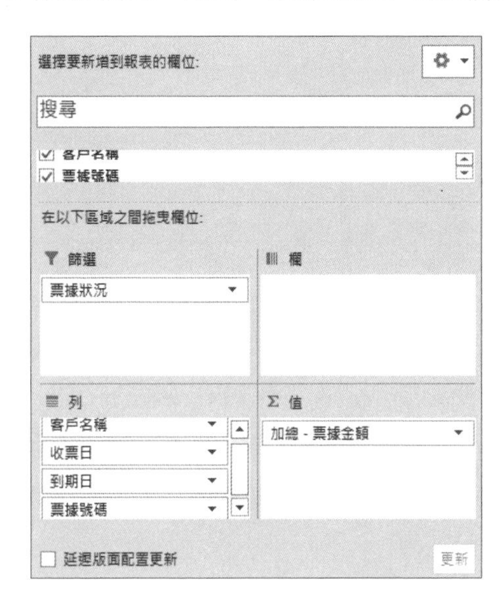

當樞鈕分析表的大概架構完成後，再一一更改其欄位的設定使其較符合我們的需要：

Step 1

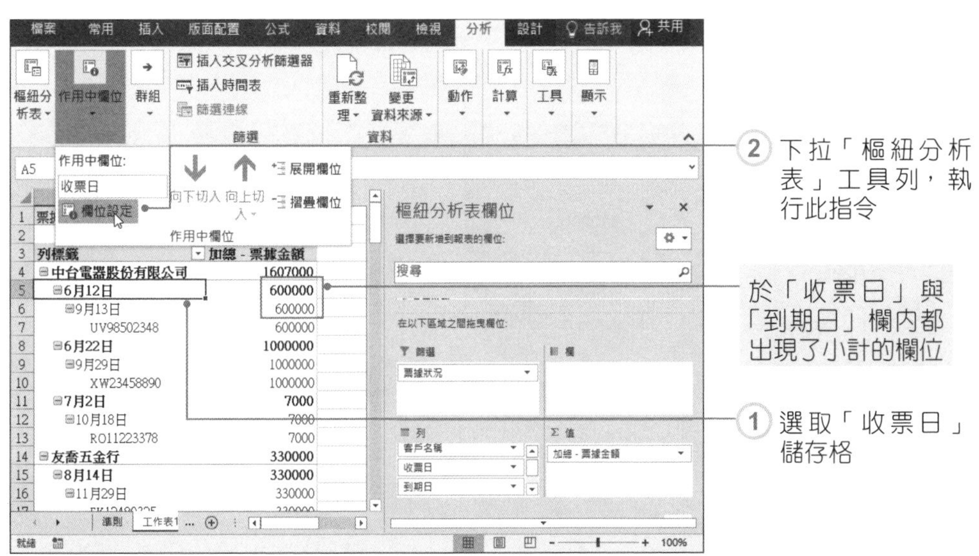

Step 2

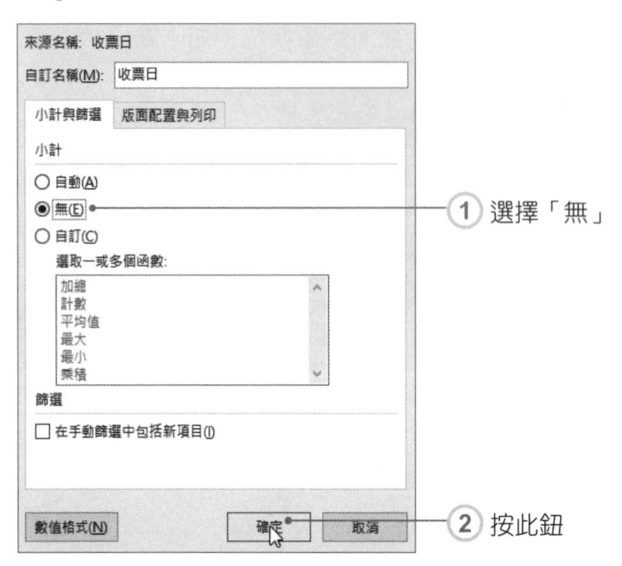
來源名稱: 收票日
自訂名稱(M): 收票日
小計與篩選
版面配置與列印
小計
自動(A)
無(E)
自訂(C)
選取一或多個函數:
加總
計數
平均值
最大
最小
乘積
篩選
在手動篩選中包括新項目(I)
數值格式(N)
確定
取消
1 選擇「無」
2 按此鈕

Step 3

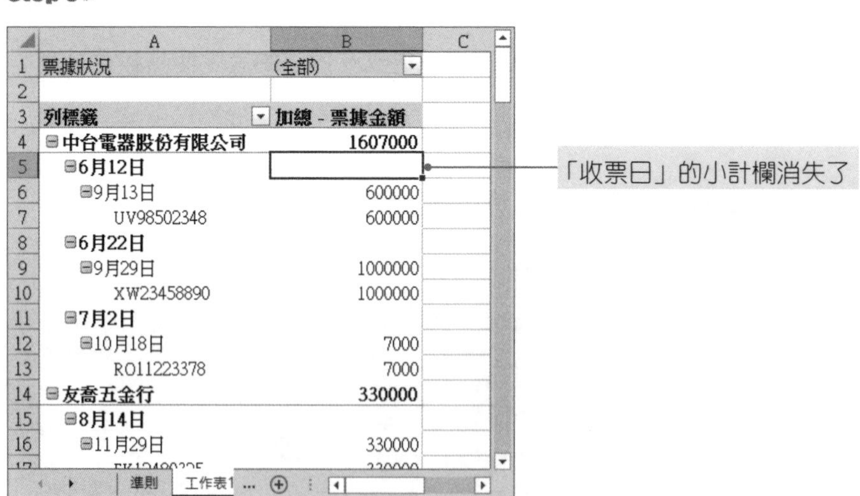
票據狀況
(全部)
列標籤
加總 - 票據金額
中台電器股份有限公司
1607000
6月12日
9月13日
600000
UV98502348
600000
6月22日
9月29日
1000000
XW23458890
1000000
7月2日
10月18日
7000
RO11223378
7000
友喬五金行
330000
8月14日
11月29日
330000
準則
工作表1
「收票日」的小計欄消失了

選取「到期日」儲存格，並重覆 1~2 的步驟，取消其小計欄位。除此之外，再更改「合計欄」的格式。

Step 1

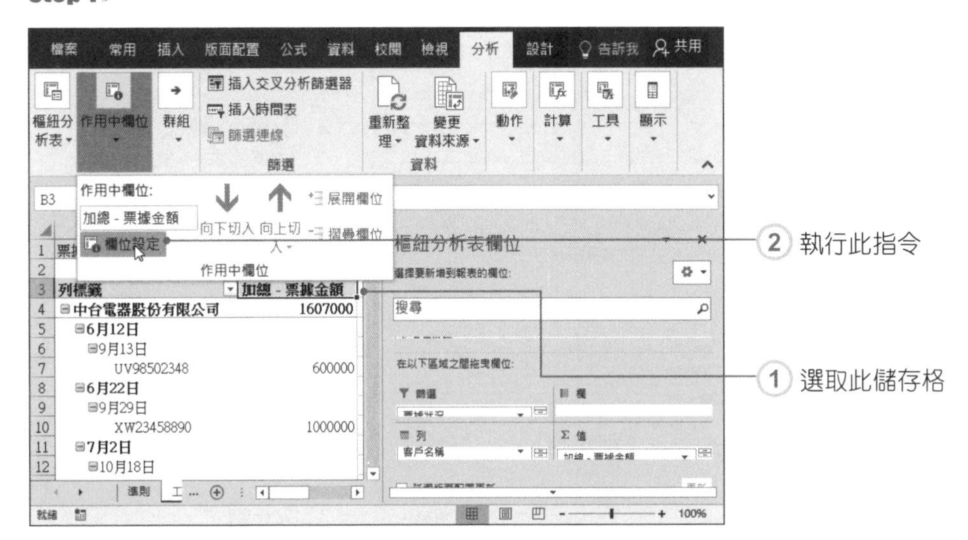

Step 2

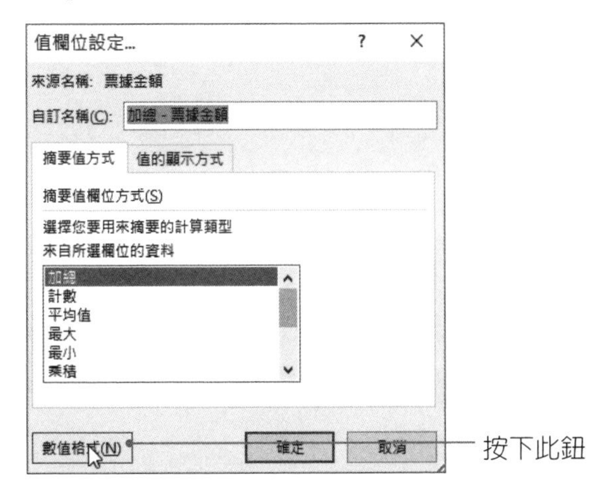

Step 3

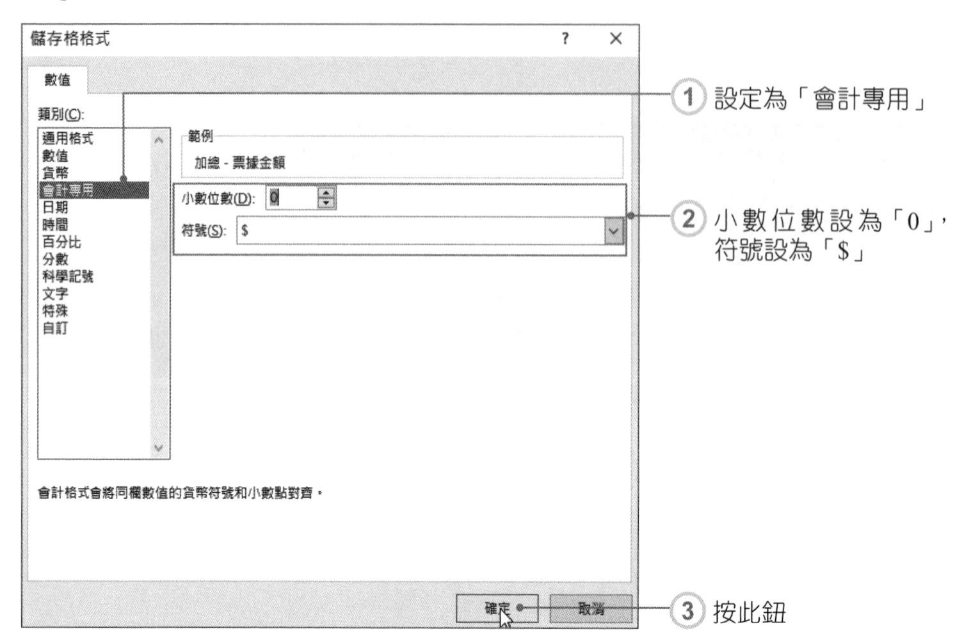
儲存格格式
數值
類別(C):
通用格式
數值
貨幣
會計專用
日期
時間
百分比
分數
科學記號
文字
特殊
自訂
範例
加總 - 票據金額
小數位數(D): 0
符號(S): $
會計格式會將同欄數值的貨幣符號和小數點對齊。
確定
取消
1 設定為「會計專用」
2 小數位數設為「0」，符號設為「$」
3 按此鈕

Step 4

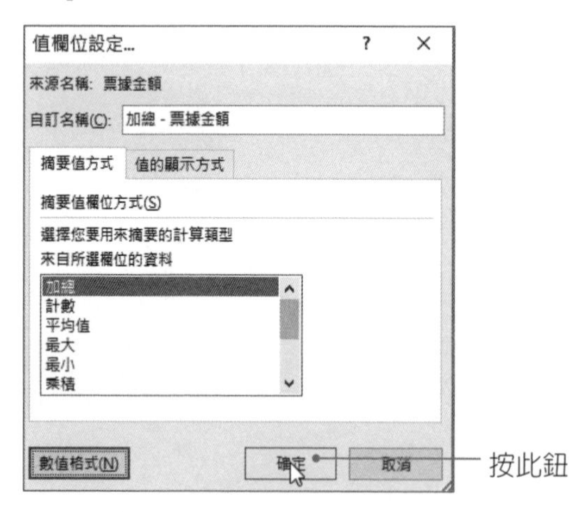
值欄位設定...
來源名稱: 票據金額
自訂名稱(C): 加總 - 票據金額
摘要值方式
值的顯示方式
摘要值欄位方式(S)
選擇您要用來摘要的計算類型
來自所選欄位的資料
加總
計數
平均值
最大
最小
乘積
數值格式(N)
確定
取消
按此鈕

Step 5

Step 6

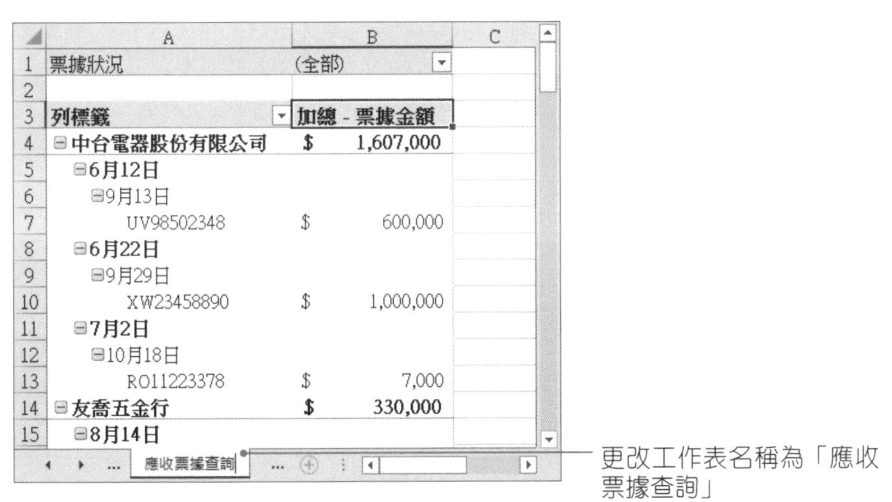

完成格式的設定後，不論是要找已兌現、未兌現票據，或者是哪一客戶的票據資料，都能非常的簡單又明瞭，讓您更能有效掌握個別票據狀況！

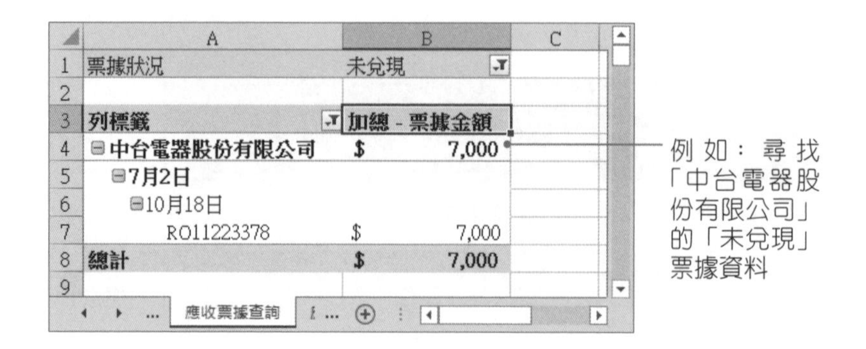

請暫時將現在的執行結果另存為「票據管理-04-2.xlsx」。

實力評量

是非題

( ) 1. 若要選取不連續範圍的儲存格，可按下「Ctrl」鍵再以滑鼠點選欲選取的儲存格即可。

( ) 2. 凍結窗格功能會作用在儲存格的上方列與左方欄。

( ) 3. 使用 NOW() 函數時，如果儲存格格式為「通用」，則結果的格式會是日期格式。

選擇題

( ) 1. 定義範圍名稱的方法為？
(A)「插入／圖片」指令 (B)「公式／定義名稱」指令
(C)「公式／用於公式」指令 (D) 以上皆是

( ) 2. 於儲存格內輸入下列哪一函數即可馬上出現今日的日期？
(A)NOW() (B)TODAY() (C) 以上皆可 (D) 以上皆否

( ) 3. 下列關於 AND() 函數的敘述何者有誤？
(A) 為檢視與參照類別函數
(B) 當所有引數皆為 TRUE 時才傳回 TRUE
(C) 其引數為 (Logical1,Logical2…)
(D) 引數 logical 是指要測試的條件

( ) 4. 下列何者為作用儲存格為 NOW() 函數且儲存格類別為通用格式時的型態？
(A)38027.46205 (B)3.80E+04 (C)2004/2/10 (D) 上午 11:05:22

實作題

1. 請開啟範例檔「票據管理-10.xlsx」，替愛德生物科技製作如下票據票齡分析表：

愛達生物科技股份有限公司

應收票據票齡分析統計表

日期 2015年10月12日

客戶名稱	票據資訊				應收票據票齡分析				其它
客戶名稱	票據號碼	票據金額	收票日	到期日	0~15天	16~30天	31~60天	60天以上	票據狀況
世界第一蘭花店	13429201	$ 3,000	2015/11/19	2015/10/19	$ 3,000				未兌現
喬治藥行	SA89045632	$ 9,000	2015/12/02	2015/10/20	$ 9,000				未兌現
達樂蘭花行	OC91232846	$ 2,000	2015/12/07	2015/10/28		$ 2,000			未兌現
萊德生物科技有限公司	OS23143789	$ 3,000	2015/12/14	2015/11/22			$ 3,000		未兌現
世界第一蘭花店	FK12480325	$ 6,000	2015/12/23	2015/11/23			$ 6,000		未兌現
曾強科技股份有限公司	RO11223378	$ 10,000	2016/01/07	2016/04/09				$ 10,000	未兌現
達樂蘭花行	DJ33675421	$ 2,000	2016/01/07	2016/03/09				$ 2,000	未兌現
美優生物公司	RH63452109	$ 800	2016/01/12	2016/02/11				$ 800	未兌現
曾強科技股份有限公司	ML76768800	$ 3,999	2016/01/12	2016/04/14				$ 3,999	未兌現
萊德生物科技有限公司	MV34562198	$ 2,000	2016/01/13	2016/04/15				$ 2,000	未兌現
世界第一蘭花店	DB65647820	$ 6,543	2016/01/17	2016/03/20				$ 6,543	未兌現
美優生物公司	XA90994451	$ 2,789	2016/01/22	2016/02/22				$ 2,789	未兌現
曾強科技股份有限公司	JR21456231	$ 3,200	2016/01/30	2016/05/02				$ 3,200	未兌現
喬治藥行	UV98502348	$ 1,533	2016/02/06	2016/05/09				$ 1,533	未兌現

2. 延續上例，請製作一樞紐分析表，並找出所有未兌現票據的資料。

票據狀況	未兌現
列標籤	**加總 - 票據金額**
⊟世界第一蘭花店	**15543**
DB65647820	6543
FK12480325	6000
QH13429201	3000
⊟美優生物公司	**3589**
RH63452109	800
XA90994451	2789
⊟喬治藥行	**10533**
SA89045632	9000
UV98502348	1533
⊟曾強科技股份有限公司	**17199**
JR21456231	3200
ML76768800	3999
RO11223378	10000
⊟萊德生物科技有限公司	**5000**
MV34562198	2000
OS23143789	3000
⊟達樂蘭花行	**4000**
DJ33675421	2000
OC91232846	2000
總計	**55864**

筆記欄

CHAPTER

10 製作財務損益表

學習重點

- 表單查詢及新增
- VLOOKUP 函數的應用
- IF 函數的應用
- 資料排序
- 建立樞紐分析表
- 複製工作表
- 「尋找」及「取代」

本章簡介

市面上有許多商業會計套裝軟體，因爲強調普及化及平價化，功能無法適用每一種企業。請電腦公司設計完全適合企業本身的會計軟體，動輒幾十萬的費用，一般中小企業主也不願意負擔。在第十章及第十一章，將會教導各位讀者如何利用 EXCEL 設計一套會計軟體，讓各位在不景氣的環境中替老闆省一筆費用，也替自己創造免於被裁撤的工作價値。本章就以編製損益表作爲目標，介紹整個會計帳務流程。

Excel 2016

範例成果

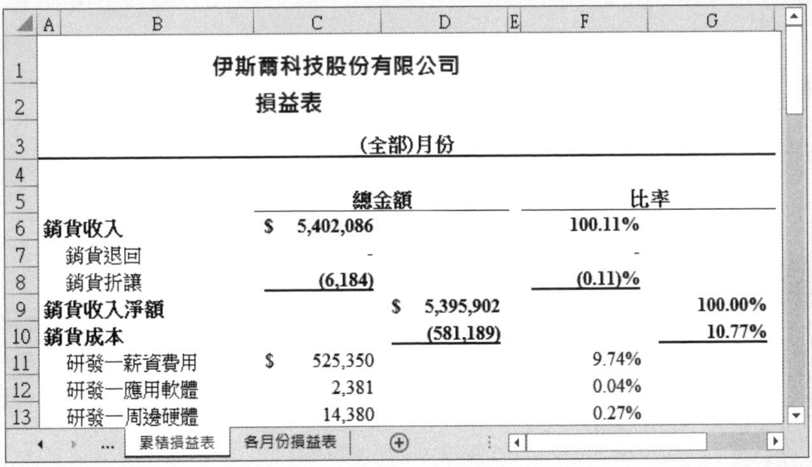

	A	B	C	D	E	F	G
1		伊斯爾科技股份有限公司					
2		損益表					
3		(全部)月份					
4							
5			總金額			比率	
6		**銷貨收入**	**$ 5,402,086**			**100.11%**	
7		銷貨退回	-			-	
8		銷貨折讓	**(6,184)**			**(0.11)%**	
9		**銷貨收入淨額**		**$ 5,395,902**			**100.00%**
10		**銷貨成本**		**(581,189)**			**10.77%**
11		研發一薪資費用	$ 525,350			9.74%	
12		研發一應用軟體	2,381			0.04%	
13		研發一周邊硬體	14,380			0.27%	

累積損益表　各月份損益表

10-1 日常帳務處理

帳務處理是最煩人、最瑣碎的例行公事，也是財務會計最重要的基礎 。人工記帳時代，會計人員每天都必須花很多的時間切傳票、過帳。善用 EXCEL 的強大功能，套句某新聞台的廣告詞，「給我一小時，我給你每天一小時的摸魚時間」。

10-1-1 會計科目新增與刪除

會計科目代碼的設定，可以節省交易紀錄登錄的時間。範例中預設了常用的會計科目代碼，讀者可以不必辛苦的建立。本小節會告訴各位如何使用表單工具新增及刪除會計科目代碼。請讀者開啓範例檔「財務損益表-01.xlsx」。

新增科目

Step 1

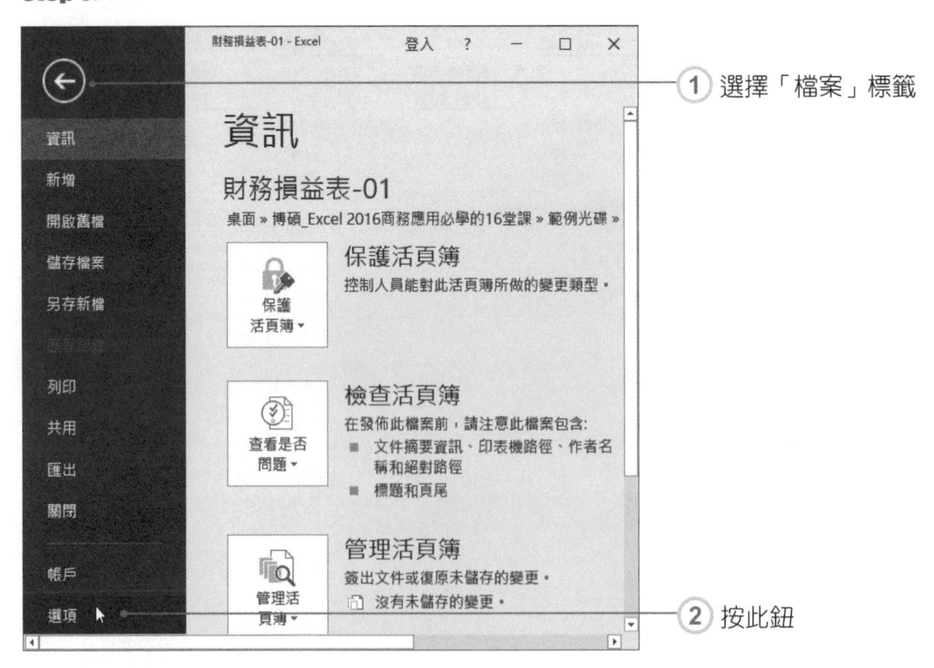

Step 2

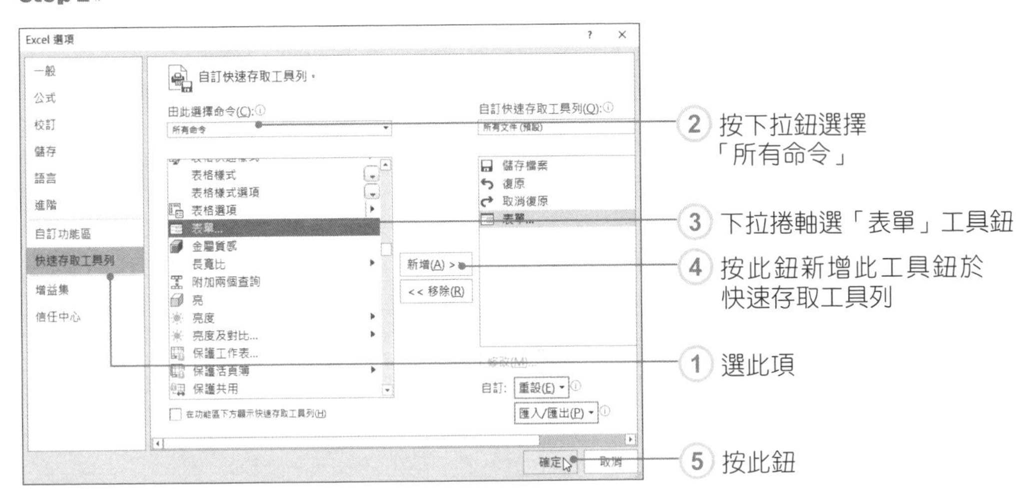

Step 3

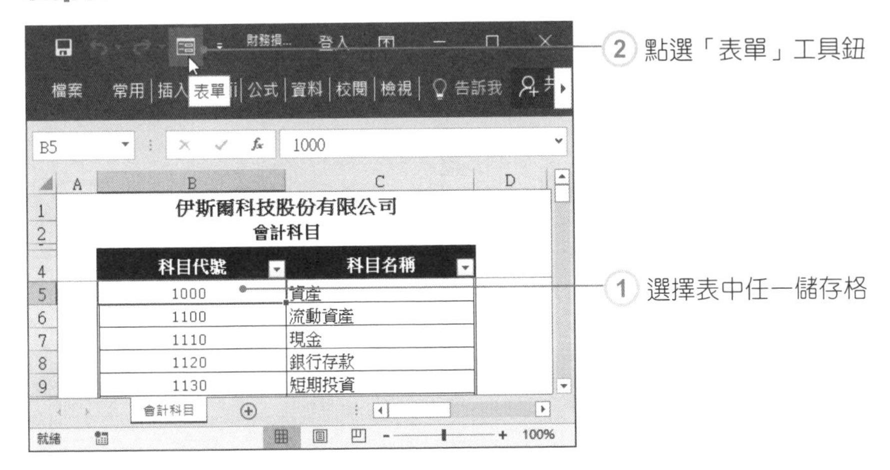

Step 4

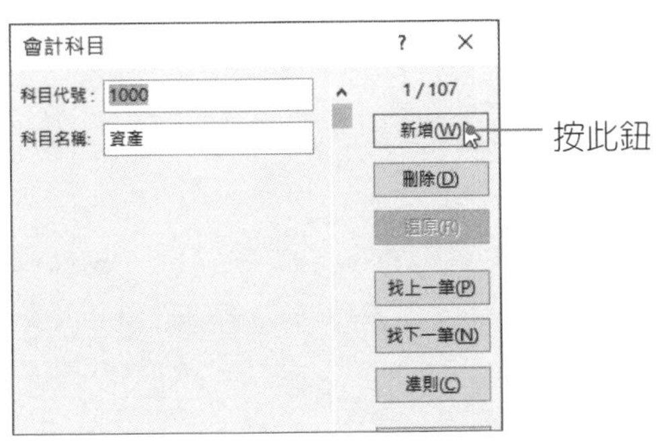

Step 5

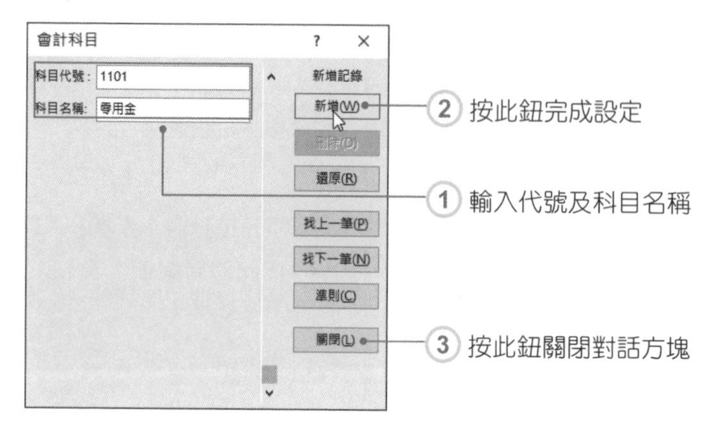

Step 6

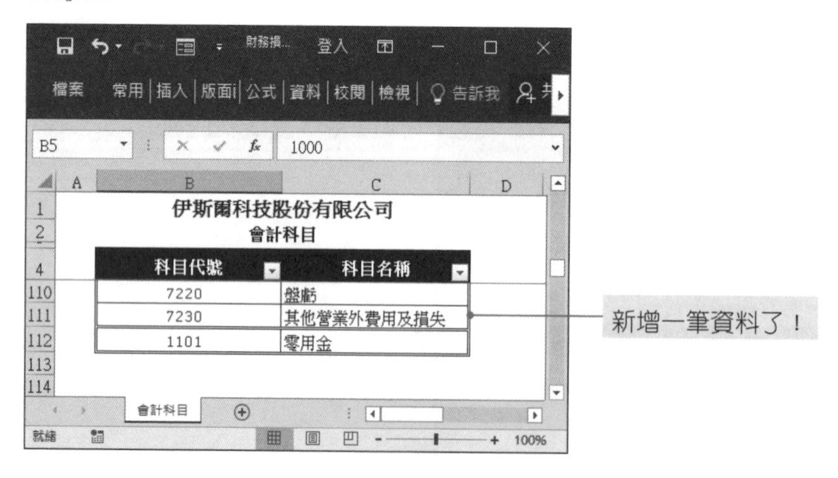

刪除查詢科目

表單工具不但能新增資料，還可以作爲查詢快速資料的工具，並可進行刪除資料的工作。

Step 1

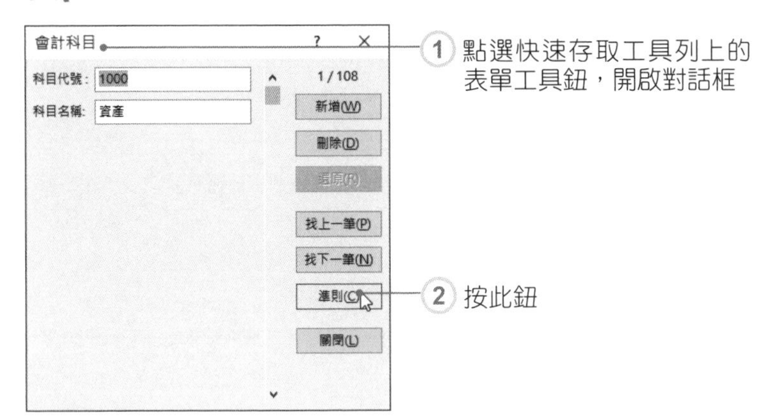

Step 2

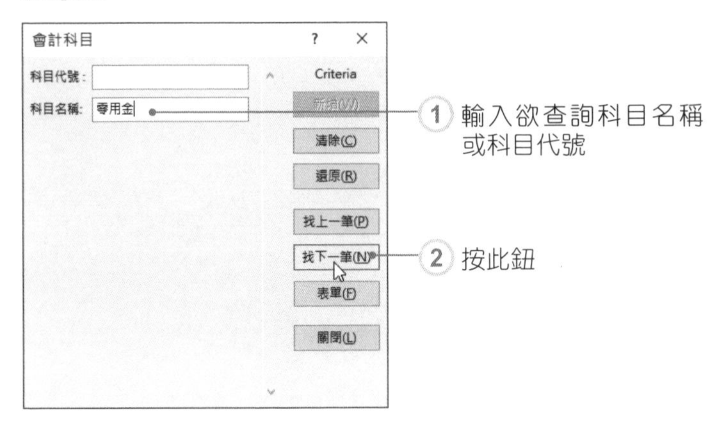

Step 3

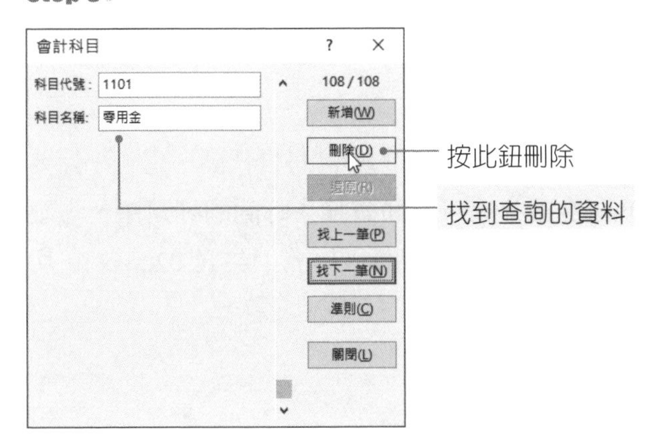

Step 4

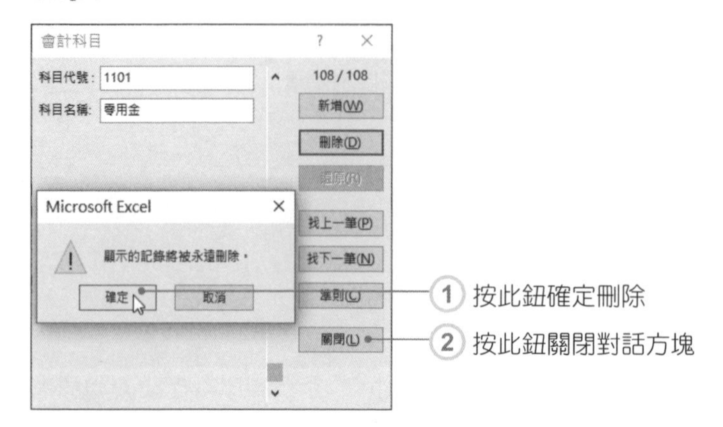

Step 5

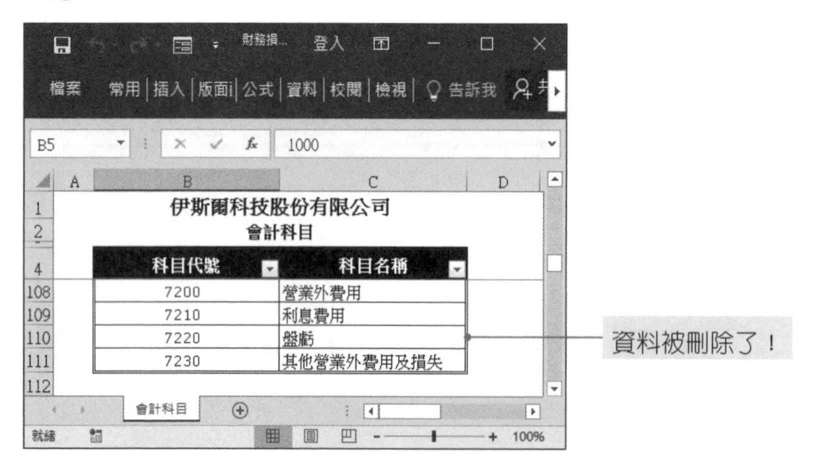

10-1-2 日記帳格式設定

開始要進入交易紀錄登錄的工作，上節設定好的會計科目代碼，這一小節要上場表現了。還記得 VLOOKUP 函數嗎？它可是節省輸入時間的好幫手，怎麼能放過它呢？當然要善加利用囉！請讀者開啓範例檔「財務損益表-02.xlsx」，切換到「日記簿」工作表。

自動顯示會計科目

Step 1

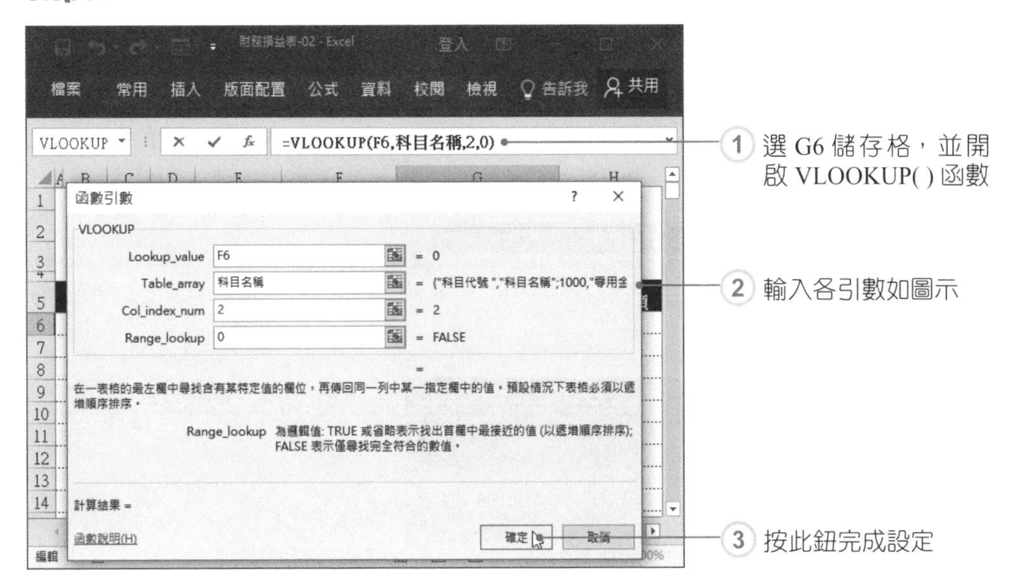

Tips 本範例已定義範圍名稱「科目名稱」為「會計科目！ $B$4：$C$120」。

Step 2

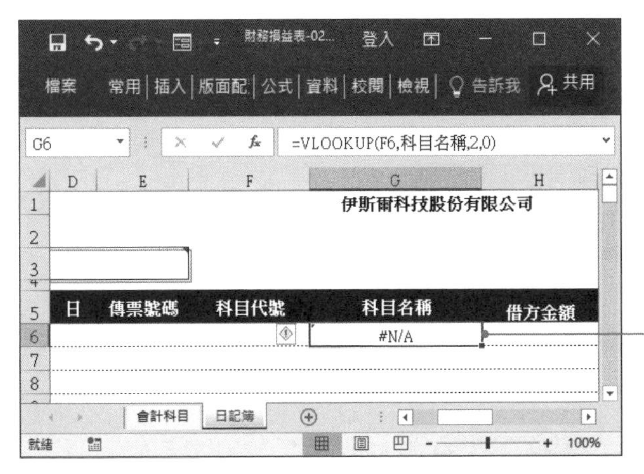

Step 3

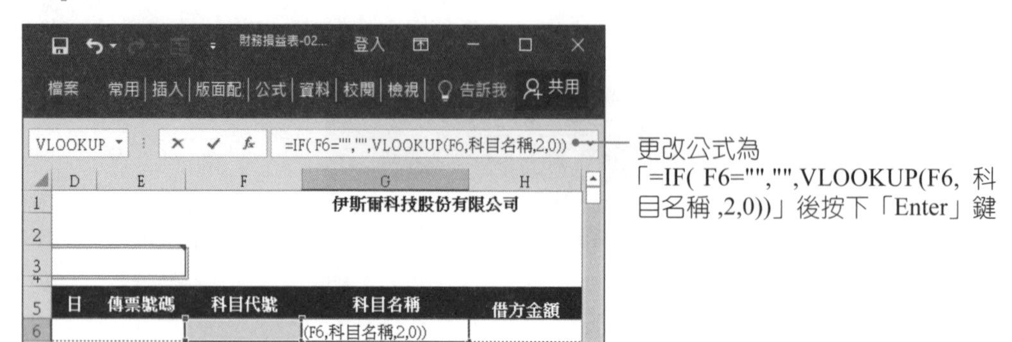

Step 4

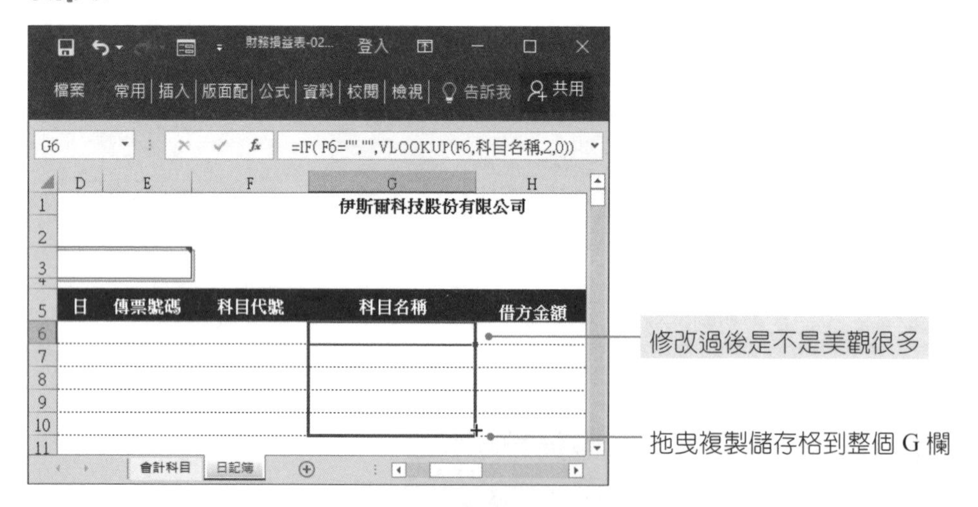

Step 5

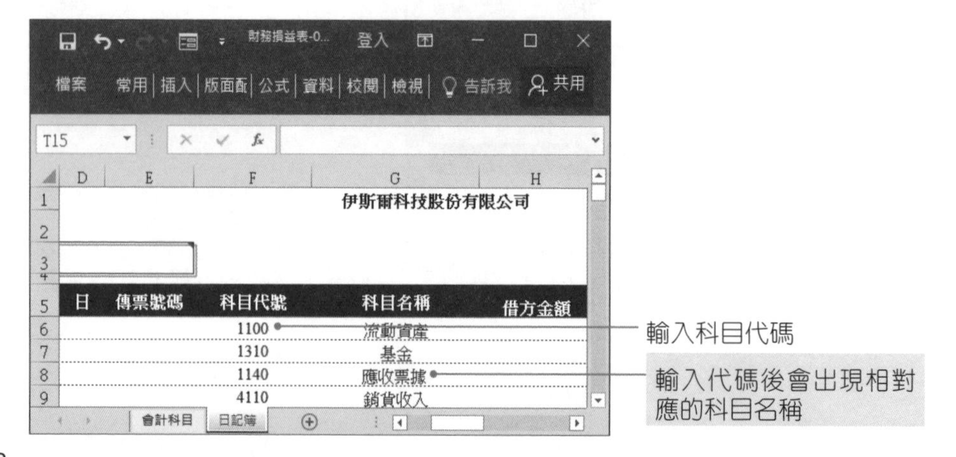

借貸不平衡自動提示

利用 IF() 函數，當借方總金額不等於貸方總金額的時候，就會自動出現借貸不平衡的提示，這樣每輸入一筆交易紀錄，就可以馬上知道借貸是否平衡？避免資料量很大的時候才發現，浪費寶貴的青春在抓帳，真是欲哭無淚、生不如死啊！接續上一個範例檔。

範例 自動提示異常

Step 1

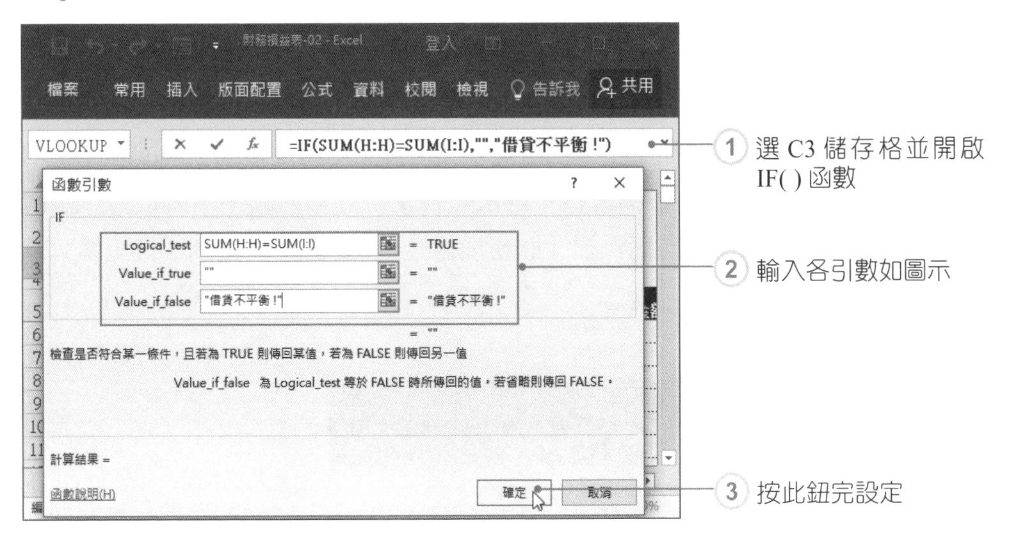

Step 2

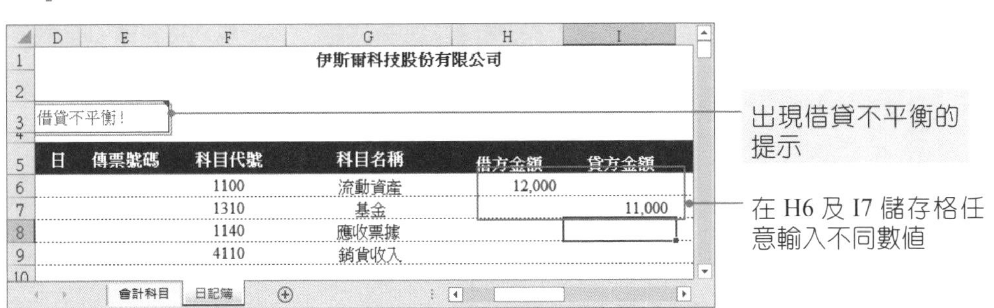

Step 3

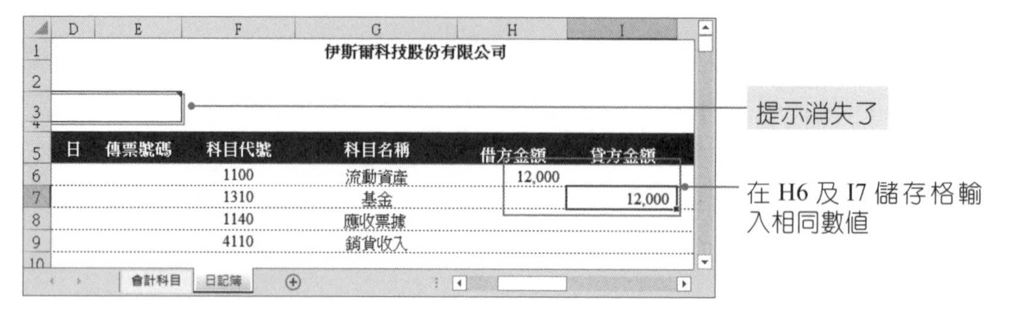

10-1-3 日記帳的雙重性格

各位相信嗎？日記帳具有雙重性格，它的另一面就是明細分類帳。不相信？其實只是排序的方式不同罷了！日記帳是以交易發生的日期作為登錄的順序，而明細分類帳是依照會計科目為前提，再依照日期為登錄的順序，所以，一帳兩用、省時省力。請讀者開啓範例檔「財務損益表-03.xlsx」，切換到「日記簿」工作表。

Step 1

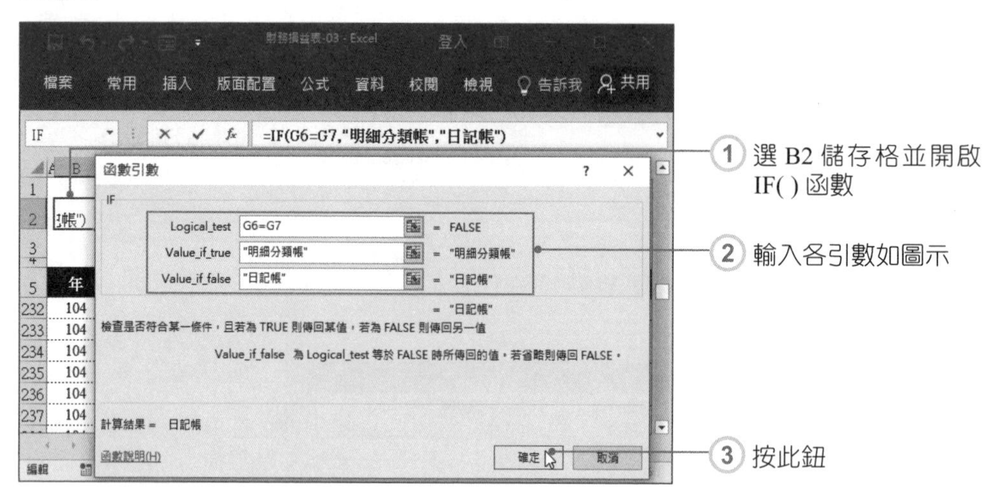

Step 2

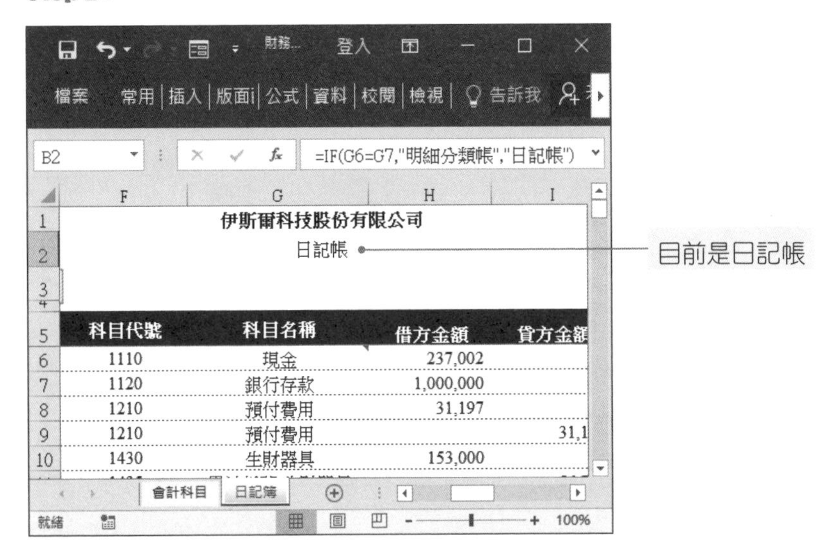
=IF(G6=G7,"明細分類帳","日記帳")
伊斯爾科技股份有限公司
日記帳
目前是日記帳
科目代號
科目名稱
借方金額
貸方金額
1110
現金
237,002
1120
銀行存款
1,000,000
1210
預付費用
31,197
1430
生財器具
153,000
會計科目
日記簿

Step 3

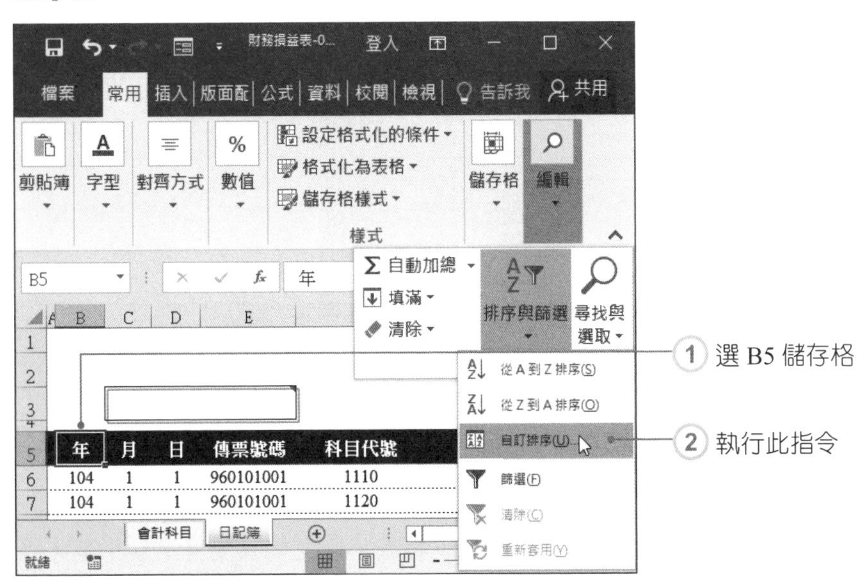
設定格式化的條件
格式化為表格
儲存格樣式
排序與篩選
從 A 到 Z 排序(S)
從 Z 到 A 排序(O)
自訂排序(U)...
篩選(F)
① 選 B5 儲存格
② 執行此指令
年
月
日
傳票號碼
科目代號
104
960101001
1110
1120

Step 4

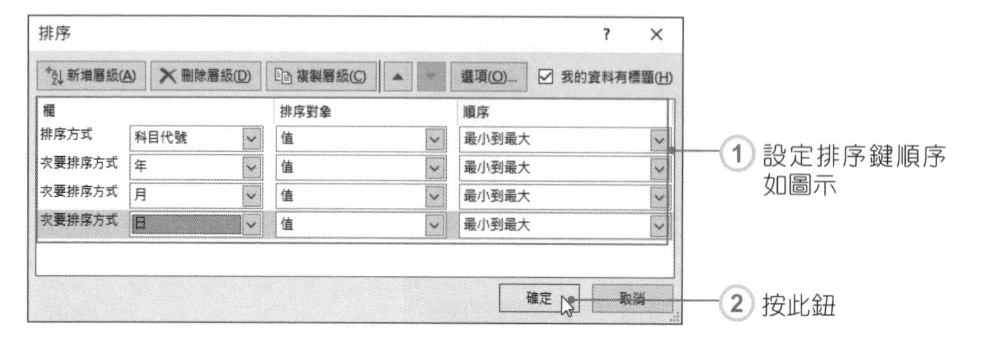

Step 5

10-2 準備事前工作報表

人工編製損益表之前，通常都換先編製試算表，確認借貸雙方是否平衡，電腦化作業這個步驟也馬虎不得，所以還是按部就班的準備事前的工作報表。

10-2-1 累計月份試算表

累計月份試算表是編製損益表和資產負債表非常重要的依據，如果試算表出了差錯，後續的報表肯定編製不出來。所以，一定要有紮實的地基，才能建蓋穩固的大樓。請讀者開啓範例檔「財務損益表-04.xlsx」，切換到「日記簿」工作表。

Tips 本小節準備將會計資料以樞紐分析方式呈現，但 Excel 除了可以點選「插入 / 樞紐分析表」工具鈕的方式建立外，亦可以使用「樞紐分析表和樞紐分析圖精靈」方式逐步建立。不過上述精靈在預設情形下是隱藏的，現在請將「樞紐分析表和樞紐分析圖精靈」工具鈕加入到快速存取工具列上。

建立樞紐分析表

範例 累計月份試算表 (1)

Step 1

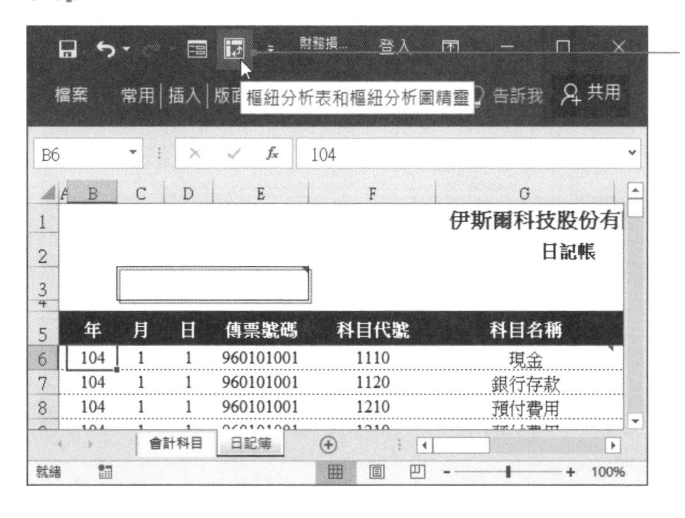

Step 2

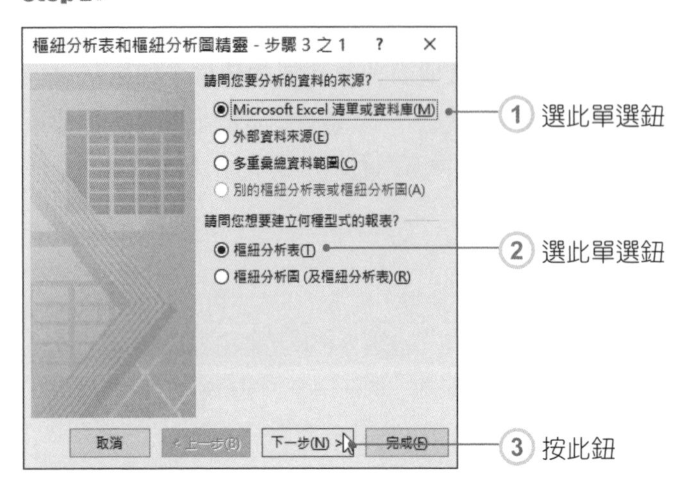

Step 3

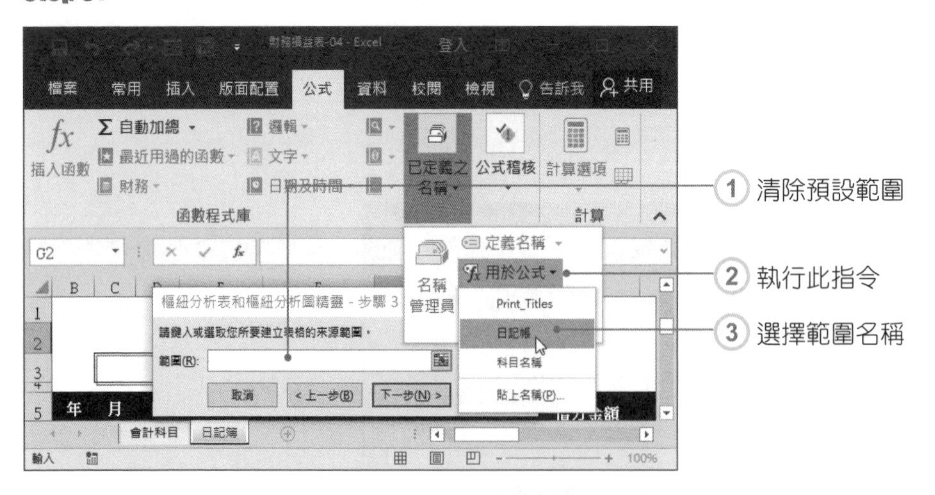

Tips 本範例已定義範圍名稱「日記帳」為「日記帳！ $B$5：$J$5000。

Step 4

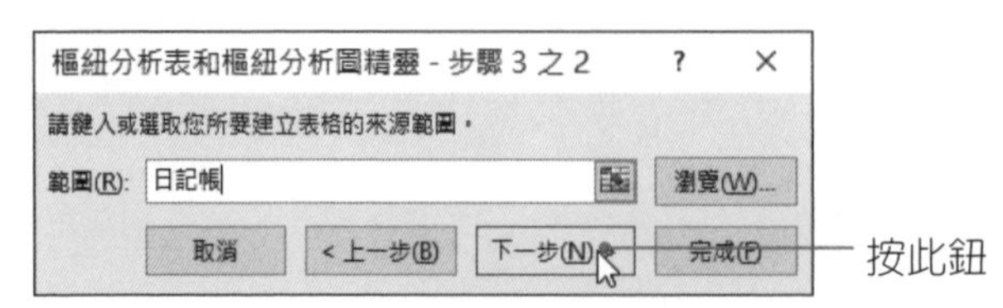

Step 5

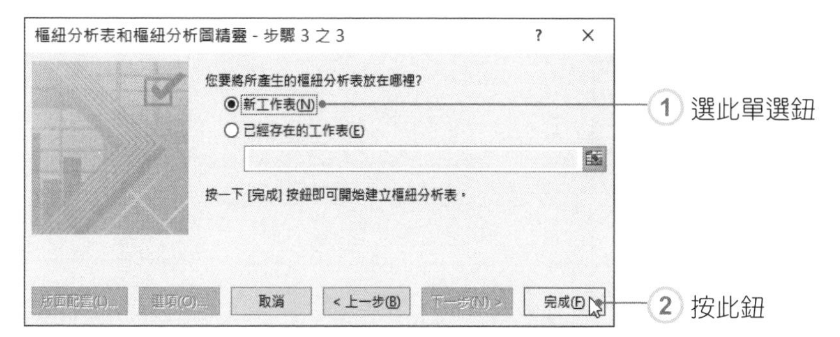
樞紐分析表和樞紐分析圖精靈 - 步驟 3 之 3
您要將所產生的樞紐分析表放在哪裡?
新工作表(N)
已經存在的工作表(E)
按一下 [完成] 按鈕即可開始建立樞紐分析表。
取消
< 上一步(B)
完成(F)
1 選此單選鈕
2 按此鈕

Step 6

樞紐分析表欄位
選擇要新增到報表的欄位:
搜尋
月
日
傳票號碼
科目代號
科目名稱
借方金額
貸方金額
在以下區域之間拖曳欄位:
篩選
欄
月
Σ 值
列
Σ 值
科目代號
科目名稱
延遲版面配置更新
更新
依序將各欄位名稱拖曳到如圖示欄位內

Step 7

樞紐分析表欄位
選擇要新增到報表的欄位:
搜尋
月
日
傳票號碼
科目代號
科目名稱
借方金額
貸方金額
上移(U)
下移(D)
移動到開頭(G)
移動到最後(E)
移到報表篩選
移到列標籤
移到欄標籤
移到值
移除欄位
值欄位設定(N)...
在以下區域之間拖曳欄位:
篩選
月
列
科目代號
科目名稱
計數 - 借方金額
計數 - 貸方金額
延遲版面配置更新
更新
2 執行此指令
1 點選此鈕

Step 8

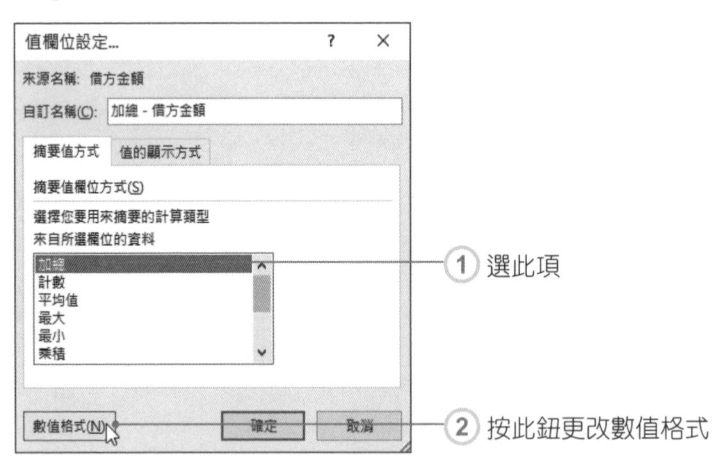
值欄位設定...
來源名稱: 借方金額
自訂名稱(C): 加總 - 借方金額
摘要值方式
值的顯示方式
摘要值欄位方式(S)
選擇您要用來摘要的計算類型
來自所選欄位的資料
加總
計數
平均值
最大
最小
乘積
數值格式(N)
確定
取消
1 選此項
2 按此鈕更改數值格式

Step 9

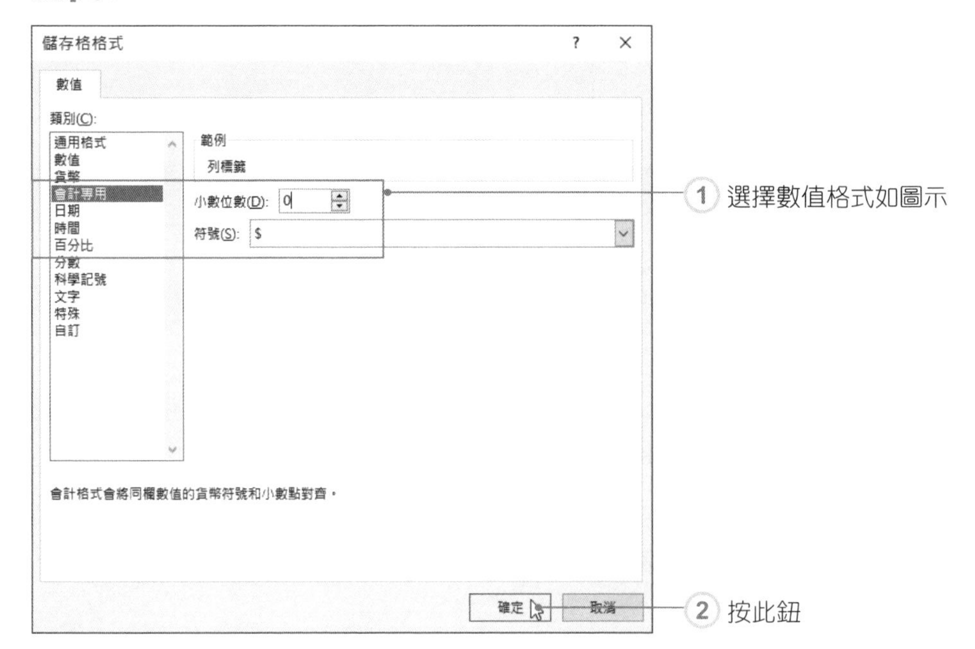

Step 10

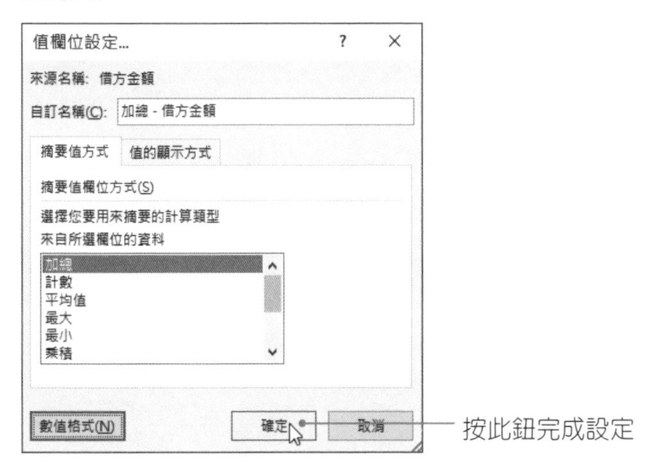

Step 11

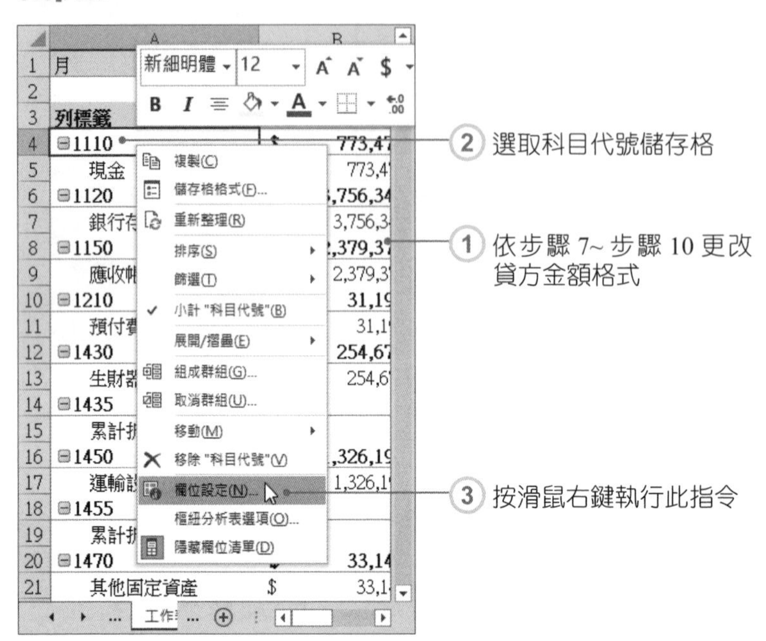

Step 12

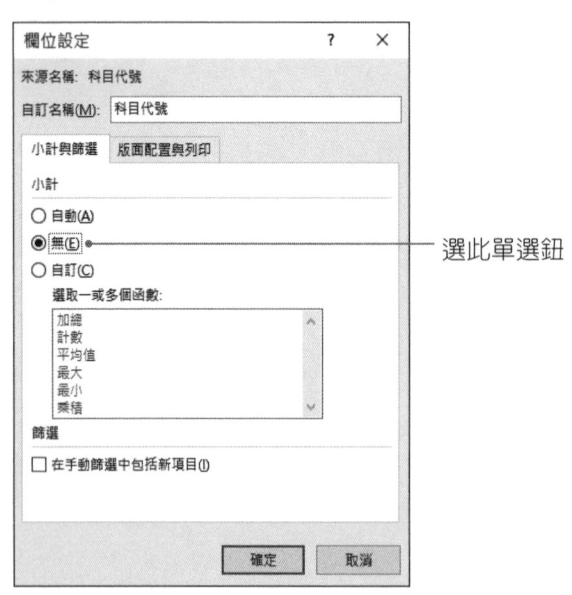

Step 13

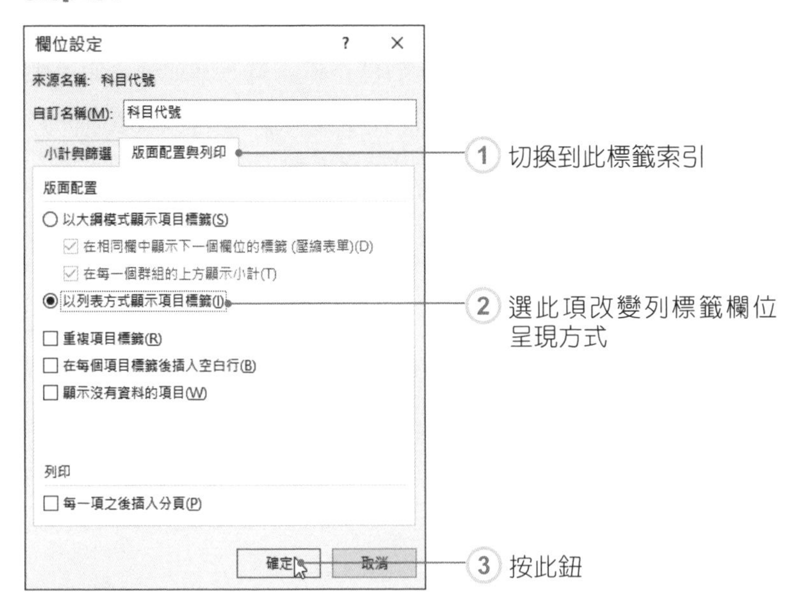

Step 14

	A	B	C	D
1	月	(全部)		
2				
3	列標籤	科目名稱	加總 - 借方金額	加總 - 貸方金額
4	1110	現金	$ 773,476	$ 950,246
5	1120	銀行存款	$ 3,756,342	$ 1,644,848
6	1150	應收帳款	$ 2,379,374	
7	1210	預付費用	$ 31,197	$ 31,197
8	1430	生財器具	$ 254,676	
9	1435	累計折舊-生財器具		$ 56,778
10	1450	運輸設備	$ 1,326,190	
11	1455	累計折舊-運輸設備		$ 353,202
12	1470	其他固定資產	$ 33,143	
13	1560	開辦費	$ 1,350	
14	1610	存出保証金	$ 2,900	
15	1670	暫付款	$ 65,652	$ 65,652
16	1680	進項稅額	$ 24,861	$ 6,096

更改樞紐分析表

試算表中顯示的數值，並非上一小節所示為各科目借、貸方的加總金額，應是各科目借、貸方的差額。因此必須做修正才可以稱作累計試算表。請讀者開啓範例檔「財務損益表-05.xlsx」，切換到「累計月份試算表」工作表。

範例 累計月份試算表 (2)

Step 1

Step 2

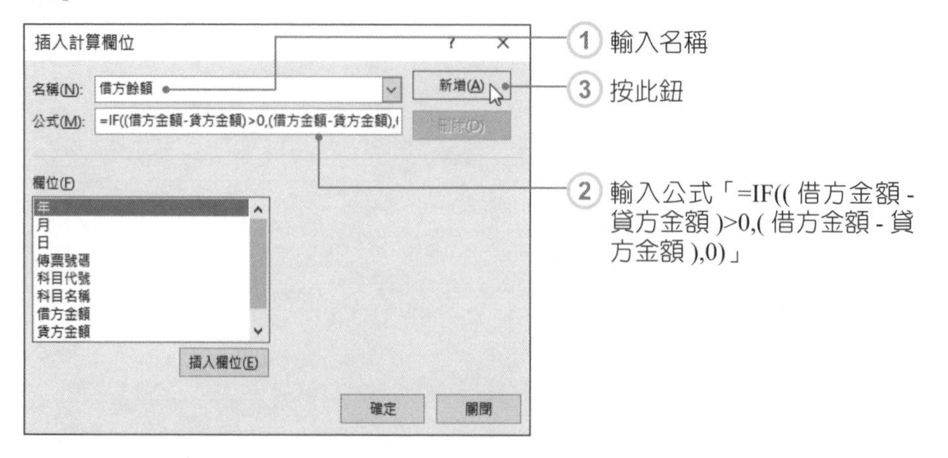

Step 3

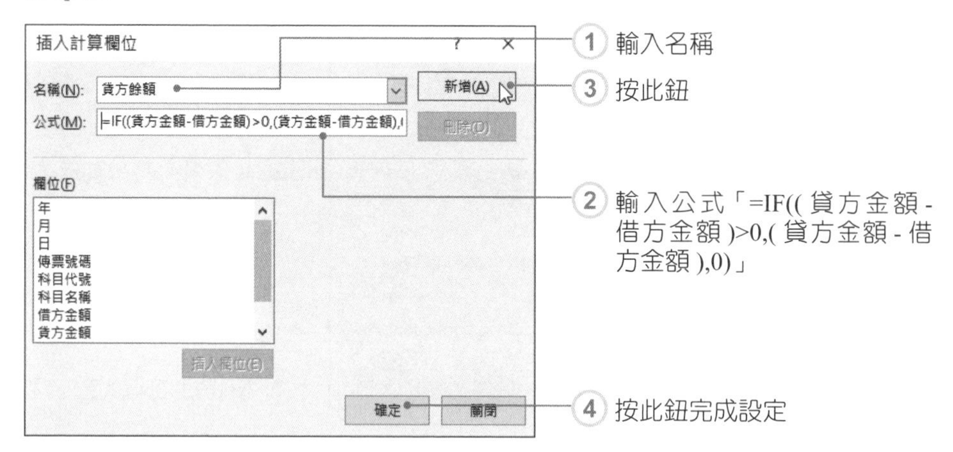

插入計算欄位
名稱(N): 貸方餘額
公式(M): =IF((貸方金額-借方金額)>0,(貸方金額-借方金額),(
新增(A)
刪除(D)
欄位(F)
年
月
日
傳票號碼
科目代號
科目名稱
借方金額
貸方金額
插入欄位(E)
確定
關閉
1 輸入名稱
3 按此鈕
2 輸入公式「=IF((貸方金額 - 借方金額)>0,(貸方金額 - 借方金額),0)」
4 按此鈕完成設定

Step 4

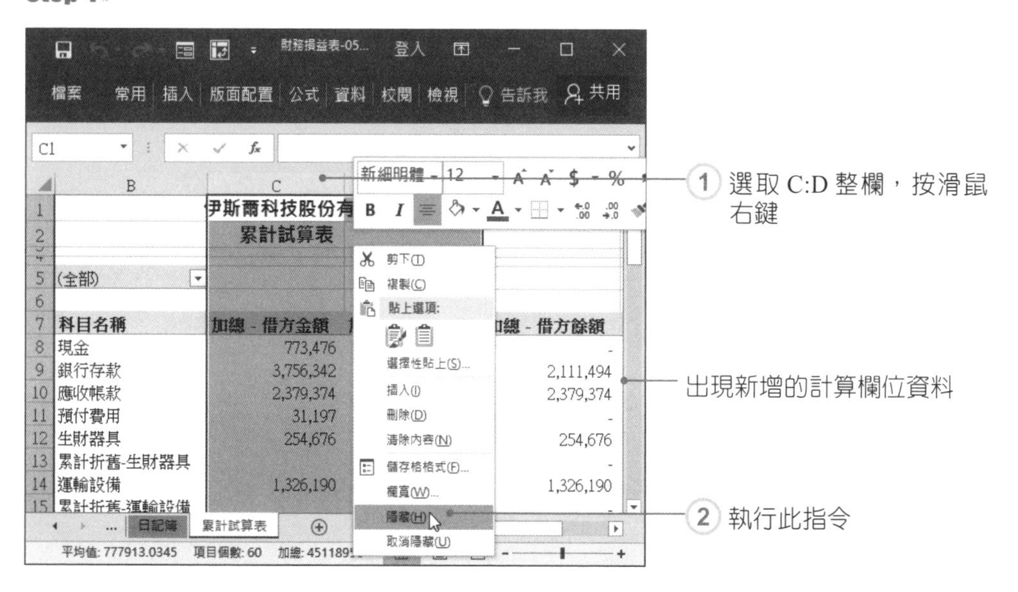

財務損益表-05...
登入
檔案
常用
插入
版面配置
公式
資料
校閱
檢視
告訴我
共用
C1
伊斯爾科技股份有
累計試算表
(全部)
科目名稱
加總 - 借方金額
加總 - 借方餘額
現金
773,476
銀行存款
3,756,342
2,111,494
應收帳款
2,379,374
2,379,374
預付費用
31,197
生財器具
254,676
254,676
累計折舊-生財器具
運輸設備
1,326,190
1,326,190
累計折舊-運輸設備
剪下(T)
複製(C)
貼上選項:
選擇性貼上(S)...
插入(I)
刪除(D)
清除內容(N)
儲存格格式(F)...
欄寬(W)...
隱藏(H)
取消隱藏(U)
日記簿
累計試算表
平均值: 777913.0345
項目個數: 60
1 選取 C:D 整欄，按滑鼠右鍵
出現新增的計算欄位資料
2 執行此指令

Step 5

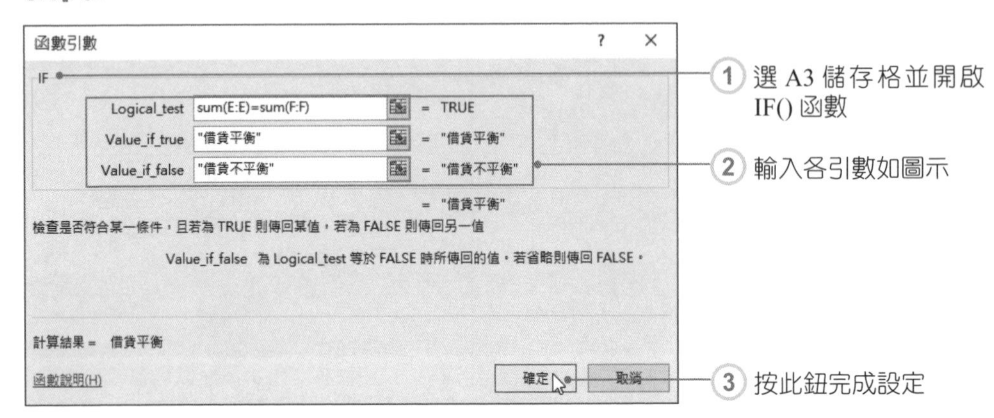

Step 6

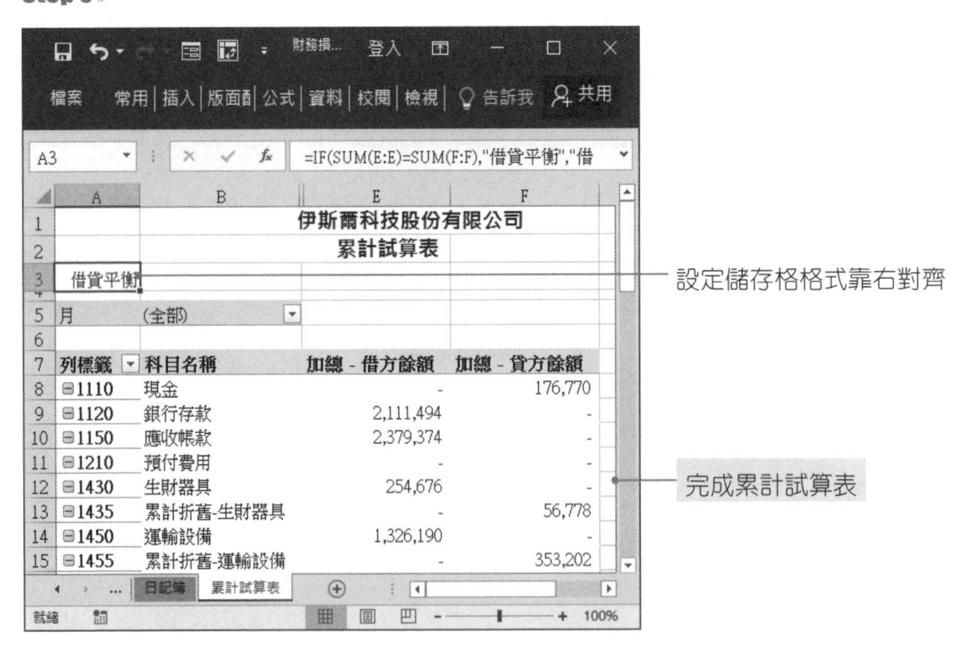

接下來美化工作表的重責大任，就請讀者們發揮美術天份，用之前學過的技巧，創作出屬於自己的工作報表吧！

10-2-2 各月份試算表

各月份試算表並無實際上的效益，為什麼還要編製呢？是為了各月份的損益表而準備。接著只需要再幾個步驟，修改累計試算表，就可以輕輕鬆鬆完成各月份的試算表了。請讀者開啓範例檔「財務損益表-06.xlsx」，切換到「累計月份試算表」工作表。

範例 各月份試算表

Step 1

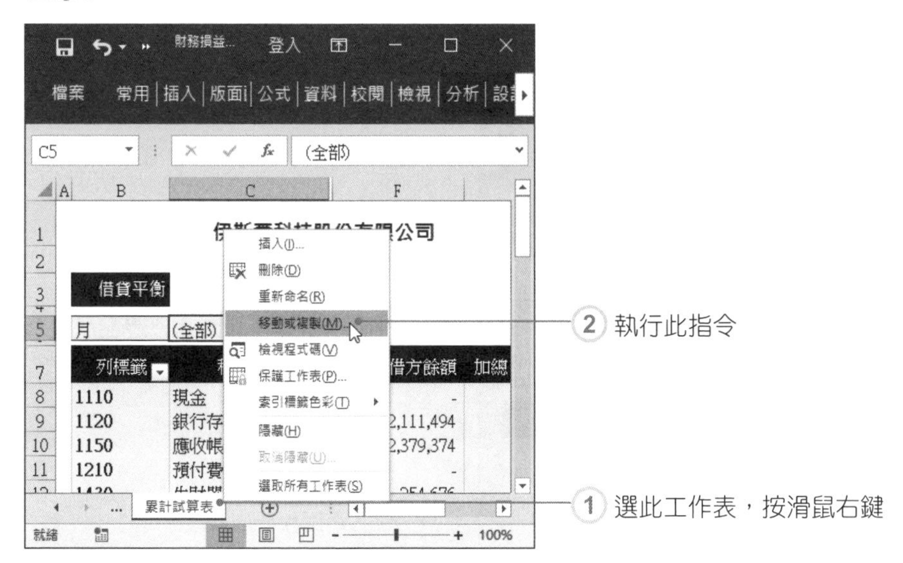

Step 2

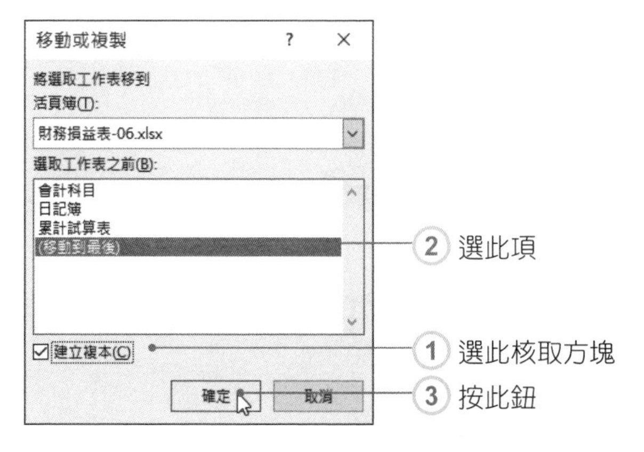

Step 3

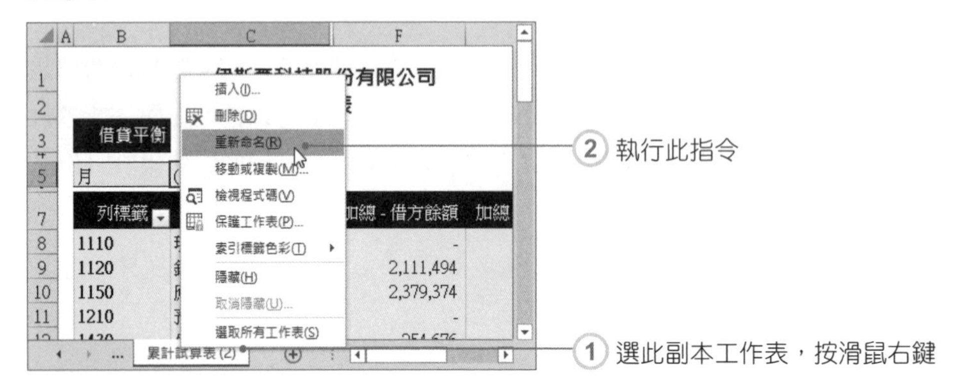

Step 4

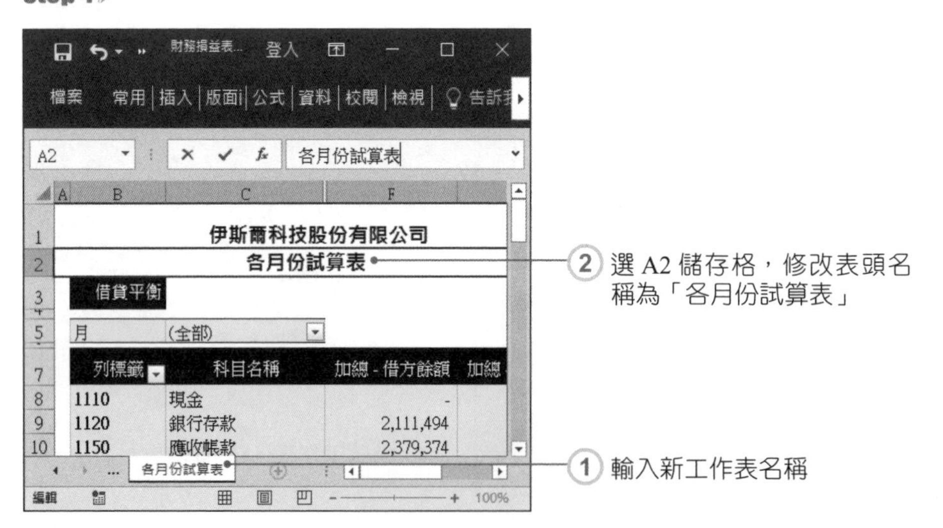

Step 5

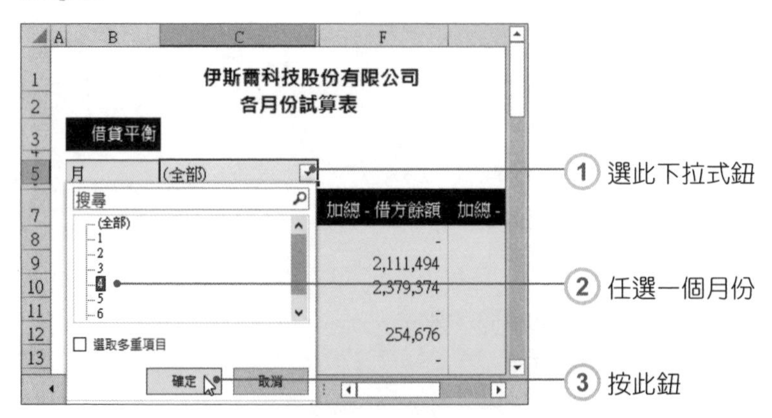

① 選此下拉式鈕

② 任選一個月份

③ 按此鈕

Step 6

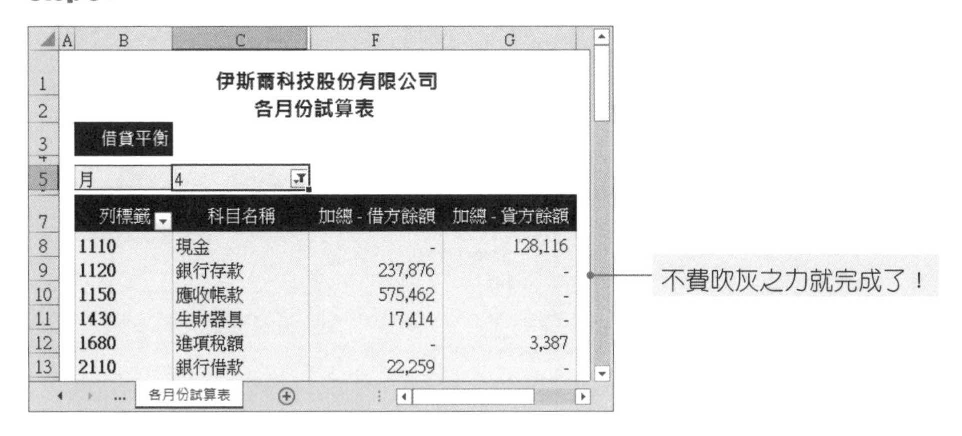

10-3 損益表的編製

經過了事前那麼多的準備工作，終於要進入我們這一章的主題「編製損益表」。損益表記載收入與費用的關係，也就是常說的「虛帳戶」。費用類科目的正常餘額在借方，收入類科目的正常餘額應該在貸方，兩者的差異就是本期損益，在正式編製報表之前，一定要記清楚兩者間的意義，以免誤用函數公式，編製錯誤的損益報表。

10-3-1 ISNA() 函數說明

首先，讀者必須充分瞭解函數的定義及基本的使用方法，才能正確地將函數運用在編製損益表或實際應用在其他的地方。

❖ ISNA() 函數

語法：ISNA(Value)

說明：參照欄位如果是錯誤值「#N/A」（無法使用的數值）時，則傳回 TRUE 值；如果為其他數字或符號則傳回 FALSE 值。這類函數統稱為「IS 函數」，它們會檢查數值的類型，並且根據結果傳回 TRUE 或 FALSE。

例：如下圖範圍

⊙ ISNA(A3) 所傳回的值是 FALSE

⊙ ISNA(A6) 所傳回的值是 TRUE

	A
1	資料
2	金色
3	原色
4	#REF!
5	330.92
6	#N/A

10-3-2 編製累計損益表

首先將常用的會計科目，依照損益表的格式先輸入到儲存格內，數值再運用函數公式去參照累計試算表的餘額，每當累計試算表的資料更新後，損益表的金額也會隨之更新，很方便不是嗎？收入類的正常餘額是在貸方，而費用類的正常餘額在借方，因此，函數公式使用順序上也有不同，請讀者要特別注意。

適用科目	公式內容
費用類	=IF(ISNA(VLOOKUP(B8, 累計試算表 ,4,FALSE)),0,IF(VLOOKUP(B8, 累計試算 ,4,FALSE)<>0,VLOOKUP(B8, 累計試算 ,4,FALSE),-VLOOKUP(B8, 累計試算表 ,5,FALSE)))
收入類	=IF(ISNA(VLOOKUP(A6, 累計試算表 ,4,FALSE)),0,IF(VLOOKUP(A6, 累計試算表 ,4,FALSE)<>0,-VLOOKUP(A6, 累計試算表 ,4,FALSE),VLOOKUP(A6, 累計試算表 ,5,FALSE)))

請讀者開啓範例檔「財務損益表-07.xlsx」，切換到「累計損益表」工作表。跟著範例的步驟，開始損益表的編製吧！

範例 參照累計損益表金額

Step 1

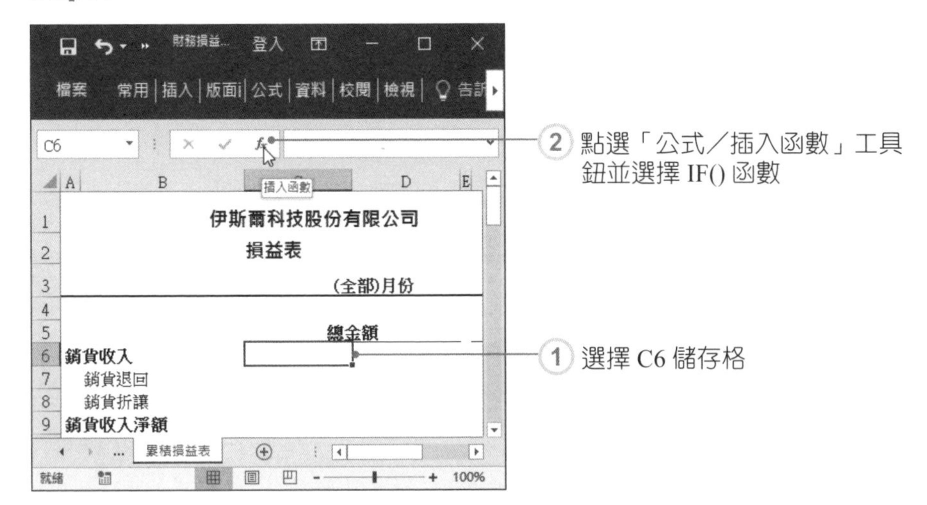

Tips 此範例已預先定義範圍名稱「累計試算表」為「累計試算表！ $C$8:$G$500。」

Step 2

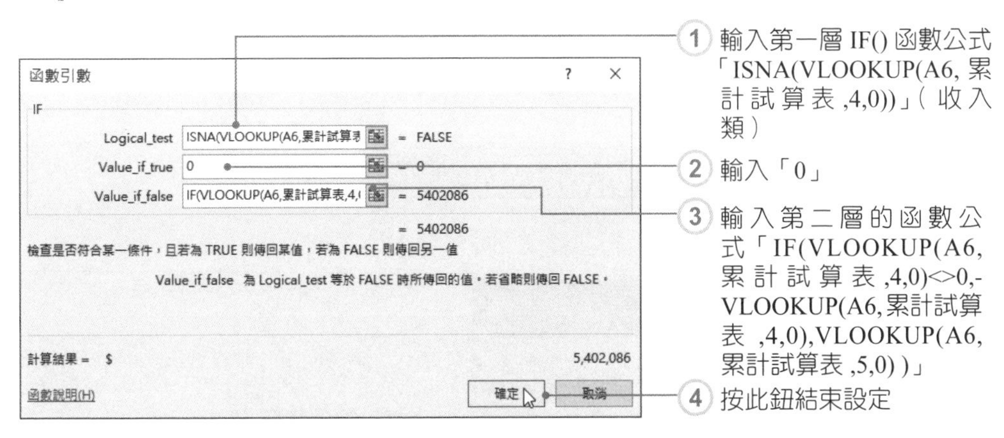

Tips 第一、二層 VLOOKUP() 函數的 Range_lookup 引數可輸入 0 或 FASLE。

Step 3

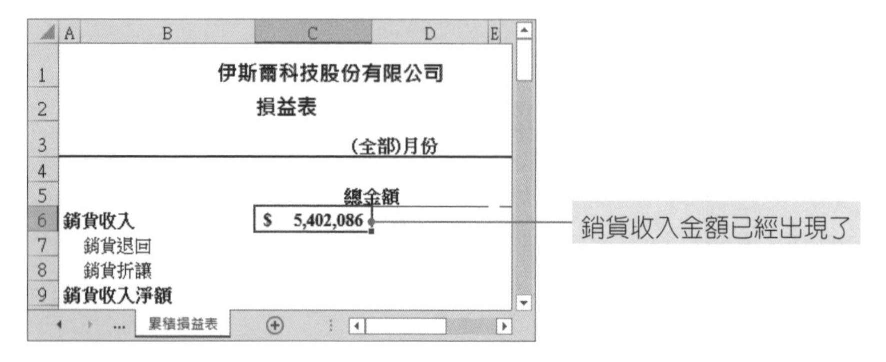

Step 4

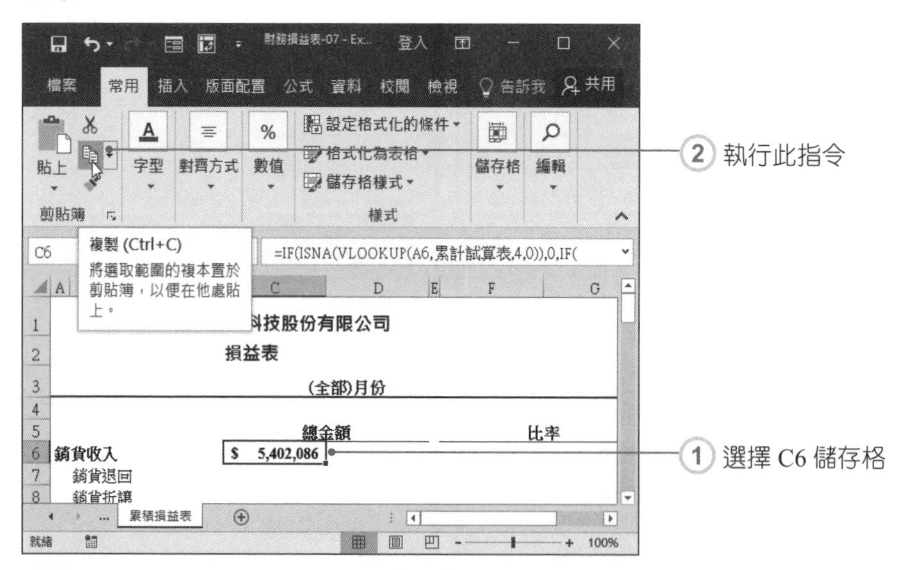

Step 5

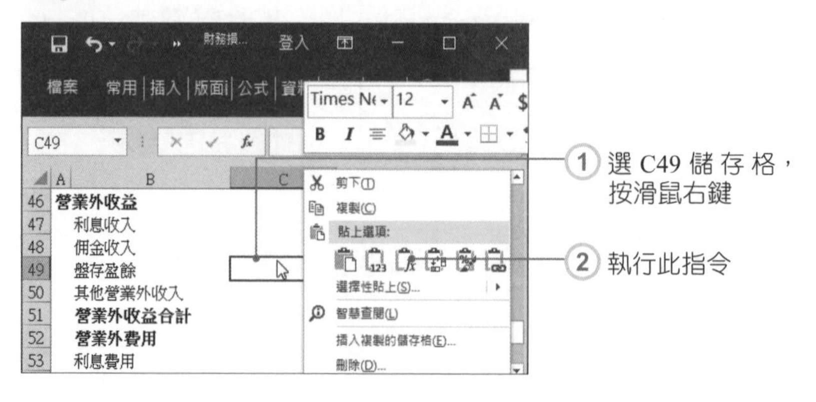

Step 6

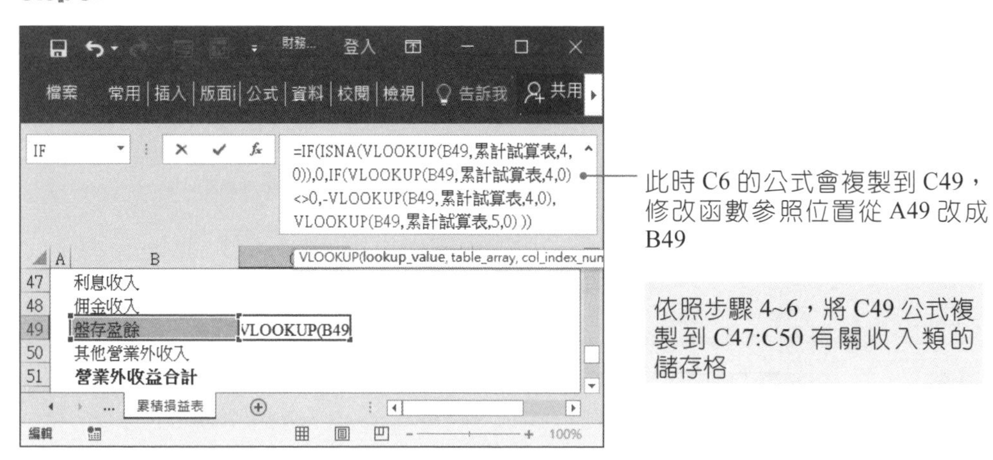

當複製公式的時候，要特別注意函數參照的位置，是否與新的參照位置相同。此例「銷貨收入」這個科目名稱爲顧及美觀，在預設表格中在 A6 輸入，當從 C6 複製公式到 C49 時，Excel 預設值會先參照 A49 這個儲存格，但實際要參照的「盤存盈餘」這個科目名稱卻在 B49，因此，我們需要作適當的修正。接下來請讀者依照步驟 1~8，將有關費用類的科目，以費用類公式輸入。

Tips 屬於損益表加項的科目名稱使用收入類函數公式，屬於損益表減項的科目名稱使用費用類函數公式，別忘了「銷貨折讓」及「銷貨退回」喔！

接下來我們在「銷貨收入淨額」、「銷貨成本」等科目加上簡單的計算式如下表，就完成了累計損益表金額的部分。

科目名稱	輸入欄位	公式
銷貨成本淨額	D9	= C5-C6-C7
銷貨成本	D10	= SUM(C10:C17)
銷貨毛利	D19	= D8-D9
營業費用合計	D44	= SUM(C20:C42)
營業淨利	D45	= D18-D43
營業外收益合計	D51	= SUM(C46:C49)
營業外費用合計	D56	= SUM(C52:C54)

科目名稱	輸入欄位	公式
稅前淨利	D57	＝D44+D50-D55
稅後淨利	D59	＝D56-D57

執行結果如下圖，讀者亦可參考範例檔「財務損益表-08.xlsx」。

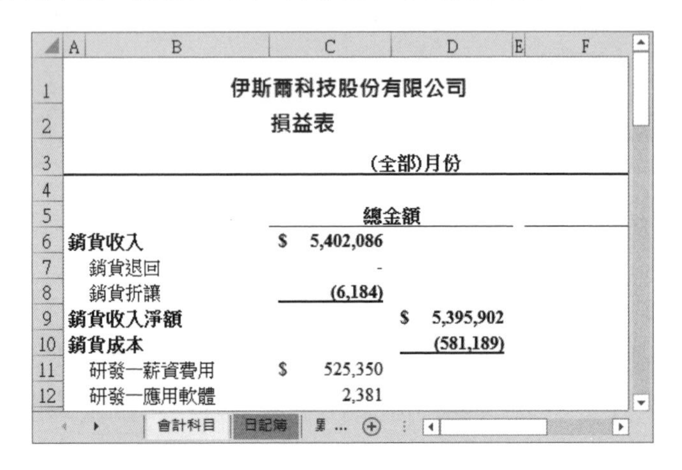

總金額的部分完成後，才能繼續將損益表比率運用公式計算出來。請讀者開啟範例檔「財務損益表-08.xlsx」，切換到「累計損益表」工作表。

範例 計算累計損益表比率

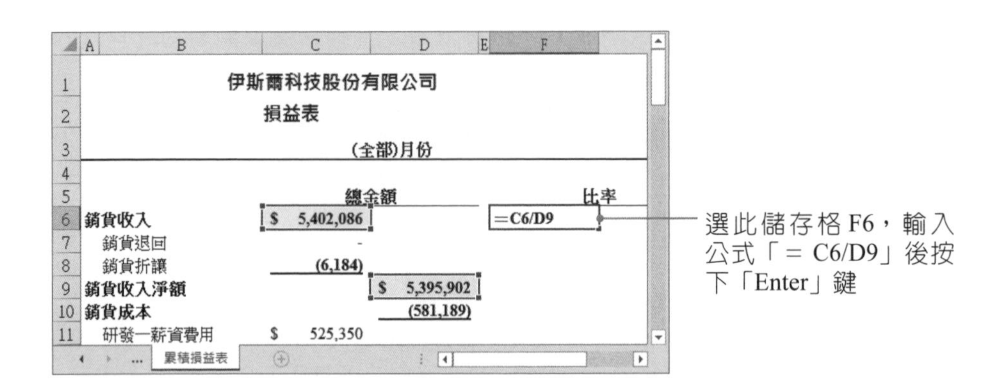

Tips 「銷貨收入比率」=「銷貨收入」除以「銷貨收入淨額」，「銷貨退回比率」=「銷貨退回」除以「銷貨收入淨額」；既然都是除以「銷貨收入淨額」，我們就可以鎖定「D9」這個儲存格位置。當輸入「D9」時，按「F4」鍵一次，「D9」就會變成「$D$9」，這樣一來複製公式就不必擔心儲存格位置變動。

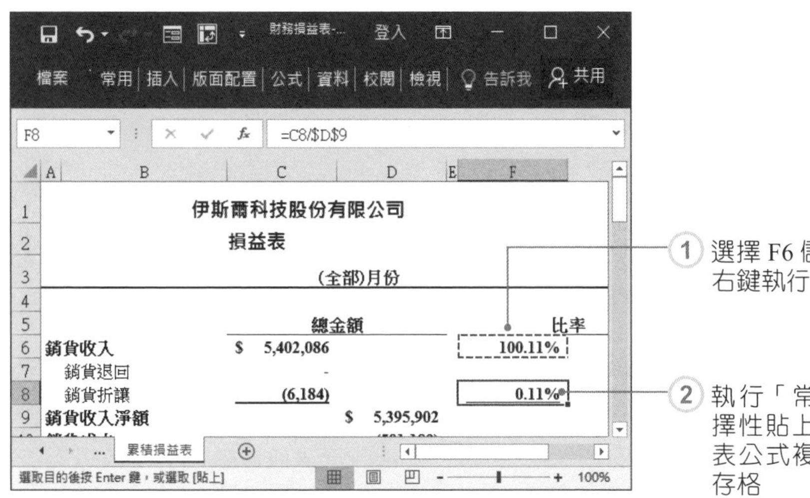

科目名稱	輸入欄位	公式	科目名稱	輸入欄位	公式	科目名稱	輸入欄位	公式
銷貨收入	F6	C6/$D$9	廣告費	F27	C27/$D$9	銷貨收入淨額	G9	D9/$D$9
銷貨退回	F7	C7/$D$9	水電費	F28	C28/$D$9	銷貨成本	G10	D10/$D$9
銷貨折讓	F8	C8/$D$9	保險費	F29	C29/$D$9	銷貨毛利	G19	D19/$D$9
研發—薪資費用	F11	C11/$D$9	交際費	F30	C30/$D$9	營業費用合計	G55	D55/$D$9
研發—應用軟體	F12	C12/$D$9	燃料費	F31	C31/$D$9	營業淨利	G45	D45/$D$9
研發—周邊硬體	F13	C13/$D$9	書報雜誌	F32	C32/$D$9	營業外收益合計	G51	D51/$D$9
研發—郵電費	F14	C14/$D$9	雜費	F33	C33/$D$9	營業外費用合計	G56	D56/$D$9

科目名稱	輸入欄位	公式	科目名稱	輸入欄位	公式	科目名稱	輸入欄位	公式
研發一書報雜誌	F15	C15/$D$9	雜項購置	F34	C34/$D$9	稅前淨利	G57	D57/$D$9
研發一雜項購置	F16	C16/$D$9	職工福利	F35	C35/$D$9	所得稅費用	G58	D58/$D$9
研發一雜費	F17	C17/$D$9	伙食費	F36	C36/$D$9	稅後淨利	G59	D59/$D$9
研發一版稅支出	F18	C18/$D$9	保全費	F37	C37/$D$9	利息收入	C47	C47/$D$9
薪資費用	F21	C21/$D$9	稅捐	F38	C38/$D$9	佣金收入	C48	C48/$D$9
租金費用	F22	C22/$D$9	捐贈	F39	C39/$D$9	盤存盈餘	C49	C49/$D$9
文具印刷	F23	C23/$D$9	折舊費用	F40	C40/$D$9	其他營業外收入	C50	C50/$D$9
差旅費	F24	C24/$D$9	各項攤銷	F41	C41/$D$9	利息費用	C53	C53/$D$9
郵電費	F25	C25/$D$9	佣金	F42	C42/$D$9	盤存損失	C54	C54/$D$9
修繕費	F26	C26/$D$9	推銷費用	F43	C43/$D$9	其他營業外費用及損失	C55	C55/$D$9

筆者特將比率公式整理成上表，方便讀者核對輸入的公式是否有誤。執行結果如下圖，為了使讀者看清楚損益表的全貌，下圖只留下統制科目，其餘科目隱藏起來，讀者可參考範例檔「財務損益表-09.xlsx」，切換到「累計損益表」工作表即可。

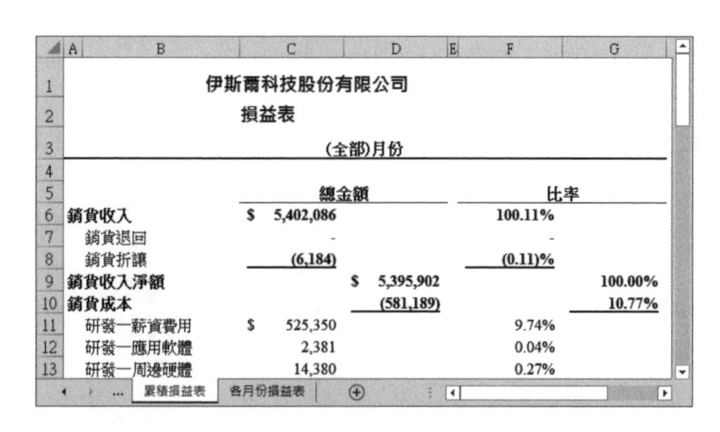

10-3-3 編製各月份損益表

還記得我們如何製作各月份的試算表嗎？沒錯！就是用複製工作表的方法，各位聰明的讀者，知道該如何編製各月份的損益表吧！但是各月份的損益表數值要參照各月份試算表，而不是累計試算表，所以我們還需要修改一些函數公式。請各位讀者開啓範例「財務損益表-09.xlsx」。

範例 編製各月份損益表

Step 1

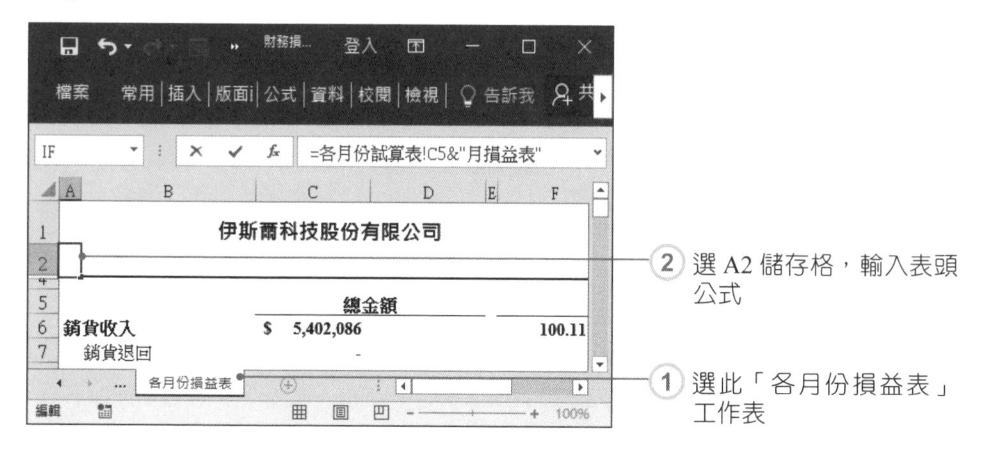

Step 2

Tips 此範例已預先定義範圍名稱「各月份試算表」為「各月份試算表!$C$7:$G$400」。

Step 3

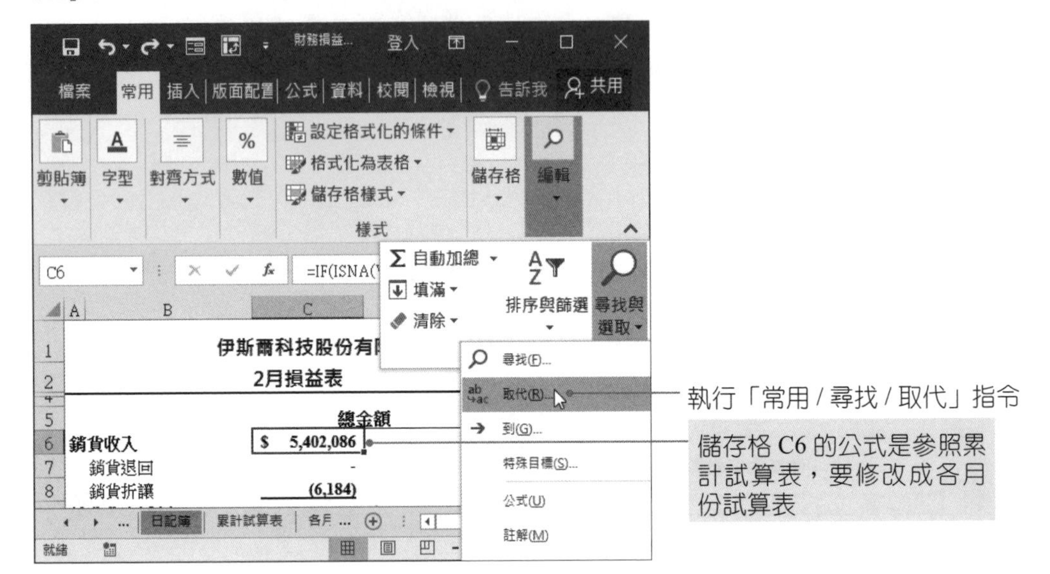

Step 4

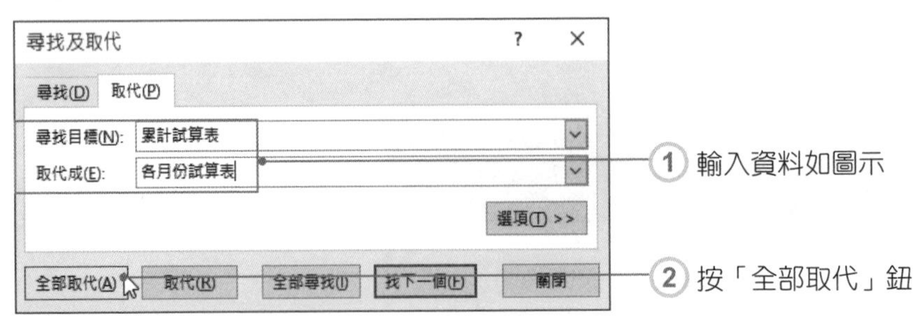

Step 5

Step 6

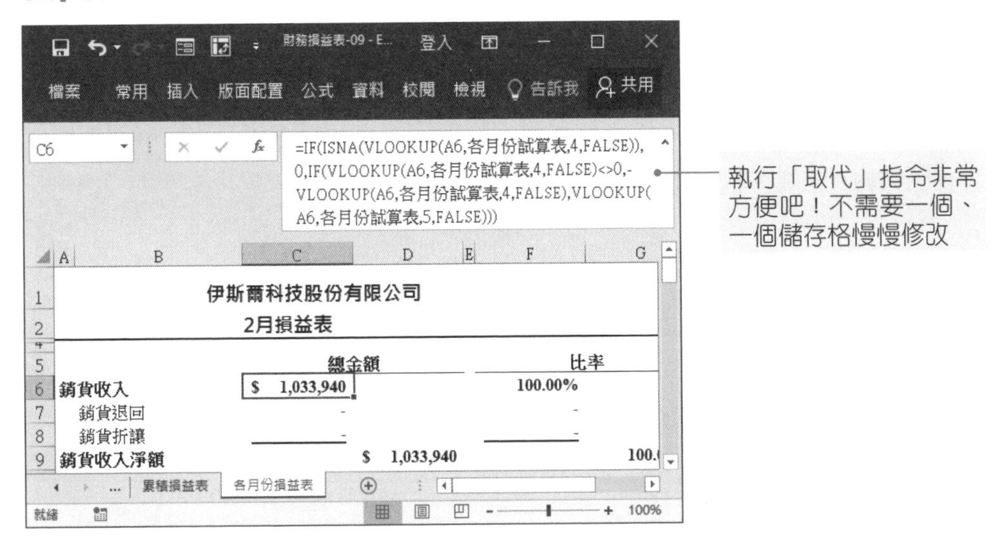

Tips 執行「尋找」或「取代」指令時，如果怕搜尋範圍過大，容易出錯的困擾，不妨使用選取整欄的方式，如此 Excel 只會在指定的欄位中搜尋，可以避免錯誤發生。

Step 7

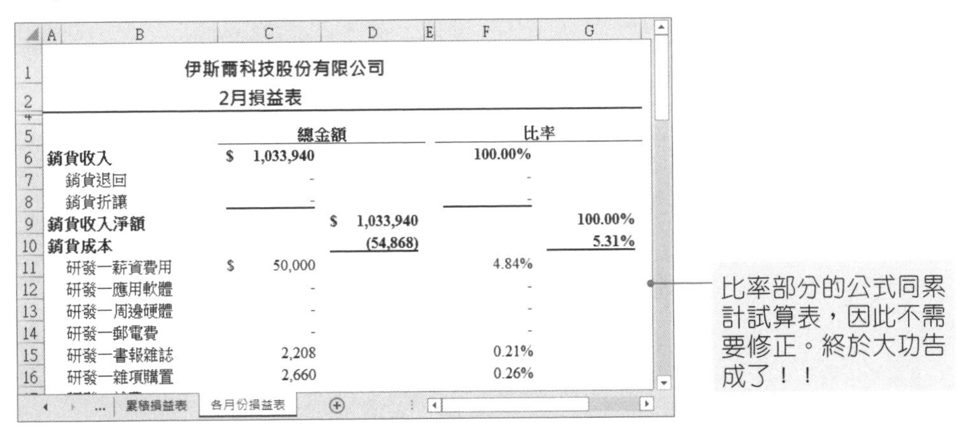

學習完這章的主題，是否覺得豁然開朗呢？原來只要運用一些簡單的函數及小技巧，加上清晰的會計邏輯概念，就可以有程式設計師的功力。本章範例或許還不能滿足你的需求，相信以各位讀者的聰明才智，一定能觸類旁通，變化出適合自己需求的功能。如果還意猶未盡，趕快翻開下一章，讓我們瞭解如何編製「資產負債表」吧！

實力評量

是非題

( ) 1. 尋找及取代視窗中可自訂搜尋範圍及關鍵字。

( ) 2. 表單不僅可用來新增資料，亦有查詢的功能。

( ) 3. 樞紐分析表可設定置於新的工作表或已經存在的工作表。

( ) 4. 儲存格中可允許使用多個 IF() 函數來計算資料。

( ) 5. 已在樞紐分析表版面配置裡設定各欄位所放置的位置後，當完成樞紐分析表時，則無法再更改各欄位的配置。

( ) 6. 表單工具不但能新增資料，還可以作為查詢資料的工具，並可進行刪除資料的工作。

( ) 7. 我們可以將「樞紐分析表和樞紐分析圖精靈」工具鈕加入到快速存取工具列上。

( ) 8. ISNA(Value) 參照欄位若是錯誤值「#N/A」（無法使用的數值）時，則傳回 TRUE 值；若為其他數字或符號則傳回 FALSE 值。

選擇題

( ) 1. 尋找及取代視窗中的搜尋範圍何者有誤？

(A) 工作表　(B) 活頁簿

(C) 以上皆是　(D) 其他 Excel 相容檔案

( ) 2. 如何更改工作表位於該活頁簿的位置？

(A) 於工作表上按右鍵，並執行移動或複製指令

(B) 以拖曳滑鼠的方式移動工作表的位置

(C) 以上皆是

(D) 以上皆非

( ) 3. 關於 ISNA() 函數的述敘何者為是？

(A) 此函數會檢查數值的類型，並且根據結果傳回 TRUE 或 FALSE

(B) 為邏輯類別函數

(C) 引數為 (Number1,Number2..)

(D) 以上皆是

(　) 4. 關於排序功能的述敘何者有誤？
(A) 直接按下遞增、遞減排序鈕即進行排序
(B) 排序的順序只分主要鍵與次要鍵
(C) 點選「資料／排序」工具鈕，即可開啓排序對話框
(D) 排序的資料圍範可分為有無標題列

(　) 5. 使用「樞紐分析表和樞紐分析圖精靈」製作樞紐分析表時，如果於步驟 3-1 勾選建立樞紐分析圖，則會產生下列哪一結果？
(A) 同時建立樞紐分析表與分析圖　(B) 只建立樞紐分析圖
(C) 以上皆是　(D) 以上皆非

(　) 6. 此圖示為樞紐分析表工具中的哪一功能？
(A) 欄位設定　(B) 顯示欄位清單　(C) 永遠顯示項目　(D) 更新資料

(　) 7. 此圖示為樞紐分析表工具中的哪一功能？
(A) 欄位設定　(B) 顯示欄位清單　(C) 永遠顯示項目　(D) 更新資料

實作題

1. 伊斯爾公司人事薪資計算表於發放完薪資後則無紀錄可查，會計主管要求小玲必須將薪資紀錄按月份保存好，且製成部門別的薪資明細表，小玲該如何作業？請開啓練習檔「財務損益表-11.xlsx」。
   1-1　請先插入一張工作表。
   1-2　取消新工作表的參照公式，直接填入數值，保留新工作表的加總公式。
   1-3　將員工薪資資料按照部別別排列。

伊斯爾科技股份有限公司
104年11月員工薪資

序號	部門	員工編號	姓名	代扣所得稅	代扣健保費	代扣勞保費	減項小計	應付薪資
1	行政部	ZM12046	蘇雅屏	2,190	658	471	$ 3,319	**$ 45,681**
2	研發部	ZN01049	許家誠	-	344	328	$ 672	**$ 25,328**
3	資訊部	ZN02051	李育名	-	328	312	$ 640	**$ 23,860**
4	行政部	ZN03059	何柏弘	-	360	343	$ 703	**$ 25,797**
5	研發部	ZN04063	林原良	-	625	471	$ 1,096	**$ 44,904**
6	資訊部	ZN04064	林晉士	-	475	452	$ 927	**$ 34,073**
7	研發部	ZN04066	許馨星	-	360	343	$ 703	**$ 26,797**
8	研發部	ZN04068	朱韋伯	-	434	413	$ 847	**$ 31,153**

計算　10月份　圖表　會整

2. 承上題，為避免人力資源分配不均，主管麻煩小玲幫她做一張薪資及部門人力分析表，小玲該如何作業？

   2-1 插入一張新工作表，並彙整各月份資料。

   2-2 以「月份」為分類，製表如下圖所示。

	A	B	C	D	E
1	月份	(全部)			
2					
3		部門			
4	資料	行政部	研發部	資訊部	總計
5	人力	4	6	4	14
6	薪資	127,500	189,500	112,500	429,500
7	所得稅	2,190	-	-	2,190
8	健保費	1,706	2,541	1,507	5,754
9	勞保費	1,469	2,296	1,435	5,200
10	應付薪資總額	122,135	184,663	109,558	416,356

計算 | 10月份 | ...

CHAPTER

11 製作資產負債表

學習重點

» DSUM() 函數介紹
» MAX() 函數建立表首日期
» 隱藏儲存格

本章簡介

會計學上損益表科目屬於「虛帳戶」，到了期末則結清歸零，當期損益則列入資產負債表中，而資產負債表科目屬於「實帳戶」。從開帳開始，每期期末金額都會累積到下期，作爲下期的期初金額。資產負債表的來源是累計試算表的資料和損益表中的當期損益。因此，本章將繼續沿用上一章範例的資料，當讀者在學習完本章之後，將會有一個完整的會計帳務處理的範本。

Excel 2016

範例成果

	A	B	C	D	E	F	G
1		伊斯爾科技股份有限公司					
2		資產負債表					
3		104年6月31日					
4		借貸平衡					
5	資　　產						
6				總金額			比率
7	流動資產						
8		現金		$ (176,770)			(3.19%)
9		銀行存款		$ 2,111,494			38.11%
12		短期投資	$ -	-			-
16		應收票據淨額		$ -			-
17		應收帳款	$ 2,379,374			42.94%	
64		其他雜項資產	-			-	
65		**其他資產合計**		**$ 21,665**			**0.39%**
66		資產總額		**$ 5,541,142**			**100.00%**
67							
68	負　　債						
69	流動負債						
114		累計盈虧	375,479			6.78%	
115		前期損益	495,828				
116		本期損益	3,391,325	**$ 4,262,632**		61.20%	**67.98%**
117		**股東權益合計**		**$ 5,262,632**			**86.03%**
118		**負債總額及股東權益合計**		**$ 5,541,142**			**91.05%**

累計試算表　資產負債表　準

11-1 編製資產負債表

在會計 T 字帳中，資產科目與費用科目一樣，正常餘額在借方；負債及業主權益科目與收入類科目一樣，正常的餘額在貸方，因此，在函數及公式上，也和上一章損益表相同，分爲資產類函數公式及負債、業主權益類函數公式，在運用上就要特別注意。

11-1-1 DSUM() 函數說明

這一小節中要介紹 DSUM() 這個函數，以便設定資產負債表準則及表首日期之用。

❖ DSUM() 函數

語法：DSUM(Database,Field,Criteria)

說明：將清單或資料庫中某一欄內所有符合指定條件的數值予以加總。相關引述說明如下表：

引數名稱	說明
Database	清單或資料庫的儲存格範圍。
Field	指出此函數中所要使用的欄位。
Criteria	含有所指定之條件的儲存格範圍。

範例 參照資料如下表

■ Database

	A	B	C	D	E
1	樹種	高度	樹齡	收益	利潤
2	龍眼	18	20	14	105
3	柚子	12	12	10	96
4	芒果	13	14	9	105
5	龍眼	14	15	10	75
6	柚子	9	8	8	76.8
7	龍眼	8	9	6	45

- Criteria

	A	B	C	D	E	F
1	樹種	高度	樹齡	收益	利潤	高度
2	龍眼	>10				<16
3	柚子					

- DSUM(A1:E7, " 利潤 ",A1:A2) 意指在 A1:E7（Database）中樹種是龍眼樹（Criteria）的利潤（Field）總和。所得結果為 225。
- DSUM(A1:E7," 利潤 ",A1:F2) 意指在高度在 10~16 之間，龍眼樹的利潤總和。所得結果為 75。

11-1-2 設定表首日期

每份報表都一定有表首日期，但每一種報表所要呈現的日期範圍不一樣，因此，表首日期的設計上，一定要找一個適合這個報表特性，且不須經常變更的好方法，筆者將在此傳授讀者這個小祕訣。請讀者開啓範例檔「資產負債表-01.xlsx」切換到「資產負債表」工作表。

範例 建立表首日期

Step 1

Step 2

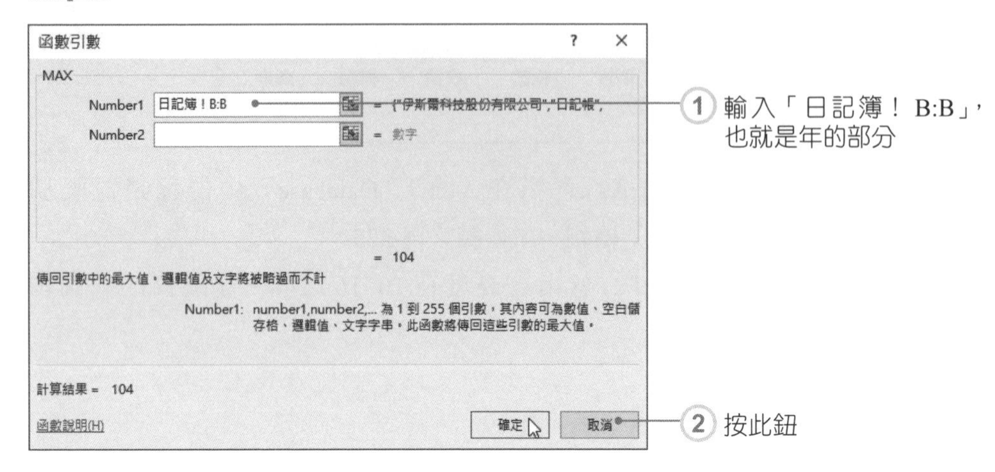

Step 3

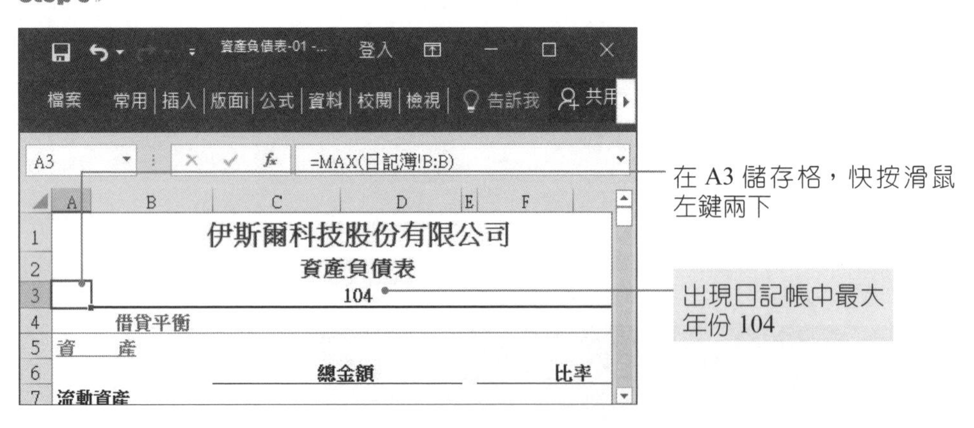

Step 4

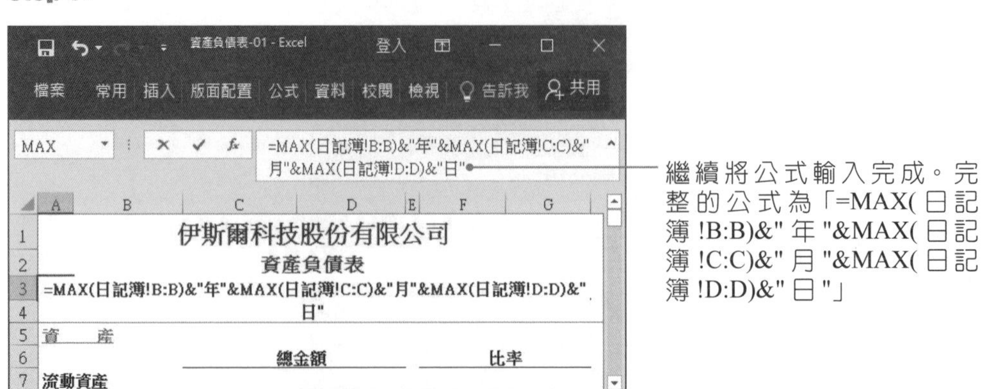

Step 5

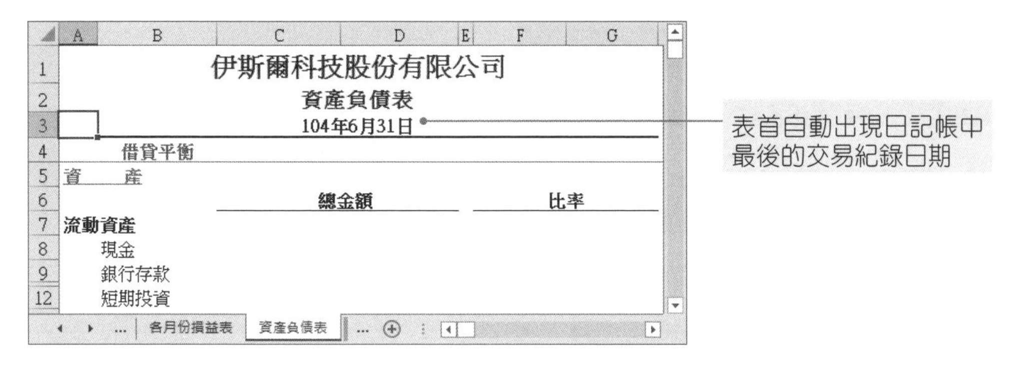

Tips 資產負債表的日期，通常會是最後一筆交易紀錄的日期，也就是在當年度日期的最大値。

11-1-3 建立損益準則

資產負債表中有一項很重要的資料來自於損益表科目，那就是本期損益，可以直接將此儲存格參照累計損益表的稅後淨利，但是當科目新增或減少時，所參照的欄位也會有所變動。爲了不要經常因爲參照欄位變動而造成錯誤，所以要請讀者延續上一個範例，跟著筆者的步驟，徹底解決這個問題。

範例 建立損益準則

Step 1

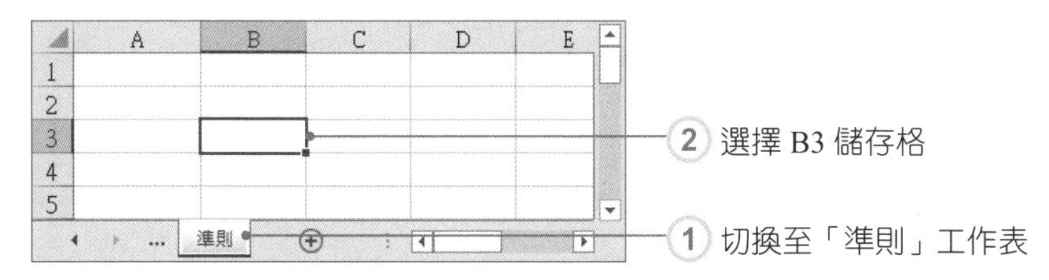

Step 2

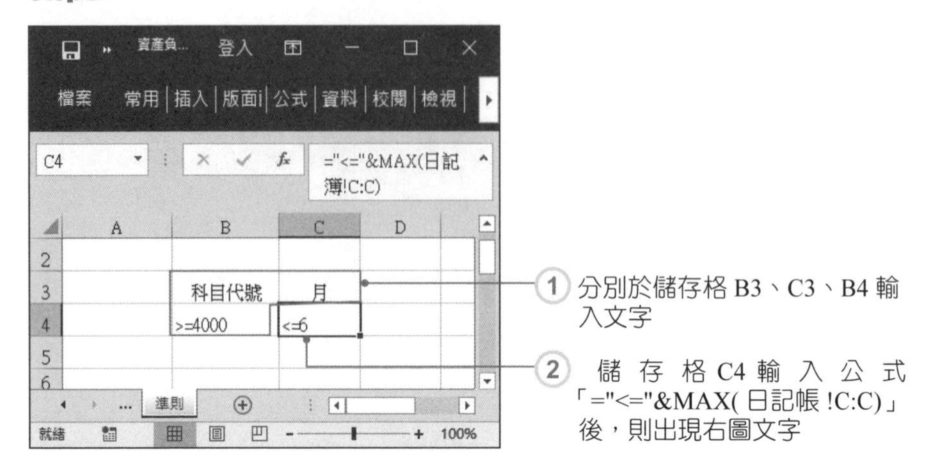

Step 3

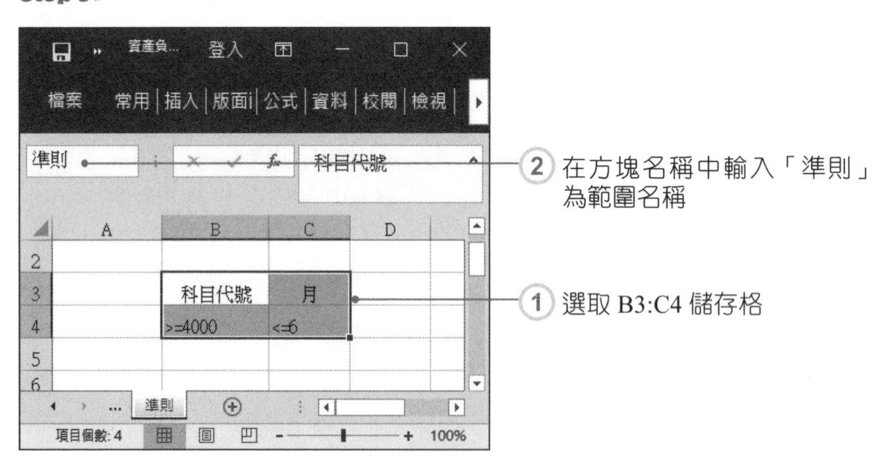

Tips 通常會計科目代碼 4 字頭以後的科目均屬損益科目。

Step 4

選 A1 儲存格，輸入公式「=DSUM(日記帳,8,準則)-DSUM(日記帳,7,準則)」後按下「Enter」鍵
MAX
準則)-DSUM(日記帳,7,準則)
科目代號
月
>=4000
<=6
準則

Step 5

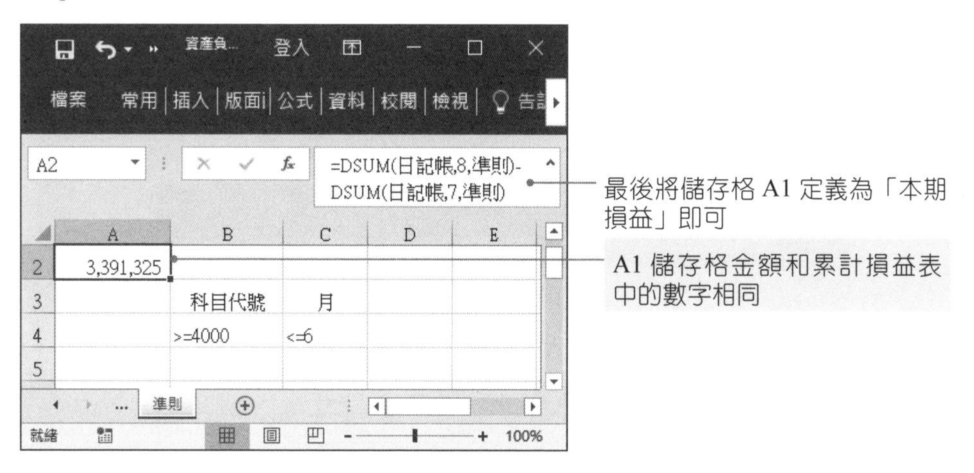
最後將儲存格 A1 定義為「本期損益」即可
A1 儲存格金額和累計損益表中的數字相同
A2
=DSUM(日記帳,8,準則)-DSUM(日記帳,7,準則)
3,391,325
科目代號
月
>=4000
<=6
準則

11-1-4 編製資產負債表

事前的準備工作都已經完成，開始要來編製資產負債表，範例中先把常用的資產負債表科目列表備用。這裡也和損益表一樣，輸入的公式也分「資產類」和「負債」、「業主權益類」兩種，別忘了！

適用科目	公式內容
資產類	=IF(ISNA(VLOOKUP(B8, 累計試算表 ,4,FALSE)),0,IF(VLOOKUP(B8, 累計試算表 ,4,FALSE)<>0,VLOOKUP(B8, 累計試算表 ,4,FALSE),-VLOOKUP(B8, 累計試算表 ,5,FALSE)))
負債及業主權益類	=IF(ISNA(VLOOKUP(B5, 累計試算表 ,4,FALSE)),0,IF(VLOOKUP(B5, 累計試算表 ,4,FALSE)<>0,-VLOOKUP(B5, 累計試算表 ,4,FALSE),VLOOKUP(B5, 累計試算表 ,5,FALSE)))

輸入公式的方法及技巧和累計損益表相同，在此則不贅述，請讀者開啓範例檔「資產負債表-02.xlsx」切換到「資產負債表」工作表，依照範例檔「資產負債表輸入公式一覽表.doc」的內容，如下圖示，將公式逐一輸入。

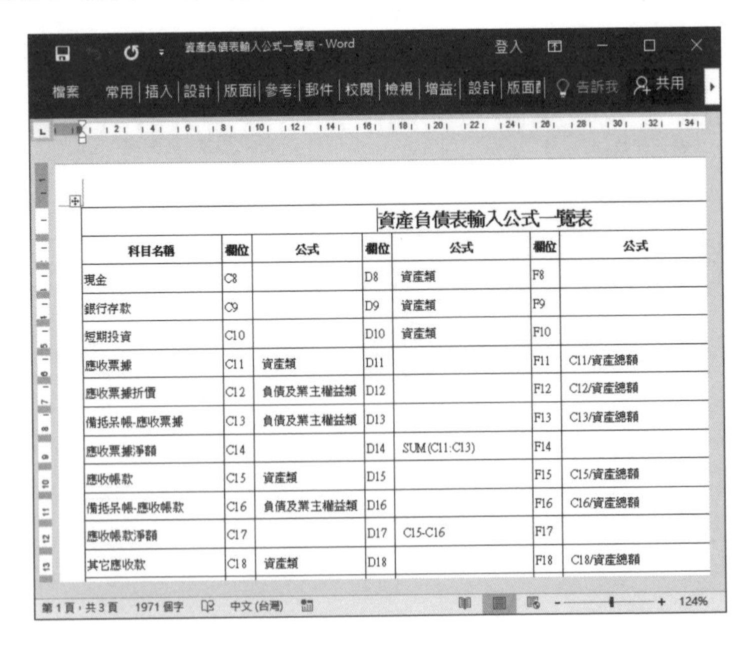

資產負債表輸入公式一覽表

科目名稱	欄位	公式	欄位	公式	欄位	公式
現金	C8		D8	資產類	F8	
銀行存款	C9		D9	資產類	F9	
短期投資	C10		D10	資產類	F10	
應收票據	C11	資產類	D11		F11	C11/資產總額
應收票據折價	C12	負債及業主權益類	D12		F12	C12/資產總額
備抵呆帳-應收票據	C13	負債及業主權益類	D13		F13	C13/資產總額
應收票據淨額	C14		D14	SUM(C11:C13)	F14	
應收帳款	C15	資產類	D15		F15	C15/資產總額
備抵呆帳-應收帳款	C16	負債及業主權益類	D16		F16	C16/資產總額
應收帳款淨額	C17		D17	C15-C16	F17	
其它應收款	C18	資產類	D18		F18	C18/資產總額

強烈建議運用「複製」、「選擇性貼上 / 公式」及「尋找／取代」等指令，可節省輸入的時間，執行結果請讀者參考範例檔「資產負債表-03.xlsx」。

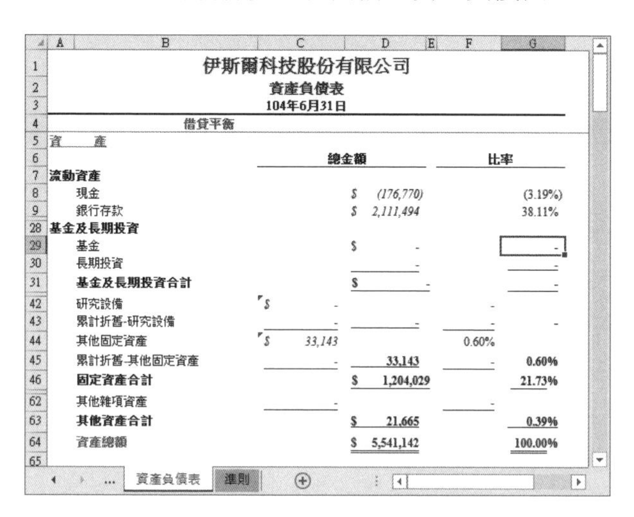

	A / B	C	D	E	F	G
1	伊斯爾科技股份有限公司					
2	資產負債表					
3	104年6月31日					
4	借貸平衡					
5	資　產					
6			總金額			比率
7	流動資產					
8	現金		$ (176,770)			(3.19%)
9	銀行存款		$ 2,111,494			38.11%
28	基金及長期投資					
29	基金		$ -			-
30	長期投資		-			-
31	基金及長期投資合計		$ -			-
42	研究設備	$ -			-	
43	累計折舊-研究設備	-	-		-	-
44	其他固定資產	$ 33,143			0.60%	
45	累計折舊-其他固定資產	-	33,143		-	0.60%
46	固定資產合計		$ 1,204,029			21.73%
62	其他雜項資產	-			-	
63	其他資產合計		$ 21,665			0.39%
64	資產總額		$ 5,541,142			100.00%
65						

Tips 本範例已定義範圍名稱「資產總額」為「資產負債表 !$D$64」及「負債及業主權益總額」為「資產負債表 !$D$116」。

11-1-5 子科目處理

在實務上通常會將部分科目分成許多子科目，常見的像「銀行存款」會分成「銀行存款 - 活期存款」或「銀行存款 - 支票存款」，又或者依照往來銀行名稱而分類；「應收帳款」、「應收票據」…等亦然。該如何處理這個部分呢？隱藏整欄儲存格就好了！如果還不清楚，請讀者開啓範例檔「資產負債表-04.xlsx」，切換到「資產負債表」工作表。

範例 子科目處理

Step 1

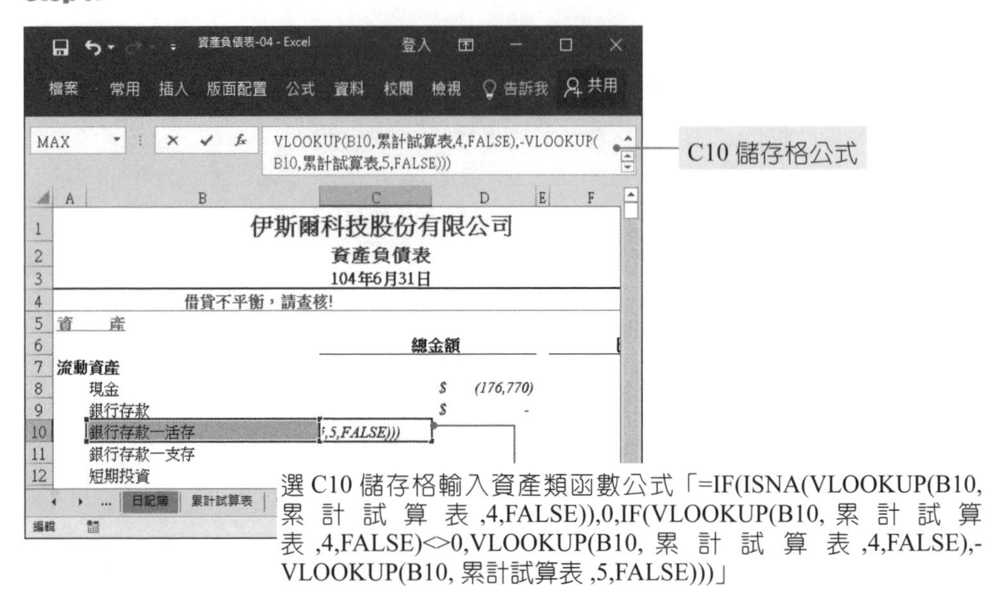

Step 2

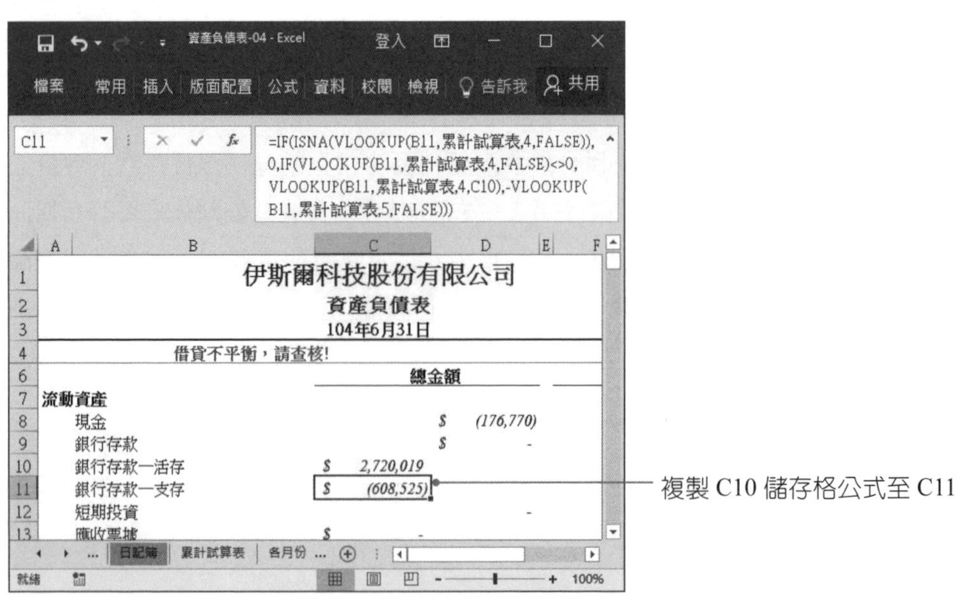

Step 3

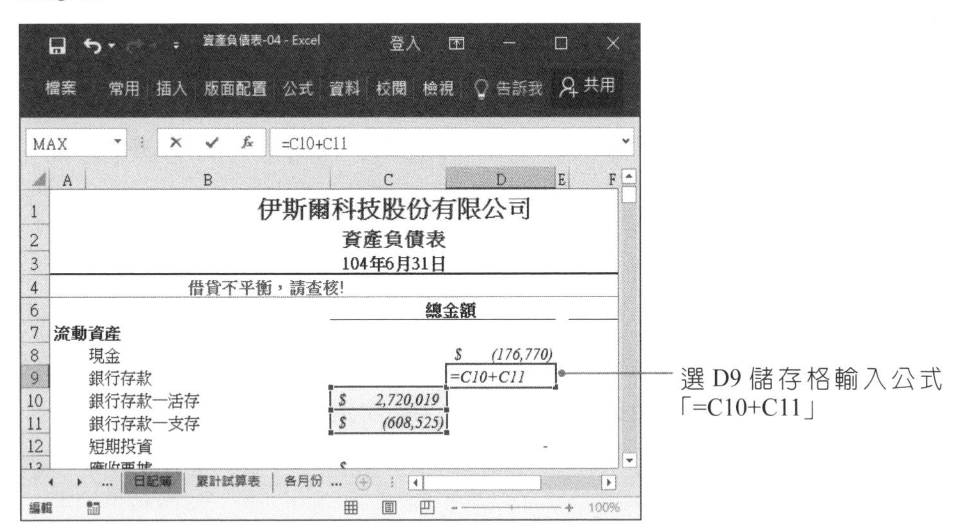

選 D9 儲存格輸入公式「=C10+C11」

Step 4

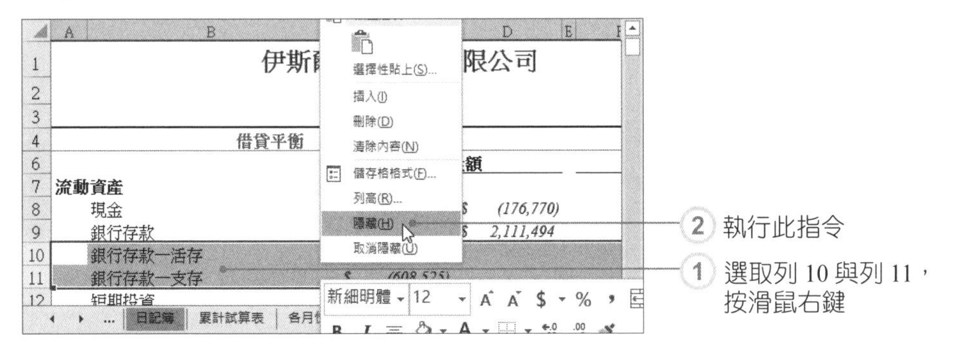

2 執行此指令

1 選取列 10 與列 11，按滑鼠右鍵

Step 5

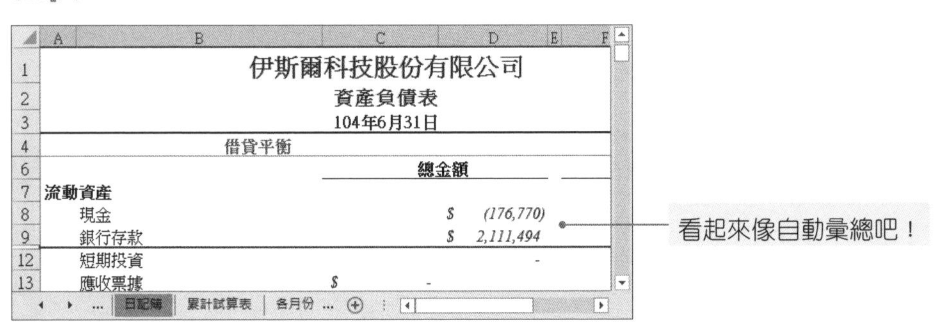

看起來像自動彙總吧！

11-2 資料保護

辛辛苦苦輸入的資料或者公式函數，被哪個冒失鬼不小心給刪除，或者是沒發現編製出錯誤的財務報表，那後果可就不敢想像了。因此，資料保護是非常重要的，筆者就介紹一些常用的保護資料小技巧。

11-2-1 保護日記帳

日記帳是編製報表的基礎，如果開啓檔案就可以增修，豈不一點保障也沒有？請讀者開啓範例檔「資產負債表-05.xlsx」，切換到「日記帳」工作表。

範例 保護日記帳

Step 1

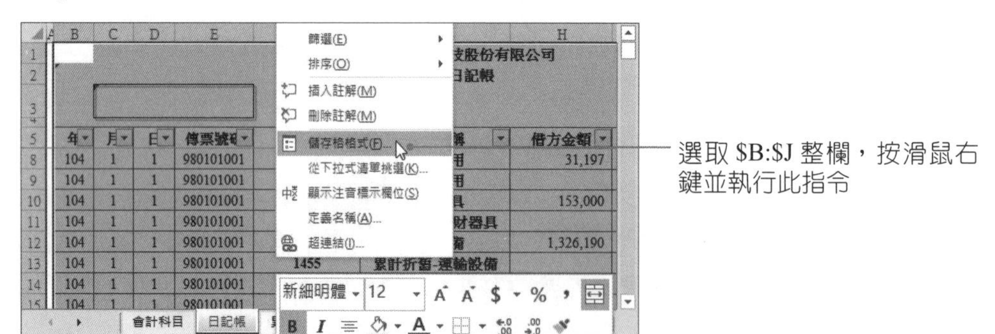

Step 2

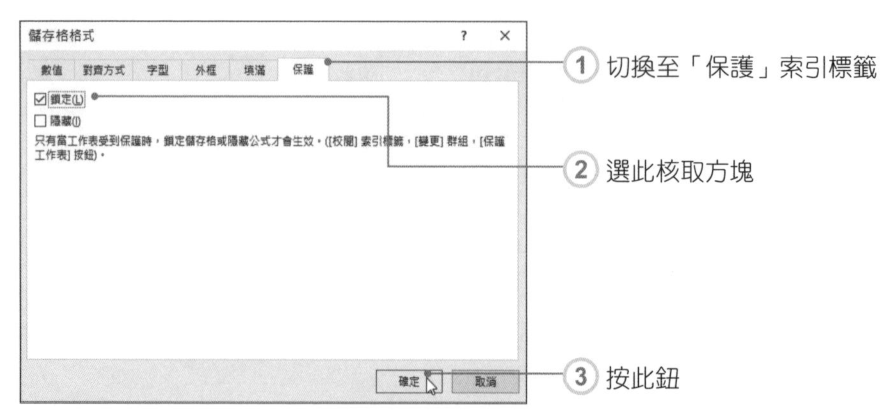

Step 3

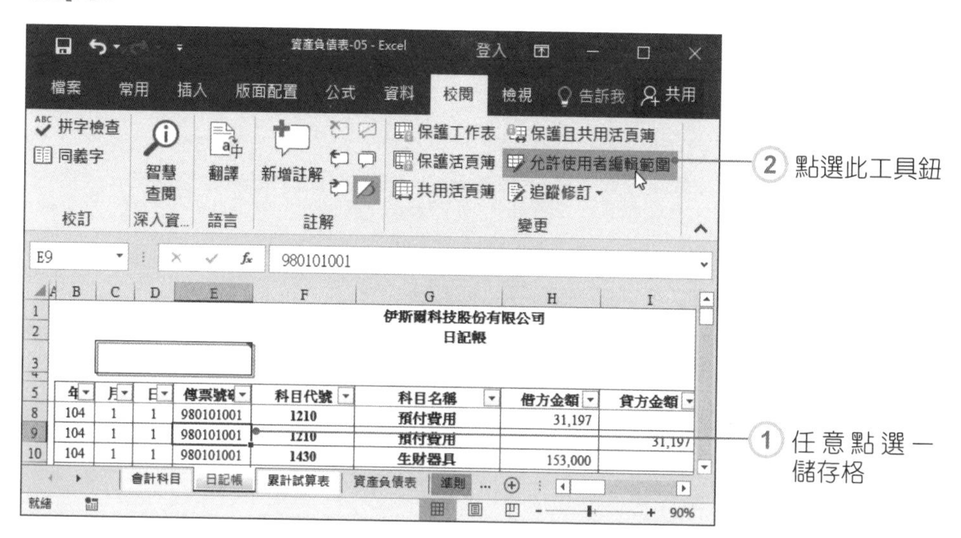

Step 4

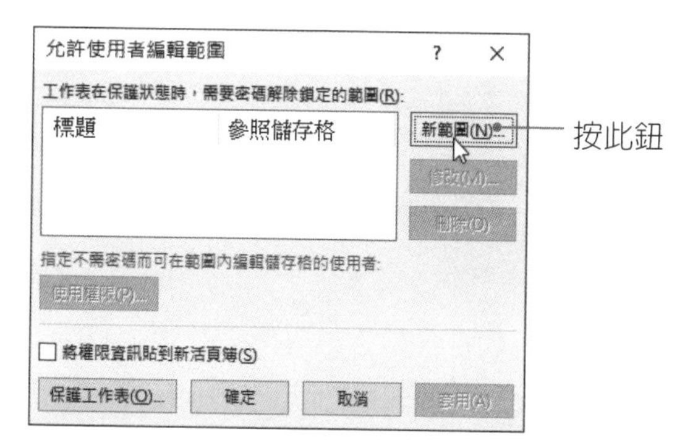

Step 5

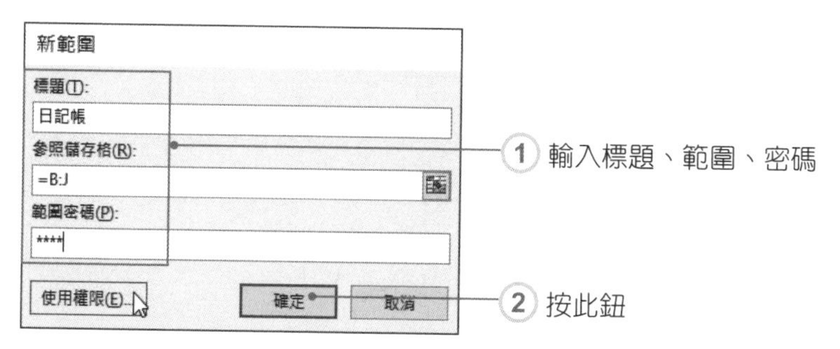

Step 6

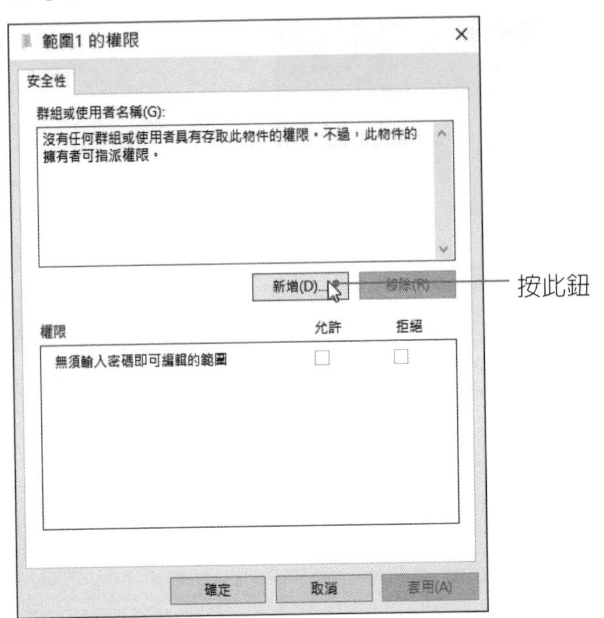
範圍1 的權限
安全性
群組或使用者名稱(G):
沒有任何群組或使用者具有存取此物件的權限。不過，此物件的擁有者可指派權限。
新增(D)...
移除(R)
按此鈕
權限
允許
拒絕
無須輸入密碼即可編輯的範圍
確定
取消
套用(A)

Step 7

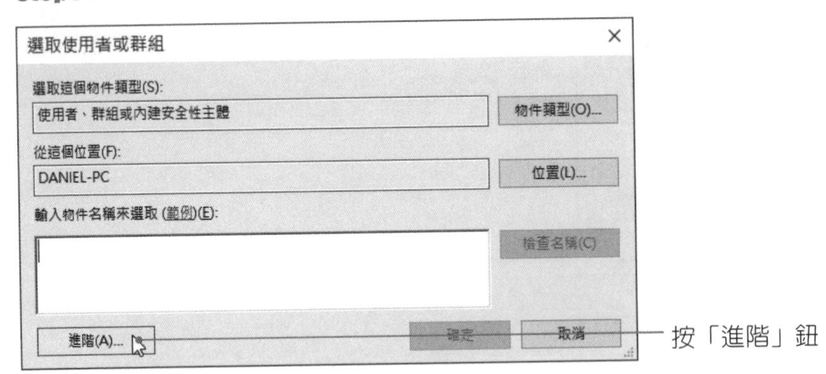
選取使用者或群組
選取這個物件類型(S):
使用者、群組或內建安全性主體
物件類型(O)...
從這個位置(F):
DANIEL-PC
位置(L)...
輸入物件名稱來選取 (範例)(E):
檢查名稱(C)
進階(A)...
確定
取消
按「進階」鈕

Step 8

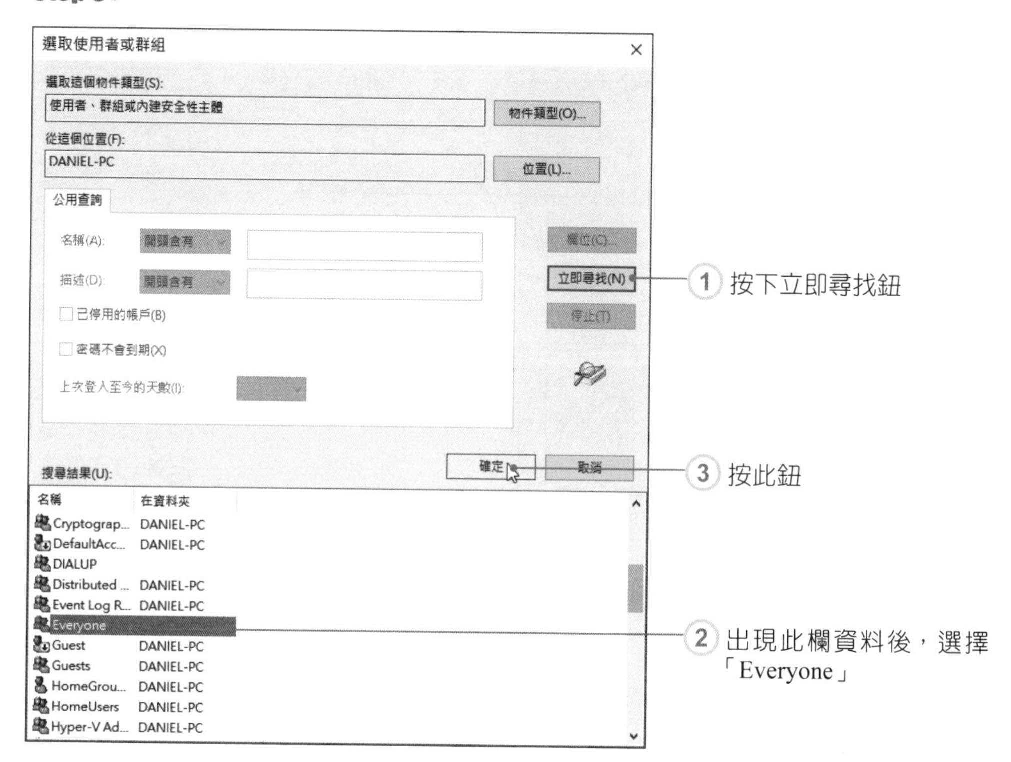
選取使用者或群組
選取這個物件類型(S):
使用者、群組或內建安全性主體
物件類型(O)...
從這個位置(F):
DANIEL-PC
位置(L)...
公用查詢
名稱(A):
開頭含有
描述(D):
開頭含有
已停用的帳戶(B)
密碼不會到期(X)
上次登入至今的天數(I):
欄位(C)...
立即尋找(N)
停止(T)
確定
取消
搜尋結果(U):
名稱
在資料夾
Cryptograp... DANIEL-PC
DefaultAcc... DANIEL-PC
DIALUP
Distributed ... DANIEL-PC
Event Log R... DANIEL-PC
Everyone
Guest DANIEL-PC
Guests DANIEL-PC
HomeGrou... DANIEL-PC
HomeUsers DANIEL-PC
Hyper-V Ad... DANIEL-PC
1 按下立即尋找鈕
3 按此鈕
2 出現此欄資料後，選擇「Everyone」

Step 9

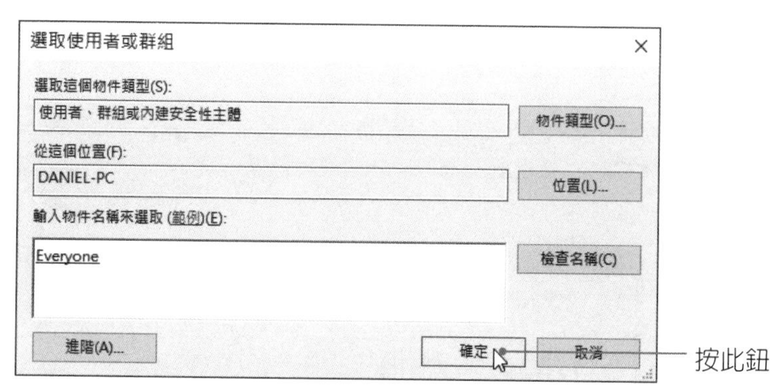
選取使用者或群組
選取這個物件類型(S):
使用者、群組或內建安全性主體
物件類型(O)...
從這個位置(F):
DANIEL-PC
位置(L)...
輸入物件名稱來選取 (範例)(E):
Everyone
檢查名稱(C)
進階(A)...
確定
取消
按此鈕

Step 10

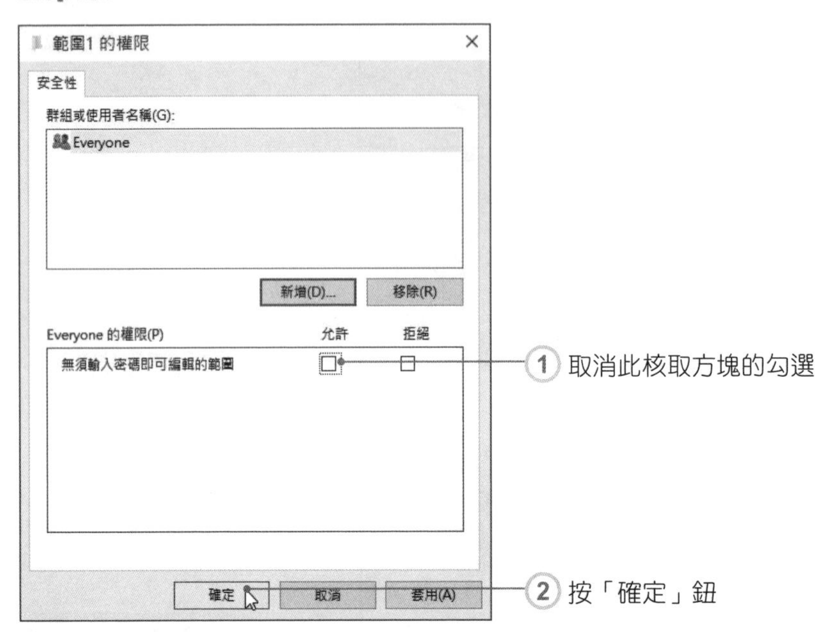

Step 11

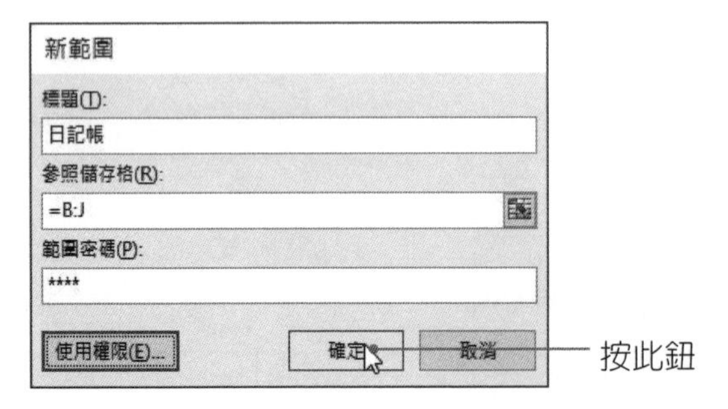

Step 12

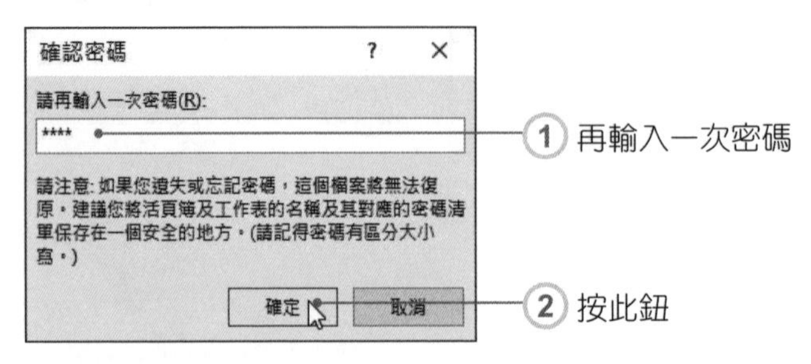

Step 13

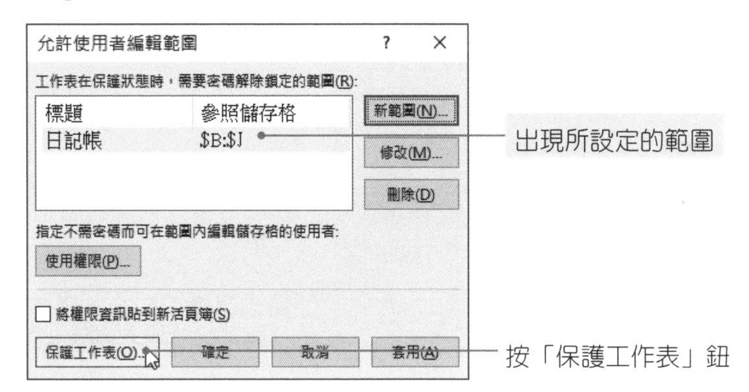

Step 14

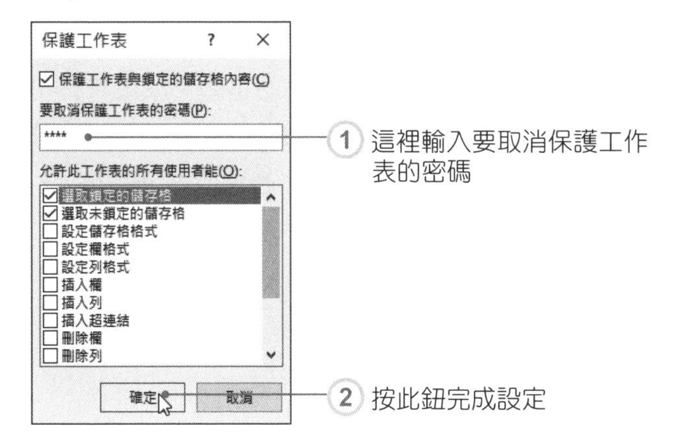

Step 15

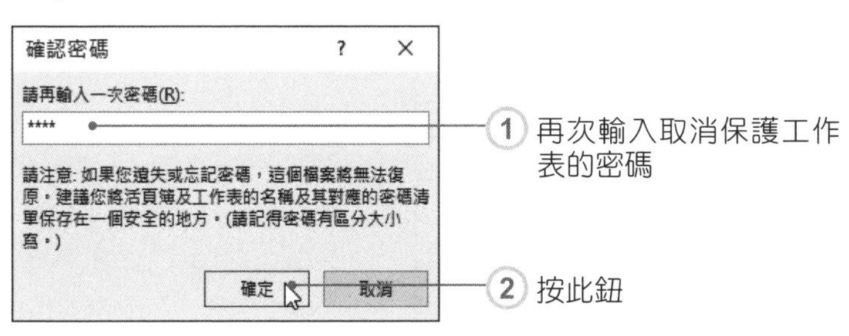

Step 16

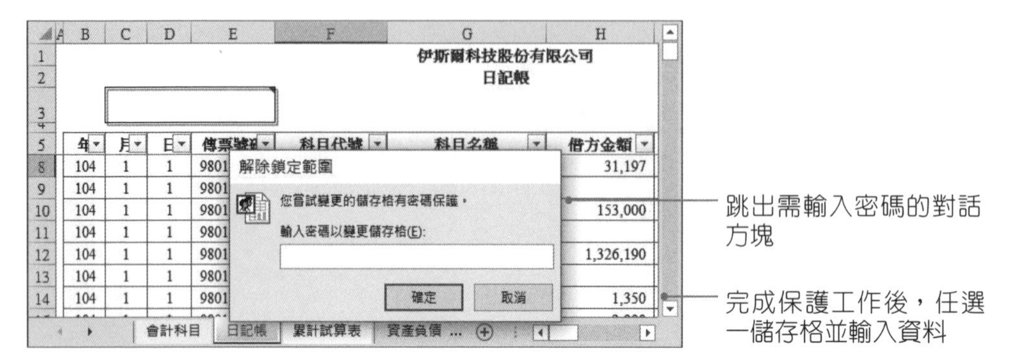

11-2-2 保護財務報表

日記帳是增加輸入儲存格的密碼限制，來達到保護資料的目的；但是財務報表除非遇到會計科目增加，否則平常是不應該直接在報表上增修資料。因此，保護資料的方式也該有所不同。請讀者接續上一個範例檔「資產負債表-05.xlsx」，切換到「資產負債表」工作表。

範例 保護財務報表

Step 1

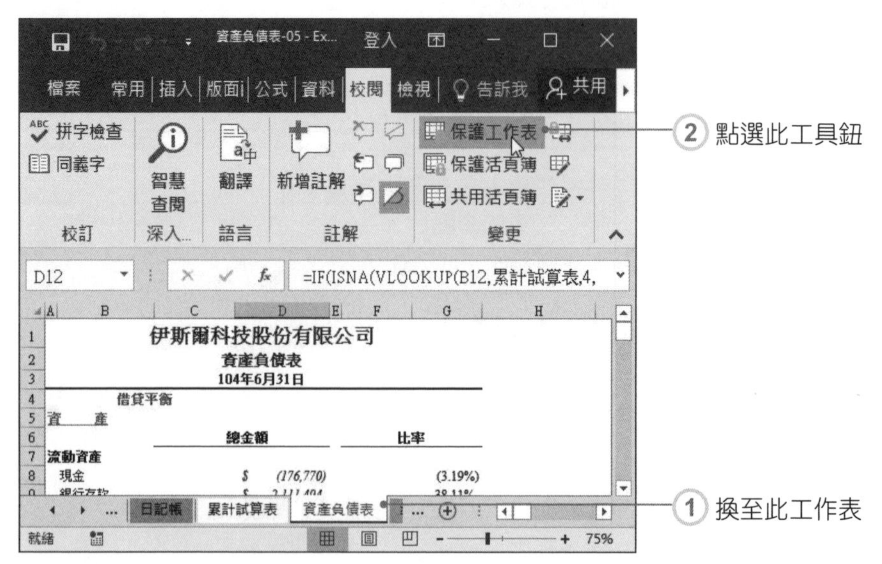

Step 2

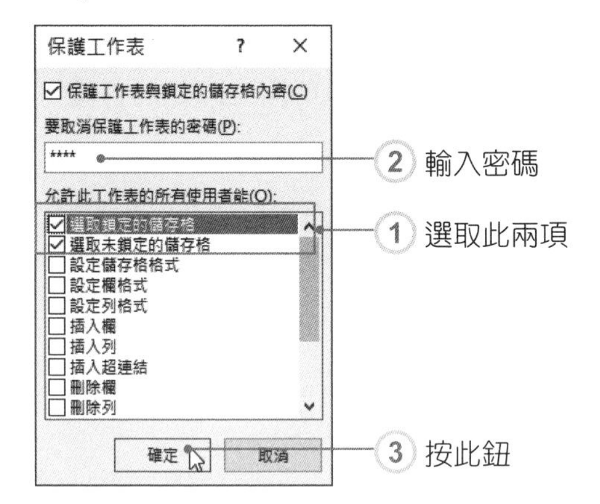

Step 3

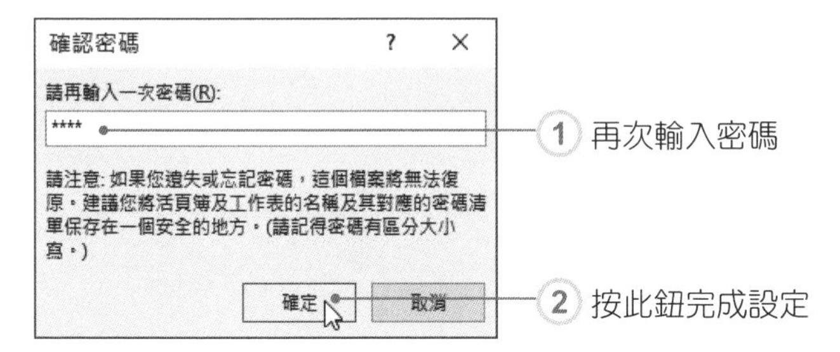

Step 4

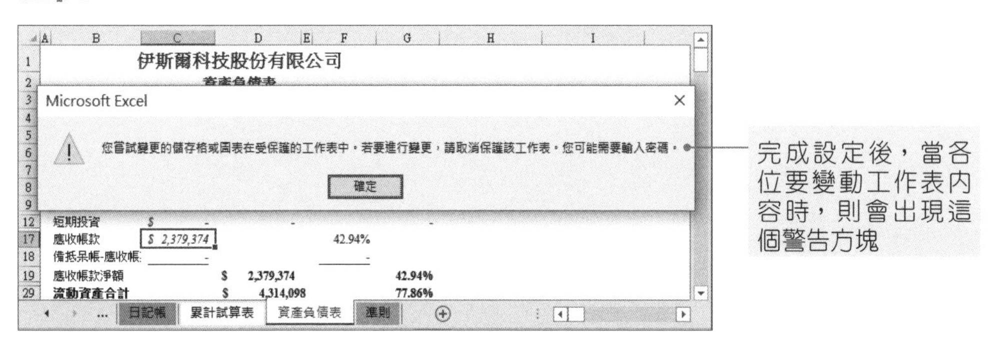

Tips 保護工作表僅保護指定的那一個工作表，而不是活頁簿中所有的工作表。

當各位要修改資產負債表內容時，只須執行「校閱 / 取消保護工作表」指令，依照對話方塊指示，輸入密碼即可。可是這樣的保護就夠了嗎？筆者可遇過神經大條的人，直接將工作表整個刪除後，才驚覺事情的嚴重性。因此，各位可以執行「校閱 / 保護活頁簿」指令來保護整個活頁簿檔案。

實力評量

是非題

( ) 1. DSUM() 函數為將清單或資料庫中某一欄內所有符合指定條件的數值予以加總。

( ) 2. 只有當工作表被保護的情況下，鎖定儲存格或隱藏儲存格才會生效。

( ) 3. 保護工作表可保護活頁簿中所有的工作表。

( ) 4. 使用保護活頁簿功能才能避免工作表被整個刪除的危險。

( ) 5. MAX() 函數的功能為傳回引數中的最小值。

( ) 6. 您可以執行「校閱 / 保護活頁簿」指令來保護整個活頁簿檔案。

( ) 7. 如果要取消工作表的保護，可以執行「校閱 / 取消保護工作表」指令。

( ) 8. 我們可以增加輸入儲存格的密碼限制，來達到保護資料的目的。

選擇題

( ) 1. 選擇性貼上功能可貼上所複製儲存格的哪些功能？
(A) 公式　(B) 欄寬度　(C) 格式　(D) 以上皆是

( ) 2. 關於隱藏儲存格的敘述何者為是？
(A) 選取要隱藏的儲存格並執行「常用／格式／保護儲存格」指令即可
(B) 選取一整欄或列按滑鼠右鍵執行「隱藏」指令即可
(C) 選取要取消隱藏的儲存格並執行「格式／儲存格／取消隱藏」指令即可取消隱藏
(D) 以上皆是

( ) 3. Excel 的保護功能有哪些？
(A) 保護工作表　(B) 保護活頁簿
(C) 設定允許使用者編輯範圍　(D) 以上皆是

( ) 4. 關於 MAX() 函數的述敘何者有誤？
(A) 傳回引數中的最大值
(B) 屬統計類別函數
(C) 如果引數內有邏輯值即文字將被略過不計
(D) 引數為 (Value)

( ) 5. 關於 DSUM() 函數的述敘何者有誤？
(A) 屬檢視與參照類別函數
(B) 其引數為 (Database,Field,Criteria)
(C) 為將清單或資料庫中某一欄內所有符合指定條件的數值予以加總
(D) 引數 database 是指組成清單或資料庫的儲存格範圍

( ) 6. 下列何者非 Excel 預設的圖表類型？
(A) 股票圖 (B) 直條圖 (C) 環圈圖 (D) 剖面圖

實作題

1. 小玲設計了一張採購單，她希望只有「廠商編號」、「帳單編號」、「開立日期」、「採購編號」、「產品編號」及「數量」這幾個欄位可以選擇或輸入資料，其他欄位則由參照函數自動帶出，她該如何處理？開啓「範例檔資產負債表-08.xlsx」
2. 承上題，小玲如果不想「採購單」工作表被刪除，她該如何處理？
3. 小玲想要計算某一採購人員採購了某一種商品的數量時（如下圖），她該如何處理？請開啓「範例檔資產負債表-09.xlsx」

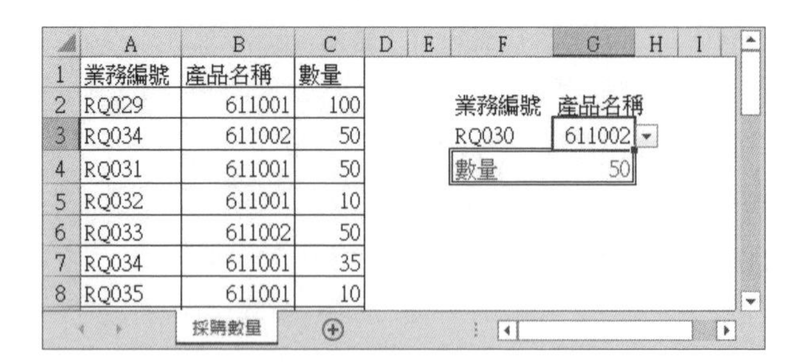

	A	B	C
1	業務編號	產品名稱	數量
2	RQ029	611001	100
3	RQ034	611002	50
4	RQ031	611001	50
5	RQ032	611001	10
6	RQ033	611002	50
7	RQ034	611001	35
8	RQ035	611001	10

業務編號	產品名稱
RQ030	611002
數量	50

採購數量

▶ 筆記欄

CHAPTER

12 製作現金流量表

學習重點

- 現金流量表設計
- 使用名稱管理員定義範圍
- NOW() 和 TEXT() 函數
- MATCH() 和 INDEX() 函數
- 動態月份

本章簡介

「現金流量表」在財務會計中，是僅次於「資產負債表」及「損益表」的第三大財務報表，畢竟公司資金調度不像個人比較靈活與方便，動輒上萬元的費用支出，甚至規模大的公司上百萬的現金流動都是輕鬆平常的事。透過現金流量表可以顯示出公司在某一段期間中現金流動的情形，並可以預測未來對資金的需求，讓財務人員及公司負責人及早的規劃調度資金。本章的重點是學習如何設計簡單而又一目了然的現金流量表。

Excel 2016

範例成果

	A	B	C	D	E	F	G	H	I	J	K	L	M	N	O
1							伊斯爾科技股份有限公司								
2							現金流量分析表								
3															
4	104年一月至104年十二月														
5			一月	二月	三月	四月	五月	六月	七月	八月	九月	十月	十一月	十二月	合計
6															
7	營業活動之現金流量														
8		本期純益	450,000	230,000	3,000	250,000	60,000	75,600	23,500	765,000	45,000	64,500	360,000	25,000	2,351,600
9	加：	呆帳、折舊、攤銷	150,000	150,000	150,000	150,000	150,000	150,000	150,000	150,000	150,000	150,000	150,000	150,000	1,800,000
10		出售資產固定資產之損失	10,000	0	0	0	0	0	50,000	0	0	0	0	0	60,000
11		流動資產減少數	356,800	376,000	47,200	299,000	330,000	400,000	376,000	384,500	267,490	429,000	256,000	331,000	3,852,990
12		流動負債增加數	675,000	345,000	160,900	375,000	90,000	113,400	35,025	114,750	67,050	96,750	54,000	3,750	2,130,625
13	減：	權益法之投資收入	15,670	15,670	15,670	15,670	15,670	15,670	15,670	15,670	15,670	15,670	15,670	15,670	188,040
14		出售資產固定資產之利益	0	0	0	80,000	0	0	0	0	150,000	0	0	0	230,000
15		流動資產增加數	64,224	67,680	84,960	53,820	59,400	72,000	67,680	69,210	48,148	77,220	46,080	59,580	770,002
16		流動負債減少數	135,000	169,000	190,000	175,000	118,000	212,680	217,050	229,500	213,500	319,350	108,000	7,500	2,094,580
17	營業活動之淨現金流入（出）		1,426,906	848,650	70,470	749,510	436,930	438,650	334,125	1,099,870	102,222	328,010	650,250	427,000	6,912,593
18															
19	投資活動之現金流量														
20	加：	出售長短期投資售價	100,000	60,000	45,000	35,000	60,000	45,000	35,000	60,000	45,000	35,000	20,000	60,000	600,000
21		出售資產固定資產售價	400,000	0	0	680,000	0	0	160,000	0	0	0	0	0	1,240,000
22	減：	購入長短期投資售價	50,000	50,000	50,000	50,000	50,000	50,000	50,000	50,000	50,000	50,000	50,000	50,000	600,000
23		購入資產固定資產售價	600,000	0	0	0	0	0	0	0	0	0	0	0	600,000
24	投資活動之淨現金流入（出）		(150,000)	10,000	(5,000)	665,000	10,000	(5,000)	145,000	10,000	(5,000)	(15,000)	(30,000)	10,000	640,000
25															
26	理財活動之現金流量														
27	加：	借款增加	556,000	0	500,000	250,000	0	0	0	300,000	0	0	0	0	1,606,000
28		現金增資發行新股售價	0	0	0	0	0	0	0	0	0	0	0	0	0
29	減：	償還借款（本金）	120,000	0	0	0	670,000	0	0	500,000	0	150,000	166,000	0	1,606,000
30		發放現金股利	0	0	3,000,000	0	0	0	2,500,000	0	0	0	0	0	5,500,000
31		贖回特別股庫藏股及減資	0	0	0	0	0	0	0	0	60,000	0	0	500,000	560,000
32	理財活動之淨現金流入（出）		436,000	0	(2,500,000)	250,000	(670,000)	0	(2,500,000)	(200,000)	(60,000)	(150,000)	(166,000)	(500,000)	(6,060,000)
33															
34	加：期初現金餘額		123,000	1,835,906	2,694,556	260,026	1,924,536	1,701,466	2,135,116	114,241	1,024,111	1,061,333	1,224,343	1,678,593	123,000
35	期末現金餘額		1,835,906	2,694,556	260,026	1,924,536	1,701,466	2,135,116	114,241	1,024,111	1,061,333	1,224,343	1,678,593	1,615,593	1,615,593

現金流量圖　現金流量表

12-1 設計現金流量表

如同前兩章一樣 ，財務報表的表頭有一定的格式，科目內容也有一定的規則，在此則不贅述。現金流量表的表單樣式，大致如下圖所示：請讀者開啓範例檔「現金流量表-01.xlsx」來對照。

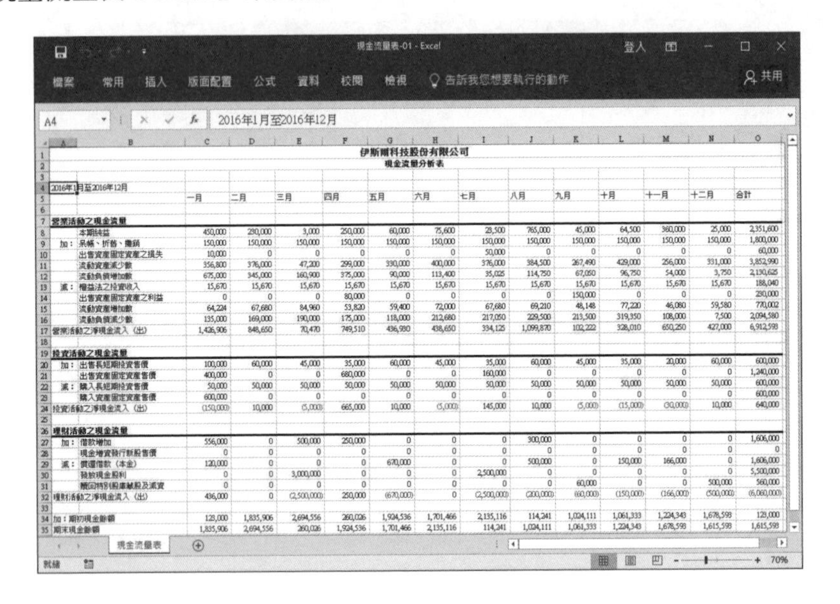

伊斯爾科技股份有限公司
現金流量分析表

2016年1月至2016年12月

	一月	二月	三月	四月	五月	六月	七月	八月	九月	十月	十一月	十二月	合計
營業活動之現金流量													
本期純益	450,000	230,000	3,000	250,000	60,000	75,600	23,500	765,000	45,000	64,500	360,000	25,000	2,351,600
加：呆帳、折舊、攤銷	150,000	150,000	150,000	150,000	150,000	150,000	150,000	150,000	150,000	150,000	150,000	150,000	1,800,000
出售資產固定資產之損失	10,000	0	0	0	0	0	50,000	0	0	0	0	0	60,000
流動資產減少數	356,800	376,000	47,200	299,000	330,000	400,000	376,000	384,500	267,490	429,000	256,000	331,000	3,852,990
流動負債增加數	675,000	345,000	160,900	375,000	90,000	113,400	35,025	114,750	67,050	96,750	54,000	3,750	2,130,625
減：權益法之投資收入	15,670	15,670	15,670	15,670	15,670	15,670	15,670	15,670	15,670	15,670	15,670	15,670	188,040
出售資產固定資產之利益	0	0	0	80,000	0	0	0	0	150,000	0	0	0	230,000
流動資產增加數	64,224	67,680	84,960	53,820	59,400	72,000	67,680	69,210	48,148	77,220	46,080	59,580	770,002
流動負債減少數	135,000	169,000	190,000	175,000	118,000	212,680	217,050	229,500	213,500	319,350	108,000	7,500	2,094,580
營業活動之淨現金流入（出）	1,426,906	848,650	70,470	749,510	436,930	438,650	334,125	1,099,870	102,222	328,010	650,250	427,000	6,912,593
投資活動之現金流量													
加：出售長短期投資售價	100,000	60,000	45,000	35,000	60,000	45,000	35,000	60,000	45,000	35,000	20,000	60,000	600,000
出售資產固定資產售價	400,000	0	0	680,000	0	0	160,000	0	0	0	0	0	1,240,000
減：購入長短期投資售價	50,000	50,000	50,000	50,000	50,000	50,000	50,000	50,000	50,000	50,000	50,000	50,000	600,000
購入資產固定資產售價	600,000	0	0	0	0	0	0	0	0	0	0	0	600,000
投資活動之淨現金流入（出）	(150,000)	10,000	(5,000)	665,000	10,000	(5,000)	145,000	10,000	(5,000)	(15,000)	(30,000)	10,000	640,000
理財活動之現金流量													
加：借款增加	556,000	0	500,000	250,000	0	0	0	300,000	0	0	0	0	1,606,000
現金增資發行新股售價	0	0	0	0	0	0	0	0	0	0	0	0	0
減：償還借款（本金）	120,000	0	0	0	670,000	0	0	500,000	0	150,000	166,000	0	1,606,000
發放現金股利	0	0	3,000,000	0	0	0	2,500,000	0	0	0	0	0	5,500,000
贖回特別股庫藏股及減資	0	0	0	0	0	0	0	0	60,000	0	0	500,000	560,000
理財活動之淨現金流入（出）	436,000	0	(2,500,000)	250,000	(670,000)	0	(2,500,000)	(200,000)	(60,000)	(150,000)	(166,000)	(500,000)	(6,060,000)
加：期初現金餘額	128,000	1,835,906	2,694,556	260,026	1,924,536	1,701,466	2,135,116	114,241	1,024,111	1,061,333	1,224,343	1,678,598	128,000
期末現金餘額	1,835,906	2,694,556	260,026	1,924,536	1,701,466	2,135,116	114,241	1,024,111	1,061,333	1,224,343	1,678,598	1,615,598	1,615,598

12-1-1 使用名稱管理員

名稱管理員主要是管理已經定義的範圍名稱，在名稱管理員中可以新增、編輯、刪除範圍名稱。首先整理要在此範例中將會使用到的「範圍名稱」，列表如下：

名稱	範圍
營業活動現金流量	$C17:$O17
投資活動現金流量	$C24:$O24
理財活動現金流量	$C32:$O32
期初現金餘額	$C34:$O34

請讀者開啟範例檔「現金流量表-01.xlsx」，一起使用名稱管理員建立「範圍名稱」。

範例 建立範圍名稱

Step 1

Step 2

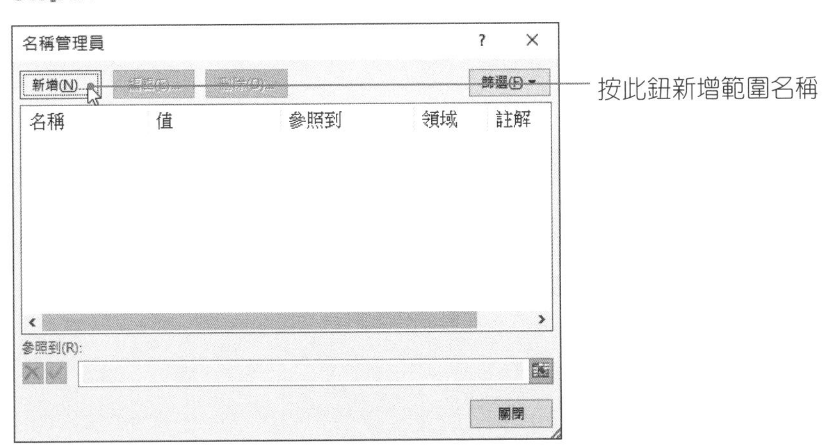

Step 3

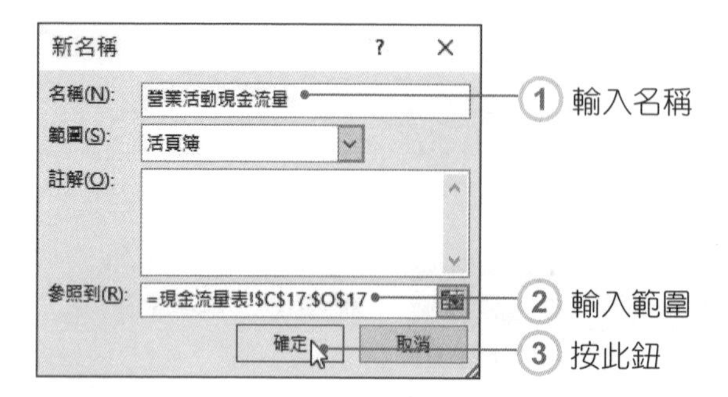

Step 4

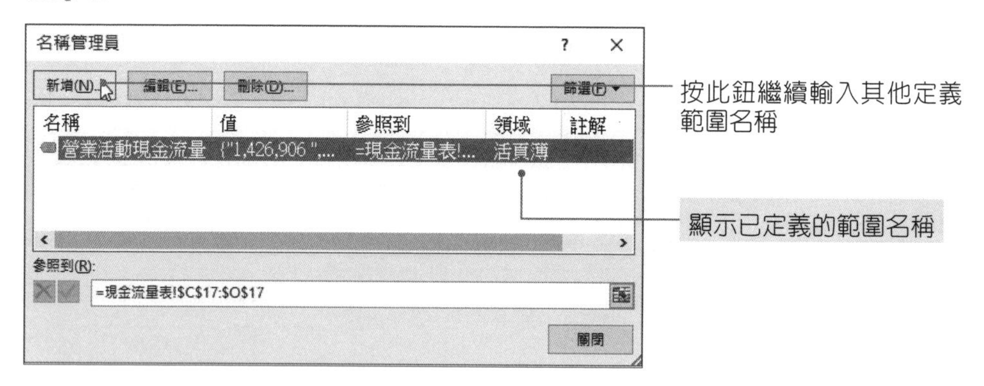

依照 2、3 步驟，依序將表列範圍名稱定義完成，如下圖所示。

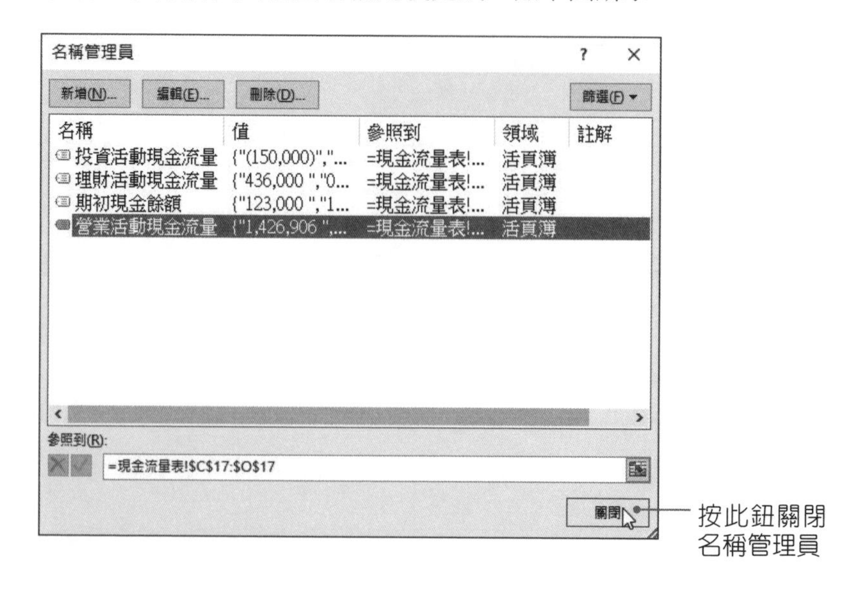

12-1-2 使用「範圍名稱」運算

「C35=C17+C24+C32+C34」，這樣的運算式無法讓使用者立即瞭解運算式所代表的涵義，如果直接利用「範圍名稱」列運算式，這樣可以看明白了。

現金流量表各期的期末現金餘額為：

營業活動現金流動 + 投資活動現金流動 + 理財活動現金流動 + 期初現金餘額 = 期末現金餘額

將 C35:O35 儲存格各公式內容改成上述運算式，不但簡易清楚，如果參照欄位有所變動時，只需修改「範圍名稱」中的參照欄位即可，是不是很方便？請開啟範例檔「現金流量表-02.xlsx」練習。

範例 範圍名稱的運算

Step 1

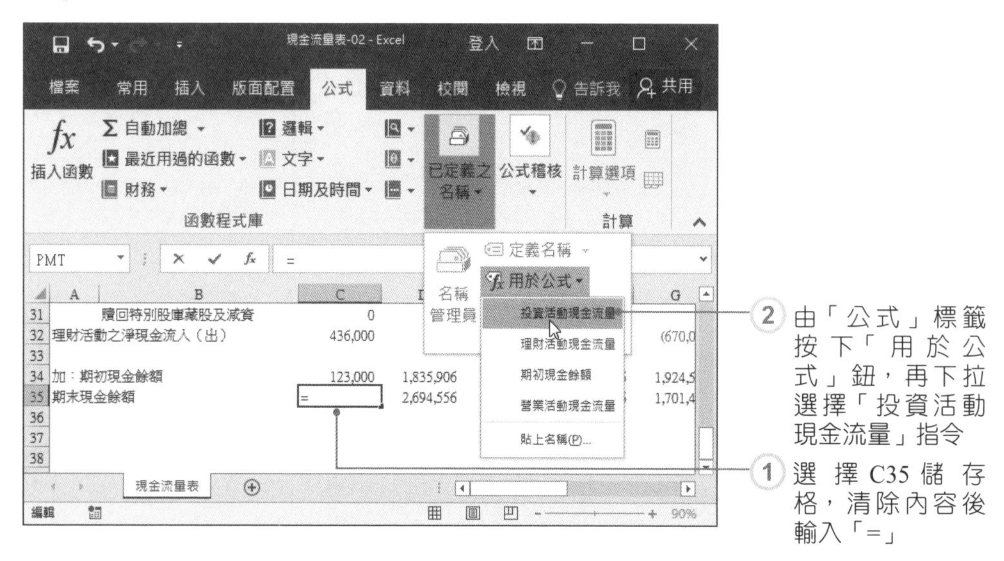

Step 2

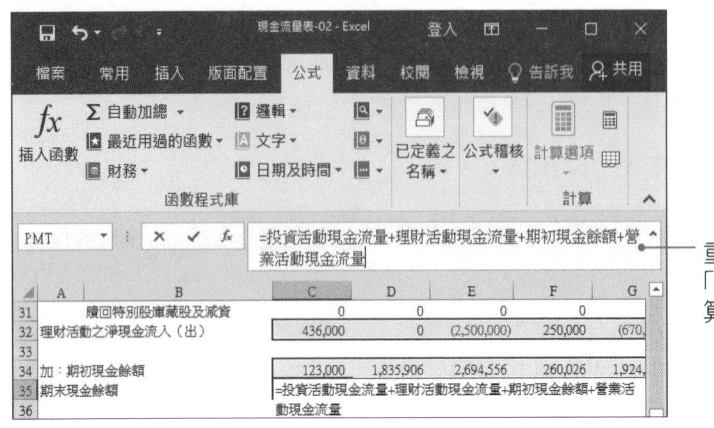

重複「公式」標籤按下「用於公式」鈕，更改運算式如圖示

Step 3

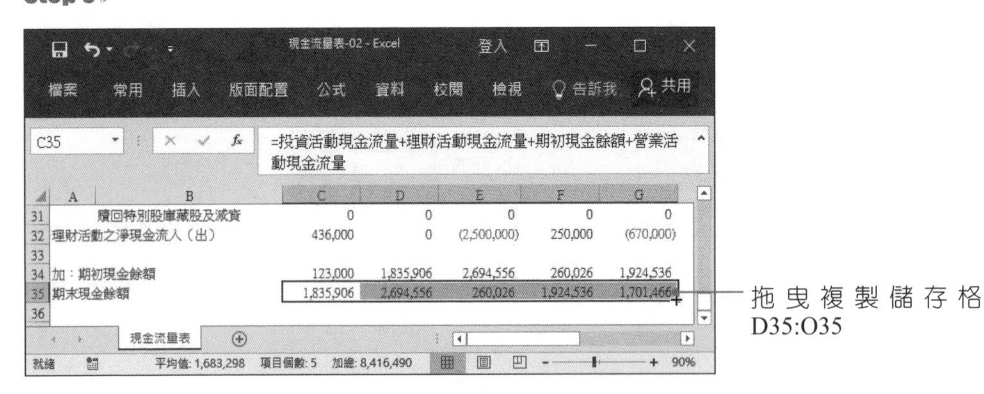

拖曳複製儲存格 D35:O35

Step 4

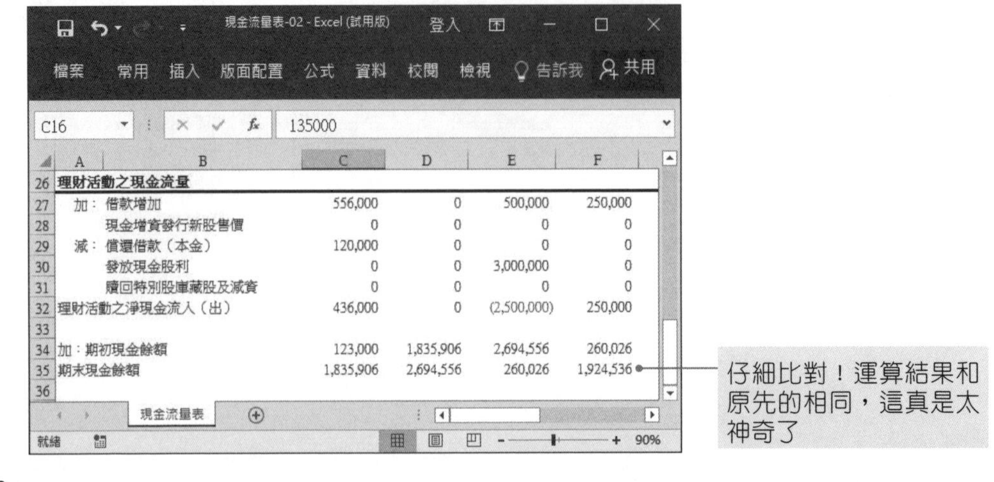

仔細比對！運算結果和原先的相同，這真是太神奇了

Tips 合計中的「期初現金餘額」，是指開始月份的金額，而不是前一個月份的期初金額。

12-1-3 設定表首日期

依照慣例財務報表的表首，都一定有報表內容相關的日期，可以利用 Excel 預設的函數功能，實際應用到現金流量表中。首先，先介紹 Excel 中的「NOW()」和「TEXT()」這兩個函數。

❖ NOW() 函數

語法：NOW()

說明：是以 Excel 依照循序數列來儲存日期與時間的序列值。

NOW() 函數並不需要引數，也不會時常更新，只有工作表重新計算時，或是執行此函數的巨集時才會更新。

使用者通常在螢幕上看到如下圖所示的 Excel 預設日期，與 NOW() 所代表的意義是不同的，至於其中如何轉換成日期格式，不在這次討論的範圍。

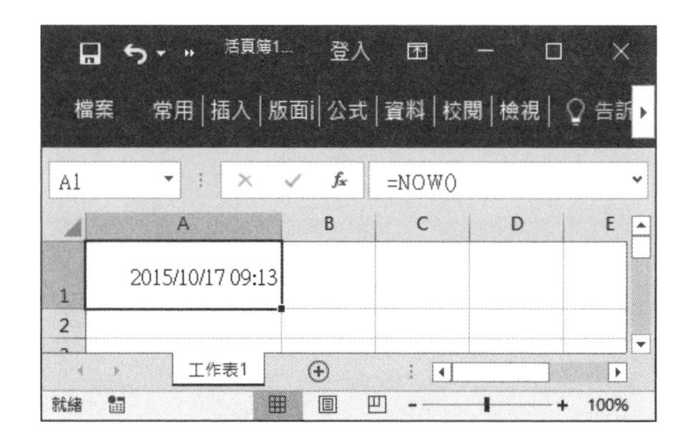

❖ TEXT() 函數

語法：TEXT(Value,Format_text)

說明：將指定參照儲存格位置的數值，轉換成為「文字」型態。「Format_text」是指文字型態的數值格式，可以參考「儲存格格式」對話方塊的日期格式，如下圖。例如：「e 年 m 月 d 日」則代表民國日期。

經 TEXT() 函數轉換 B1 儲存格成爲指定的文字型態，會如下圖所示：

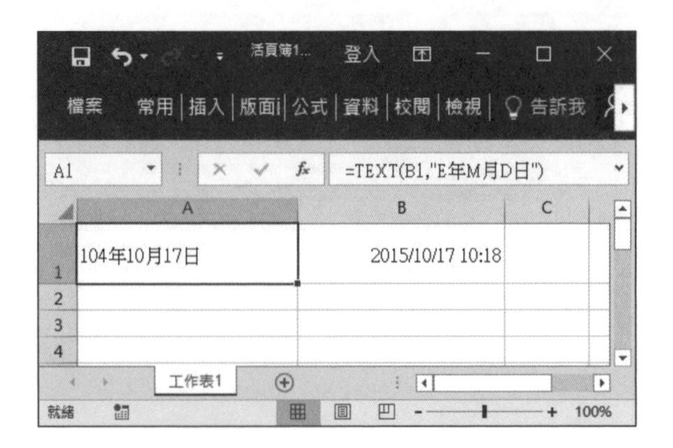

瞭解這兩個函數的語法，現在開始應用在現金流量表的表首日期上，請延續上一個範例檔，跟著下面的步驟執行。

範例 設定表首日期

Step 1

Step 2

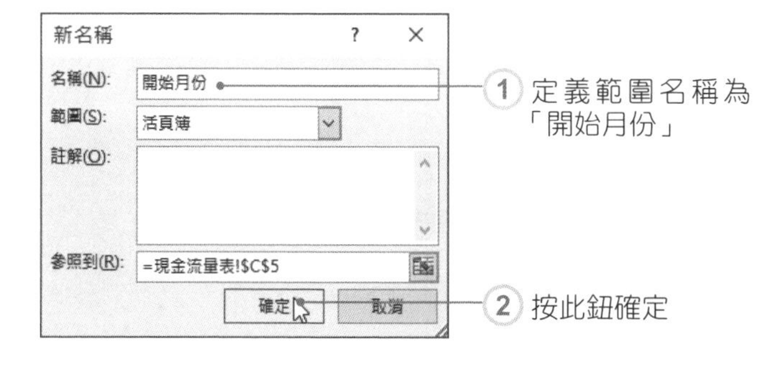

Tips 「開始月份」有可能不是當年度的一月，因此先預設 C5 儲存格為「開始月份」，可以隨著動態月份變動自動更新。

Step 3

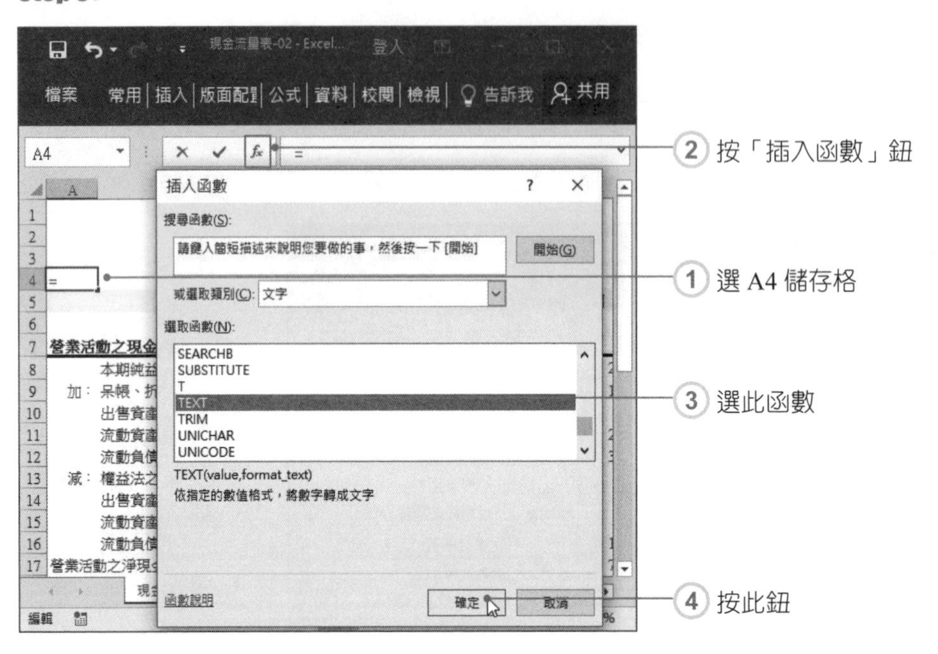
插入函數
搜尋函數(S):
請鍵入簡短描述來說明您要做的事，然後按一下 [開始]
開始(G)
或選取類別(C): 文字
選取函數(N):
SEARCHB
SUBSTITUTE
T
TEXT
TRIM
UNICHAR
UNICODE
TEXT(value,format_text)
依指定的數值格式，將數字轉成文字
函數說明
確定
取消
2 按「插入函數」鈕
1 選 A4 儲存格
3 選此函數
4 按此鈕

Step 4

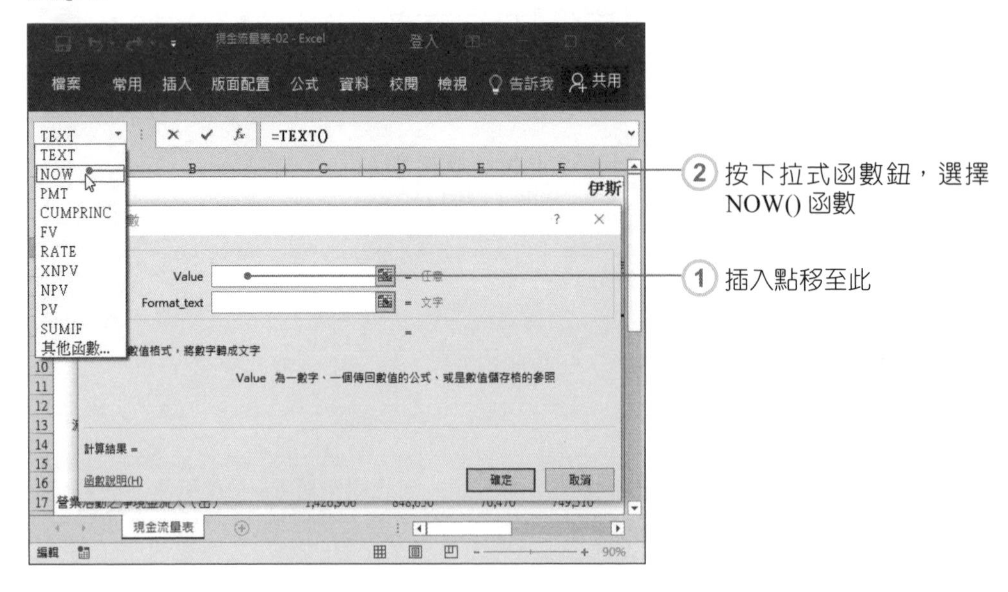
=TEXT()
TEXT
NOW
PMT
CUMPRINC
FV
RATE
XNPV
NPV
PV
SUMIF
其他函數...
Value
Format_text
計算結果 =
函數說明(H)
確定
取消
2 按下拉式函數鈕，選擇 NOW() 函數
1 插入點移至此

Step 5

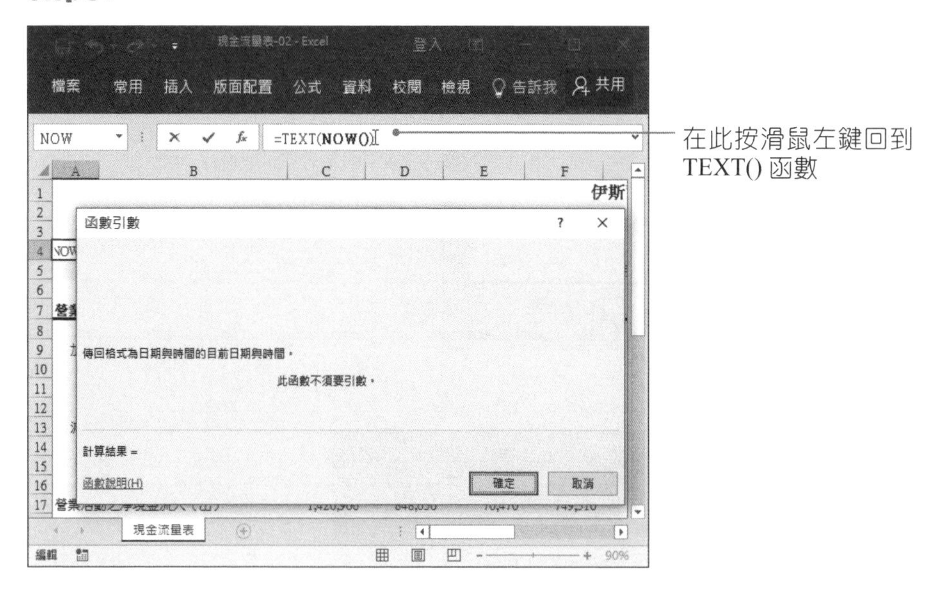

Tips 當各位要輸入多層函數時，輸入完裡層的函數，如果直接按確定鈕，則會出現公式錯誤的對話方塊。只需將插入點移至上一層函數名稱中，則可繼續輸入未完成的函數引數。

Step 6

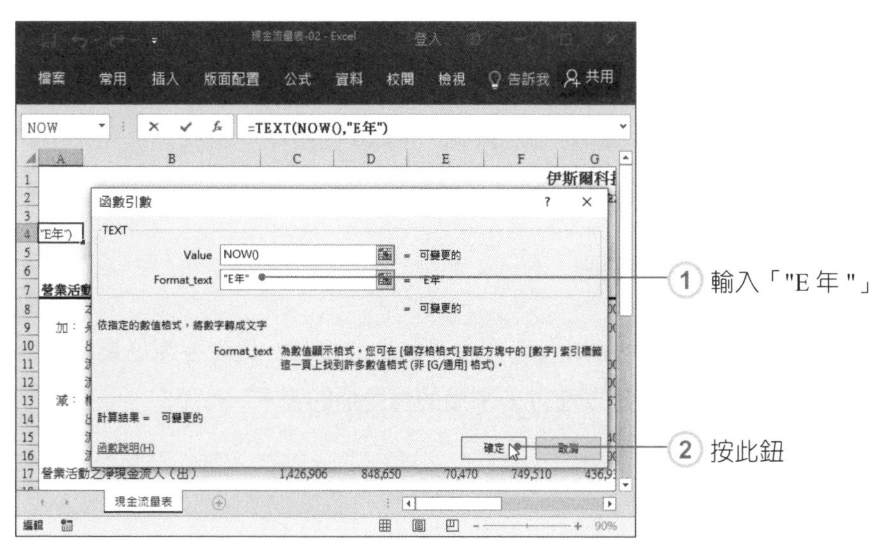

Step 7

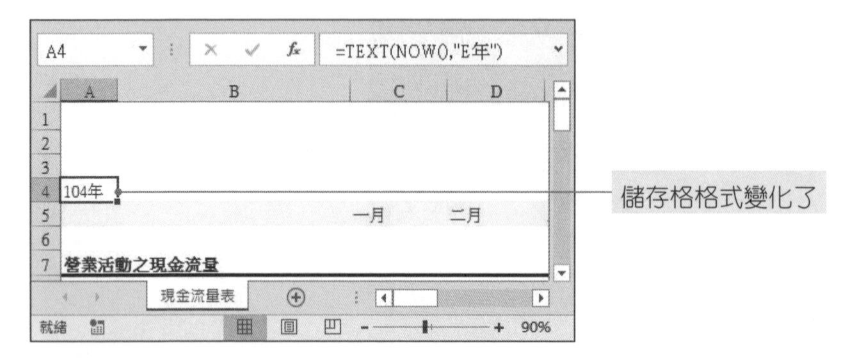

Step 8

為了要讓表首日期有年、月的顯示，並結合後面將介紹的「動態月份」，於步驟 7 的設定值加上「&」（也就是「連接號」）及 IF() 函數，這樣才可以完整表現表首的起迄日期。

12-1-4 自動顯示異常資料

現金流量表除了告知報表使用者現金使用的來龍去脈，最主要還是要提醒報表使用者，「現金餘額」是否足以應付未來幾個月營運的需求。

當營運現金低於某一個水平的時候，表示有異常的警訊，因此，利用「設定格式化條件」，當餘額高於 150 萬或低於 50 萬時，就讓儲存格變成紅底黑字加上黃色的框線。請讀者開啟範例檔「現金流量表-03.xlsx」

範例 自動顯示異常資料

Step 1

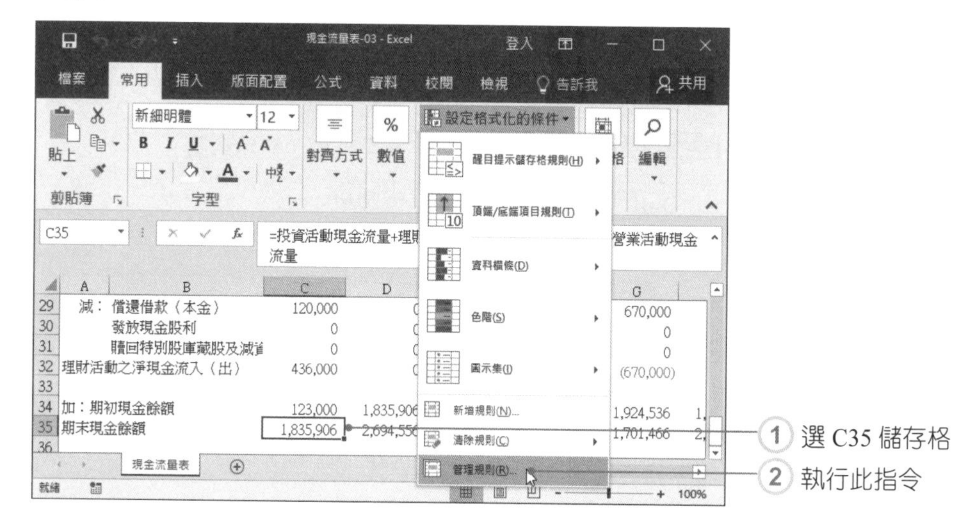

Step 2

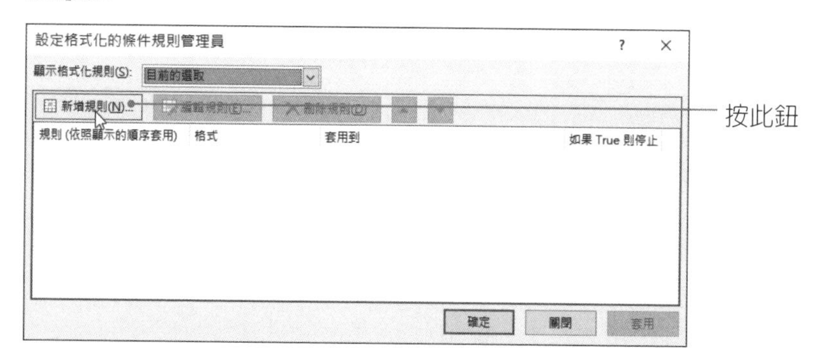

Step 3

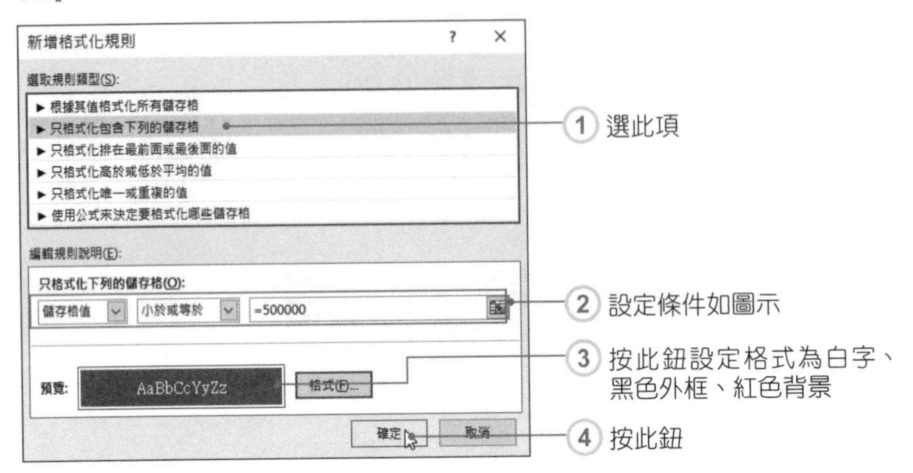

Step 4

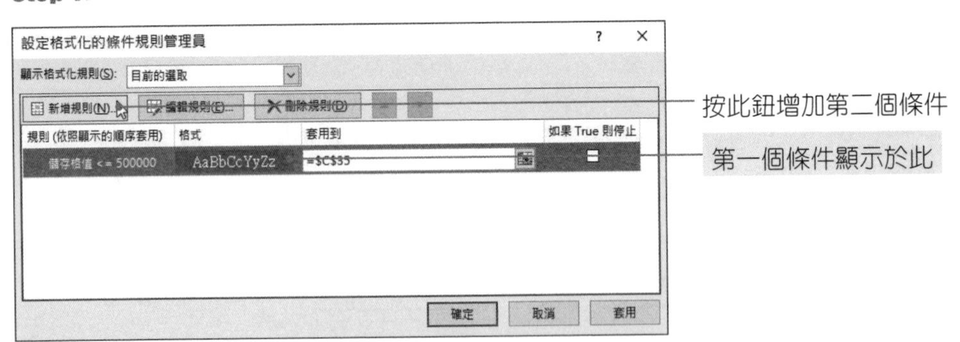

Step 5

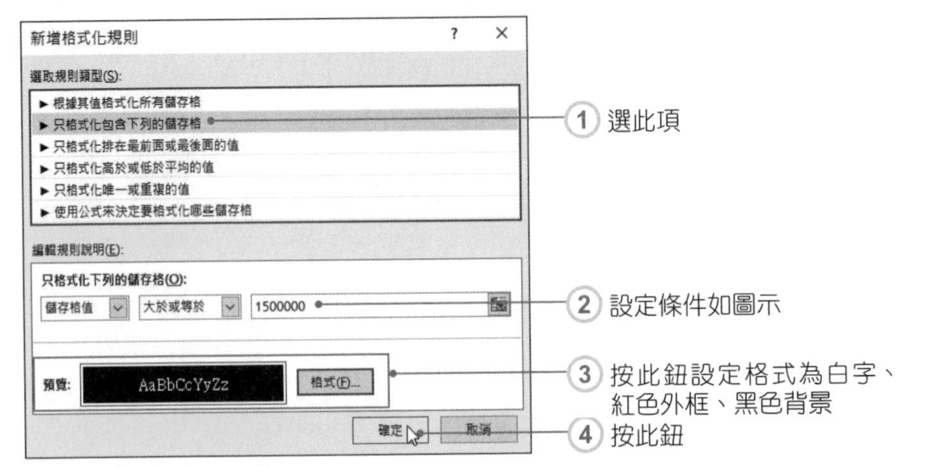

Step 6

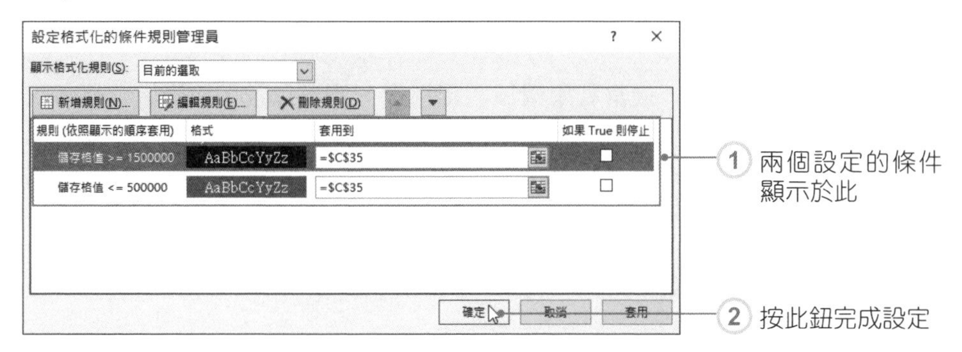

1 兩個設定的條件顯示於此

2 按此鈕完成設定

Step 7

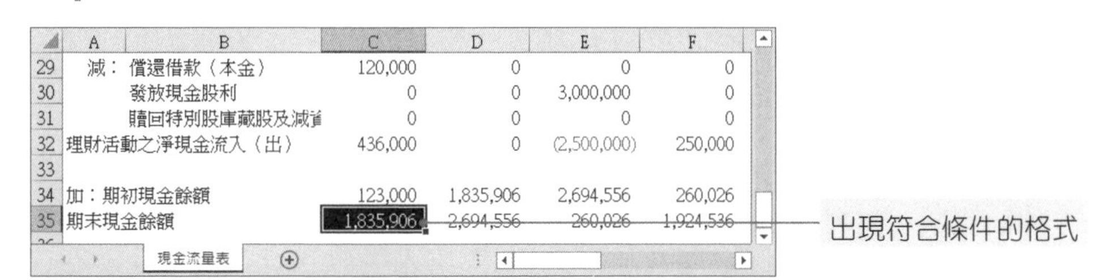

	A	B	C	D	E	F
29	減：	償還借款（本金）	120,000	0	0	0
30		發放現金股利	0	0	3,000,000	0
31		贖回特別股庫藏股及減資	0	0	0	0
32	理財活動之淨現金流入（出）		436,000	0	(2,500,000)	250,000
33						
34	加：期初現金餘額		123,000	1,835,906	2,694,556	260,026
35	期末現金餘額		1,835,906	2,694,556	260,026	1,924,536

出現符合條件的格式

Step 8

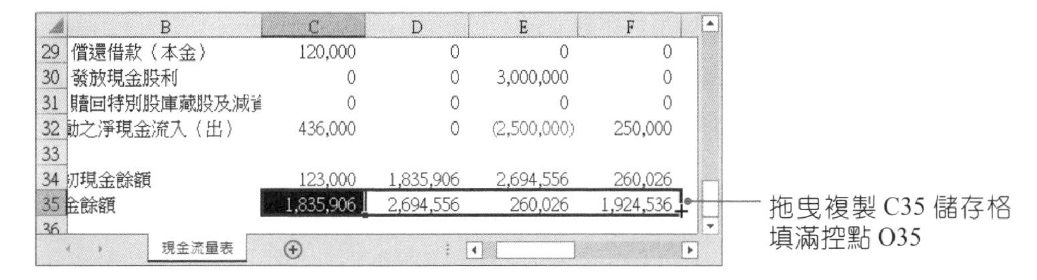

	B	C	D	E	F
29	償還借款（本金）	120,000	0	0	0
30	發放現金股利	0	0	3,000,000	0
31	贖回特別股庫藏股及減資	0	0	0	0
32	動之淨現金流入（出）	436,000	0	(2,500,000)	250,000
33					
34	初現金餘額	123,000	1,835,906	2,694,556	260,026
35	金餘額	1,835,906	2,694,556	260,026	1,924,536

拖曳複製 C35 儲存格填滿控點 O35

Step 9

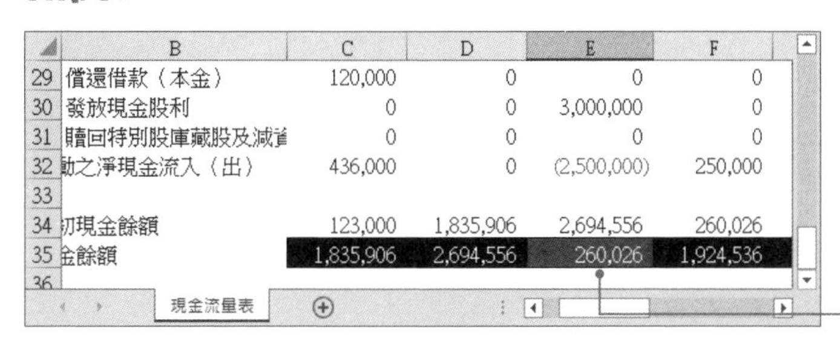

	B	C	D	E	F
29	償還借款（本金）	120,000	0	0	0
30	發放現金股利	0	0	3,000,000	0
31	贖回特別股庫藏股及減資	0	0	0	0
32	動之淨現金流入（出）	436,000	0	(2,500,000)	250,000
33					
34	初現金餘額	123,000	1,835,906	2,694,556	260,026
35	金餘額	1,835,906	2,694,556	260,026	1,924,536

完成了！出現紅底白字黑框的儲存格就要注意期末現金餘額

12-2 動態月份

製作連續月份表單時，最常利用滑鼠右鍵拖曳，選擇以數列填滿儲存格。如果各位只會這個方法，那各位 Excel 的功力就太弱了，想增加功力嗎？一起來練功吧！

12-2-1 MATCH() 及 INDEX() 函數

製作動態月份前先來認識 MATCH() 及 INDEX() 函數函數。

❖ MATCH() 函數

語法：MATCH(Lookup_value,Lookup_array,Match_type)

說明：在指定儲存格範圍中，參照指定條件的儲存格，並傳回該儲存格位置的值。

引數名稱	說明
Lookup_value	指要在陣列或儲存格範圍中尋找的值。
Lookup_array	指陣列或儲存格範圍，其中含有被比對值的資料。
Match_type	是個數字，其值有三種可能：-1、0 或 1，用以指定 Excel 如何從 Lookup_array 裡尋找 LookuP_value。

■ Match_type 值與其他引數的關係

Match_type 值	Lookup_value 值	Lookup_array 值
1(預設值)	等於或僅次於	遞增次序排列：...，-2，-1，0，1，2，...A-Z，FALSE，TRUE
0	完全等於	任意次序排列
-1	等於或大於	遞減次序排列：TRUE,FALSE, Z-A, ...2, 1, 0, -1, -2, ... 等

例：如下列範圍中

	A	B	C
1	國名	參加人數	報到比率
2	英國	490	57.40%
3	日本	980	77.40%
4	韓國	830	84.60%
5	美國	540	87.70%
6	澳洲	380	90.00%

工作表1

⊙ MATCH(84.6%,C2:C6,1) 所得的值是 3

⊙ MATCH(87.7%,C2:C6,0) 所得的值是 4

❖ INDEX() 函數

語法：INDEX(Array,Row_num,Column_num)

說明：在指定儲存格範圍中，參照指定儲存格的位置，並傳回該儲存格的內容。

引數	說明
Array	指儲存格範圍。
Row_num	指定要傳回的元素是位於儲存格範圍的第幾列。
Column_num	指定要傳回的元素是位於儲存格範圍的第幾欄。

儲存格範圍只含單一列或欄時，所對應的「Row_num」或「Column_num」可省略。如果儲存格範圍含有多列多欄，只單獨使用「Row_num」或「Column_num」，則會傳回儲存格範圍某一整列或整欄。

例：如下列範圍中

	A	B	C
1	國名	參加人數	報到比率
2	日本	980	77.40%
3	美國	540	87.70%
4	澳洲	380	90.00%
5	英國	490	57.40%
6	韓國	830	84.60%

工作表1

⊙ INDEX(A2:C6,2,3) 所傳回的值是 87.7%

⊙ INDEX(A2:C6,3,1) 所傳回的值是澳洲

12-2-2 動態月份表單製作

知道上述函數的使用方法後，沒有實際運用如何知道功效何在？請讀者開啓範例檔「現金流量表-04.xlsx」

範例 動態月份表單製作

Step 1

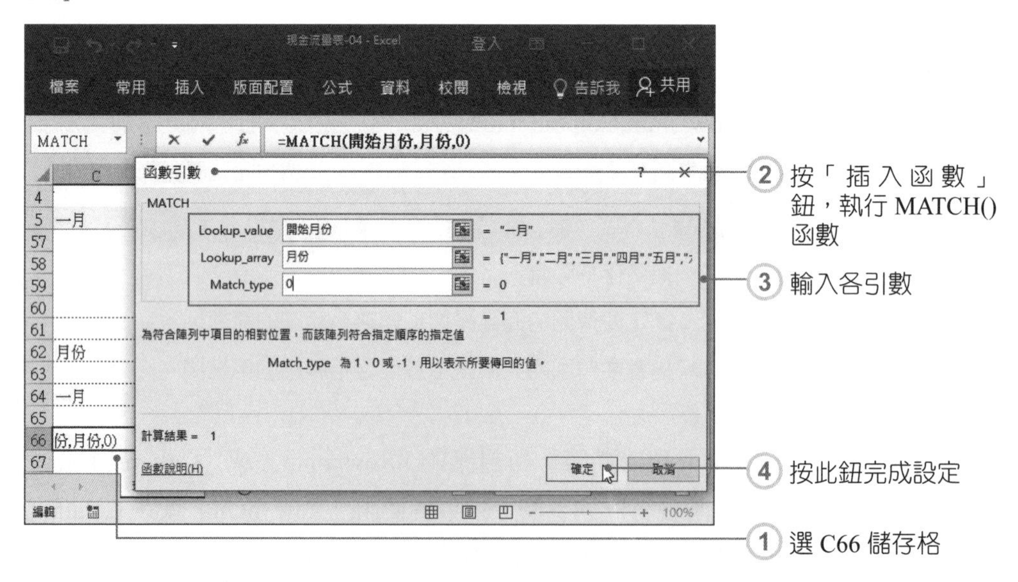

Step 2

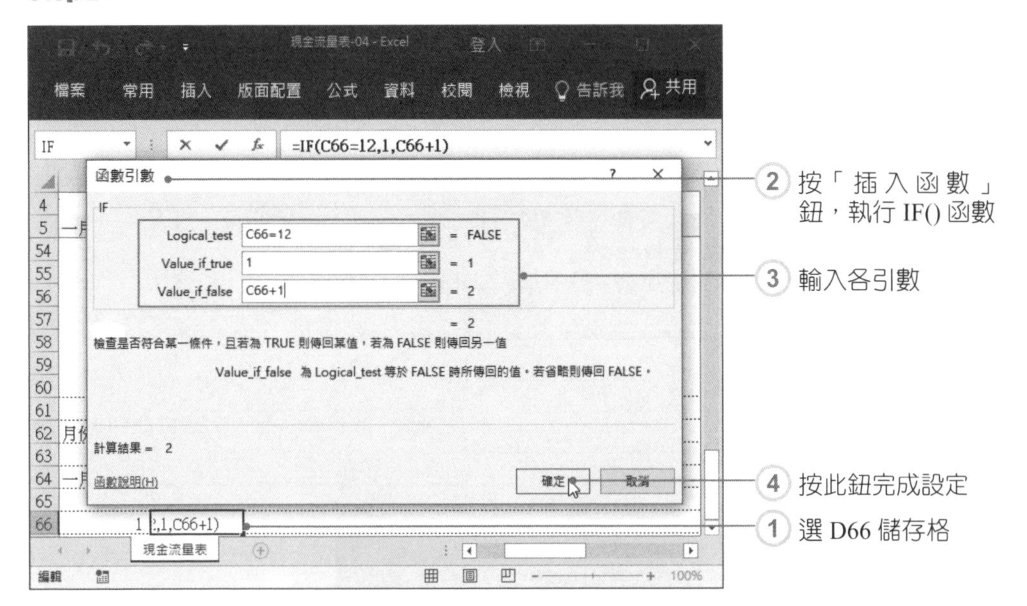

Step 3

Step 4

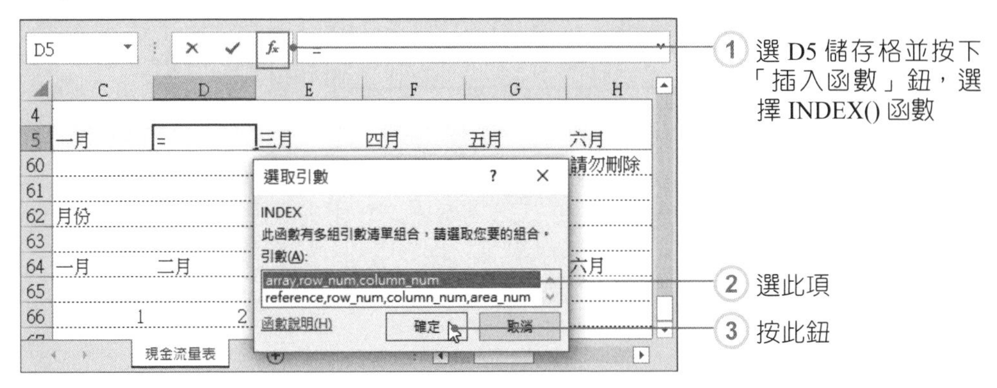

Step 5

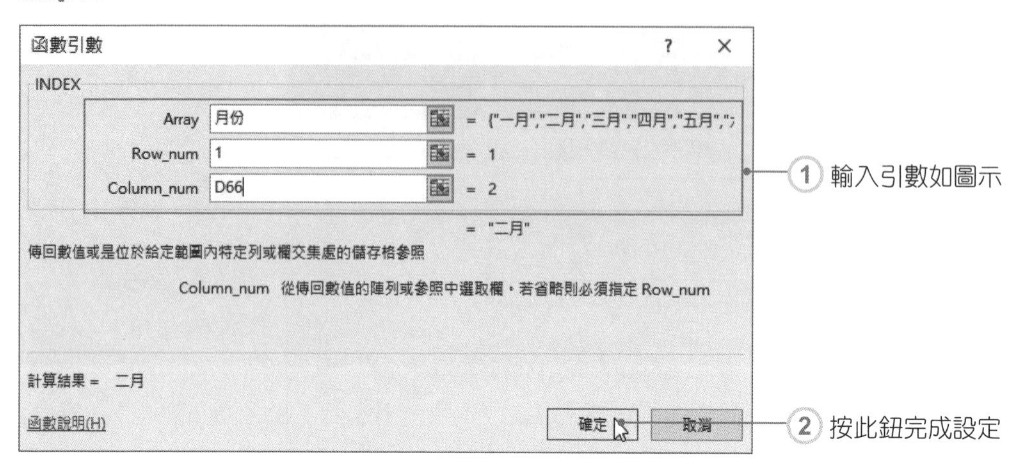

Step 6

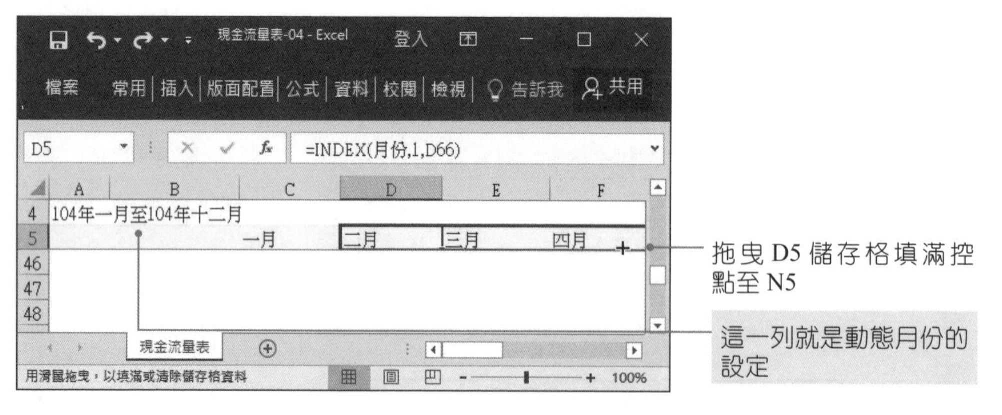

Step 7

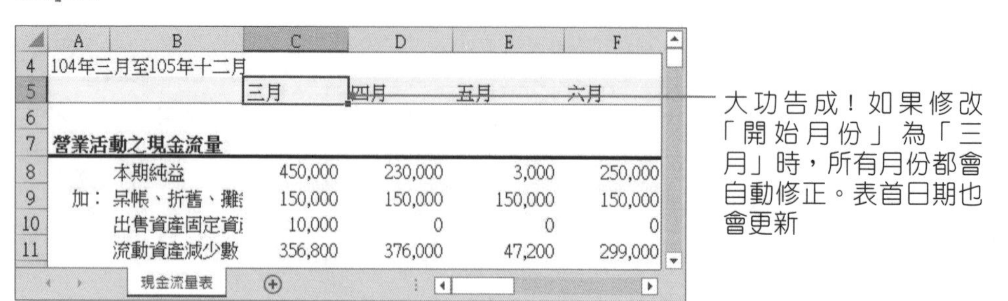

實力評量

是非題

( ) 1. TEXT() 函數為將指定參照儲存格位置的數值，轉換成為「文字」型態。

( ) 2. 當輸入多層函數時，輸入完裡層的函數後，只需將插入點移至上一層函數名稱中，則可繼續輸入未完成的函數引數。

( ) 3. MATCH() 函數是指定儲存格範圍中，參照指定條件的儲存格，並傳回該儲存格位置的值。

( ) 4. INDEX() 函數為在指定儲存格範圍中，參照指定儲存格的位置，並傳回該儲存格的內容。

( ) 5. 在名稱管理員中可以新增、編輯、刪除範圍名稱。

( ) 6. 當無法讓使用者立即瞭解運算式所代表的涵義，可以利用「範圍名稱」列運算式，這樣可以更容易明白運算式的意義。

( ) 7. TEXT(Value,Format_text) 函數中的「Format_text」是指文字型態的數值格式。

( ) 8. MATCH(Lookup_value,Lookup_array,Match_type) 函數中的 Match_type 是個數字，其值只有兩種可能：-1 或 1。

選擇題

( ) 1. 使用格式化條件功能可使符合特定條件的儲存格以特定的格式顯現，下列何者不包含在內？

(A) 字型　(B) 外框　(C) 圖樣　(D) 對齊方式

( ) 2. 儲存格格式視窗「字型」標籤頁中有哪些設定項目？

(A) 字型樣式　(B) 特殊效果　(C) 底線　(D) 以上皆是

( ) 3. 下列何者非圖表的組成元件？

(A) 圖表區　(B) 格線　(C) 繪圖區　(D) 圖例符號

( ) 4. 下列何者的顯示，可對應到實際的資料數值，且較易看出資料數列的不同？

(A) 圖例　(B) 格線　(C) 圖表文字　(D) 座標軸

實作題

1. 伊斯爾公司主管要求小玲每季製作銷售報表，並且包含前三季的資料提供參考，請依照下列要求完成銷售報表。請開啓範例檔「現金流量表-06.xlsx」
    - 表首日期為某年某季至某年某季。
    - 開始季使用下拉式清單
    - 標題列使用動態功能

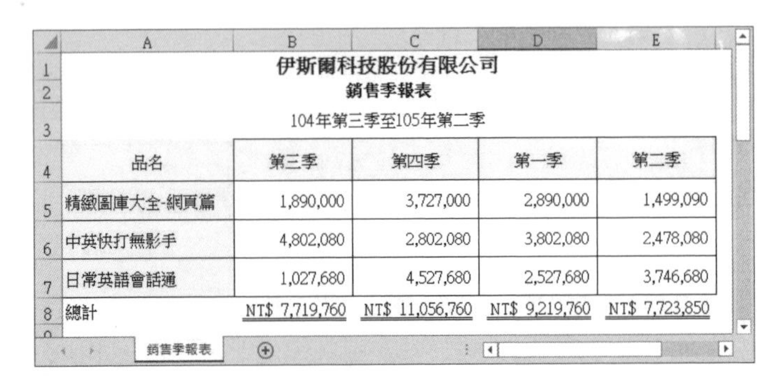

伊斯爾科技股份有限公司
銷售季報表
104年第三季至105年第二季

品名	第三季	第四季	第一季	第二季
精緻圖庫大全-網頁篇	1,890,000	3,727,000	2,890,000	1,499,090
中英快打無影手	4,802,080	2,802,080	3,802,080	2,478,080
日常英語會話通	1,027,680	4,527,680	2,527,680	3,746,680
總計	NT$ 7,719,760	NT$ 11,056,760	NT$ 9,219,760	NT$ 7,723,850

銷售季報表

2. 如何呼叫「名稱管理員」？

筆記欄

PART

3 投資理財活用篇

現代化的生活充滿了五光十色的消費誘費，許多人經常在月初領到了薪水，就大肆地滿足購買慾，直到月底又成了名符其實的月光族。 這就是沒有事先做好理財規劃，要把握自己未來的生活，就該開始在投資理財上開始下功夫。當然 Excel 的功用不只可以服務一般的企業組織，對於個人生活開銷的統計與投資理財的規劃，也提供了許多實用的功能，如個人財務預算掌控、個人投資理財試算、貸款組合評估與保險淨值試算等等。

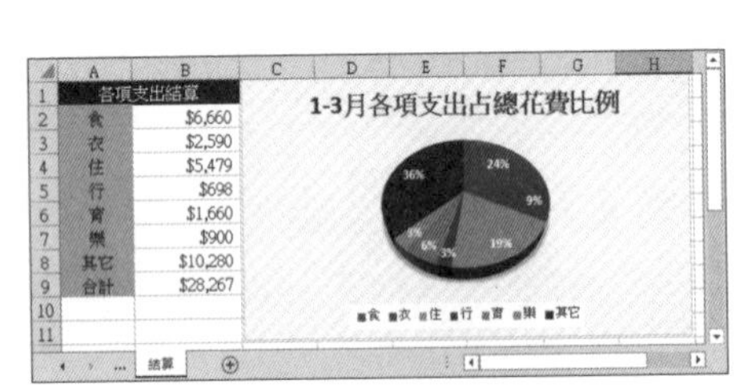

各項支出結算	
食	$6,660
衣	$2,590
住	$5,479
行	$698
育	$1,660
樂	$900
其它	$10,280
合計	$28,267

定期定額基金投資計畫

日期	投資金額	基金淨值	購買單位	累積單位	累積成本	獲利金額	報酬率
2016/7/1	$5,000	25	200.00	200.00	$5,000		
2016/8/1	$5,000	25.68	194.70	394.70	$10,000	$136.00	1.36%
2016/9/1	$5,000	24.65	202.84	597.54	$15,000	-$270.55	-1.80%
2016/10/1	$5,000	23.01	217.30	814.84	$20,000	-$1,250.52	-6.25%
2016/11/1	$5,000	24.5	204.08	1018.92	$25,000	-$36.40	-0.15%
2016/12/1	$5,000	25.02	199.84	1218.76	$30,000	$493.44	1.64%
2017/1/1	$5,000	25.9	193.05	1411.81	$35,000	$1,565.95	4.47%
2017/2/1	$5,000	26	192.31	1604.12	$40,000	$1,707.13	4.27%
2017/3/1	$5,000	25.6	195.31	1799.43	$45,000	$1,065.48	2.37%
2017/4/1	$5,000	25.1	199.20	1998.64	$50,000	$165.76	0.33%
2017/5/1	$5,000	24.5	204.08	2202.72	$55,000	-$1,033.42	-1.88%
2017/6/1	$5,000	24.9	200.80	2403.52	$60,000	-$152.33	-0.25%

工作表1

支出花費比例圖表與定期定額基金試算

泓宇定期存款本利和試算

存款金額	合約期限（年）	年利率
100000	2	2.50%

銀行名稱	年利率	存款金額			
	$ 105,000.00	$50,000.00	$100,000.00	$150,000.00	$200,000.00
復邦銀行	2.50%	$ 52,500.00	$ 105,000.00	$ 157,500.00	$ 210,000.00
信託銀行	2.80%	$ 52,800.00	$ 105,600.00	$ 158,400.00	$ 211,200.00
台欣銀行	2.65%	$ 52,650.00	$ 105,300.00	$ 157,950.00	$ 210,600.00
精誠銀行	2.95%	$ 52,950.00	$ 105,900.00	$ 158,850.00	$ 211,800.00
合庫銀行	3.20%	$ 53,200.00	$ 106,400.00	$ 159,600.00	$ 212,800.00

雙變數

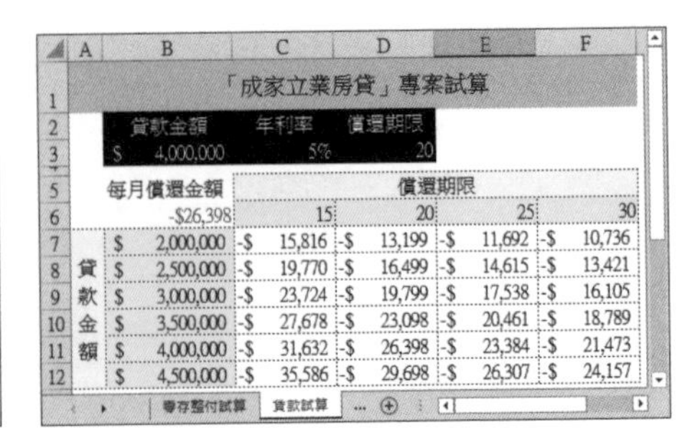

「成家立業房貸」專案試算

貸款金額	年利率	償還期限
$ 4,000,000	5%	20

	每月償還金額	償還期限			
	-$26,398	15	20	25	30
貸款金額	$ 2,000,000	-$ 15,816	-$ 13,199	-$ 11,692	-$ 10,736
	$ 2,500,000	-$ 19,770	-$ 16,499	-$ 14,615	-$ 13,421
	$ 3,000,000	-$ 23,724	-$ 19,799	-$ 17,538	-$ 16,105
	$ 3,500,000	-$ 27,678	-$ 23,098	-$ 20,461	-$ 18,789
	$ 4,000,000	-$ 31,632	-$ 26,398	-$ 23,384	-$ 21,473
	$ 4,500,000	-$ 35,586	-$ 29,698	-$ 26,307	-$ 24,157

零存整付試算　貸款試算

定期存款方案與購屋貸款方案評估

此外，隨著資訊網路科技的突飛猛進，目前金融機構對於客戶所提供的金融加值型服務，早已由隨處可見的自動櫃員機（ATM）進展到目前的網路銀行（Internet Bank），包括現代家庭中有許多五花八門的帳單，都可以透過電腦來進行網路轉帳與付費。

甚至於樂於常跑號子的家庭主婦，還可以邊做家事邊上網來下單買賣股票喔！當然您更可以匯入台灣的股市即時（或盤後交易）資訊到 Excel 工作表中，以利您使用資料分析工具來協助您瞭解個股，除此之外，連美國的股市資訊都可以輕鬆下載至您的電腦中。

活頁簿1 - Excel

	A	B	C	D	E	F	G
1	證券代號	證券名稱	成交股數	成交筆數	成交金額	開盤價	最高價
2	1503	士電	102,010	54	3,779,370	37.05	37.1
3	1504	東元	4,295,781	2,011	136,335,176	32	32
4	1506	正道	1,498,255	596	28,496,392	19.4	19.4
5	1507	永大	1,948,504	1,346	145,379,398	76.1	76.1
6	1512	瑞利	818,000	227	6,730,250	8.38	8.48
7	1513	中興電	1,261,438	391	21,407,186	17.15	17.15
8	1514	亞力	185,700	63	1,696,775	9.14	9.18
9	1515	力山	3,400,649	1,037	38,833,346	11.3	11.7

工作表1

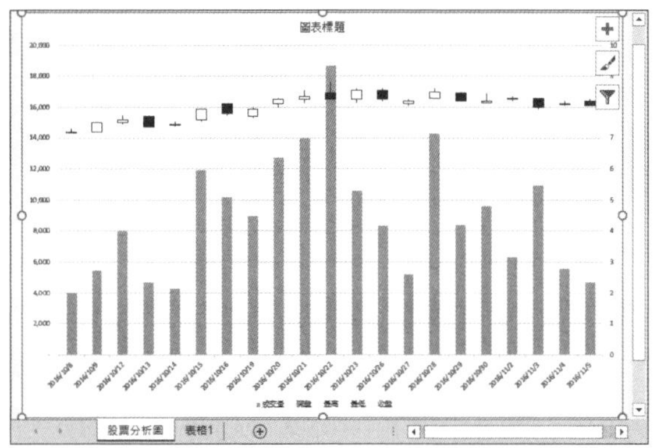

Excel 上顯現股市資訊與股票分析圖

CHAPTER 13

財務預算管理

學習重點

» SUMIF() 函數

本章簡介

日常生活中的各項瑣碎支出經常不會有人特別注意，雖然每次金額都不大，如果不加以管制，也有可能花掉收入的一大半。 如果能讓自己在這些花費上有效的加以控制，才能爲其他各項投資理財奠定良好的基礎。本章範例主要是學習如何控制生活上的各個開銷，使其不超過 各位對這些花費的預算。

Excel 2016

範例成果

	A	B	C	D
1	105年　一月份各項支出金額			
2		各項支出 合計	各項支出 預算	實際支出- 預算支出
3	食	$2,900	$4,000	$1,100
4	衣	$1,000	$2,000	$1,000
5	住	$2,100	$2,000	($100)
6	行	$200	$600	$400
7	育	$580	$1,000	$420
8	樂	$400	$1,000	$600
9	其它	$4,480	$4,000	($480)
10	合計	$11,660	$14,600	$2,940
11	財務預算管理表			
12	日期	類別	摘要	金額
13	1月1日	食	早餐,中餐,晚餐	$150
14	1月2日	食	早餐,中餐,晚餐	$200
15	1月3日	食	早餐,中餐,晚餐	$100
16	1月4日	食	早餐,中餐,晚餐	$150
17	1月5日	食	早餐,中餐,晚餐	$150
18	1月5日	衣	購買衣服*2	$1,000
19	1月6日	食	早餐,中餐,晚餐	$150

一月份　二月 ...

各月支出明細與預算差額

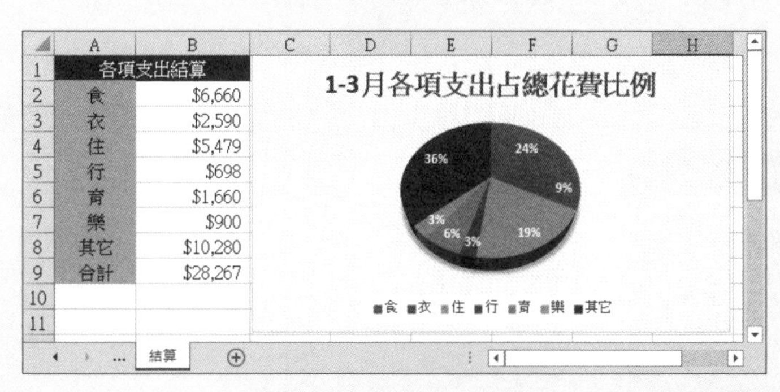

	A	B
1	各項支出結算	
2	食	$6,660
3	衣	$2,590
4	住	$5,479
5	行	$698
6	育	$1,660
7	樂	$900
8	其它	$10,280
9	合計	$28,267
10		
11		

各項花費結算金額與圖表

13-1 輸入各項支出資料

控制各項花費的第一步便是預估各項支出所需花費的金額並記錄支出的明細資料，以便比對是否超出預算。

13-1-1 輸入各項支出預算額

假設將支出類別歸類為「食、衣、住、行、育、樂、其他」等七大項，並先將預計消費依照不同類別設定預算金額。請開啓範例檔「預算管理-01.xlsx」，並於各項花費類別欄內輸入預估金額：

Step 1

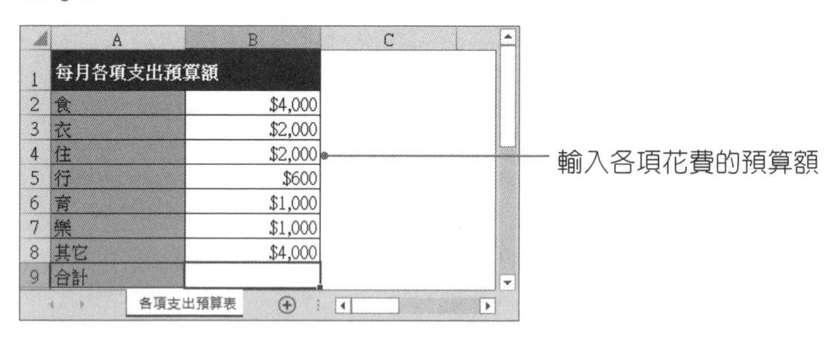

Step 2

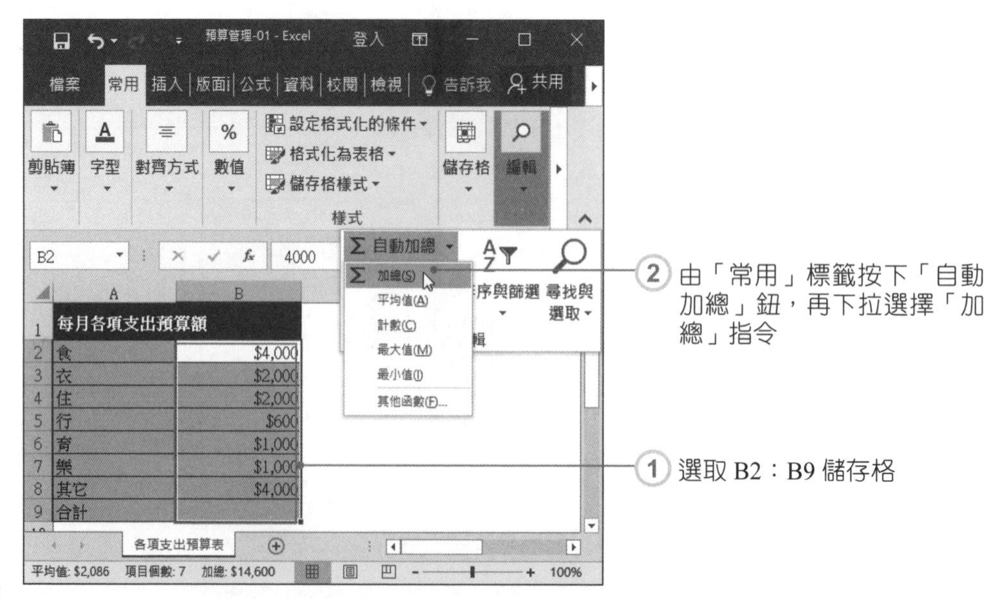

Step 3

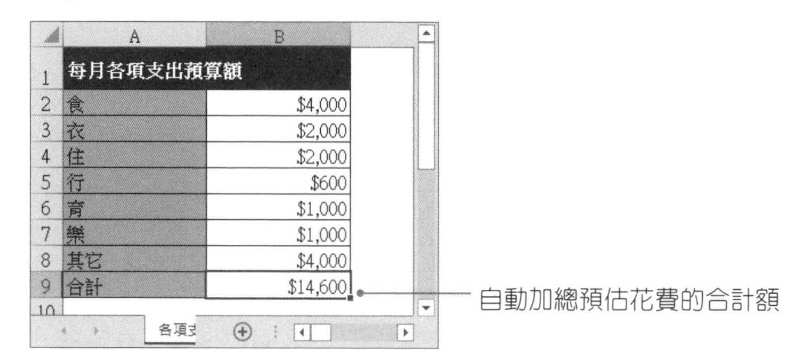

	A	B
1	每月各項支出預算額	
2	食	$4,000
3	衣	$2,000
4	住	$2,000
5	行	$600
6	育	$1,000
7	樂	$1,000
8	其它	$4,000
9	合計	$14,600

13-1-2 輸入各項支出明細

完成預算表後，接著依照日常生活開支，紀錄各項支出明細。請開啟範例檔「預算管理-02.xlsx」：

Step 1

Step 2

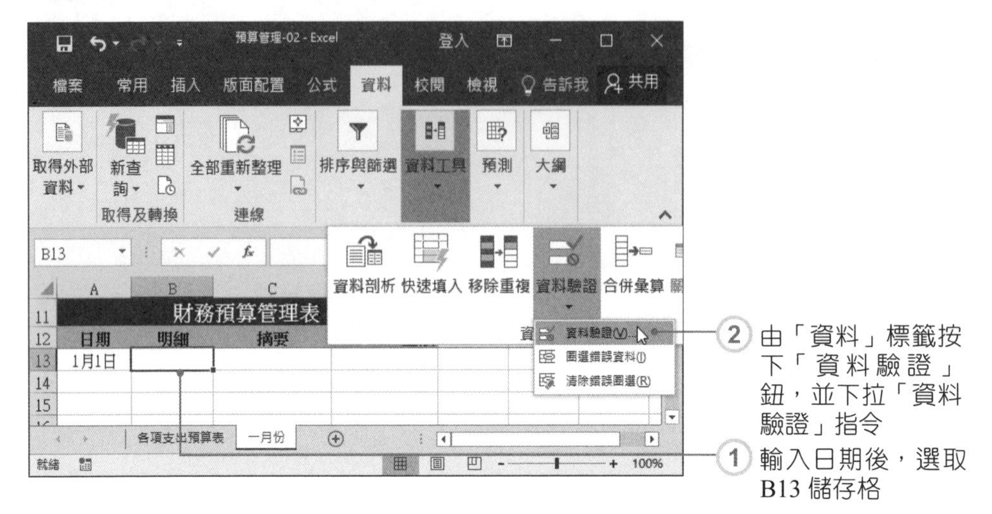

② 由「資料」標籤按下「資料驗證」鈕，並下拉「資料驗證」指令

① 輸入日期後，選取 B13 儲存格

Step 3

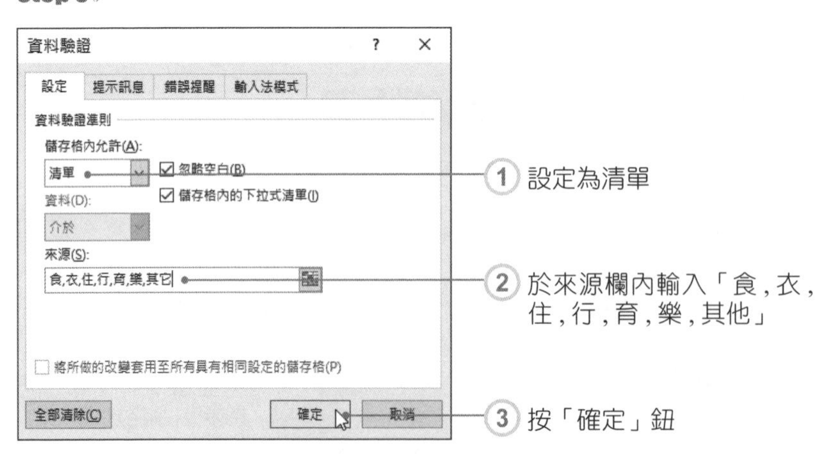

① 設定為清單

② 於來源欄內輸入「食，衣，住，行，育，樂，其他」

③ 按「確定」鈕

Step 4

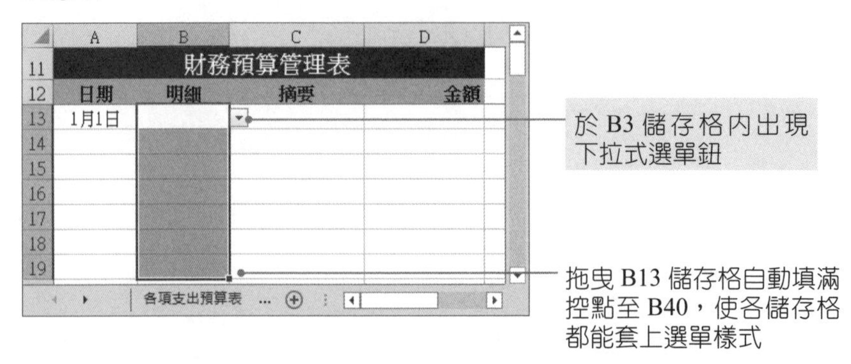

於 B3 儲存格內出現下拉式選單鈕

拖曳 B13 儲存格自動填滿控點至 B40，使各儲存格都能套上選單樣式

Step 5

Step 6

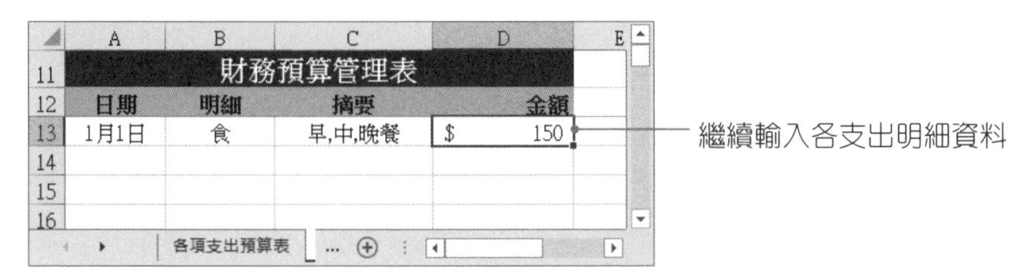

請依照以上步驟逐一輸入每日消費明細，或開啟範例檔「預算管理-03.xlsx」，於範例內已輸入各項支出明細供參考。

13-2 計算當月各項支出合計數

每當月底時，所有支出明細皆已輸入表格，即可統計各項支出的總額與合計，並檢視是否超出所訂的預算額。

13-2-1 SUMIF() 函數說明

計算合計數會使用到 SUMIF() 函數，因此先介紹此函數的用法：

❖ SUMIF() 函數

語法：SUMIF(Range,Criteria,Sum-range)

說明：對儲存格範圍中符合某特定篩選條件的儲存格進行加總，相關引數說明如下：

引數名稱	說明
Range	儲存格範圍。
Criteria	用以判斷是否要列入計算的篩選條件，可以是數字、表示式或文字。
Sum-range	實際要加總的儲存格，如果忽略此引數則以儲存格範圍為加總對象。

13-2-2 使用函數計算合計數

大致了解 SUMIF() 函數的語法，接著請開啓範例檔「預算管理-04.xlsx」，練習使用函數計算支出合計金額。

Step 1

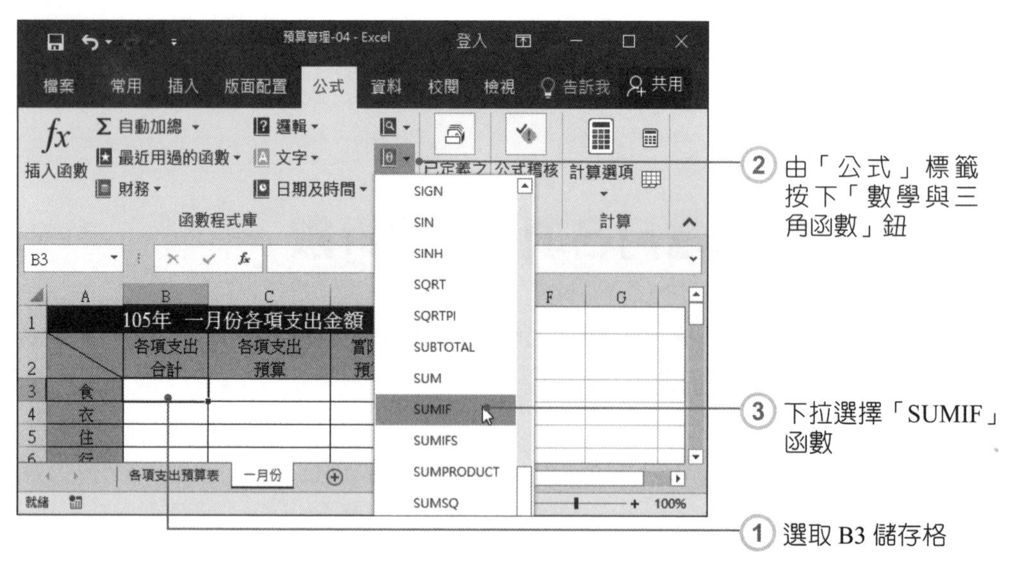

Step 2

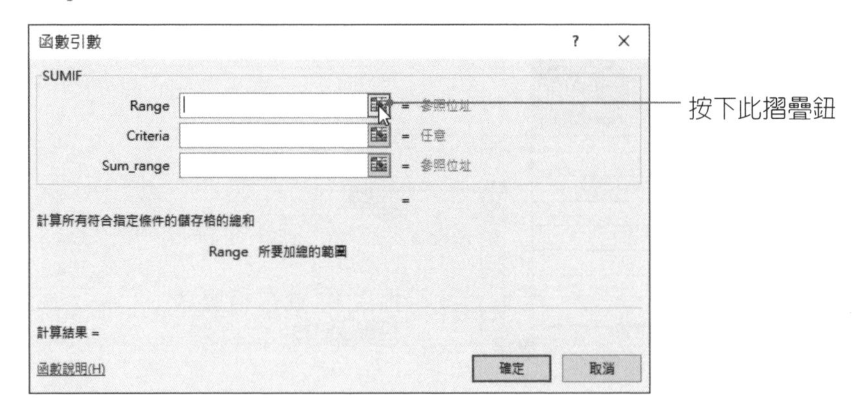

Step 3

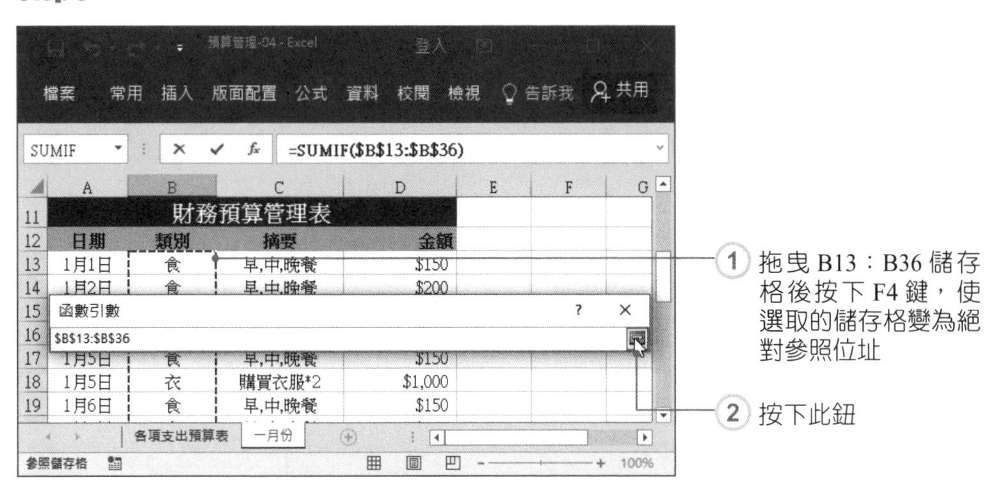

Step 4

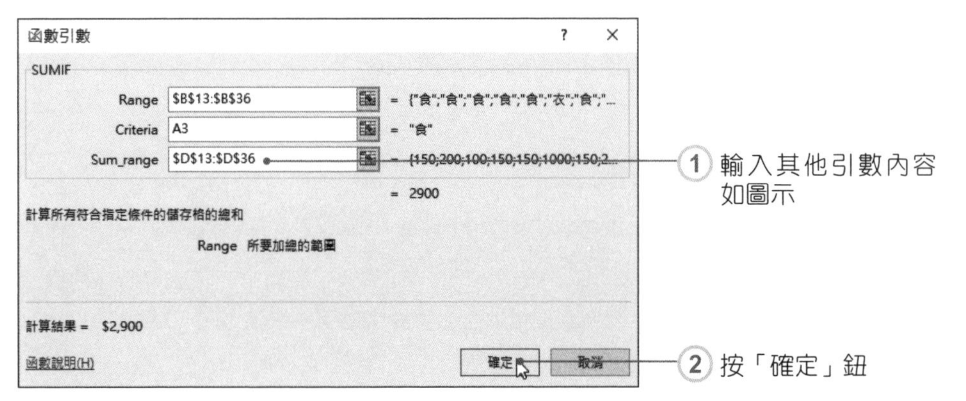

Step 5

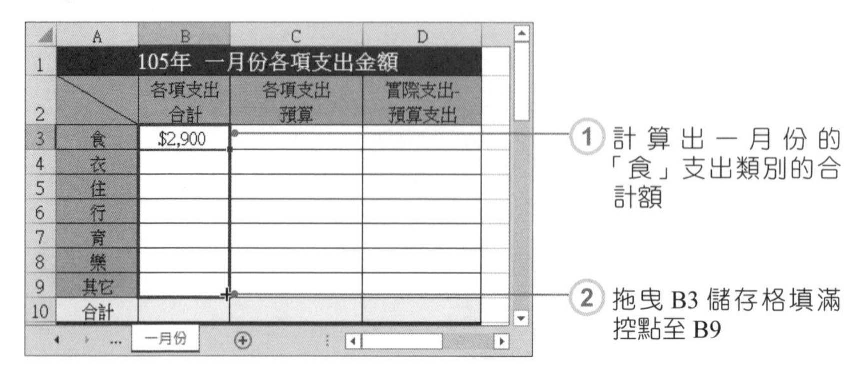
105年 一月份各項支出金額
各項支出合計
各項支出預算
實際支出-預算支出
食
衣
住
行
育
樂
其它
合計
$2,900
一月份
① 計算出一月份的「食」支出類別的合計額
② 拖曳 B3 儲存格填滿控點至 B9

Step 6

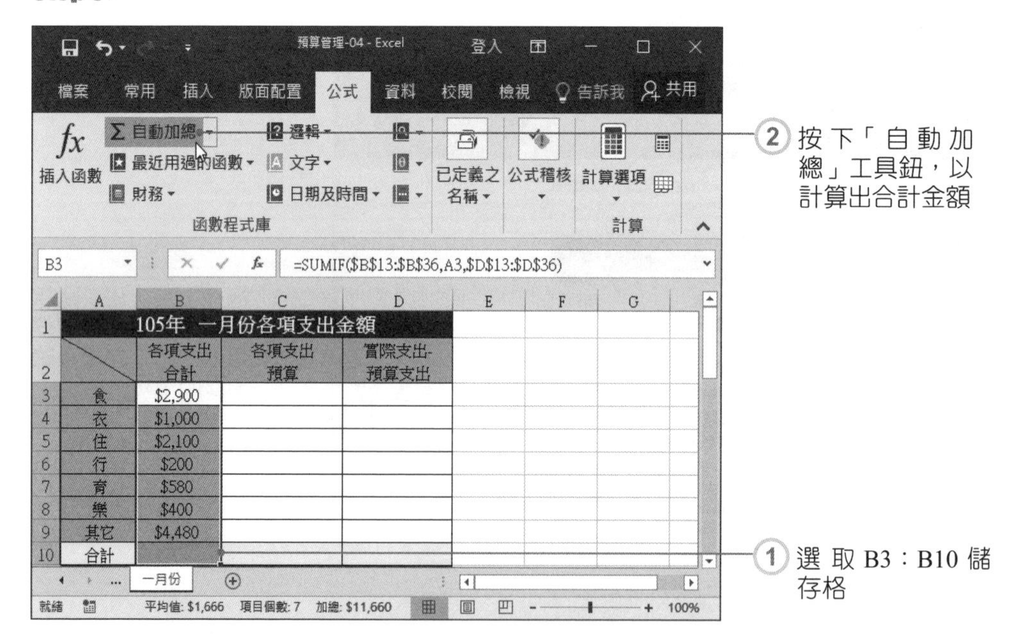
預算管理-04 - Excel
登入
檔案
常用
插入
版面配置
公式
資料
校閱
檢視
告訴我
共用
插入函數
自動加總
最近用過的函數
財務
邏輯
文字
日期及時間
函數程式庫
已定義之名稱
公式稽核
計算選項
計算
B3
=SUMIF($B$13:$B$36,A3,$D$13:$D$36)
105年 一月份各項支出金額
各項支出合計
各項支出預算
實際支出-預算支出
食
衣
住
行
育
樂
其它
合計
$2,900
$1,000
$2,100
$200
$580
$400
$4,480
一月份
就緒
平均值: $1,666
項目個數: 7
加總: $11,660
100%
① 選取 B3：B10 儲存格
② 按下「自動加總」工具鈕，以計算出合計金額

13-3 計算當月各項支出總額與預算額的差數

完成各項支出類別合計之後，請繼續輸入各支出類別的預算額，以比照是否有超出原訂預算。

Step 1

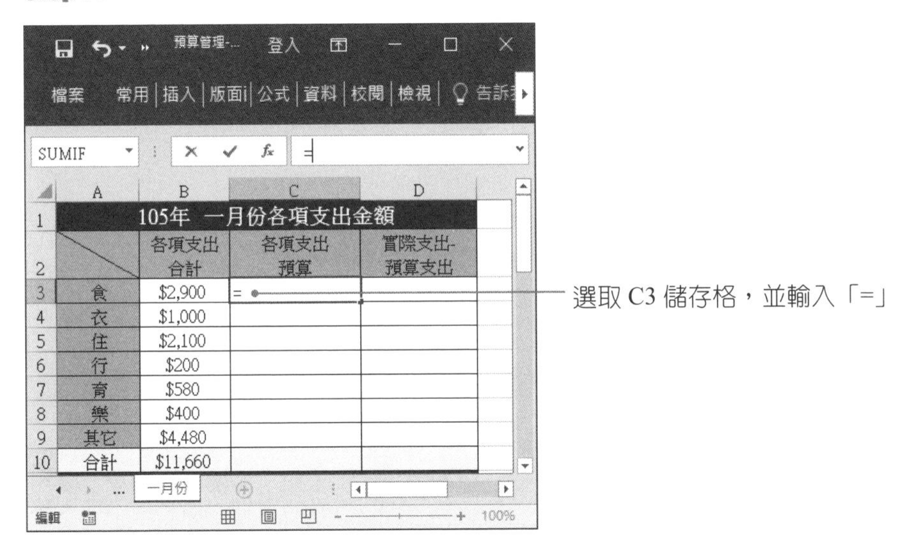

Step 2

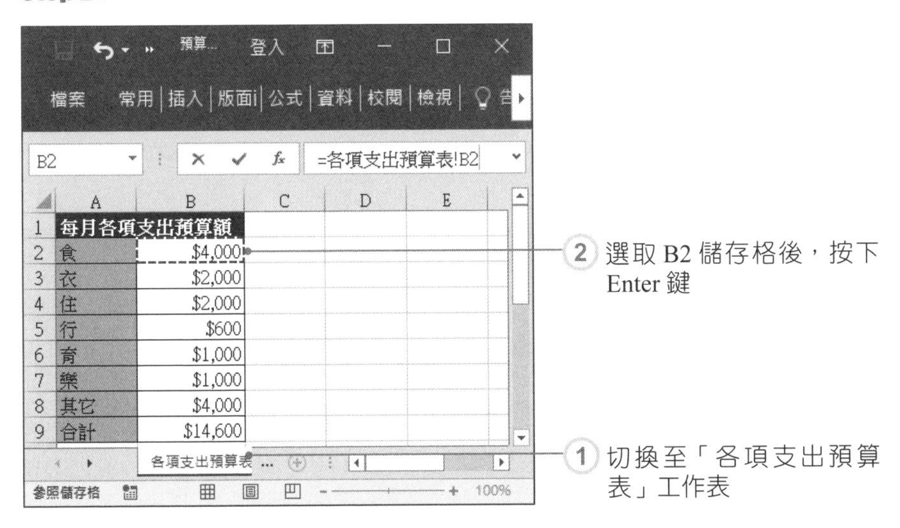

Step 3

Step 4

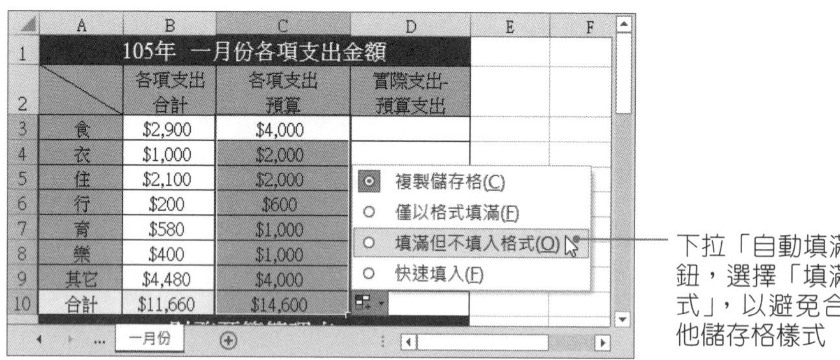

下拉「自動填滿選項」圖示鈕，選擇「填滿但不填入格式」，以避免合計列套上其他儲存格樣式

因本章範例的各項支出類別都有依照一定的順序排列，所以可以使用填滿控點功能代替步驟 1 與步驟 2 的動作，如果支出類別沒有依照順序排列，則需重複步驟 1 與步驟 2，以避免參照到錯誤的數值。

各項支出預算輸入完成後，爲了比較實際花費與原訂預算的差額，請繼續輸入如下公式：

Step 1

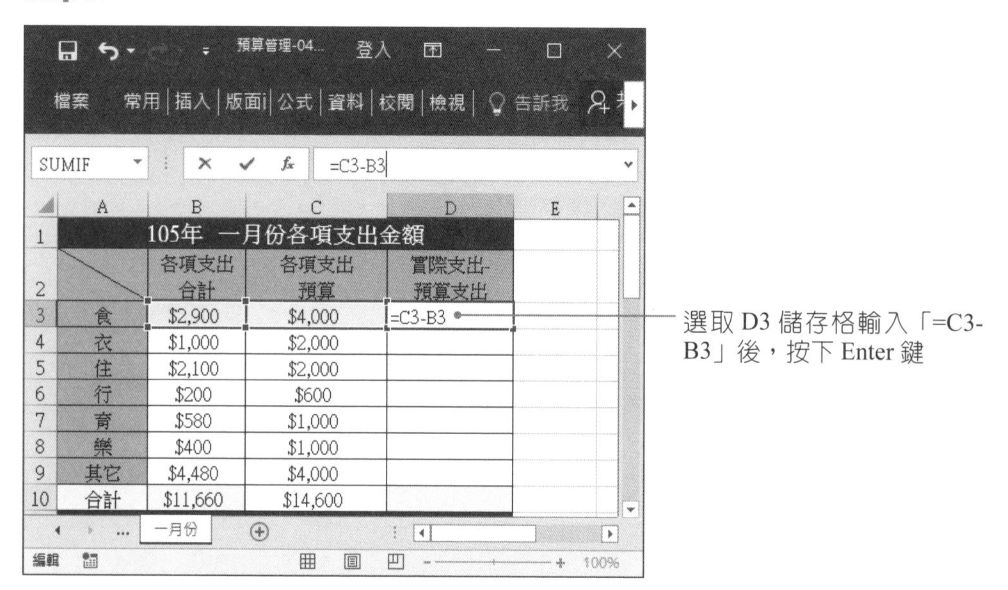

Step 2

完成一月份的支出明細與合計後，即可清楚的知道，在一月份的花費裡，「住」與「其他」類別的支出都已超出原訂預算額，某些花費卻還比預算額少了很多，而實際總花費並未超出總預算額。

完成了一月份的支出明細後，即可複製一月份的支出明細至其他工作表，再刪除支出內容即可。另外請再製作二、三月份的支出明細，以便有較客觀的資料將原訂預算額調整至最理想的金額。

Step 1

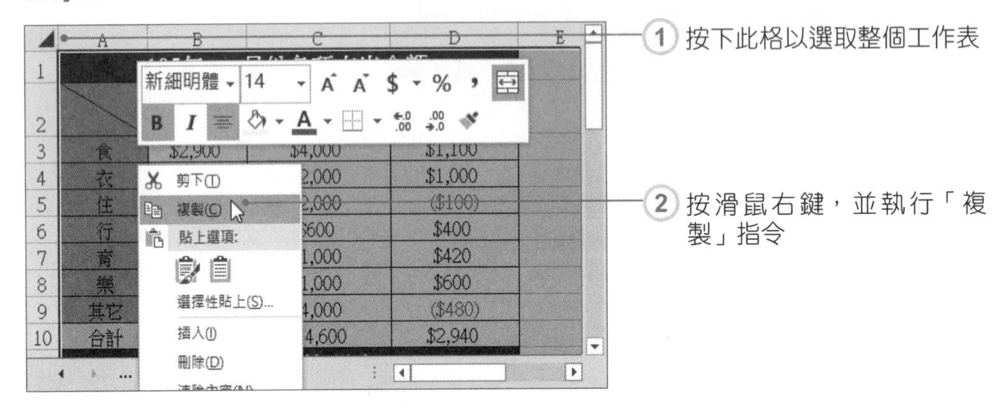

Step 2

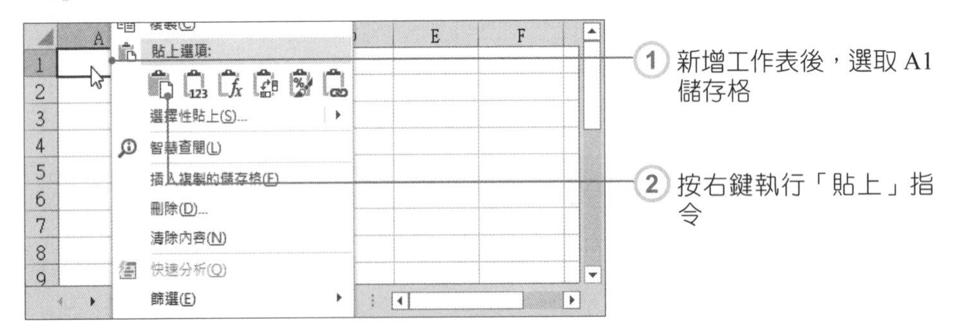

Step 3

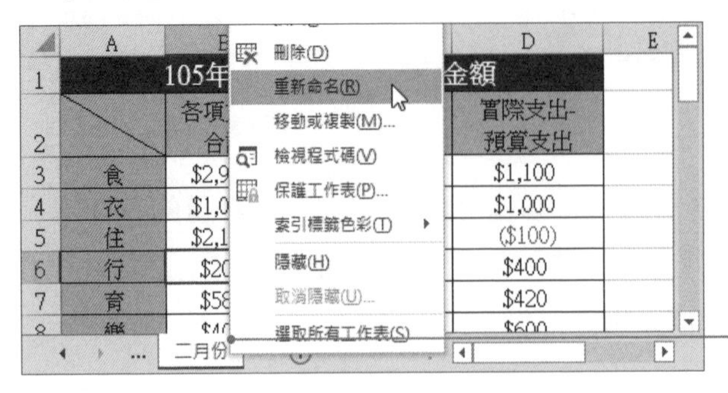

Step 4

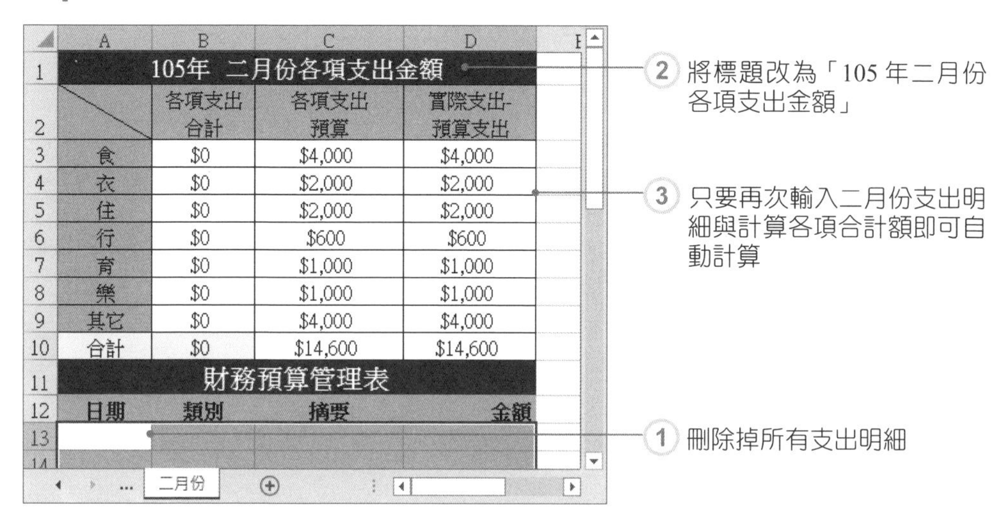

	A	B	C	D
1	105年 二月份各項支出金額			
2		各項支出合計	各項支出預算	實際支出-預算支出
3	食	$0	$4,000	$4,000
4	衣	$0	$2,000	$2,000
5	住	$0	$2,000	$2,000
6	行	$0	$600	$600
7	育	$0	$1,000	$1,000
8	樂	$0	$1,000	$1,000
9	其它	$0	$4,000	$4,000
10	合計	$0	$14,600	$14,600
11	財務預算管理表			
12	日期	類別	摘要	金額
13				

製作其他月份的支出明細前，必須先新增一個工作表，然後再比照以上步驟複製相關公式即可。

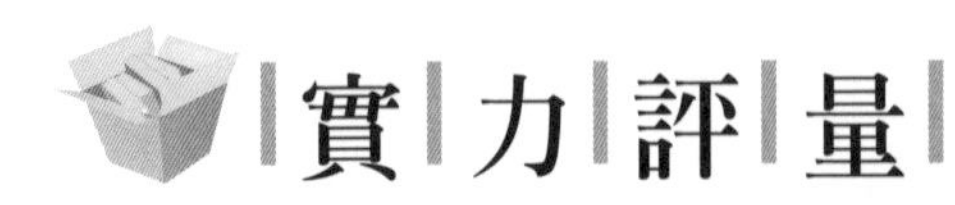

實力評量

是非題

( ) 1. SUMIF() 函數為對儲存格範圍中符合某特定篩選條件的儲存格進行加總。

( ) 2. SUMIF(Range,Criteria,Sum-range) 其中的 Criteria 是用以判斷是否要列入計算的篩選條件，可以是數字、表示式或是文字。

選擇題

( ) 1. 下列關於 SUMIF() 函數的敘述何者有誤？
(A) 為統計類別函數
(B) 其引數為 (Range,Criteria,Sum-range)
(C) 引數 Range 是指儲存格範圍
(D) 引數 Sum-range 為實際要加總的儲存格

( ) 2. 下列關於工作表索引標籤的敘述何者有誤？
(A) 可重新命名 (B) 可改變色彩
(C) 可移動或複製 (D) 可替其加上線條外框

▶ 實作題

1. 請開啓範例檔「預算管理-08.xlsx」，算出各月份各項費用的合計額。

	A	B	C
1		一月份費用	
2			
3	文具用品	$800	
4	郵電費	$2,000	
5	交通費	$870	
6	書報費	$1,000	
7	交際費	$2,000	
8			
9			
10	日期	科目	金額
11	1月5日	文具用品	$100
12	1月8日	交通費	$70
13	1月12日	交際費	$2,000
14	1月15日	文具用品	$500
15	1月16日	書報費	$600
16	1月20日	交通費	$800
17	1月21日	郵電費	$2,000
18	1月24日	書報費	$300
19	1月27日	文具用品	$200
20	1月31日	書報費	$100

	A	B	C
1		二月份費用	
2			
3	文具用品	$209	
4	郵電費	$1,723	
5	交通費	$499	
6	書報費	$755	
7	交際費	$5,000	
8			
9			
10	日期	科目	金額
11	2月1日	郵電費	$1,000
12	2月3日	文具用品	$89
13	2月7日	書報費	$555
14	2月13日	書報費	$200
15	2月19日	交際費	$5,000
16	2月21日	郵電費	$600
17	2月22日	交通費	$200
18	2月25日	文具用品	$120
19	2月27日	交通費	$299
20	2月28日	郵電費	$123

	A	B	C
1		三月份費用	
2			
3	文具用品	$195	
4	郵電費	$510	
5	交通費	$1,077	
6	書報費	$901	
7	交際費	$4,280	
8			
9			
10	日期	科目	金額
11	3月3日	郵電費	$345
12	3月5日	交通費	$678
13	3月7日	書報費	$231
14	3月9日	交際費	$1,980
15	3月13日	文具用品	$60
16	3月15日	交通費	$399
17	3月19日	文具用品	$135
18	3月25日	書報費	$670
19	3月28日	交際費	$2,300
20	3月30日	郵電費	$165

CHAPTER

14 投資理財私房專案規劃

學習重點

» 單變數、雙變數運算列表使用
» 利用 PV() 函數試算投資成本
» 利用 NPV() 函數試算保險淨現值

本章簡介

在Excel 所提供的「財務」類別函數中，有相當多功能實用的函數，加上一些如「藍本分析」、「變數運算列表」…等工具，可以幫各位助計算存款本利和、利息…等工作，同時對個人理財方面也有著相當大的幫助。在本章中，將介紹數個生活上常見的投資、理財範例，讓各位輕輕鬆鬆用 Excel 成爲理財大師，從此不必再拿一本筆記簿、一台計算機辛苦地規劃投資理財計畫。

Excel 2016

範例成果

	A	B	C	D	E	F
1	泓宇定期存款本利和試算					
2						
3	存款金額	合約期限（年）	年利率			
4	100000	2	2.50%			
5						
6	銀行名稱	年利率	存款金額			
7		$ 105,000.00	$50,000.00	$100,000.00	$150,000.00	$200,000.00
8	復邦銀行	2.50%	$ 52,500.00	$ 105,000.00	$ 157,500.00	$ 210,000.00
9	信託銀行	2.80%	$ 52,800.00	$ 105,600.00	$ 158,400.00	$ 211,200.00
10	台欣銀行	2.65%	$ 52,650.00	$ 105,300.00	$ 157,950.00	$ 210,600.00
11	精誠銀行	2.95%	$ 52,950.00	$ 105,900.00	$ 158,850.00	$ 211,800.00
12	合庫銀行	3.20%	$ 53,200.00	$ 106,400.00	$ 159,600.00	$ 212,800.00

雙變數

雙變數運算列表應用

14-1 定期存款方案比較

金融公司的「定期存款」業務（簡稱「定存」）是相當普遍的營業項目。只要事先儲存入一筆固定的金額，並且依照與銀行約定的利率，在合約期滿後即能領回本利和，在利率方面通常也較「活期存款」爲高。

假設泓宇目前有一筆 10 萬元的現金，打算規劃 2 年期的定期存款，他收集了目前市面上主要銀行的兩年期定存利率，如下表所示：

銀行名稱	年利率（%）
復邦銀行	2.5
信託銀行	2.8
台欣銀行	2.65
精誠銀行	2.95
合庫銀行	3.2

接下來，試算看看這筆錢分別存入這些銀行，兩年後各可以回收多少錢？

14-1-1 建立定期存款公式

計算「定期存款」的本利和並不需要特別的函數來完成，只要建立如下的公式即可：

本利和＝本金 ×(1+ 年利率)

但現在需要同時比較多家銀行在兩年後的本利和，而且它們具有不同的利率水準，因此「不適合」使用上述公式逐一算出各銀行兩年後的給付金額，然後再加以比較；對於此專案，使用「單變數運算列表」的功能來進行試算評估則較爲妥當。

14-1-2 單變數運算列表

「單變數運算列表」乃是指公式內僅有一個變數，只要輸入此變數即能改變公式最後的結果並輸出。

在上面的這個案例中，「存款 10 萬元」及「兩年的合約」可以視爲固定的常數，而各家銀行不同的「利率」則可以視爲「變數」。因此，只要控制「利率」這項變數，便能夠計算出各銀行在合約到期後所給付的本利和。

接下來，請開啓範例檔「投資理財-01.xlsx」，並跟著下面範例操作。

範例 單變數運算列表

Step 1

點選 C7 儲存格，並輸入定期存款的計算公式「=A4*(1+B4*C4)」後按 Enter 鍵

Tips 在建立運算列表前，必須先挑選一份合約來建立「對應公式」，如此 Excel 才能知道公式該如何計算。

Step 2

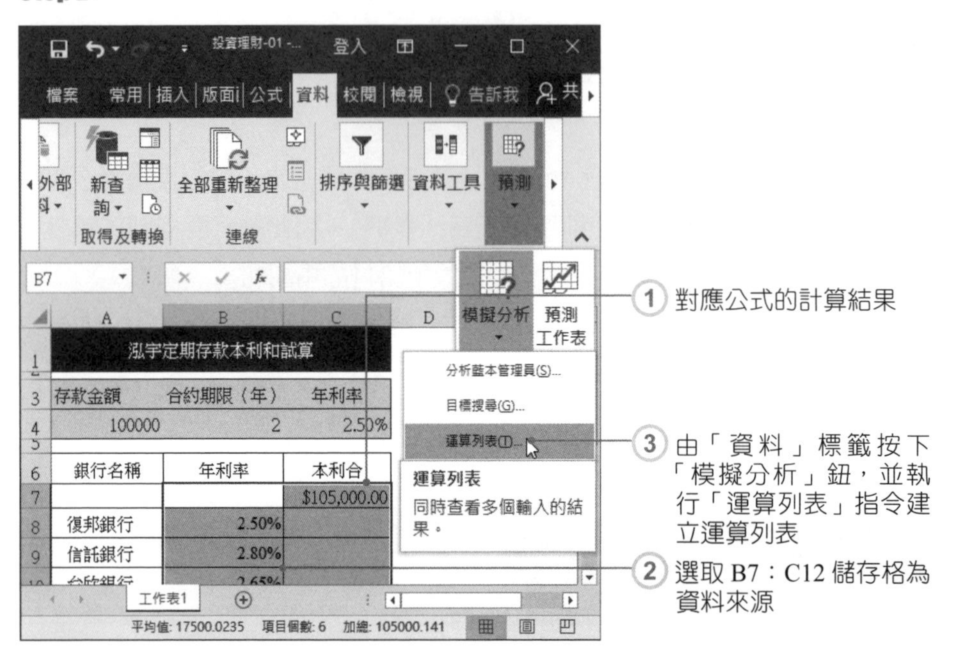

Step 3

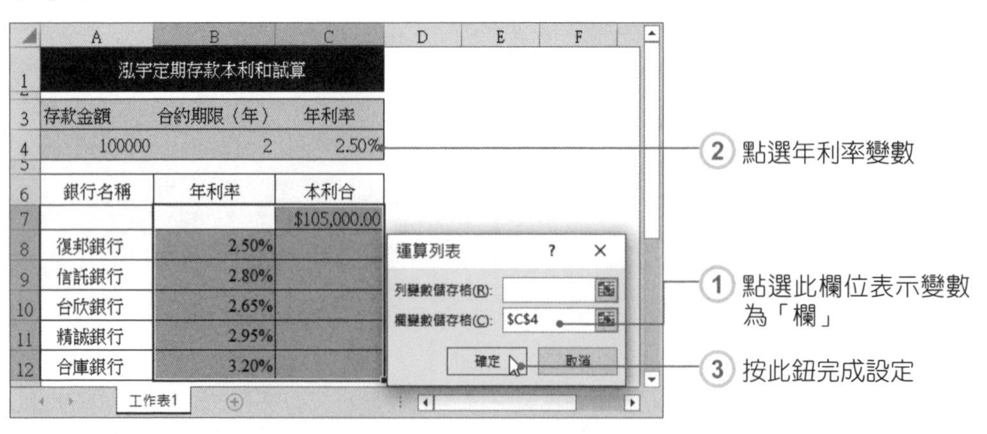

Tips 由於「年利率」變數是放置於「欄」儲存格中，所以在「欄變數儲存格」欄位中輸入變數位址。

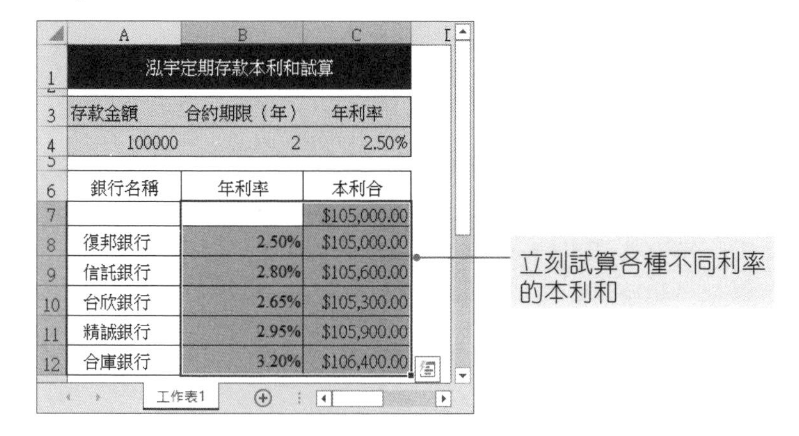

	A	B	C
1	泓宇定期存款本利和試算		
3	存款金額	合約期限（年）	年利率
4	100000	2	2.50%
6	銀行名稱	年利率	本利合
7			$105,000.00
8	復邦銀行	2.50%	$105,000.00
9	信託銀行	2.80%	$105,600.00
10	台欣銀行	2.65%	$105,300.00
11	精誠銀行	2.95%	$105,900.00
12	合庫銀行	3.20%	$106,400.00

當建立變數運算列表時，如果變數以「欄」為儲存格位置，則對應公式儲存格 (C7) 必須位於運算結果區 (A8：C12) 的上方；相同地，如果變數以「列」為儲存格位置，則對應公式儲存格必須位於運算結果區的左方。

執行運算列表後，如果各位單獨刪除運算結果區 (C8：C12) 中的某一儲存格內容，則會出現如下圖示的提醒視窗，它不允許各位進行單獨的修改：

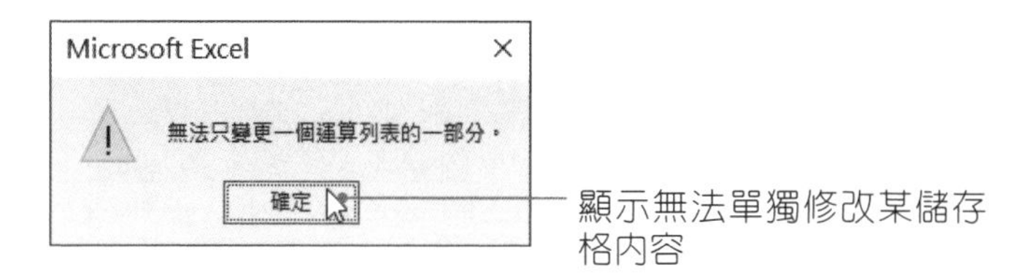

對於運算結果區的儲存格內容，Excel 僅允許各位選取範圍 (C8：C12)，並按下「Delete」鍵將所有內容清除。

14-1-3 雙變數運算列表

上小節中僅談到使用一個「年利率」的變數來產生運算列表，實際上也可以同時採用兩個變數來產生運算列表。例如，除了「年利率」變數外，假設「本金」的部分可能是 5 萬、10 萬或 15 萬…等，便可以交叉分析出，在不同「本金」及「利率」的兩組變數下，上述的案例將會產生哪些新的資訊供參考及評估。

動手的時候到了，現在請開啓範例檔「投資理財-02.xlsx」，並參照下面的範例。

範例 雙變數運算列表應用

Step 1

Step 2

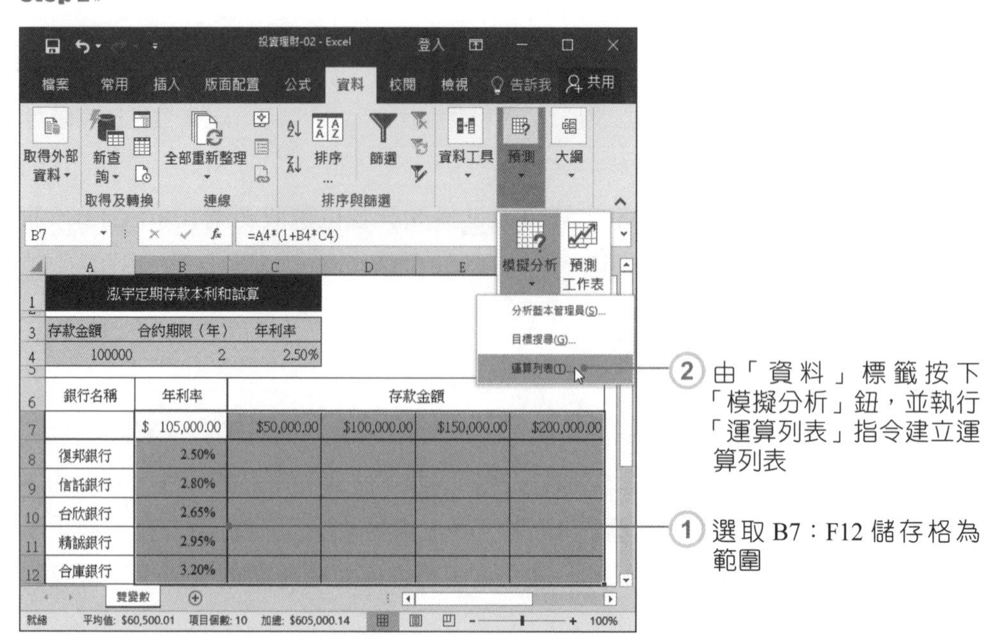

Step 3

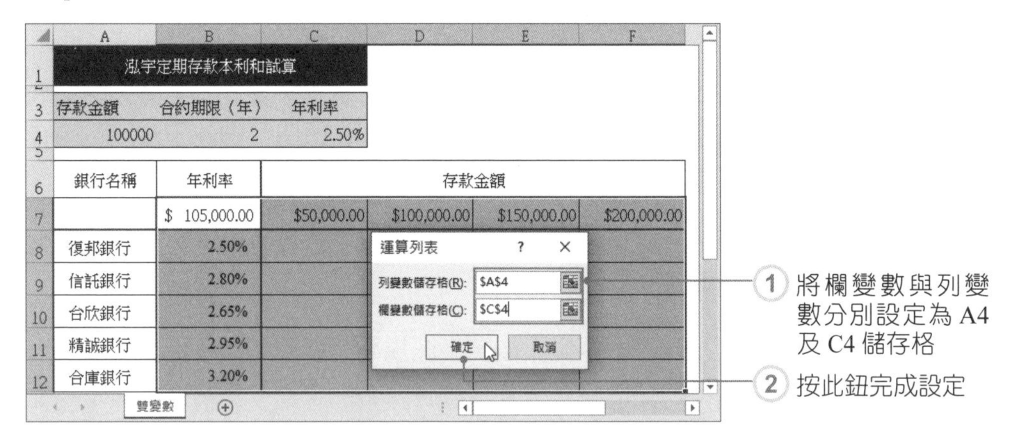

Step 4

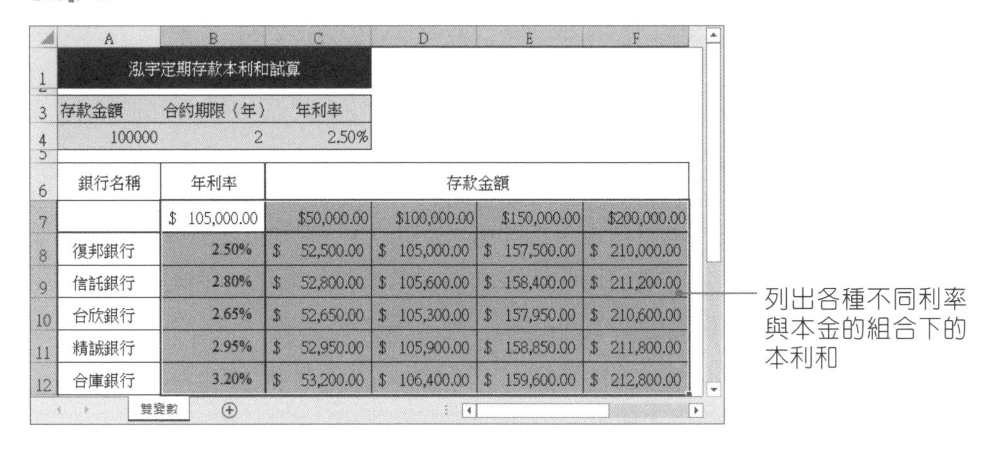

	A	B	C	D	E	F
1	泓宇定期存款本利和試算					
3	存款金額	合約期限（年）	年利率			
4	100000	2	2.50%			
6	銀行名稱	年利率	存款金額			
7		$ 105,000.00	$50,000.00	$100,000.00	$150,000.00	$200,000.00
8	復邦銀行	2.50%	$ 52,500.00	$ 105,000.00	$ 157,500.00	$ 210,000.00
9	信託銀行	2.80%	$ 52,800.00	$ 105,600.00	$ 158,400.00	$ 211,200.00
10	台欣銀行	2.65%	$ 52,650.00	$ 105,300.00	$ 157,950.00	$ 210,600.00
11	精誠銀行	2.95%	$ 52,950.00	$ 105,900.00	$ 158,850.00	$ 211,800.00
12	合庫銀行	3.20%	$ 53,200.00	$ 106,400.00	$ 159,600.00	$ 212,800.00

利用雙變數運算列表，可以很快的試算出在不同的組合下將會產生何種結果，對各種方案的評估也會較爲完整。

有關於「對應公式」（B7 儲存格）的位置問題，可以在步驟 4 中看得更加清楚，此對應公式必須位於「欄變數的上方，列變數的左方」，否則無法產生運算列表。

14-2 試算投資成本與 PV() 函數說明

金融或保險公司經常推出一系列的儲蓄投資專案，事先繳交一筆較大數額的存款後，可以逐年領回固定的金額，讓各位的生活更有保障。雖然這樣的投資具有儲蓄及保障的功能，如果不仔細比較實在難以判斷是否符合投資報酬率？或者划不划算？因此，本節中將試算此類型的金融商品，評估投資成本是否獲得最大利益，作爲投資與否的參考。

假設奕宏工作數年後存了一些錢，後續生涯規劃想要回到學校進修四年，因此準備參加「台欣」銀行的「進修基金儲蓄投資計畫」專案，來讓未來四年內即使毫無收入，也能夠安心唸書。此專案計畫需繳交 40 萬元，未來的 4 年內每年可領回 11 萬元作爲基本的生活費用，預定年利率爲 4%。現在來評估這種金融商品是否值得投資。

14-2-1 PV() 函數說明

想要評估上述的投資方案是否可行，必須利用 PV() 函數。使用 PV() 函數可以計算出某項投資的年金現值，而此年金現值則是未來各期年金現值的總和。接下來，先來看此函數的相關說明：

語法：PV(Rate,Nper,Pmt,Fv,Type)

說明：相關的引數說明如下表所示：

引數名稱	說明
Rate	各期的利率。
Nper	總付款期數。
Pmt	各期應該給予（或取得）的固定金額。通常 pmt 包含本金及利息，如果忽略此引數，則必須要有 pv 引數。
Pv	為最後一次付款完成後，所能獲得的現金餘額（年金終值）。如果忽略此引數，則預設為「0」，並且需有 pmt 引數。
Type	為「0」或「1」的邏輯值，用以判斷付款日為期初（1）或期末（0）。忽略此引數，則預設為「0」。

14-2-2 計算投資成本

現在就來幫奕宏計算此項的投資是否有利，請開啓範例檔「投資理財-03.xlsx」，並跟著下面的範例來執行。

範例 投資成本評估

Step 1

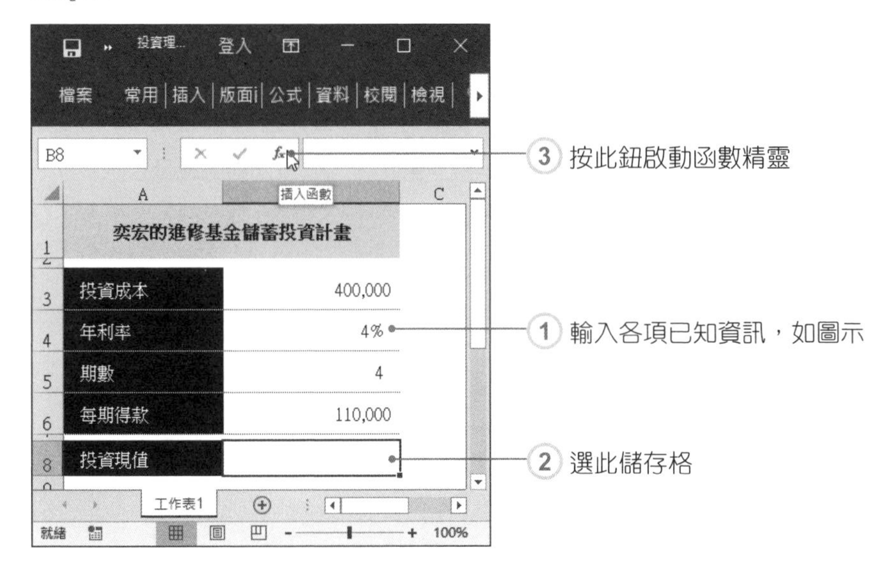

Step 2

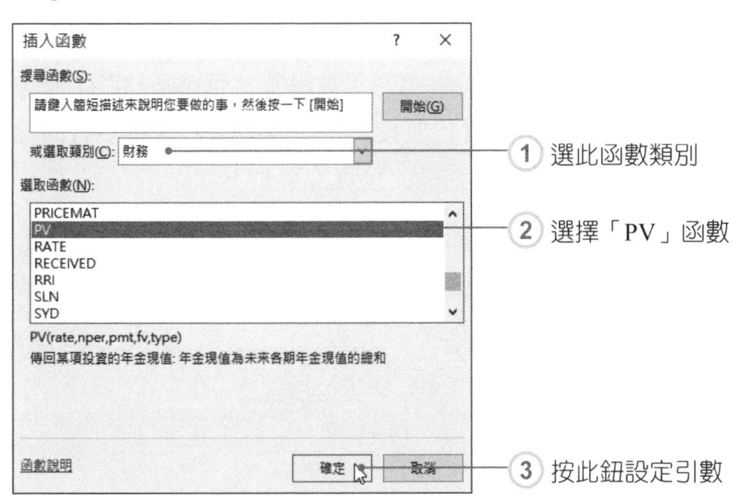

Step 3

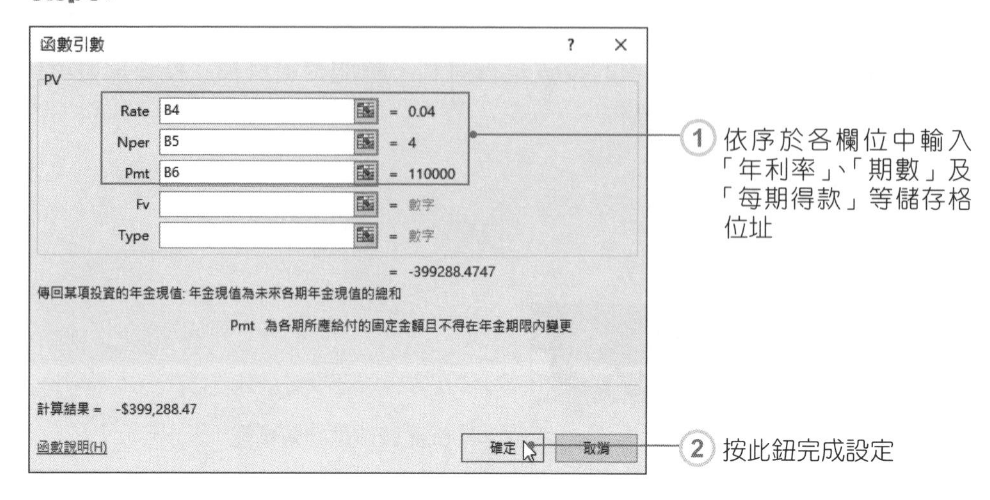

Step 4

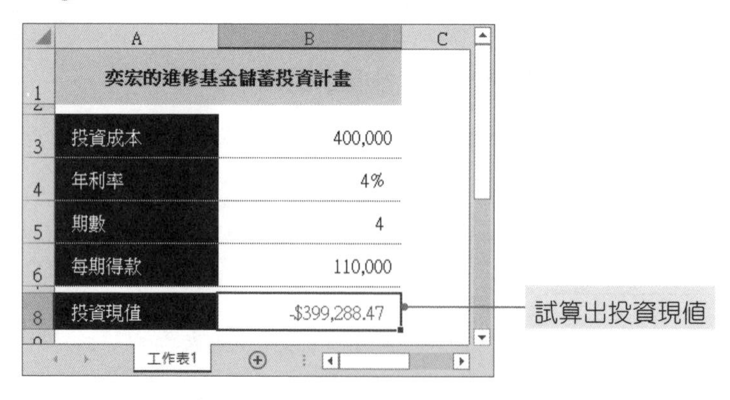

經由上面步驟的試算，可以發現此投資計畫的年金現值只有 399,288.47 元，還不及所投資的 40 萬元；也就是說，其實只要投資 399,288.47 元就可享有同樣的投資報酬率，不需花費到 40 萬元。因此判斷此投資方案並不可行。

雖然上述的投資專案看似不可行，但如果在 A8 儲存格公式中設定「type」引數，將它設定為「1」後，各位便會發現一個有趣的現象 --「此投資專案變成可行了」。

Step 1

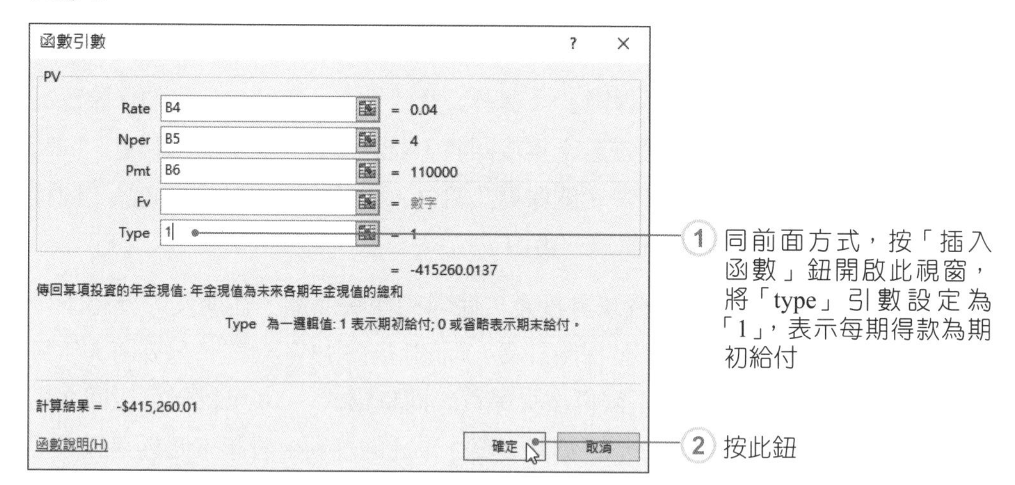

Step 2

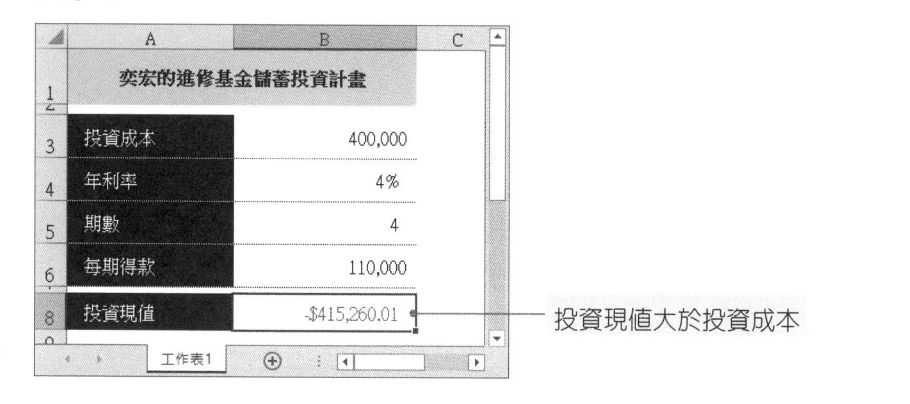

也就是說，此專案如果能將每期的給付方式由「期末給付」更改為「期初給付」，那就表示此投資專案是可獲利的。瞭解其中的差異後，便可與金融商品公司協商或變更現行的作法，以便得到更多的獲利。

14-3 計算保險淨值與 NPV() 函數

「保險」商品通常具有「保障」、「儲蓄」及「投資」等特性，好的保險商品除了可以讓各位將投資的金錢在若干年後回收，並且還有一定金額的利息，同時在契約時間內還享有一些醫療等相關保障及給付。對於這些「保險」商品，同樣可以藉由 Excel 強大的功能來試算一番！

假設泓宇想爲自己買一個兼具投資、保障的保險商品，在朋友的介紹下她接觸了「欣光人壽」的「投資型保險計畫」。該計畫爲 15 年合約，只要前 5 年每年繳交 3 萬元的保費，從此不需再繳交保費，同時第 5 ～ 10 年每年可領回 2 萬元的紅利，第 11 ～ 15 年則每年可領回 2 萬 3 千元的紅利。看起來此專案似乎蠻誘人的，但還需考慮通貨膨脹的因素，也就是「年度折扣率」（這幾年平均值約 5%）。現在讓來試算此保險計畫是否值得購買。

14-3-1 NPV() 函數說明

上述有關保險商品的試算，可以使用 NPV() 函數。該函數可以透過年度通貨膨脹比例（或稱年度折扣率），以及未來各期所支出及收入的金額，進行該方案的淨現值計算。NPV() 函數相關的說明如下：

語法：NPV(Rate,Value1,Value2,…)

說明：各引數所代表的意義如下表所示：

引數名稱	說明
Rate	通貨膨脹比例或年度折扣率。
Value1,Value2,…	未來各期的現金支出及收入，最多可以使用 29 筆記錄。

14-3-2 計算保險淨現值

現在來計算此保險商品是否有獲利的空間，請開啓範例檔「投資理財-04.xlsx」並跟隨下面的範例實作。

範例 保險淨現值計算

Step 1

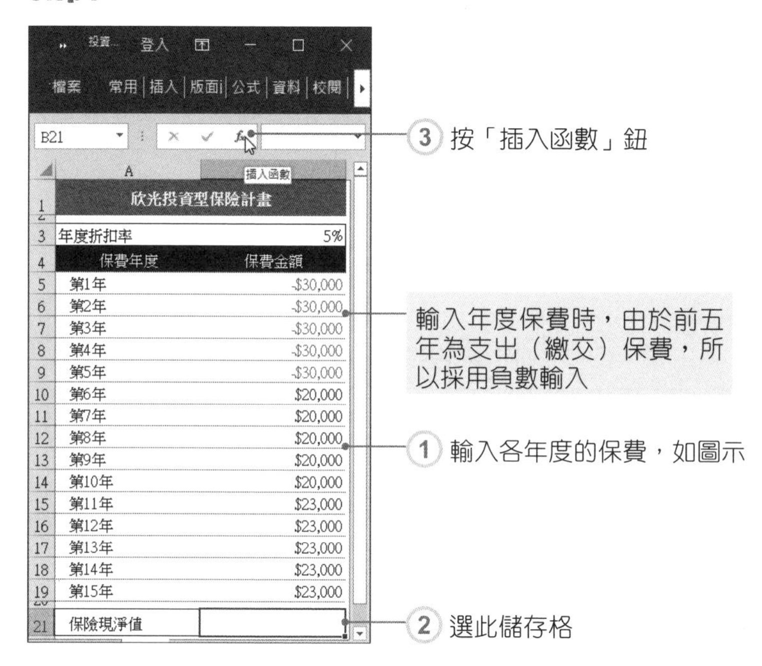

Tips 輸入年度保費時，由於前五年為支出（繳交）保費，所以採用負數輸入。

Step 2

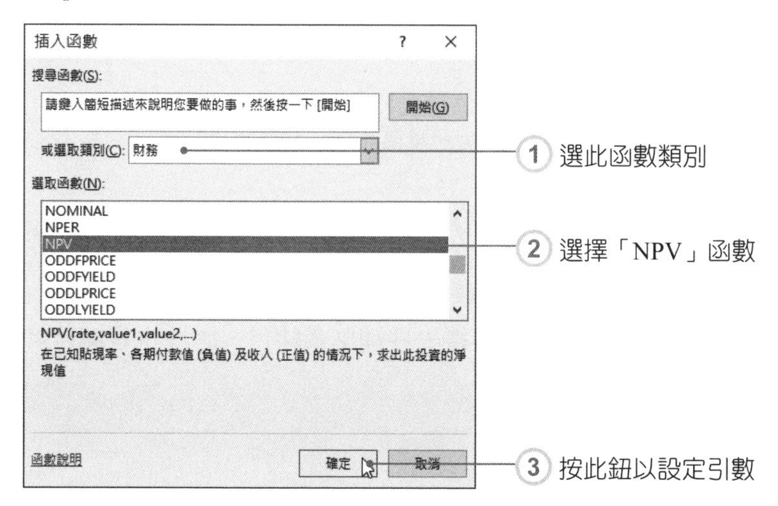

Step 3

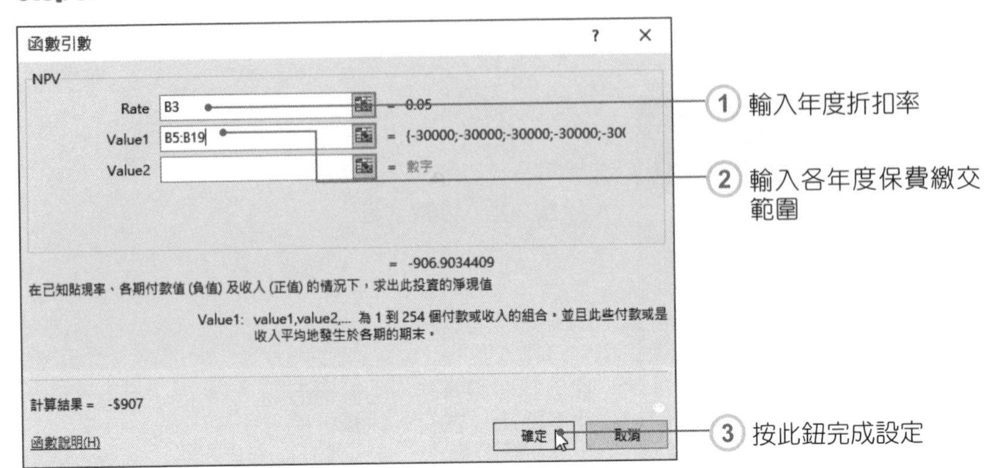

Step 4

經過試算後，此份保單的現淨值爲「-906.90 元」，如果單純以「理財」或「投資」的角度來看，此份保單並不是最佳的選擇。但是保險通常還會附帶有「醫療保障」，當生病或住院時可能還會獲得一些補貼或給付，因此也是值得考慮的方案。

實力評量

是非題

( ) 1. FV() 函數的引數 pv 是指現淨值或分期付款的目前總額。

( ) 2. 函數可透過年度通貨緊縮比例，以及未來各期所支出及收入的金額，進行該方案的淨現值計算。

( ) 3.「單變數運算列表」乃是指公式內僅有一個變數，只要輸入此變數即能改變公式最後的結果並輸出。

( ) 4. 雙變數運算列表其所對應的公式必須位於「欄變數的右方，列變數的左方」，否則無法產生運算列表。

( ) 5. 選取儲存格後，於名稱方塊內輸入名稱一樣具有定義名稱的功能。

( ) 6.「藍本分析」、「變數運算列表」是 Excel 的「統計」類別函數。

( ) 7.「保險」商品通常具有「保障」、「儲蓄」及「投資」等特性。

選擇題

( ) 1. 當要計算零存整付定期存款的報酬總額時，應使用何函數？
(A)PMT() (B)FV() (C)PV() (D)SUM()

( ) 2. 下列關於 PV() 函數的敘述何者有誤？
(A) 用以計算出某項投資的年金現值，而此年金現值則是未來各期年金現值的總和
(B) 為財務類別函數
(C) 引數 pv 為各期應該給予（或取得）的固定金額
(D) 引數為 (Rate,Nper,Pmt,Fv,Type)

( ) 3. 下列關於 NPV() 函數的敘述何者有誤？
(A) 屬財務類別函數
(B) 引數為 (Rate,Value1,Value2,⋯)
(C) 引數 Rate 是指通貨緊縮比例或年度折扣率
(D) Value1,Value2... 引數未來各期的現金支出及收入，最多可以使用 29 筆記錄

(　) 4. 下列關於 PMT() 函數的敘述何者有誤？
(A) 用以計算當貸款金額非固定的條件下，每期必須償還的貸款金額
(B) 屬財務類別函數
(C) 其引數為 (Rate,Nper,Pv,Fv,Type)
(D) 引數 Rate 是指各期的利率

(　) 5. 下列關於分析藍本的敘述何者有誤？
(A) 可同時建立多個藍本資料
(B) 分析藍本對話框內的註解欄會顯示所插入的註解文字
(C) 可與其他檔案或工作表的分析藍本合併
(D) 可建立分析藍本摘要報告

▶ 實作題

1. 「欣光保險」推出一保險專案，只要各位事先繳交 50 萬元（年初），在爾後的五年內每年可領回 11 萬元（每年年底）。如果以目前的定存利率 2.5%來計算，請評估此專案是否符合投資成本。
提示：使用 PV() 函數
2. 小承目前年齡為 34 歲，他購買了一份 20 年期的保險。該保險只要在前 20 年內每年繳交保費 3 萬元，20 年期滿後即無須再繳款，並且每年可以領回 25,000 元，一直領到死亡為止。如果以目前國民平均壽命 75 歲，以及 7.5%的年度折扣率來計算，請問此保險的淨值為何？
提示：使用 NPV() 函數
3. 請使用「雙變數運算列表」功能，針對範例檔「投資理財-09.xlsx」中各銀行的存款利率與存款額度組合，分別計算出各種組合的本利和。

筆記欄

CHAPTER

15 股票交易資訊分析與試算

學習重點

» 利用「文字檔」取得外部資料

» 使用「Web 查詢」功能匯入台灣股市即時資訊

本章簡介

目前最熱門的理財方式莫過於投資股票市場，雖然大環境景氣不佳，不過只要懂得股票分析的方法，以及不貪心的投資心理，往往會有不錯的報酬率（比銀行的定存或共同基金爲高）。在本章中，要教各位如何匯入台灣的股市即時（或盤後交易）資訊到 Excel 工作表中，以利各位使用資料分析工具來協助瞭解個股。

Excel 2016

範例成果

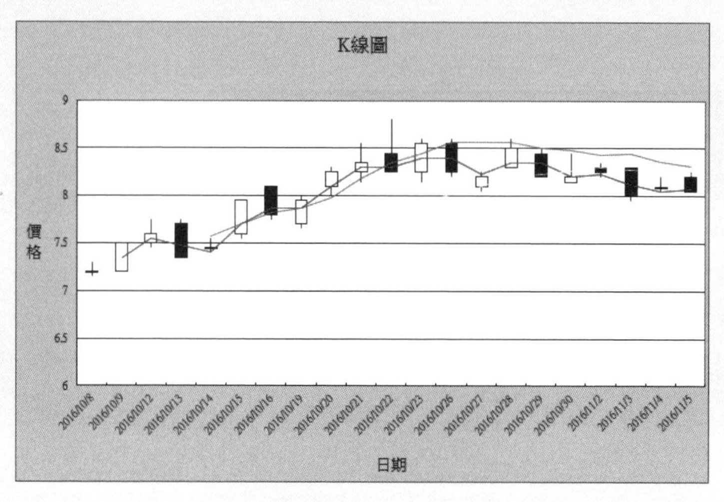

Excel 提供完善的股票分析工具

15-1 利用「文字檔」匯入外部資料

Excel 除了可以用手動的方式逐一建立工作表內的資料內容，也可以利用「匯入外部資料」功能，將本機中其他的資料檔案，或透過網際網路將一些網站資訊匯入 Excel。

現在請開啓一個新的活頁簿檔案，讓我們示範如何將記錄股票行情的外部文字檔下載到 Excel 工作表中。

範例 下載外部文字檔股票行情資訊

Step 1

Step 2

Step 3

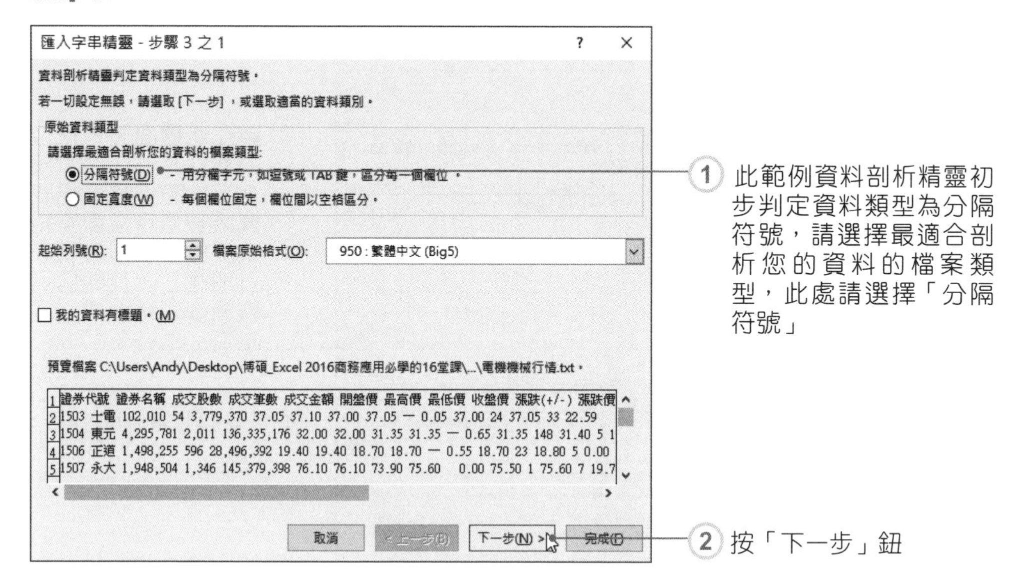

① 此範例資料剖析精靈初步判定資料類型為分隔符號，請選擇最適合剖析您的資料的檔案類型，此處請選擇「分隔符號」

② 按「下一步」鈕

Step 4

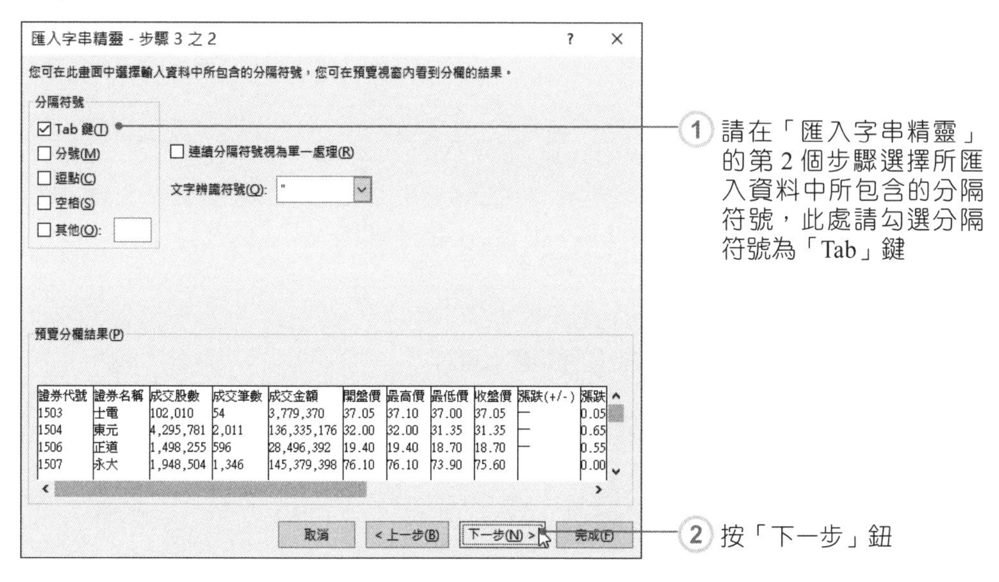

① 請在「匯入字串精靈」的第 2 個步驟選擇所匯入資料中所包含的分隔符號，此處請勾選分隔符號為「Tab」鍵

② 按「下一步」鈕

Step 5

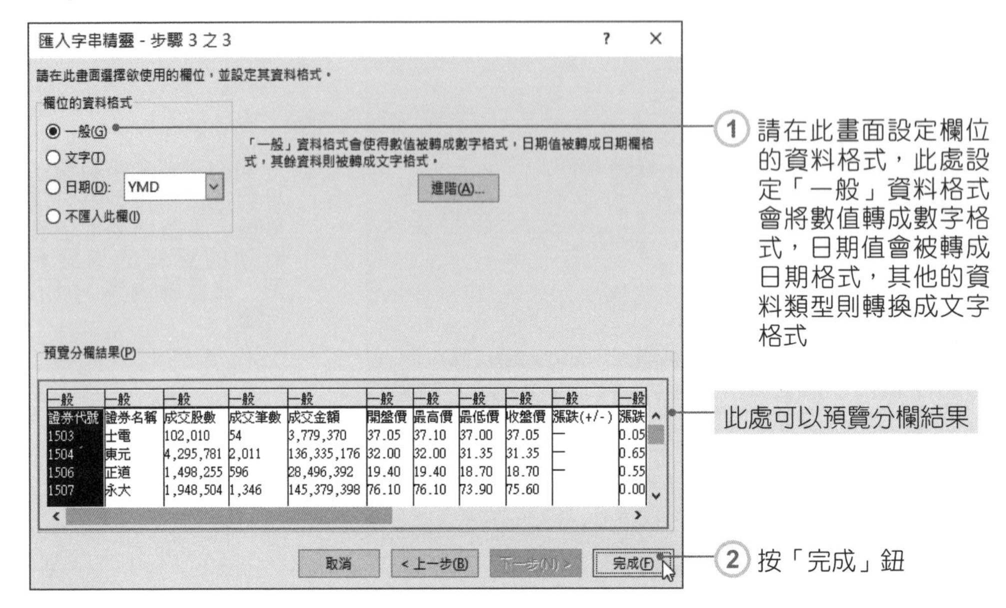

一般	一般	一般	一般	一般	一般	一般	一般	一般	一般	一般
證券代號	證券名稱	成交股數	成交筆數	成交金額	開盤價	最高價	最低價	收盤價	漲跌(+/-)	漲跌
1503	士電	102,010	54	3,779,370	37.05	37.10	37.00	37.05	–	0.05
1504	東元	4,295,781	2,011	136,335,176	32.00	32.00	31.35	31.35	–	0.65
1506	正道	1,498,255	596	28,496,392	19.40	19.40	18.70	18.70	–	0.55
1507	永大	1,948,504	1,346	145,379,398	76.10	76.10	73.90	75.60		0.00

Step 6

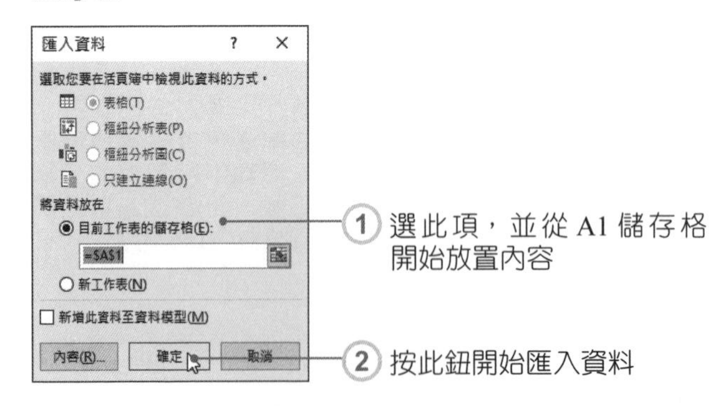

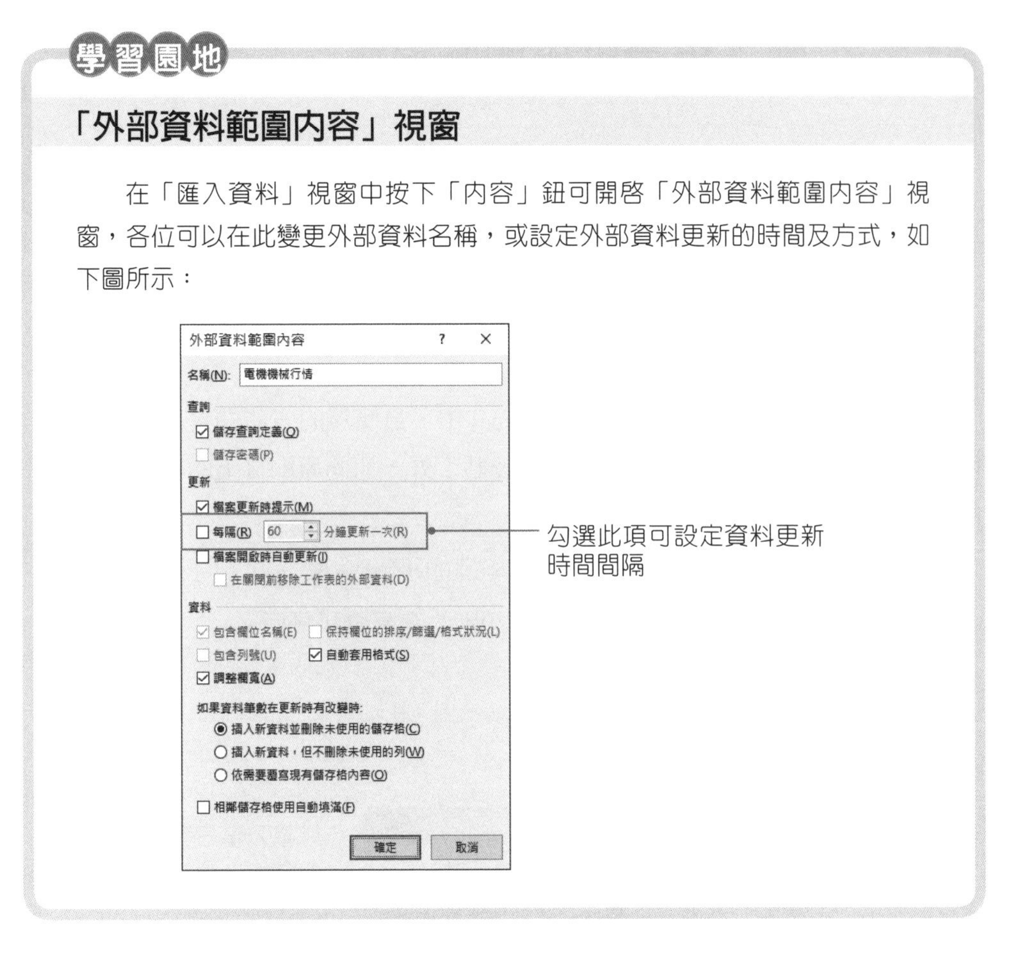

「外部資料範圍內容」視窗

在「匯入資料」視窗中按下「內容」鈕可開啓「外部資料範圍內容」視窗，各位可以在此變更外部資料名稱，或設定外部資料更新的時間及方式，如下圖所示：

接下來，該股票的資訊即會下載到 Excel 工作表中，如下圖所示：

證券代號	證券名稱	成交股數	成交筆數	成交金額	開盤價	最高價
1503	士電	102,010	54	3,779,370	37.05	37.1
1504	東元	4,295,781	2,011	136,335,176	32	32
1506	正道	1,498,255	596	28,496,392	19.4	19.4
1507	永大	1,948,504	1,346	145,379,398	76.1	76.1
1512	瑞利	818,000	227	6,730,250	8.38	8.48
1513	中興電	1,261,438	391	21,407,186	17.15	17.15
1514	亞力	185,700	63	1,696,775	9.14	9.18
1515	力山	3,400,649	1,037	38,833,346	11.3	11.7

15-2 匯入台灣股市即時資訊

Excel 除了可以匯入美國股市資訊外，當然也可以匯入台灣的股市資訊，甚至是共同基金、上櫃資訊…等，一樣都可以匯入！不過，匯入的方式與上一小節不同，它主要是使用「Web 查詢」功能。

15-2-1 股票資訊簡易複製

想要將網頁上的股票資訊複製到 Excel 中，最簡單的方法即是使用「複製」與「貼上」指令，除了資料內容可以複製貼上外，連同原網頁上的格式也會一併被複製到 Excel 工作表中。

現在請開啓一個新的工作表，隨後再開啓瀏覽器連結到「http://tw.stock.yahoo.com」網址，並任選進入某一股票類別的交易資訊頁面。

範例 複製網頁股票資訊到 Excel

Step 1

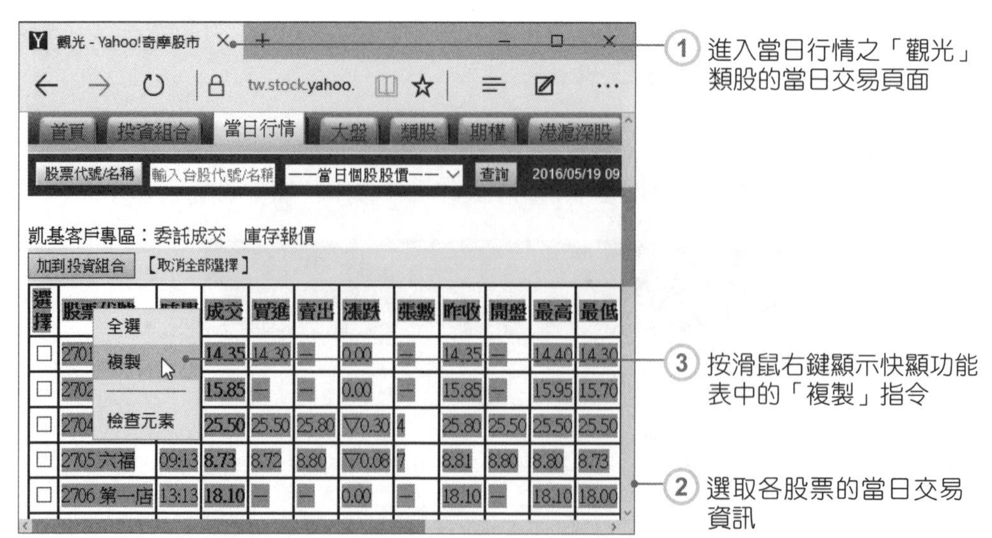

Step 2

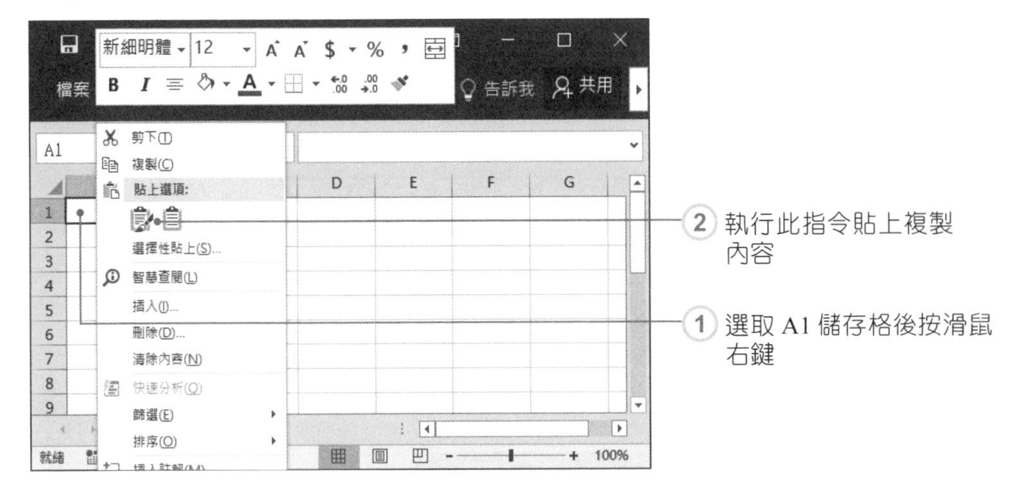

Step 3

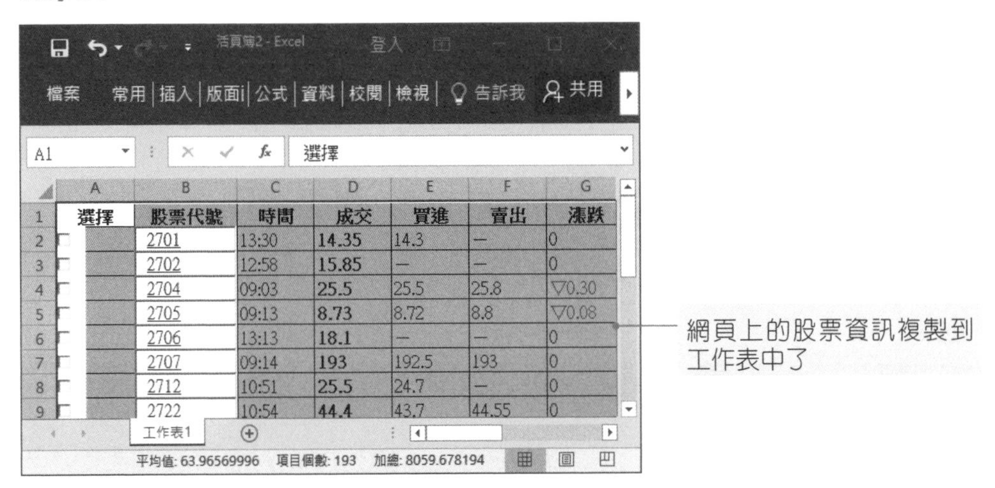

上述的方法雖然方便，不過當網頁中的資訊有所變動時，工作表中的資訊並無法相對地同步更新，因此工作表中即無法顯示最新的交易資訊。如果想要讓網頁中的資訊與工作表中的資訊產生某種連結或互動，讀者可以參考下一個小節使用「Web 查詢」的方法。

15-2-2 使用 Web 查詢下載股市資訊

使用「Web 查詢」功能將網頁上的資料下載到 Excel 中最大的好處即是，Excel 會主動與資料來源網頁建立連結，當此網頁內容更新時，可以透過此連結來下載最新的資料內容。

現在，讓我們連結到台灣股市的龍頭 --「台灣證券交易所」，來下載即時的股市資訊。

範例 下載台股即時資訊

Step 1

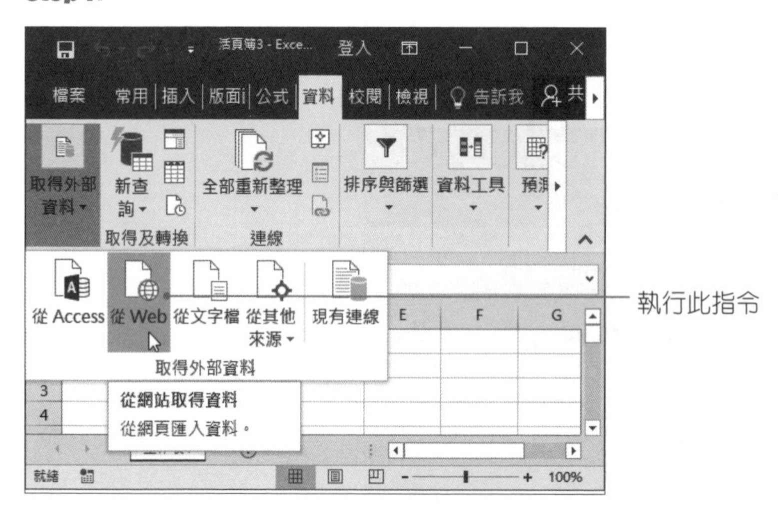

Step 2

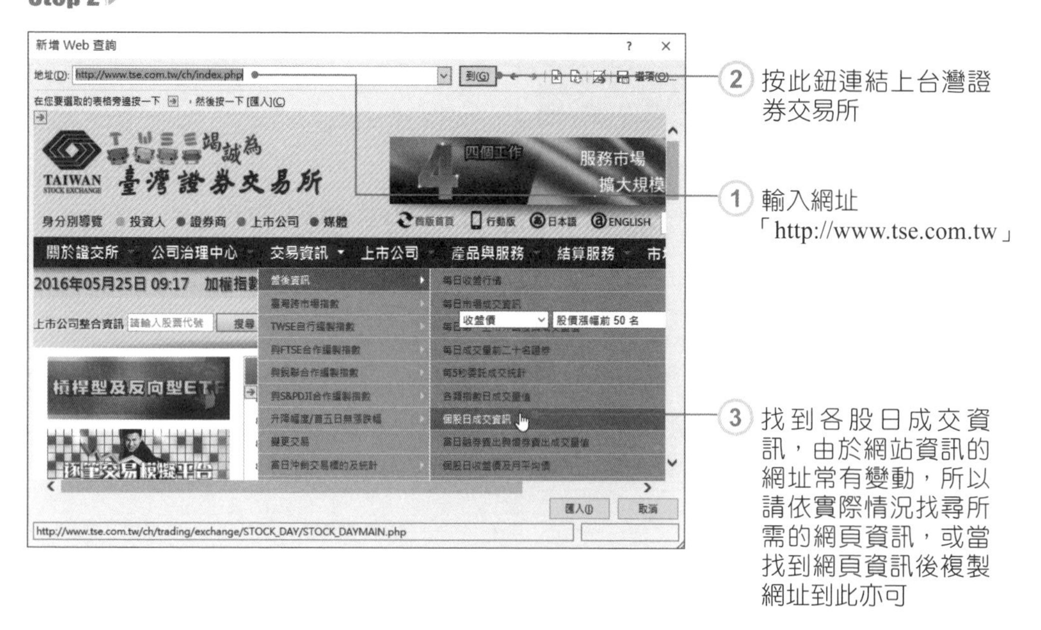

新增 Web 查詢
地址(D): http://www.tse.com.tw/ch/index.php
2 按此鈕連結上台灣證券交易所
1 輸入網址「http://www.tse.com.tw」
3 找到各股日成交資訊，由於網站資訊的網址常有變動，所以請依實際情況找尋所需的網頁資訊，或當找到網頁資訊後複製網址到此亦可
http://www.tse.com.tw/ch/trading/exchange/STOCK_DAY/STOCK_DAYMAIN.php

Step 3

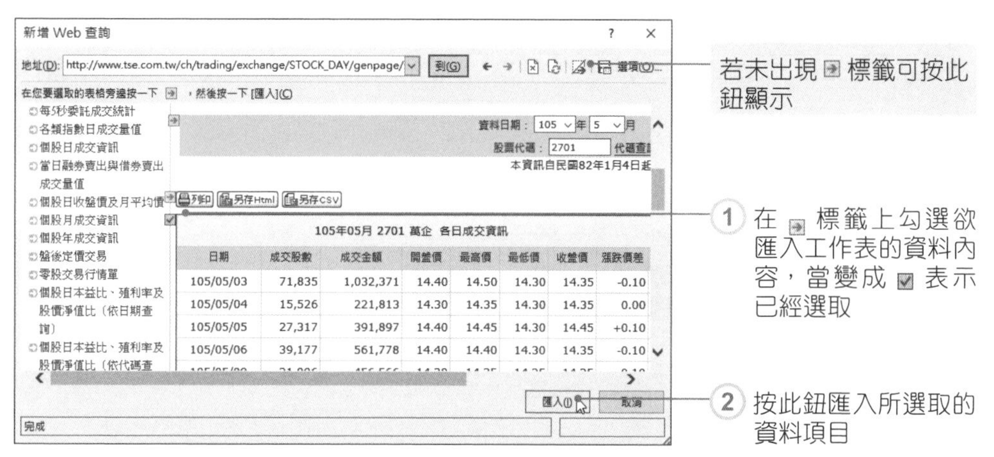

新增 Web 查詢
地址(D): http://www.tse.com.tw/ch/trading/exchange/STOCK_DAY/genpage/
若未出現 ➔ 標籤可按此鈕顯示
105年05月 2701 萬企 各日成交資訊
1 在 ➔ 標籤上勾選欲匯入工作表的資料內容，當變成 ☑ 表示已經選取
2 按此鈕匯入所選取的資料項目

Step 4

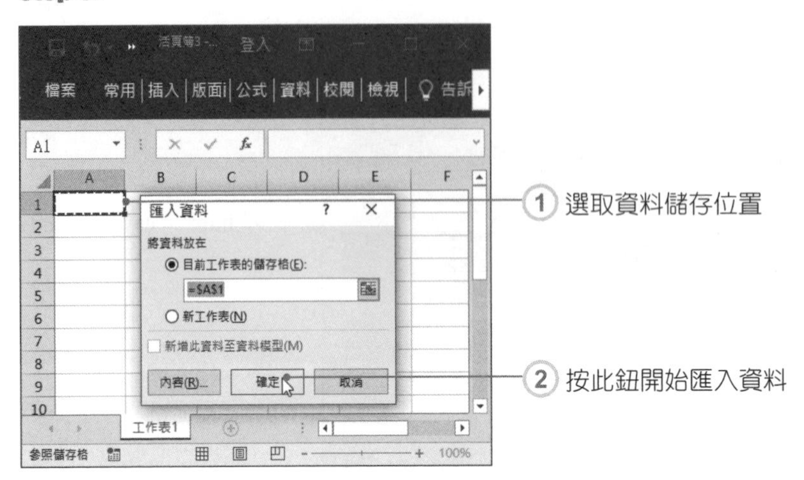

Step 5

	A	B	C	D	E
1	105年05月 2701 萬企 各日成交資訊				
2	(元,股)				
3	日期	成交股數	成交金額	開盤價	最高價
4	105/05/03	71,835	1,032,371	14.4	14.5
5	105/05/04	15,526	221,813	14.3	14.35
6	105/05/05	27,317	391,897	14.4	14.45
7	105/05/06	39,177	561,778	14.4	14.4
8	105/05/09	31,896	456,566	14.3	14.35
9	105/05/10	18,216	260,667	14.25	14.4

15-2-3 更新外部資料

下載到工作表中的資料，若欲更新其資料內容，則有「手動更新」與「自動更新」兩種方式：

手動更新外部資料

使用「連線」工具鈕來使工作表與資料來源網頁重新連結，並下載最新的資訊到工作表中，如下面範例所示：

範例 手動更新外部資料

Step 1

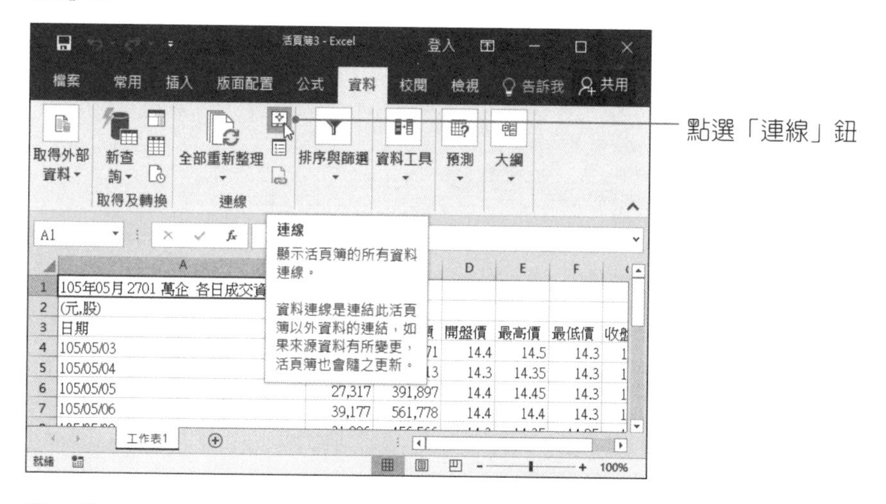

Step 2

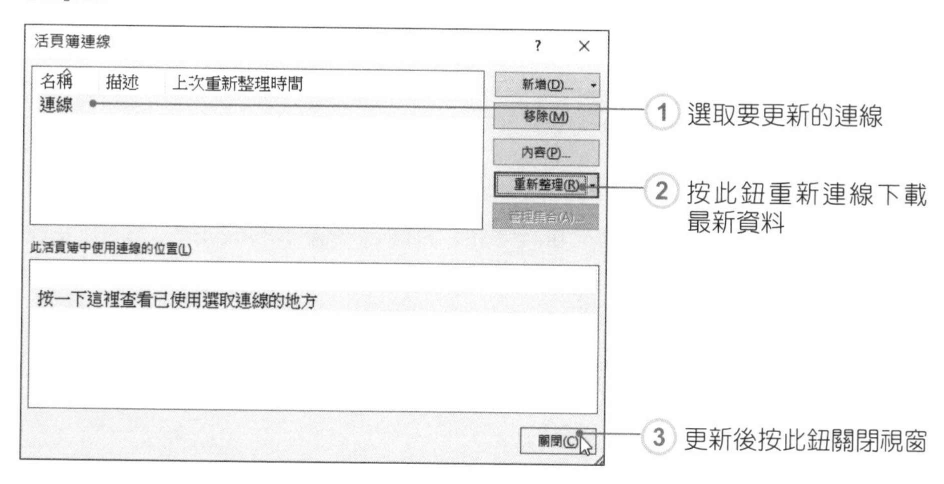

運用手動的方式，只要想更新時即可隨時更新資訊，不過還是得要資料來源網頁內容已更新，才具有意義。

自動更新外部資料

每次以手動的方式更新工作表內容似乎顯得有些麻煩，其實各位也可以設定為「固定時間間隔」或「檔案開啓時」即自動更新。請執行「資料 / 連線 / 內容」指令開啓設定視窗，並進行如下圖設定：

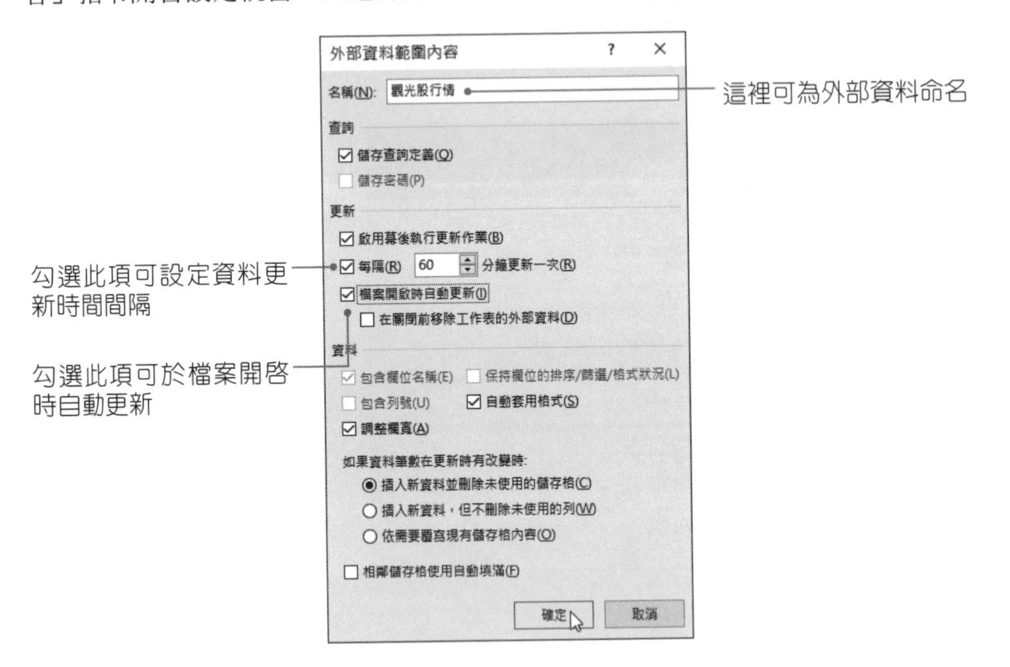

15-2-4 異常資訊警示設定

網頁內容除了可以在固定時間間隔即時匯入工作表中外，也可以將某些資訊欄位內容的變化（如漲跌幅、成交量…等），進行一些警示的設定，以提醒要注意到此資訊內容的變化，作為進出股市的判斷及決策參考。

現在開啓範例檔「股票資訊-01.xls」，接著在要監控的股票上進行一些設定。

範例 股票異常資訊警示設定

Step 1

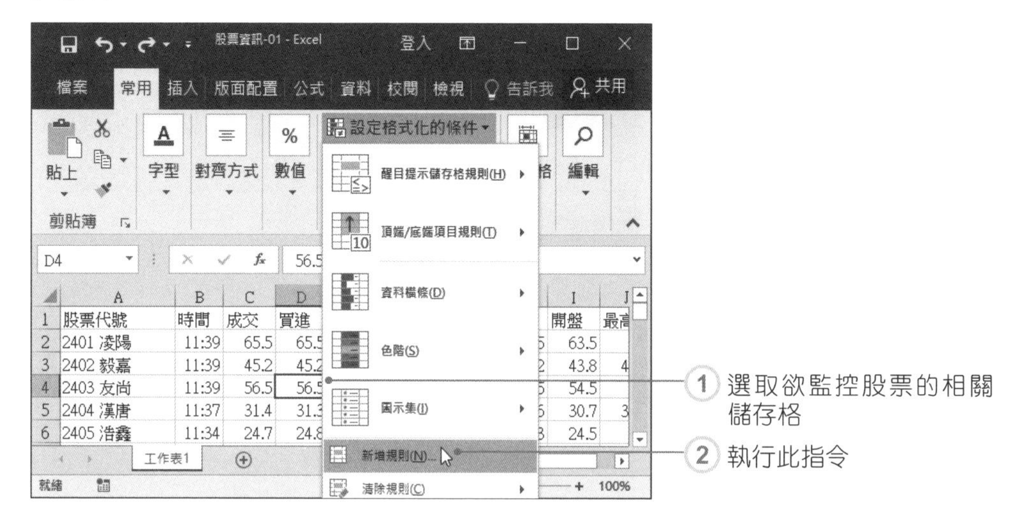

Step 2

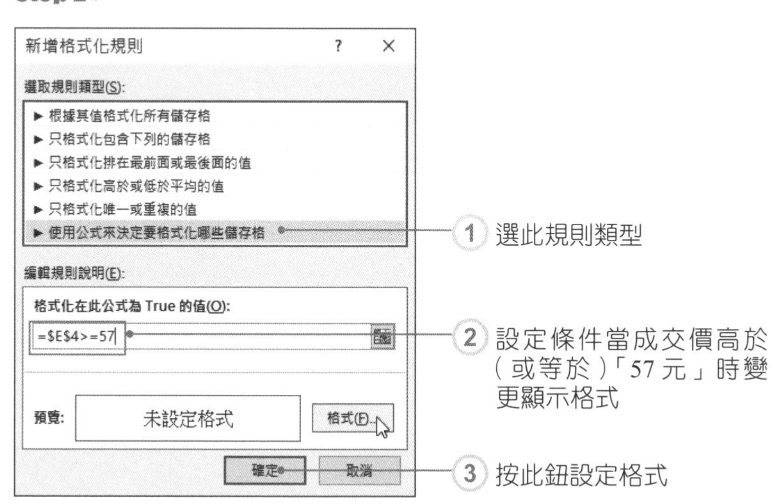

Step 3

儲存格格式
數值
字型
外框
填滿
字型(F):
字型樣式(O):
大小(S):
粗體
新細明體 (標題)
新細明體 (本文)
Malgun Gothic Semilight
Microsoft JhengHei UI
Microsoft JhengHei UI Light
細明體
標準
斜體
粗體
粗斜體
6
8
9
10
11
12
底線(U):
色彩(C):
特殊效果
刪除線(K)
上標(E)
下標(B)
預覽
微軟卓越 AaBbCc
在 [設定格式化的條件] 中，您可設定字型樣式、底線、色彩和刪除線。
清除(R)
確定
取消
1 在各標籤頁中設定欲顯示的儲存格格式
2 按此鈕

Step 4

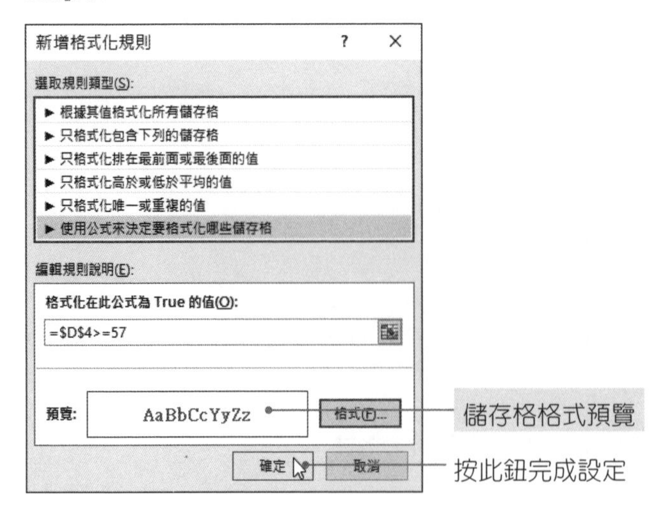
新增格式化規則
選取規則類型(S):
► 根據其值格式化所有儲存格
► 只格式化包含下列的儲存格
► 只格式化排在最前面或最後面的值
► 只格式化高於或低於平均的值
► 只格式化唯一或重複的值
► 使用公式來決定要格式化哪些儲存格
編輯規則說明(E):
格式化在此公式為 True 的值(O):
=$D$4>=57
預覽:
AaBbCcYyZz
格式(F)...
確定
取消
儲存格格式預覽
按此鈕完成設定

依照上述的方法，各位可以多選幾支要觀察的股票加以設定，並且使用「外部資料」工具列設定每 30 分鐘更新一次資料內容。當個股的資訊變化達到各位所設定的條件後，即會以各位所設定的方式來顯示，以吸引各位的注意。如下圖所示：

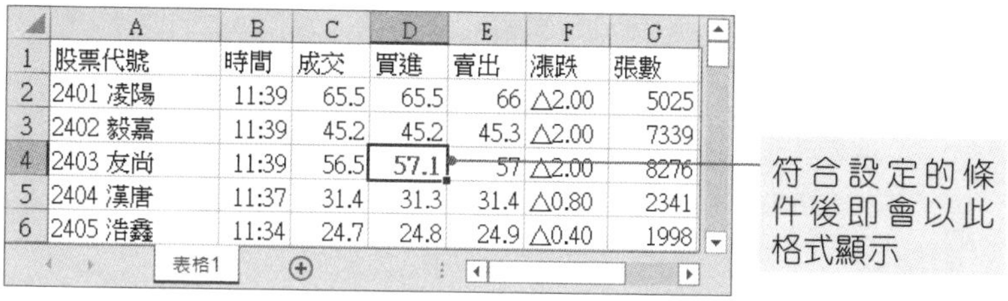

	A	B	C	D	E	F	G
1	股票代號	時間	成交	買進	賣出	漲跌	張數
2	2401 凌陽	11:39	65.5	65.5	66	△2.00	5025
3	2402 毅嘉	11:39	45.2	45.2	45.3	△2.00	7339
4	2403 友尚	11:39	56.5	57.1	57	△2.00	8276
5	2404 漢唐	11:37	31.4	31.3	31.4	△0.80	2341
6	2405 浩鑫	11:34	24.7	24.8	24.9	△0.40	1998

表格1

符合設定的條件後即會以此格式顯示

實力評量

是非題

( ) 1. 執行「資料／取得外部資料／從 Web」指令，便可將網頁資料庫匯入建立查詢功能。

( ) 2. 週期平均移動趨勢線可自行選擇要訂定的週期範圍。。

選擇題

( ) 1. Excel 工作表內容無法轉存成哪種檔案格式？
(A) 網頁 (B)XML 試算表 (C)ASP 格式 (D) 純文字

( ) 2. 從外部取得資料時，更新資料的方式有哪些？
(A) 手動更新 (B) 設定定時更新 (C) 檔案開啓更新 (D) 以上皆是

( ) 3. 從外部匯入資料時，通常設定目前工作表儲存格為何？
(A)A1 (B)B1 (C)A2 (D)B2

( ) 4. 一個活頁簿檔案能夠設定多少個對外部資料連線？
(A)1 個 (B)2 個 (C)3 個 (D)3 個以上

實作題

1. 請使用 Web 查詢的功能匯入任何一支股票最近 30 日內的交易資訊到工作表中。
   提示：各位可以到各證券網站查閱相關資料
2. 在 excel 中如何取得外部 Access 資料庫的資料？